CARL A. RUDISILL LIBRARY
LENOIR-RHYNE COLLEGE

Freiherr vom Stein

Franz Herre

Freiherr vom Stein

Sein Leben - seine Zeit

Kiepenheuer & Witsch

Schutzumschlag und Einband Hannes Jähn Köln
unter Verwendung eines Stein-Porträts
von Friedrich Bury aus dem Jahre 1806
Gesamtherstellung Poeschel & Schulz-Schomburgk Eschwege
und Butzon & Bercker Kevelaer
Printed in Germany 1973
ISBN 3 462 00938 9

Inhalt

Zwischen Kaiser und König

Das erste, was über ihn geschrieben wird, ist die Eintragung im Nassauer Kirchenbuch: »1757, den 28. Oktober, haben Herr Karl Philipp Freiherr vom und zum Stein und dessen Frau Gemahlin Henrietta Karolina geborene von Langwerth ein Söhnlein taufen lassen, geboren den 25. abends und genannt: Heinrich Friedrich Karl.« Er wird am 26. Oktober Geburtstag feiern, als wollte er zeitgenössischen Chronisten wie künftigen Biographen demonstrieren, daß seine eigene Darstellung die einzig richtige und allein gültige sei.

Das Wappen an der Wiege zeigt im Schilde wilde Rosen, als Helmzier einen Esel, der die Zunge herausstreckt. So sehr scheint es sich der Rittersproß einzuprägen, daß es zum Signum seines Standesstolzes und zum Sinnbild seines Charakters wird.

Im Zeichen des Mars beginnt sein Leben – im zweiten Jahr des Siebenjährigen Krieges. 1757, bei Roßbach, schlagen die Preußen eine Armee des Königs von Frankreich; mit den Parolen der Französischen Revolution und dem Imperialismus Napoleons wird sich Stein auseinandersetzen. Ein Kämpfer, freilich kein Soldat, wird aus ihm werden; von Ideenstreit und Waffenlärm ist sein Leben erfüllt.

Friedrich der Große ringt mit Maria Theresia, Preußen mit Österreich, der moderne Staatsgedanke mit der römisch-deutschen Kaiseridee. Der Reichsfreiherr wird der preußischen Monarchie und damit der deutschen Zukunft dienen, ohne das alte Reich vergessen zu können, dessen korporative Freiheit, bündische Gliederung und europäische Funktion. Unentschieden wie der deutsche Dualismus wird an Steins Lebensende sein innerer Widerspruch sein: Zwischen aufgeklärter Staatsraison und romantischer Reichserneuerung, zwischen Revolution und Restauration – der Dualismus des Reformers.

Die Lahn entspringt im Rothaargebirge, im Keller eines Forsthauses, windet sich zwischen Taunus und Westerwald hindurch, mündet oberhalb von Koblenz in den Rhein. Achtzig Kilometer beträgt die Luftlinie zwischen Quelle und Mündung, 218 Kilometer der tatsächliche Lauf. Die Lahn läßt sich Zeit, genießt den Fortsetzungsroman der Berge, Rebhügel und Buchenwälder, die Romantik steiler Talwände, altertümlicher Ortschaften und verfallener Burgen.

Zwei Ruinen trägt der Nassauer Burgberg. Oben saßen die Grafen von Nassau, am halben Hang, auf Vorposten sozusagen, ihre Burgmannen, die Ritter vom Stein. Ein Henricus de Lapide wurde 1255 urkundlich erwähnt; ununterbrochen war seitdem die Geschichte dieses Geschlechts. Zu Beginn der Reformation bekannte es sich zur Lehre Luthers, 1669 wurde es vom katholischen Kaiser Leopold I. in den Reichsfreiherrnstand erhoben. Als die Zeiten sicherer geworden schienen, stiegen die Ritter vom Berg herab ins Tal, ließen ihre Burg verfallen, bauten einen Herrensitz in Nassau – ein bescheidenes Schloß in einem bescheidenen Städtchen.

Kaum dreihundert Seelen zählt Nassau um die Mitte des 18. Jahrhunderts. Dreihundert Schritte sind es vom Brückentor zum Mühlentor. Dazwischen liegen Häuser, Scheunen und Ställe, zusammengequetscht vom enggezogenen Gürtel der Stadtmauer. Mittelpunkt ist die Kirche, Anziehungspunkte sind die Wirtschaften: für die eingesessenen Bürger, die wenigen Fremden, die Bauern der Umgebung. An Markttagen bringen sie ihr Vieh in die Stadt und lassen ihre Kreuzer zurück – bei Krämern, Schustern und Schneidern, bei den Amtmännern, die in dreier Nassauischer Fürsten Namen das »Dreiherrische Amt Nassau« regieren. Und im »Freiherrlich Steinschen Amt«, der winzigen Behörde eines kleinen, aber schwer zu überschauenden und schwierig zu verwaltenden Besitzes.

Den Stein gehören die Dörfer Schweighausen und Frücht, Höfe und Mühlen, Felder und Wiesen, Wälder und Weinberge – alles in allem ein paar tausend Nassauer Morgen, etwa sieben bis acht Quadratkilometer. Das ist ein Grundbesitz, der kaum den Neid eines pommerschen Gutsherren erweckte. Zumal er nicht aus einem Stück besteht, sondern aus zwei Dutzend verschieden großen Gütern. Sie sind über ein weites Gebiet rechts und links des Rheins verstreut und werden meist von Pächtern, nicht von Fronbauern, bewirtschaftet. Aus verschiedenen Quellen fließen die Einkünfte, ohne einen Geldstrom zustandezubringen: Renten, Zehnten, Zinsen, in natura mit Ferkeln, Korn und Eiern, in Münze mit Gulden, Pfennigen und Kreuzern.

Ein Fleckenteppich ist der Grundbesitz, ein Sammelsurium von Rechten und Einkünften. Das kleine Reich der Stein gleicht dem großen Reich des Kaisers. Hier wie dort sind mittelalterliche Zustände konserviert, werden überkommene Privilegien gewahrt, wird zuwenig zum Leben und zuviel zum Sterben gewonnen. Die Einnahmen stagnieren, die Schulden wachsen, der Verwaltungsaufwand ist ebenso enorm wie unzureichend. In manchen Gegenden – behauptet Johann Jakob Moser – brauche man sich gar nicht nach der Ortsherrschaft zu erkundigen, man sehe es dem ganzen Dorfe an, daß es ritterschaftlich ist.

Die Reichsritter haben dieselben Feinde wie ihr Kaiser: die neue Zeit, die rationalisieren will, die deutschen Fürsten, die sich vergrößern wollen – auf Kosten des Reiches wie seiner Reichsfreiherren. Die Fürsten von Nassau empfinden die Unabhängigkeit der ehemaligen Vasallen als Pfahl im Fleische ihrer Landeshoheit, die Steinschen Besitzungen als Splitter in ihrem Territorium. Sie zu beseitigen, ist das Ziel eines immerwährenden Kleinkrieges. Im 18. Jahrhundert wird er nicht mehr mit Schwert und Lanze, sondern mit Tinte und Feder geführt, in juristischen Gefechten und bürokratischen Geplänkeln. Hauptangriffspunkte sind die Dörfer Frücht und Schweighausen, in denen die Stein die Gerichtsbarkeit beanspruchen, auf die sie ihre Reichsunmittelbarkeit gründen. Mit Steinschen Trauscheinen kopuliert der Nassauer Pfarrer keine Steinschen Hofleute; Holzfrevler in den freiherrlichen Wäldern werden von den Nassauern nicht der freiherrlichen Justiz ausgeliefert; doch fürstliche Schergen verletzen den Steinschen »Burgfrieden«, verhaften Missetäter auf reichsunmittelbarem Gebiet.

Noch gibt es das Reichskammergericht, vor dem Freiherr und Fürst von gleich zu gleich prozessieren können. Doch die Verfahren dauern ewig, erfordern Unsummen, zerren an den Nerven; überdies haben Schloßbrände manches Steinsche Beweismittel vernichtet, eine Urkunde oder ein Grundbuch. Der

Fürst hat mehr Geld, Einfluß und Advokaten, er sitzt am längeren Hebelarm – mit dem er und seinesgleichen das Reich mitsamt der Reichsritterschaft aus den Angeln heben werden.

Einem stehenden Gewässer gleicht im 18. Jahrhundert das »Heilige Römische Reich Deutscher Nation«, einem Teich mit großen und kleinen Fischen: den Fürsten-Hechten, den fetten und bemoosten Karpfen der Bistümer und Abteien, den Stichlingen der Reichsritterschaft. Wie diese stachelbewehrten Fischchen verteidigen die Freiherren ihre selbstgebauten Nester, wie diese kleinen Raubtiere sind die ehemaligen Raubritter streitsüchtig und angriffslustig, wie der anspruchsvolle Gasterosteus ist die »libera et immediata imperii nobilitas« in einer rationellen Teichwirtschaft, in einem neuzeitlichen Staatsgebilde nicht zu dulden.

Reichsritter sind die Stein, ausgestattet mit Hoheitsrechten der Gesetzgebung, Besteuerung und Gerichtbarkeit, untertan allein dem Kaiser – wie die anderen Reichsstände, Fürsten und Städte, doch ohne Sitz im Reichstag. Ihre Sonderstellung war gesichert in der Blütezeit des Kaisertums, wurde bestritten im Niedergang des Reiches, konnte sich nur dort behaupten, wo das weltliche Fürstentum unterentwickelt blieb: in Schwaben, Franken und am Rhein. Hier sind die Reichsritter in Kantonen zusammengeschlossen. In corpore hegen sie Privilegien, pflegen Standesbewußtsein und Standesdünkel, verfechten ritterliche Ideale wie wirtschaftliche Interessen. Gemeinsam suchen sie dem Zuschnappen des Rachens zu entrinnen, der Unersättlichkeit der Fürsten, die schon im 16. Jahrhundert der Reichsritter Ulrich von Hutten gebrandmarkt hat.

Offenkundig ist die Ohnmacht der Reichsritter, das Gespött aufgeklärter Literaten und besoldeter Fürstenschreiber. Anachronistisch ist ihre Miniaturherrlichkeit; ständig schmäler wird die ökonomische Basis, immer unhaltbarer die rechtliche Begründung. Der Kaiser, Schirmherr und Schicksalsgenosse, ist weit. Er wird selber vom Strom neuer Ideen und Realitäten fortgerissen. Der Große und die Kleinen treiben dem Untergang entgegen.

Dem Schicksalsstrudel sucht mancher Reichsritter zu entrinnen, durch den Sprung an einen Fürstenhof. Einen Kompromiß hat Karl Philipp vom und zum Stein gefunden. Er wird Beamter des Kurfürsten von Mainz, bringt es zum Geheimen Rat. Sein geistlicher Herr ist Erzkanzler des Reiches, »Mund und Feder« des Reichstages. Ihm zu dienen gilt als Beweis kaiserlicher Gesinnung, steht einem Reichsfreiherrn an. Andererseits geben sich die katholischen Kirchenfürsten aufgeklärt genug, daß dieser Dienst als Beitrag zum Fortschritt des Jahrhunderts gelten mag. Unter dem Krummstab sei gut leben, wird überdies gesagt. Die Bezahlung ist entsprechend, und das ist nicht der geringste Grund für den verschuldeten Reichsritter gewesen, sich diesem Zepter zu beugen.

Praktisch ist er veranlagt, dieser mit Perücke und Jabot maskierte altfränkische Ritter. Ein gewaltiger Nimrod vor dem Herrn, jagt er lieber tagelang als eine Seite zu lesen oder eine Zeile zu schreiben. Er riecht nach Pferden, Hunden und umgepflügter Erde. Sein Charakter ist geradlinig wie eine akkurat gezogene Ackerfurche, gleicherweise ehrenfest und unbeweglich, prinzipientreu und phantasiearm. Gefürchtet ist sein jähes Temperament. Den Steinschen Dickschädel wird er noch im Sterben aufsetzen, seiner selbst und seines Herrgotts sicher den Beistand des Geistlichen zurückweisen. »Sein Wort war sein Siegel«, wird auf den Grabstein der Sohn schreiben. Im Familienkreis wird er darüber klagen, wie wenig sein Vater andere gewähren ließ.

Karl Philipp vom Stein heiratete erst mit 38 Jahren, eine Verwandte, die Witwe geworden war und deren Angelegenheiten er verwaltete. Man kannte sich einigermaßen, wußte über die Vermögensverhältnisse Bescheid, ging eine Vernunftehe ein, wie sie in diese Zeit der rational kontrollierten Gefühle paßte. Henriette Karoline, geborene Langwerth von Simmern, verwitwete von Löw, ist eine standesgemäße Partie und eine außergewöhnliche Frau.

Mehr Geist als Schönheit, mehr Willensstärke als Sanftmut offenbart ihr Portrait. Über ihr Innenleben sind wir einigermaßen unterrichtet, weil sie unaufhörlich redet und schreibt, in der Manier der Zeit ihre Seele entblößt, ihr Ich seziert, in Raisonnement und Empfindsamkeit. Sie erbaut sich an religiösen Traktaten, studiert pädagogische Schriften, liest schöngeistige Bücher. An Goethes »Werther« mißfällt ihr freilich die Verteidigung des Selbstmordes. Der Pädagoge Basedow verletzt sie mit einer Attacke gegen das Dogma der Dreifaltigkeit. Dem Pietisten Lavater, ihrem Seelenfreund, stutzt sie die allzu schwärmerischen Flügel.

Erst kommt die Religion und die Moral, das erkennbare Wahre und das praktizierbare Gute. Dies entspricht ihrem frommen und nüchternen Sinn, bei aller Aufgeschlossenheit für das Schöne. Auf ihrem Tisch stehen Rosensträuße; den blankgebohnerten Fußboden würde sie am liebsten nur in Strümpfen betreten lassen. Sie ist haushälterisch, mit einem Anflug von Hausbackenheit. Sie besitzt gesunden Hausfrauenverstand. Sie hat die Hosen an, hält die Fäden des Hauswesens wie der Gutsverwaltung in der Hand.

Und sie gebiert in zwölf Jahren zehn Kinder, zieht sieben groß, erzieht sie zeitlebens. Das imponiert Sophie von Laroche, der sie wie eine Tugendheldin ihrer Frauenromane erscheint, als »das vollkommene Vorbild einer edlen würdigen Mutter und Gutsbesitzerin«. Das verschafft ihr den liebevollen Respekt ihres Sohnes Karl. Sie sorgt dafür, daß er stets das »belehrende Beispiel« der Mutter vor Augen haben wird, »einer der edelsten, tätigsten und religiösesten Frauen«. Und er wird – in ihrer Tonart – bekennen, daß »jede Abweichung von ihrem segensvollen Beispiel« für ihn »ein Schritt zum Verderben und eine Quelle bitterer Reue« gewesen sei.

Karl vom Stein ist das neunte der zehn Kinder, das einzige, dem ein außergewöhnliches Leben bevorsteht. Die älteren Brüder gehen bald aus dem Haus. Johann Friedrich wird erst holländischer, dann preußischer Offizier, Forstbeamter und Diplomat. Ludwig Friedrich tritt als österreichischer Offizier in den Dienst des Kaisers. Der Jüngste, Ludwig Gottfried, ist das schwarze Schaf der Familie; er wird Soldat in Württemberg, in Frankreich, desertiert, ist lange verschollen, wendet sich schließlich an den berühmt gewordenen Bruder. Schwester Marie Charlotte heiratet einen hannoverschen Edelmann. Johanna Luise, eine etwas überspannte Schönheit, durchlebt eine unglückliche Ehe mit einem Grafen von Werthern, erregt die Bewunderung Goethes und die Leidenschaft des Herzogs Karl August von Weimar, kränkelt ständig, wird 60 Jahre alt. Eine andere

Schwester, die verwachsene Marianne, später Oberin des evangelischen Stiftes Wallenstein, kümmert sich besonders um den jüngeren Bruder Karl. Ohne seine fromme Mutter und seine ebenso fromme und gute Schwester Marianne hätte ein Erzbösewicht aus ihm werden können, wird er sagen.

Von der Steinschen Musterfamilie schwärmt Sophie von Laroche: »Gerechtigkeit und menschliche Unterstützung für die Untertanen, Leutseligkeit gegen Geringe, Güte, Höflichkeit und Freundschaft in ihrer ganzen Würde, nach dem richtigen Maß des Verdienstes mit der feinsten Achtsamkeit an alle ausgeteilt, überall Ordnung, schöner wahrer Geschmack, mit einer großen und edlen Einfalt verbunden.« Die Laroche sei immer ein bißchen exaltiert, kommentiert Karl vom Stein. Er kennt die gestelzten Gefühle dieser Zeit. So wird er aber den Geist des Elternhauses mitbekommen: ehrbar gefältet, menschenfreundlich gelockert, in althergebrachter Ordnung und mit zeitgemäßem Ornament.

Ein Herrensitz der Zopfzeit ist das stattliche Haus in Nassau. Halb Schloß, halb Gutshof, erinnert es an ein dörfliches Château in Frankreich. Ein wesentlicher Unterschied besteht: Die Inhaber der französischen Landschlösser sind in Versailles kaserniert, zum Hofadel degradiert. Die Stein sitzen auf ihrem Grund und Boden, als »hochfreiherrliche Gnaden« und doch als Erste unter Gleichen, Gutsbesitzer unter Bauern. Patriarchalisch sind Regierungsweise, Wirtschaftsform und Lebensstil. Modisch wird dieses einfache, tätige, geregelte Dasein, seit Jean Jacques Rousseau »Zurück zur Natur« dirigiert, Städter in Schäferidylle flüchten, Landedelmann und Landedelfrau zu literarischen Idealfiguren, gesellschaftlichen Leitbildern werden. Und seit Samuel Richardson Häuslichkeit und Familienfrieden als höchstes Glück der Erdenkinder preist.

Zum Landschloß an der Lahn pilgern Jünger Rousseaus und Verehrerinnen Richardsons, begeistert von der häuslich waltenden und weltklug parlierenden Freifrau, beeindruckt vom gesunden Menschenverstand des Freiherrn, gerührt von den ebenso artigen wie natürlichen Freikindern. Aus Zürich kommt Johann Kaspar Lavater und sammelt Vorbilder für seine »Physiognomischen Fragmente zur Beförderung der Menschenkenntnis und der Menschenliebe«. Aus Frankfurt kommt Goethe, der die Hausfrau »höchst ehrwürdig« findet.

Einen Sommerabend auf dem Stein schildert Sophie von Laroche: Eine Gesellschaft fährt über den Fluß, steigt zur Ruine der Stammburg hinauf, spaziert durch den Garten, bei dessen Anlage die Gutsherrin das ökonomisch Angenehme mit dem pädagogisch Nützlichen zu verbinden wußte: alle Hausgenossen, Kinder wie Bedienstete, durften sich einen Fleck aussuchen, mußten ihn bepflanzen. Die Laroche ist entzückt über Laubhütten, Moosbänke, Erdbeeren und Rosen, das Picknick, die Konversation, das Flötenspiel. »Diese sanfte Musik, zwischen dem dumpfen Rauschen des Flusses; das ganze Dunkle der Berge umher; die nach und nach erscheinenden Sterne über uns; das schwache Flimmern der Lichter in den Häusern des Städtchens; lebhafte, aber sanfte Freude in allen Gesichtern, und diese Familie, diese einnehmende Familie!«

Ländlicher Frieden und Familienidyll – davon schwärmen Damen im Fischbeinkorsett, Herren mit gepuderten Perücken. Ein Pastellbild der Heimat wird Karl vom Stein begleiten, ein enges Verhältnis zur Natur, das Verlangen nach häuslicher Geborgenheit. Nassau bleibt das Ziel seiner Sehnsüchte; in der Erinnerung wird er Bäume streicheln, der Meinung sein: »Das Leben auf dem Lande ist das glücklichste.« Die großen Städte wird er meiden, denn dort unterhalte alles das Spiel kleiner und eitler Gefühle und schwäche die Grundsätze, die der Mensch der Einsamkeit und deren Gefährtin, der Reflexion, verdanke.

Die Emotion bleibt am Zügel der praktischen Vernunft. Nützliche Erfahrungen versteht Stein aus dem Leben in Nassau zu ziehen. Ein versierter Verwaltungsmann wird er nicht zuletzt deshalb, weil er daheim gesehen hat, wie man Dinge erfaßt, Menschen beachtet, Angelegenheiten regelt. Das Miniaturreich der Stein kann nicht vom Bürosessel aus regiert, vom grünen Tisch her verwaltet werden. Man muß hinaus aufs Feld, mit Bauern reden, komplizierte Rechtsverhältnisse kennen und respektieren. Anschauung, nicht Abstraktion wird gefordert; keine Regel ist ohne Ausnahme, der Einfall wichtiger als die Routine. Das mündliche Verfahren wird dem Schriftverkehr vorgezogen, der Handschlag gilt so viel wie Brief und Siegel. Bürokratisch ist das nicht. Stets wird Stein Beamte verachten, die »in Formen und Dienstmechanismen und in Unkunde des Bezirks« dahinschreiben, das Leben zu Tode administrieren, zu Papierasche und Aktenstaub.

Die Schattenseiten des Landlebens werden ihm bewußt. Seine erste Ansicht von der Welt und der menschlichen Verhältnisse habe er in der Nassauer Einsamkeit aus Büchern geschöpft, wird der alte Stein bemerken, und diese Ansicht sei »einseitig, unpraktisch und verführend zu einer gewissen Unbilligkeit in Beurteilung der nahen Wirklichkeit gewesen«. Vieles Lesen mache stolz und pedantisch, viel Sehen mache weise, verträglich und nützlich, erklärt der Zeitgenosse Lichtenberg. Der junge Stein liest und sieht – und steht zeitlebens im Widerstreit von Bücherweisheit und Welterfahrung, Überheblichkeit und Einsicht, Idealismus und Pragmatismus.

Vorerst ist er ein Bub vom Lande, mit Zopf und langen Rockschößen. Eine Gouvernante poliert an ihm herum. Er lernt Französisch, die Lingua franca Europas, ohne seinen rheinfränkischen Akzent zu verlieren. Der Hofmeister lehrt ihm das ABC der Wissenschaft wie das Alpha und Omega der Hierarchie; der bürgerliche Hauslehrer ist hochgeschätzter Pädagoge und unterbezahlter Bediensteter zugleich. Es wird gezeichnet und gemalt, kaum musiziert; amusisch bleibt Stein zeit seines Lebens, und über seinen Geschmack wird sich disputieren lassen. Shakespeare dient ihm zu einer frühen Demonstration seines Dickkopfes: Als die Geschwister den *Sommernachtstraum* aufführen sollen, weist er die angetragenen Rollen zurück und bestimmt: »I am the wall!«

Die wichtigsten Fächer lehrt die Mutter selbst: Moral und Religion. Sie ist eine Pädagogin aus Pflicht und Neigung, eine Philanthropin ihrer Zeit. Sie glaubt an die Erziehbarkeit des von Natur aus guten Menschen, liebt es, ihn zu verbessern, erhofft sich ein vollkommenes Menschengeschlecht. Moral wird großgeschrieben, Religion am größten; denn A und O bleibt ihr die christliche Offenbarungsreligion in evangelisch-lutherischer Prägung. Die Zehn Gebote sind unverrückbare Maßstäbe; sich selbst und andere zu veredeln, Menschen zu modeln, ist die irdische Bewährungsprobe des Christentums, die Propädeutik für die andere Welt.

Verdammt sind die aufgeklärten Freigeister, die »den Glauben an Gott und Unsterblichkeit tief erschütterten«. Verpönt ist die rationalistische Theologie, die »den einfältigen, schlichten Bibelglauben hinwegexegesierte«. Steins Christentum ist von Hause aus kirchlich verankert, gebunden an Sakrament und Predigt, gefestigt durch das geoffenbarte Wort. Doch ist es vom Geist der Zeit geschliffen, vom Pietismus der Mutter poliert: »Exempel, tätiges Christentum sind für unsere Welt die besten Waffen, die Lehre Jesu zu verteidigen.« Die Metaphysik verblaßt für die Menschen des 18. Jahrhunderts, die sich auf dieser Erde einrichten wollen. Die Religion gilt weithin als Sittenlehre, die Bibel als Erbauungsbuch, die Predigt als Handreichung für werktätige Liebe und gemeinnützige Aktivitäten. An solchem Christentum wird Stein sein Gewissen prüfen; es wird ihm moralischer Kompaß und sittlicher Antrieb sein – sein Ethos, das er wie eine Fahne tragen wird auf dem Prozessionsweg seines Lebens.

»Der äußerliche Mensch verwese! Der innerliche erneuert sich von Tag zu Tage.« Das schreibt Lavater, und er mag dabei an die Freifrau vom Stein gedacht haben. Verinnerlicht, empfindsam, gefühlsbetont ist die mütterliche Religiosität, jenseits von buchstabenharter Orthodoxie und rationalistischer Abstraktion. Nicht ohne Wirkung bleibt dieses Vorbild auf den männlichen Charakter des Sohnes. Jedenfalls wird er seine Tochter Therese danach erziehen wollen: Das wichtigste sei, das religiöse Gefühl zu entwickeln, »da das Wissen in der Religion nur eine Nebensache ist«. Sie solle geistliche Lieder singen und nur geistliche Bücher lesen, »die auf das Herz wirken«, Lavater natürlich, aber auch die Viten des Franz von Sales und der Teresa von Avila. Damit Therese vom Stein sehe, »wie Menschen es sich zum Geschäft des ganzen Lebens gemacht haben, ihr Inneres zu veredeln und zu bessern«. Und damit sie, die evangelische Christin, auch das Beispiel katholischer Heiliger schätze – die Toleranz lerne, die er selber den Lehren seiner Mutter und dem Beispiel seines Vaters verdankt, der als Lutheraner einem katholischen Kirchenfürsten diente.

Weniger Heiligenlegenden als der Roman des eigenen Geschlechts faszinieren den Knaben Stein. Die Familienchronik berichtet von Turnieren und Fehden, Überfällen auf Stadtknechte und Pfeffersäcke, ritterlichen Taten im Dienste des Kaisers, im Solde Eduards III. von England und Karls des Kühnen von Burgund. Von merkwürdigen Vorfahren wird erzählt. Jener Ahnfrau etwa, die es für zuviel der Ehre oder auch nur für zu anstrengend hielt, mit sechs Rittern – zwei Söhnen und vier Schwiegersöhnen – an einem Tisch zu sitzen, die aufstand, davonging und nie mehr gesehen ward. Im Dreißigjährigen Krieg wurde Ludwig vom Stein verleumdet, es mit dem Feind zu halten. Er mußte fliehen; vorher nahm er die Türklinke seines Hauses ab und gab sie einem Kloster zur Verwahrung – bis zum Tage seiner Rehabilitierung.

Geschichte ergreife ein junges Gemüt, ihre Gestalten erregten Teilnahme, Abneigung oder Nacheiferung. Der reife Stein stellt dies fest. Er ist mit den Traumfiguren seiner Jugend herangewachsen, mit Rittern ohne Furcht und Tadel, den eigenen Vorfahren als Vorbildern. Stets wird er sie im Sinn bewahren, »diese frommen, treuen, für Religion, kriegerische Ehre und Liebe beseelten Menschen«. Sich selber wird er als Dürersche Bildgestalt sehen, als Ritter zwischen Tod und Teufel, allezeit zum Georgskampf mit dem Drachen bereit. Zum Hauen und Stechen ist er ständig aufgelegt, mit scharfer Zunge, blitzendem Zorn und eiserner Faust. Die politische Bühne wird er für einen Turnierplatz halten, wo er mit herabgelassenem Visier und eingelegter Lanze auf den Gegner losprescht – in der Annahme, daß auch dieser Farbe bekenne, den ritterlichen Ehrenkodex achte.

In Urfehde liegt er mit den geborenen Gegnern der Reichsritter: den Landesherren. Von alten Händeln liest er in der Chronik. Vor Augen hat er den Nassauer Burgberg, die optische Manifestation der Unterlegenheit des eigenen Standes: oben liegt das Stammhaus der Fürsten, unten das der Ritter. Er hört von dauernden Streitigkeiten mit den Nassauern, kennt die Empörung des Vaters über kleinliche Schikanen, die Aufregung der Mutter über kostspielige Prozesse. Hier wurzelt die lebenslange Abneigung gegen Fürstentum, Duodezherren und Zaunkönige; stets wird er sie verachten und bekämpfen, als liebste Feinde. Sein Standesstolz und seine Standesüberheblichkeit werden sich in dieser Auseinandersetzung entfalten, als Kompensation für die Erkenntnis, daß er auf der Seite der Verlierer steht.

Das Studium der Vergangenheit »erhebt uns über das Gemeine der Zeitgenossen und macht uns bekannt mit dem, was die edelsten und größten Menschen geleistet und was Trägheit,

Sinnlichkeit, Gemeinheit oder verkehrte Anwendung großer Künste zerstört«. Das Geschichtsbuch ist für Stein eine Lebensfibel, mit Beispielen, die nachzuahmen oder zu vermeiden sind, eine Sittenlehre mit positiven und negativen Mustern. Die englische Historie zieht ihn besonders an; in ihr herrsche »am meisten Sittlichkeit, Gemeingeist und gründliche Kenntnis der bürgerlichen Ordnung«. Auch in der Geschichtsbetrachtung ist Stein ein Mensch des moralisierenden 18. Jahrhunderts, um Aufklärung bemüht, auf Nützlichkeit bedacht, Schulmeister und Lernbeflissener in einer Person.

Ein Mittelalterverächter wie seine Mitaufklärer ist er freilich nicht. Erschiene ihm diese Zeit dunkel und verdammenswert, müßte er die Familientradition disqualifizieren, infrage stellen seine reichsfreiherrliche Existenz, die mittelalterlich begründet ist. Die ritterlichen Idealfiguren der Jugendträume werden nie verblassen; als Lichtgestalten konfrontiert er sie mit den »kleinlichen, frivolen, zusammengeschrumpften, genußliebenden Egoisten unseres Zeitalters«. Ein Romantiker wird er deswegen nicht; sein organisch-historischer Sinn bleibt unterentwickelt. Er ist ein raisonnierender Moralist, der nach festen Maßstäben urteilt, der nicht verstehen möchte, um zu verzeihen. Er ist kein Historiograph des 19. Jahrhunderts, sondern ein Standesherr des 18. Jahrhunderts, dem das Mittelalter als Quelle seiner Privilegien, das Reich als Wahrer seiner Rechte gilt.

Die Eltern bestimmen ihn für eine Position beim Reichsgericht, der Appellationsinstanz der reichsritterschaftlichen Libertät. Er soll das Reichsrecht studieren, auf der geeignetsten Universität – in Göttingen.

Im Oktober 1773 verläßt Karl vom Stein das Elternhaus, begleitet von seinem Hofmeister Friedrich Rudolf Salzmann, einem Poeten aus Neigung. Die Reise mit der Postkutsche ist kein Vergnügen. In aller Herrgottsfrühe geht es los. Ein Nachholen des Schlafes ist nicht möglich; man wird durchgerüttelt und durchgeschüttelt im kaum gefederten Wagen. Die Straßen sind schlecht, mürrisch die Postknechte und unverschämt die Wirte an den Zwischenstationen, wo die Pferde gewechselt werden müssen und die Passagiere sich rekreieren wollen. Der Postmeister von Limburg tischt Schauergeschichten auf, von Raubüberfällen und Massakern. Eine Postkutschenreise kostet Nerven, Zeit und Geld. Eichendorff und Lenau, die Romantik des gelben Wagens und des lustig schmetternden Horns, wird man erst goutieren, wenn man mit der Eisenbahn fährt.

Immerhin: ein Sechzehnjähriger reist zum ersten Mal in die Welt. Er ist guten Mutes, mokiert sich über den Hofmeister, der die Fahrt zu langsam und die Taxen zu hoch findet, mit Posthaltern feilscht – aus angeborener Pedanterie und anerzogenem Respekt vor der Freifrau in Nassau, der er über das Benehmen des Sohnes wie über den Stand der Kasse Rechenschaft ablegen muß. Sein Zögling, kaum flügge, plustert sich auf, zwitschert drauflos. Sie sei zu gut, um häßlich, und zu schlimm, um hübsch zu sein, bemerkt er über eine Cousine in Marburg, die jedenfalls den Fehler beging, den Vetter nicht gebührend zu würdigen.

Fünf Tage dauert die Fahrt, mit Aufenthalten in Wetzlar, Gießen, Marburg, Kassel und Münden, mit Reisegezänk und Verwandtenbesuch. Endlich ist Göttingen erreicht. Der Anblick ist vielversprechend: ein weites Tal, ein grüner Berg, ein einladender Ort mit gotischen Kirchen und stattlichen Häusern. Und mit der jüngsten, modernsten und vornehmsten Universität in Deutschland.

Als hannoversche Landesuniversität wurde sie 1737 gegründet, von Georg II. August, der zugleich Kurfürst von Hannover und König von Großbritannien war. England, das bedeutete Aufklärung, Freiheit des Denkens und des Lehrens, ein Staatswesen, das in der Tradition wurzelte und sich kontinuierlich entwickelte. Hannover, das war im 18. Jahrhundert eine Oase ständischer Libertät, umgeben von Wüsteneien landesfürstlicher Despotie, regiert vom alteingesessenen Adel, der den König in London weit und den Kaiser in Wien noch weiter wußte. So wurde diese Universität eine Vermittlungsstätte englischen Staatsdenkens und eine Pflegestelle des Reichsrechts in Deutschland. Andernorts seien die Staatswissenschaftler zu Werkzeugen landesherrlicher Anmaßung geworden, sagt Friedrich Karl Moser, nur Göttingen zeichne sich aus durch eine »praktische Gedenkungsart« der Lehrer, durch ihre »lebendige Kenntnis von Geschäften, von den deutschen Höfen, dem

Reichstag und den Reichsgerichten«. Hier gab es Professoren wie Johann Stephan Pütter, der mit einem Herz voll englischer Freiheit und einem Kopf voll deutscher Paragraphen erklärte, kein Fürst und kein König könne von seinen Landständen und Untertanen ohne deren Zustimmung Steuern erheben.

Im »König von Preußen« steigt der Reichsritter ab. Der Hofmeister macht sich auf die Suche nach einem billigeren Quartier. Fast hundert Gulden hat er seit Antritt der Reise ausgegeben, für Notwendiges und Überflüssiges. So brauchte der junge Herr einen neuen Hut, da er den seinen mit dem Messer lädiert hatte. Salzmann findet eine Wohnung beim Schreiner Meder in der Wehnerstraße, nicht allzu groß, teuer genug. Er selber schläft im Arbeitszimmer, der Baron wie der Diener Friedrich haben eine Kammer für sich. Der Studiosus begibt sich stantepede zum Rechtsprofessor Ayrer, »der mir die Satzungen der Universität gab und mich für dieses Blatt Papier sehr viel zahlen ließ«. Der Hofmeister befindet, man könne auf das Abendessen verzichten; Brot, Obst oder ein Stückchen Pflaumenkuchen genügten. Und ein gewendeter Frack täte es auch.

Göttingen ist nicht billig, doch vornehm. Es hat die besten Professoren, Koryphäen, die wissen, was sie sich schuldig sind und den Studenten von Stand berechnen können. Als Adelsuniversität gilt diese Alma Mater. Hundert »Vons« zählt Stein, der mit »Reichsfrei hochwohlgeborener Herr« anzuschreiben ist. Die Umgangsformen sind manierlich, Duelle kennt man kaum, verpönt sind Rabaukenton und Saufgelage, das studentische Brimborium, das woanders gang und gäbe ist. Wie aber soll man sich standesgemäß vergnügen? Es gibt Gesellschaften ohne Damen, Bälle ohne Tänzerinnen, Konzerte ohne elegantes Publikum und mit mäßiger Musik. »Es gibt kaum Zerstreuungen; wer nicht an Langeweile sterben will, ist gezwungen zu arbeiten.«

Stein arbeitet. Er hört und liest, wälzt Pandekten, exzerpiert und disputiert, verbringt selbst noch die Abende bei den Professoren. Überdies lernt er Englisch, etwas Italienisch, verbessert sein Französisch, in dem er der Mutter von seinen Fortschritten berichtet. Mit minderem Erfolg nimmt er Geigenunterricht; auch in der Reitschule glänzt er nicht. Er bleibt ein schmächtiger Jüngling, der seine Haltung vernachlässigt, sich geniert, im Bade seinen Körper zu zeigen. Er blutet aus der Nase, hat Verdauungsstörungen, verträgt kein Selterswasser, muß mit Molke kuren. Seine Konstitution ist nicht die beste. Ein Korsett wird ihm angepaßt, »nicht wie die Schnürbrüste der Frauenzimmer, sondern wie ein Panzer«.

Mit einem Panzer umgibt er seine Seele, zum Schutz vor Salzmann. Der Hofmeister maltraitiert ihn unentwegt, zu seinem besten, wie er vorgibt und wohl auch selber glaubt. Er ist ein Zerberus im Fell eines treuen Schäferhundes. In allem schnüffelt er herum, und er petzt, in Berichten nach Nassau: Der Herr Sohn sei eigenwillig, überheblich, selbstgefällig, sprunghaft und herzenskalt, angesteckt von Skeptizismus und Fatalismus, ein angehender Religionsverächter. Am meisten schmerzt Salzmann, den empfindsamen Menschenfreund, daß ihm der Sechzehnjährige keinen Passepartout für seine Seelenburg aushändigt, statt dessen die Brücke hochzieht und die Gatter herunterläßt, dem Gegner die Zunge zeigt. Salzmann begreift nicht, daß dies eine natürliche Antwort auf eine taktlose, wenn auch wohlgemeinte Herausforderung ist. Und daß seine Erziehungskunst vorhandene Charakterspitzen nicht abschleift, sondern verschärft.

Die Mutter weiß Salzmann für sich einzunehmen. Sie kennt das Aufstampfen ihres Sohnes, seinen Eigensinn und Widerspruchsgeist, aber auch den weichen Kern in spröder Schale. Eine Vermahnung hält sie für angemessen, die das Negative abstellen und das Positive ansprechen soll. Sie verbittet sich die Brüskierung des Hofmeisters, des Erziehungsberechtigten an Mutters statt. Und sie beschwört den Filius, »nicht jene jämmerliche Idee zu nähren, als ob Fügsamkeit Dich herabwürdigte, und als ob Du nicht erwachsen wärest, wenn Du Dich nicht über alles hinwegsetzest, was man Dir sagen kann«.

Unterderhand erkundigt sie sich an anderer Stelle. Professor Feder meint, der junge Stein habe »viel Verstand, aber auch viel Zutrauen zu sich selbst; und sowohl darum, als wegen seines Temperamentes eine Heftigkeit in seinen Meinungen und Absichten, die bei seinem Alter nichts Gewöhnliches sind«. Die Moral daraus: Man dürfe ihn nicht unter Druck setzen, solle ihn sich selber überlassen. »Sein guter Verstand wird sich durcharbeiten, wenn man ihn nur dann und wann bei den gefährlichsten Kombinationen mit einem Winke zu Hilfe kommt, welcher um so viel mehr auf ihn wirken wird, je ruhiger er gegeben wird.«

Salzmann, der Unverstandene, resigniert ohnehin; gekränkt zieht er sich nach Straßburg zurück. An seine Stelle tritt der schwäbische Theologe Christlieb. Er ist vorgewarnt, sowieso vorsichtiger, anpassungsfähiger, klüger. Der Mutter berichtet er: »Meine Aktivität bei ihm muß ich immer in seine eigene verstecken und suchen, daß er niemals weiß, daß ich an diesem oder jenem die Triebfeder bin.« Der neue Hofmeister kümmert sich eher um den Gesundheitszustand als die Seelenlage seines Anbefohlenen; auf eine kräftige Morgensuppe legt er besonderen Wert.

Stein schafft sich Luft durch Quarthiebe auf dem Fechtboden. Er sei stärker geworden, bemerkt Christlieb. Mehr Bewegungsfreiheit hat er jedenfalls: Er darf mit Kommilitonen verkehren. Unter den Linden des Göttinger Walles promeniert er mit August Wilhelm Rehberg. Dieser beginnt als Philosoph, wird Geheimer Rat in Hannover; stets bleibt er ein Mann der praktischen Vernunft und ein Verehrer Britannias. Rehberg wird Steins Studienfreund, soweit dieser Eigenbrötler überhaupt Freunde haben kann. Da ist ferner Ernst Brandes, ein Hannoveraner aus gutbürgerlichem Hause, der Englisch spricht, denkt und politisiert. Seine Bibel ist Montesquieus *Esprit des lois*, in dem der Franzose die Verfassung Englands idealisiert: ihre historische Begründung, vernünftige Entwicklung und durch Gewaltenteilung gemäßigte Monarchie. Ein erleuchtetes Albion wird der absolutistischen Finsternis des Festlandes gegenübergestellt. Brandes nennt dieses Werk eines der größten Denkmäler des menschlichen Geistes, das »Funken in der Seele eines Jünglings zündet«.

Stein fängt Feuer. Christlieb befürwortet die Anschaffung des *Esprit des lois*, da »ihm dieses Buch immerhin nützlich sein wird, und er nicht zu früh anfangen kann, es zu studieren, weil er darin nie ausstudieren wird«. Von Montesquieu zehrt Stein sein Leben lang; er wird ihn immer wieder lesen, zitieren, sein Ceterum censeo damit begründen: Man töte den Geist der Monarchie, wenn der »Eigentümer« von den öffentlichen Geschäften ausgeschlossen bleibe. Schon die Methode Montequieus spricht an, diese Mischung aus empirisch-historischem und deduktiv-philosophischem Denken, das geschichtliche Prozesse begreifen, Gewordenes respektieren will, ohne die rationale Verallgemeinerung, moralische Bewertung und praktische Nutzanwendung außer acht zu lassen.

Die »Gesetze der Vernunft und Natur« wie die »ernsten Lehren der Geschichte« möchte Stein befolgen. Auf der Universität Göttingen bezieht er seinen Standpunkt zwischen später Aufklärung und früher Romantik. Er bleibt in der Nähe von Justus Möser, der im evangelischen Fürstbistum Osnabrück die Regierungsgeschäfte leitet und historische Betrachtungen anstellt. Die »Osnabrückische Geschichte« preist die Zeit, da »jeder Franke und Sachse« sein Landeigentum besaß, der freie Mann die Gemeinde mittrug, in den Landesversammlungen mitbestimmte. Mösers »Patriotische Phantasien« erregen sich für die aus dem germanischen Mittelalter stammende Selbstverwaltung und gegen das zentralistische Regime des lateinisch-romanischen Absolutismus. Im Sinne der aufgeklärt gemeinten und schon romantisch getönten Devise: »Gottes, der Natur und das altfrei fränkisch Recht!«

Das ist der Wappenspruch der korporativen Freiheit, die der Reichsritter Stein von Hause aus schätzt, woran Charles James Fox denkt, wenn er behauptet: Er kenne nur zwei Verfassungen, die diesen Namen verdienten – die englische und die württembergische. Von der modernisierten Ständeordnung in Großbritannien und vom altständischen Wesen im schwäbischen Herzogtum hört Stein in Göttingen. Dies bestärkt seine aristokratische Voreingenommenheit wie seine Vorliebe für England. Der Philosoph Feder schwört auf den Empiriker John Locke, macht später den Nationalökonomen Adam Smith in Deutschland bekannt. August Wilhelm Schlözer brilliert mit Universalgeschichte und Welterfahrung, feiert die insulare Freiheit und verdammt die kontinentale Despotie. Pütters Sachgebiete sind Reichsgeschichte, Reichsrecht und Reichsprozeßordnung. Seine politischen Ambitionen zielen auf eine Garantie ständischer Freiheiten durch die Rechtsinstanz des Reiches.

Weniger hört Stein auf Johann Christoph Gatterer, der über Tacitus liest und Germanenkult betreibt. Kein Organ hat er für den »Göttinger Dichterbund«. Er mag sie nicht, diese schlechtfrisierten Barden, die mit Rheinwein auf Klopstocks Gesundheit und auf die Wiederkunft Hermann des Cheruskers anstoßen, Herzen in Eichenstämme ritzen, die Tyrannen verwünschen und in den Fürstendienst drängen. Den *Musenalmanach* schickt er der Mutter. Unverständlich sind ihm die Sentimentalen, die sich im Schneckenhaus ihrer Gefühle gefallen. Zuwider die Seelenchirurgen à la Salzmann, die am Rationalismus das Skalpell geschärft haben und nun Autopsie betreiben, an sich und anderen. Vom »Sturm und Drang« wird er nicht fortgerissen, obschon er zu elementaren Ausbrüchen und wildem Aufbrausen neigt, ein Temperament wie ein Geysir hat. Ästhetische Begeisterung erfaßt ihn nicht, die Belletristik liebt er sowenig wie die spekulative Philosophie. Schiller wird er schätzen: Karl Moors Anklage gegen das tintenklecksende Säkulum, Wilhelm Tells altväterlichen Patriotismus.

Das Werther-Fieber befällt ihn nicht. Auch nicht in Wetzlar, wo Goethes Love Story spielt. Dorthin geht Stein nach sieben Semester Göttingen, ohne Abschlußexamen und akademischen Titel, mit Adelsbrief und Protektion. Am Reichskammergericht soll er sich auf den Reichsdienst vorbereiten.

WETZLAR 1777 – fünf Jahre nach dem Aufenthalt des Rechtspraktikanten Goethe am Reichskammergericht. Verändert hat sich nichts. Eine bucklige Altstadt, steile Giebel, Misthaufen in den Gassen, im Wappen der Reichsadler. Kleinstadtmief überall, auch in den Salons der Präsidenten, Assessoren, Prokuratoren, Advokaten, unter den Talaren der hohen Gerichtsbarkeit. Geschraubt ist die Rede, steifleinern die Umgangsform. »Zudem besteht unsere Gesellschaft allein aus Rechtsgelehrten, deren Beruf durch die Masse der Begriffe, womit er das Gedächtnis belastet, den Geist ermüdet und alle Einbildungskraft erstickt.« Von ihren Frauen hält Stein noch weniger: Auch die Verleihung von Adelstiteln habe ihnen nicht den kreischenden Ton genommen.

In dieser Gesellschaft fühlt er sich deplaziert, der zwanzigjährige Kavalier. Sein Gesicht ist etwas in die Länge gezogen, blaß, von der Nase beherrscht. Den Kollegen imponieren seine universitätsfrischen Kenntnisse und mißfallen seine altklugen

Urteile. Die Damen goutieren den schlanken Aristokraten mit den großen Augen und dem hübschen Kinn, mit der standesgemäßen Contenance und dem dahinter spürbaren stürmischen Temperament. Er schaut nach den Mädchen, findet viele schön, »mehrere von ihnen bei einiger Nachsicht liebenswürdig«. Er ist auch verliebt, mit gewissen Reserven. Sich selber und einen Freund fragt er: Ob Empfänglichkeit für eine Frau wohl ein Lob für das Herz sei? Ob man eine Anzahl Tugenden erwerben könne, ohne jemals verliebt gewesen zu sein?

Ein Werther-Erlebnis ist das nicht. Eher mag der Rechtspraktikant Stein an Goethes *Götz von Berlichingen* denken, bei näherer Beschäftigung mit der Reichsgerichtsbarkeit. In Göttingen hat er gelernt, das 1495 von Kaiser Maximilian eingesetzte, seit 1693 in Wetzlar ansässige Reichskammergericht sei der Rechtswahrer der Reichsunmittelbaren, die höchste Instanz in Zivilsachen für die Reichsmittelbaren, die Beschwerdestelle über verweigerte oder verzögerte Justiz. Pütter hob hervor, daß hier Untertanen gegen Landesherren klagen könnten. Schlözer nannte das Reichskammergericht die »Perle der Reichsverfassung« und pries »Deutschland glücklich als einziges Land der Welt, wo man gegen die Herrscher, ihrer Würde unbeschadet, im Wege rechtens bei einem fremden Tribunal aufkommen kann«.

Mit dem Gelernten stimmt die Wirklichkeit nicht überein. Das schleppende Verfahren stört einen jungen Juristen weniger, der vorhat, auf diese Weise sein Geld zu verdienen. Immerhin lagern in Wetzlarer Gewölben die Akten Tausender und Abertausender unerledigter Prozesse, wenn sich Stein auch überzeugen kann, daß die Verfahrensweise nicht so ist, wie böse Zungen behaupten: Jeder Faszikel hänge an einem Strick, wenn dieser morsch würde, reiße und die Akten zu Boden fielen, sei der Fall verhandlungsreif. Was Stein mißfällt ist dieses: Bei aller theoretischen Gleichheit vor den Reichsgesetzen gibt es in der Praxis der Reichsgerichtsbarkeit mehr und minder Gleiche. Ein kleiner Reichsfreiherr, der seine paar Untertanen drangsaliert, wird zur Rechenschaft gezogen. Ein großer Landesherr, der dasselbe in entsprechend größerem Maßstab tut, bleibt ungeschoren. Wie sagte sein Hofmeister Christlieb? »Der Arm der deutschen Gerechtigkeit ist schwach gegen den Willen des Königs von Preußen und anderer mächtiger Stände.«

Dazu zählt sich auch der Kurfürst von Mainz. Dessen Hof lernt Stein im Winter 1777/1778 kennen, auf der nächsten Etappe seiner Entdeckungsreise in die Realität des Reiches. Vom Vater, der im Dienst des geistlichen Landesherren steht, hat er einiges gehört, über aufgeklärte Erzbischöfe und verstockte Domkapitel, das ebenso legere wie unzulängliche Regiment. 320 000 Einwohner zählt Kurmainz, darunter 3000 Geistliche und 2000 Beamte; 5000 Personen – kritisiert einer – beschäftigten sich »mit Rechtsprechen und Geldeinkassieren, Lehren und Beschützen, mit Tragen grauer, schwarzer und weißer Röcke, mit Abscherung ihres Hauptes oder Anhängen eines Schlüssels an ihren Rock«. Ist ein geistlicher Staat nicht überhaupt ein Anachronismus, eine Moräne des Mittelalters in moderner Landschaft?

Diese zeitgenössische Frage ist für Stein kein Problem. Tolerant erscheint ihm das katholische Kurfürstentum, dem ein Protestant wie sein Vater dienen kann. Bischofsstuhl, Kapitelbänke und Beamtensessel sind fest im Besitz des reichsunmittelbaren Adels; was Kritiker als opulente Pfründe hinstellen, ist für den Reichsritter eine standesgemäße Beschäftigung und eine patriotische Bekräftigung, daß Reichskirche und Reichsadel gemeinsam die Reichsverfassung erhalten. Überdies ist das goldene Mainz die Metropole der mittelrheinischen Aristokratie, Treffpunkt mit der großen Welt, Kaufhaus, Salon und Ballsaal. Einen Winter lang genießt der junge Herr aus Nassau die Früchte des spätherbstlichen Rokoko, die Nonchalance eines geistlichen Fürstenhofs.

Hauptstädte weltlicher Fürstentümer visitiert er im nächsten Frühjahr und Sommer, auf einer Kavalierstour in Begleitung des Studienfreundes Franz von Reden. Mannheim, Residenz der kleinen Kurpfalz, hat das größte Schloß Deutschlands mit 530 Meter Frontlänge und 1500 Fenstern; 1778 gründet Kurfürst Karl Theodor das Nationaltheater, bald Deutschlands berühmteste Schauspielbühne, auf der auch Schillers erste Dramen aufgeführt werden. In Darmstadt imitiert der kleine Hesse Ludwig IX. das Soldatenspiel des großen Preußen Friedrichs II. Stuttgart ist die Hauptstadt des Herzogtums Württemberg, das Karl Eugen zu einem schwäbischen Sultanat gemacht hat; er lebt in Saus und Braus, verschachert Soldaten und Ämter, beschneidet die Rechte der Landstände, sperrt ihren Konsulenten Johann Jakob Moser – einen angesehenen Reichspublizisten – auf die Festung Hohentwiel, bis der Kaiser eingreift und den württembergischen Ständen das »alte, gute Recht« in etwa bestätigen läßt. Während Stein Stuttgart besucht, schreibt in der Karlsschule, der herzoglichen Erziehungskaserne, Friedrich Schiller *Die Räuber*; ihr »In Tyrannos!« ist gegen Karl Eugen geschleudert.

Der Kavalier Stein findet das gesellschaftliche Leben an den Duodezhöfen durchaus angenehm. Christlieb, der ihn in Stuttgart trifft und das Hofmeistern nicht lassen kann, berichtet nach Nassau: der Herr Sohn suche ein geschäftiges Leben nicht mehr mit dem ehemaligen Eifer. Der Reichsfreiherr Stein findet indessen bestätigt, was er bei Pütter gehört hat und bei Johann Jakob Moser lesen konnte: »Die Souveränitätsbegierde bemeistert sich immer mehr der fürstlichen Höfe; man hält Soldaten soviel man will, man schreibt Steuern aus soviel man will ... Kurz man tut was man will, läßt die Landstände und Untertanen, wann es noch gut geht, darüber schreien, oder macht ihnen, wenn sie nicht alles, was man haben will, ohne Widerspruch tun, auch die nötigsten und glimpflichsten Vorstellungen zu lauter Verbrechen, Ungehorsam und Rebellion.«

Zu Hause schlucken die Fürsten Rechte und Freiheiten des Landadels, der Landstädte und der Landeskirchen. Ihre eigenen wissen sie in Regensburg zu wahren. Das ist die nächste Station Steins, des Volontärs in Reichsangelegenheiten. Er kommt in ein Refugium des Mittelalters, eine in Baustil und Verfassungsform gotisch gebliebene Stadt. Mehrere reichsunmittelbare Stände haben Platz in diesem Modell des »Heiligen Römischen Reiches Deutscher Nation«: die Reichsstadt, das fürstbischöfliche Hochstift, die Fürstabtei Sankt Emmeram, der Fürst von Thurn und Taxis und die Komtureien des Deutschordens und des Johanniterordens. Und Regensburg beherbergt den Reichstag.

Seine Geschichte und Institution sind Stein geläufig. Seit 1663 tagt in Regensburg die Vertretung der Reichsstände – als Kongreß bevollmächtigter Gesandter, nicht mehr wie vordem als Versammlung der reichsunmittelbaren Mitglieder. Die drei Kollegien der Kurfürsten, der Reichsfürsten und der Reichsstädte gibt es noch immer. Stimme ist nicht gleich Stimme; die des Kurfürsten von Brandenburg respektive Königs von Preußen wiegt ungleich mehr als die des geistlichen Kurfürsten von Trier. Nur ein übereinstimmender Beschluß aller drei Kollegien kann als Reichsgutachten an den Kaiser gebracht werden. Die Relationen und Korrelationen nehmen kein Ende; nur selten gebiert der kreißende Papierberg die Maus eines »Reichsschlusses«. Und auch dieser ist noch lange nicht für alle verbindlich. Als 1757 der kaiserliche Notarius dem kurbrandenburgischen Gesandten eröffnete, daß Friedrich der Große auf Reichsacht angeklagt und vor den Reichstag zitiert sei, wurde er die Treppe hinuntergeworfen.

Das sieht Stein in Regensburg: einen Organismus, dessen Glieder teils von Hypertrophie, teils von Einschrumpfung befallen sind. Eine Ansammlung von Paragraphenreitern, Formelkrämern und Konfusionsräten, die mit Rangstreitigkeiten ausgelastet zu sein scheinen: ob fürstliche Gesandten nur auf grünen Sesseln sitzen dürften, die kurfürstlichen aber auf roten, ob die fürstlichen Sessel wenigstens auf die Fransen gesetzt werden müßten, wenn sie nicht schon wie die kurfürstlichen auf dem Teppich stehen dürften. Wielands *Abderiten* mag Stein vor Augen haben, jenes Greisenalter, das »kindischen Sinnes die großen Spiele seiner kraftvollen Mannesjahre auf Kinderart und Torenweise weiterspielt«. Andererseits mag er mit Moser meinen: Dieser Reichstag sei das letzte Band, das die verschiedenen deutschen Lande aneinanderknüpfe; sollte es zerreißen, müßte »Deutschland eine Landkarte vieler vom festen Lande getrennten Inseln werden, deren Bewohnern Fähren und Brücken fehlten, die Verbindung unter sich zu erhalten«.

Montesquieu im Kopf, will Stein nach der richterlichen Gewalt in Wetzlar und der Legislative in Regensburg die Exekutive des Reiches kennenlernen. Über Salzburg und Passau gelangt er 1779 nach Wien, in das Hoflager des Kaisers, an den Sitz des Reichshofrates. Der habsburgische Kaiser – seit 1765 Joseph II. – trägt den Titel »Von Gottes Gnaden erwählter römischer Kaiser, zu allen Zeiten Mehrer des Reiches, König in Germanien«, trägt die Krone der Karolinger, Ottonen, Salier und Staufer, die Würde und Bürde einer tausendjährigen Geschichte. Bei seiner Krönung schwenkt der Herold noch immer das Reichsschwert nach allen Himmelsrichtungen, zum Zeichen dafür, daß die gesamte Christenheit in Nord und Süd, Ost und West dem römischen Kaiser zu gehorchen habe; aber nicht einmal die Mehrheit der Deutschen hält sich daran. Noch immer huldigen dem Oberlehensherren kniend die Reichsstände, doch kaum jemand will sich belehnen lassen oder gar Lehen zurückgeben. Der Kaiser verteilt nur noch Adelsbriefe, legitimiert uneheliche Kinder, und selbst das wird ihm von Landesherren bestritten. Lediglich einen Ehrensold bezieht er im 18. Jahrhundert, etwa 13 000 Gulden aus den Reichsstädten, dem Judenzoll und Subsidien der Reichsritterschaft.

Damit ist kein Staat zu machen. Auch nicht mit dem Reichshofrat, dem obersten Gericht des Kaisers für seine Gerichtsbarkeit im Reiche. Er konkurriert mit dem Reichskammergericht in Wetzlar; beide heben sich in ihrer Wirkung gegenseitig auf. Exekutive und Justiz sind hier miteinander verquickt, in einer die Anhänger der Gewaltenteilung provozierenden Weise. Der Präsident ähnelt einem Großwesir; die Richter gelten als bestechlich. Immerhin ist eine bestimmte Anzahl von Hofratsstellen für Protestanten reserviert, was das Interesse Steins erweckt haben mag.

In Wien herrscht der Doppeladler, auf dem Turm der Stephanskirche, über der Hofburg. Der eine Kopf schaut zurück in die Reichsvergangenheit. Der andere blickt in die Zukunft des österreichischen Staates. Kaiser Joseph II. ist Mitregent seiner Mutter Maria Theresia, der Mater Austriae. 62 Jahre zählt sie nun; sie hat 16 Kinder geboren, ihr väterliches Erbgut, die Monarchie im großen und ganzen erfolgreich verteidigt, gegen halb Europa und Friedrich den Großen. Und sie hat damit begonnen, den österreichischen Einheitsstaat zu schaffen, nach den Regeln des aufgeklärten Absolutismus, gemildert freilich durch das Wiener Gehenlassen und den Langmut eines Matriarchats. In den Herbstfarben des Rokoko leuchtet ihre Residenz, im Mariatheresiengelb Schönbrunns, Malventon der Roben, Goldglanz der Hoffeste, Flitter der Maskeraden und Komödien. Und überall Musik, Haydn und Mozart, in der Oper, im Konzert, im Ballsaal.

Der junge Mann erliegt der Verführerin Wien, nicht ohne Gewissensbisse. Des Reichshofrates wegen sei er dorthin gekommen – wird er sich an die Brust schlagen – doch »sehr zerstreut und dem geselligen Leben allein ergeben« habe er dort neun Monate verlebt. Einzelheiten berichtet er nicht. Man kann sie sich vorstellen: Der fesche Kavalier promeniert auf der Bastei, parliert in Salons, frequentiert Konzert und Theater, speist gut, findet den Grinzinger passabel; die Wiener Madeln wird er kaum übersehen haben. In den Tanzpausen mag er an die Ermahnungen der Mutter denken, und an seine berufliche Zukunft.

Nur am kaiserlichen Hofe, am Reichstag und am Reichskammergericht sei überhaupt noch die Einheit des Reiches sichtbar, sagte der Staatsrechtslehrer Pütter. Sein Schüler besichtigt Wetzlar, Regensburg und Wien, ohne viel Einheitliches wahrzunehmen. Jedenfalls ist er nicht so beeindruckt, daß er sich für den Reichsdienst entschließen könnte. Auf eine Anstellung bei den Reichsgerichten ist seine akademische Ausbildung angelegt gewesen; vor den Barrieren der Wirklichkeit scheut er nun zurück; das Ziel ist ihm nicht mehr erstrebenswert. Soll ein junger Mann seine Zukunft an das altehrwürdige, aber altersschwache Reich binden? Kann er Karriere machen in dessen retardierenden, rückläufigen Institutionen?

Die Mutter, umsichtig, energisch und überschwenglich wie immer, hat diese Fragen bereits beantwortet. Am 9. Januar 1779 – der Sohn weilt noch in Regensburg – wendet sie sich an die »geheiligte Person« des Königs von Preußen, Friedrich II., »den größten Monarchen des Universums« und erbittet für ihren Sohn den Titel eines Kammerherrn, die Stelle eines Legationsrates im auswärtigen Departement. Postwendend antwortet der Alte Fritz: Er könne nicht junge Leute anstellen, ohne sie gesehen zu haben.

Der junge Baron läßt sich Zeit. Er tanzt in Wien, reist nach Steiermark und Ungarn. Im Winter, Anfang 1780, meldet er sich in Berlin.

Er bereite sich vor, das Futteral seiner Seele zu verlassen, schreibt der 68jährige Friedrich II. von Preußen im März 1780. Ihn plagen Gicht und Hämorrhoiden, die er mit Diät und Rhabarber zu kurieren sucht. Der große Friedrich ist zum Alten

Fritz geworden, hinfällig und übellaunig; er geht am Krückstock. In den Kaffee tut er Senf, um einem Schlaganfall vorzubeugen. Flöte kann er nicht mehr spielen, seit er die Vorderzähne verloren hat und die Hände zittern. Das Vergnügen an seinen Windspielen ist ihm geblieben; die Lieblingshündin darf mit ihm speisen, in seinem Bette schlafen. Neue Kleider mag er sich nicht mehr zulegen; er trägt die blaue Uniform seines Leibgardebataillons auf. Die Stiefel werden nicht gewichst; die Kappen haben eine rötliche Färbung angenommen. Der Rock ist mit Schnupftabak bekleckert. Man könne sich ihm nicht nähern, ohne zu niesen, sagt James Harris, Earl of Malmesbury.

Einsam ist es in Sanssouci geworden. Der König sei argwöhnisch gegen jedermann, beobachtet der Engländer Malmesbury: »Es quälen ihn allerlei Umstände im eigenen Hause. Sein Nachfolger, der fühlt, daß er nach dem Lauf der Natur bald König werden muß, beginnt schon im voraus sich zu fühlen und behandelt seinen Oheim mit weniger Respekt und Nachgiebigkeit als früher; seine Diener betrügen ihn, seine Tischgenossen bitten um Entlassung, selbst seine Soldaten klagen – mit einem Worte, jedes Symptom zeigt sich jetzt, das das Ende einer Herrschaft andeutet, welche ein fortwährendes Schauspiel der Unterdrückung gewesen ist.« Ähnliches bemerkt der Reichsfreiherr vom Stein: Der Wein des Lebens sei abgezapft und nur der Bodensatz zurückgeblieben – bei diesem König, der die Welt unter dem Marschtritt seiner Armeen erzittern ließ, der sie in Erstaunen setzte durch die Größe seines Genies und die Untertanen zum Seufzen brachte unter der Last seines Zepters.

Der König schien vergessen zu haben, was er als Kronprinz in seinem *Antimachiavell* geschrieben hatte: »Was kann, frag ich, einen Mann vermögen, seine Macht vergrößern zu wollen? Worauf basiert er die Ansprüche, auf das Verderben und den Jammer anderer Menschen seine Macht bauen zu wollen? Neue Eroberungen eines Fürsten fügen zum Wohlstand und zur Wohlfahrt der Provinzen, welche er schon früher besaß, nichts hinzu. Seine Völker ziehen daraus keinen Nutzen, und wenn er wähnt, für seine Person dadurch glücklicher zu werden, so täuscht er sich sehr. Denn nicht auf dem Umfang eines Landes beruht der wahre Ruhm eines Fürsten und nicht das Hinzufügen etlicher Quadratmeilen erhöht seinen Glanz.«

Der Stier müsse Furchen ziehen, die Nachtigall singen, der Delphin schwimmen – er aber, Friedrich II. von Preußen, müsse Krieg führen. Das schreibt er während des Kampfes um Schlesien, den er verursacht hat, aus Eroberungsdrang und Machtgier. Die erste Hälfte seiner Regierungszeit ist er damit beschäftigt, Land und Ruhm zu gewinnen, das Gewonnene nach außen zu behaupten. Mit dem inneren Ausbau des Erreichten ist die zweite Hälfte ausgefüllt. Seine *Versuche über die Regierungsformen und über die Pflichten der Fürsten* läßt er 1781 drucken. Darin bezeichnet er sich als »den ersten Diener des Staates«. Und erklärt einen Herrscher, der »um des Genusses willen sein edles Amt versäume, das Wohl des Volkes zu fördern, für unnütz auf dem Throne und eines Verbrechens schuldig«.

Das Ergebnis ist der preußische Staat als europäische Großmacht. 1740 – als Friedrich II. den Thron bestieg – war Preußen eine deutsche Territorialmacht und ein europäischer Mittelstaat, mit 120 000 Quadratkilometern und 2,2 Millionen Einwohnern. Nun – nach den Schlesischen Kriegen und der ersten Teilung Polens – besitzt die preußische Monarchie rund 200.000 Quadratkilometer, fünfeinhalb Millionen Menschen, 200.000 Soldaten. Ihr Heer gilt als das schlagkräftigste, ihre Bürokratie als die tüchtigste, ihr Finanzwesen als das geordnetste der Welt. »Suum cuique« heißt die Parole dieses Staates, die der Großvater Friedrich I. ausgegeben hat, als er sich in Königsberg die Königskrone aufs Haupt setzte. Jedem ist das Seinige zugeteilt: dem Adel der Kriegs- und Verwaltungsdienst, dem Bürger das Geldverdienen, dem Bauern die Fron. Alle haben Gut, Blut und Leben der preußischen Dreieinigkeit zu geben – wie sie ein Katechismus darstellt: Gott Vater, Martin Luther und dem König von Preußen.

Imponieren kann das schon. Zudem ist der königlich-preußische Absolutismus mit der Aureole der Aufklärung umgeben. »Das ist meine Hauptbeschäftigung«, schreibt Friedrich an Voltaire, »daß ich in den Ländern, zu deren Beherrscher mich der Zufall der Geburt gemacht hat, die Unwissenheit und die Vorurteile bekämpfe, die Köpfe aufkläre und die Sitten kultiviere und die Leute so glücklich zu machen suche, als die menschliche Natur dies erlaubt und die Mittel, die ich darauf verwenden kann, es gestatten.« Der gekrönte Aufklärer verwendet Korporäle als Schulmeister, schafft die Folter ab, toleriert die Jesuiten, will jeden nach seiner Façon selig werden lassen. Der aufgeklärte Despot kommandiert den Fortschritt, oktroyiert die Verbesserung, reglementiert alles und jeden. Ein Domainenbesitzer ist der König von Preußen, der seine Felder düngt und seine Hörigen erzieht, zum Zwecke des höheren Ertrags.

Immanuel Kant – als Moralphilosoph des preußischen Staates in Anspruch genommen, auf dem Berliner Denkmal Friedrichs des Großen unter dem Schweif des königlichen Rosses plaziert –, der Weise von Königsberg, bemerkt: »Nur ein einziger Herr in der Welt, Friedrich, sagt: ›Raisonniert soviel ihr wollt, aber gehorcht!‹« Sie brauchen nicht mehr an Gott zu glauben, dürfen Priester und sogar Friedrich den Großen verspotten – sie müssen aber die weltliche Ordnung achten, die Obrigkeit fürchten: den Unteroffizier, den Kanzleirat, den König. Hier gibt es keinen Pardon, ist keine eigene Façon erlaubt. Die Toleranz endet an den schwarz-weißen Grenzpfählen der Staatsraison.

»Es gibt kein Königtum ohne Soldaten, keine Soldaten ohne Geld, kein Geld ohne Bevölkerung, keine Bevölkerung ohne Gerechtigkeit.« Dieser Grundsatz eines Sassaniden ist die Maxime des friderizianischen Regiments. Zuerst kommt die Armee in einem Staate, der über vier parallele Stromsysteme hinweg – Weichsel, Oder, Elbe und Rhein – geschaffen und zusammengehalten werden muß. Dieses Machtinstrument kostet mehr als die Hälfte der Staatseinnahmen. Das Geld wird aus der Bevölkerung herausgepreßt; man sucht sie durch eine »innere Kolonisation« zu vermehren, um zusätzliche Steuern zu erhalten. Geld erwartet man von der Wirtschaft; der Staat gründet Manufakturen, baut Straßen und Kanäle, hebt Gewerbe und Handel und hemmt sie zugleich durch rigorose Eingriffe und übermäßige Abgaben. Der Verwaltungsaufwand ist enorm: Ein Korps von Beamten steht neben dem Heer der Soldaten, wie dieses hierarchisch gegliedert, diszipliniert, effektiv, im Gleichschritt marschierend – für den König von Preußen und den Fortschritt des Jahrhunderts.

Das deutsche Sparta erregt Kritik und Bewunderung. Preußen sei kein Staat, der eine Armee, sondern eine Armee, die einen Staat besitze, sagt der Franzose Mirabeau. In eine riesige Wachtstube fühlt sich der Italiener Alfieri versetzt. Goethe denkt an eine Marschmusik produzierende Spieldose: »Von der Bewegung der Puppen kann man auf die verborgenen Räder, besonders auf die große alte Walze, Fr. R. gezeichnet, mit tausend Stiften, schließen, die diese Melodien, eine nach der andern, hervorbringt.« Viele bestaunen dieses Uhrwerk, in dem alles ineinandergreift, das immer funktioniert, die Zeiger ständig vorrücken läßt. Sie vergleichen es mit der stehengebliebenen Reichsmaschinerie, den nachgehenden Uhren der deutschen Klein- und Mittelstaaten. Wer jung ist, an die Zukunft denkt, orientiert sich am preußischen Zifferblatt.

Als nationaler Held erscheint zudem Fridericus Rex, der Französisch spricht, kein einziges deutsches Buch besitzt, das Wiehern seiner Pferde den Darbietungen teutonischer Sänger vorzieht, nur an die »nation prussienne« denkt. Aber er hat die Franzosen, die alten Reichsfeinde, bei Roßbach geschlagen. »Da griff ich ungestüm die goldene Harfe, darein zu stürmen Friedrichs Lob«, begeistert sich der Schwabe Schubart. Selbst Goethe meint: »Der erste und wahre höhere eigentliche Lebensgehalt kam durch Friedrich den Großen und die Taten des Siebenjährigen Krieges in die deutsche Poesie.« Dichterfedern veredeln den Waffenerfolg, akademische Lehrer ersterben in Ehrfurcht vor der realen Macht, protestantische Prediger feiern den neuen Gustav Adolf, der ins katholische Land hineinritt. Anekdoten liefert der Alte Fritz, druckreife Kalendergeschichten.

Stein wurde geboren, als Friedrich bei Leuthen und Roßbach siegte, über Österreicher, Franzosen und die Reichsarmee. Er wuchs heran, während Friedrich von übermächtigen Feinden herumgetrieben wurde wie ein Kreisel, den Kinder peitschen. Die reichsritterliche Familie sympathisierte mit Maria Theresia, nicht mit dem gewalttätigen Preußenkönig. Ein Bruder der Mutter kämpfte als kaiserlicher Offizier. Als 1765 – nach Beendigung des Siebenjährigen Krieges – ihr ältester Sohn Johann Friedrich in die preußische Armee eintreten wollte, hielt sie ihn von dieser »Sklaverei« zurück.

Von den Schattenseiten der schwarz-weißen Monarchie hatte

Karl vom Stein in Göttingen und in Wien gehört. Friedrich habe die Religion angegriffen, den Glauben untergraben, wird er schreiben. Die negativen Folgen des deutschen Dualismus, des Machtkampfes deutscher Großmächte auf dem Rücken des Reiches, sind ihm früh bewußt geworden; den Siebenjährigen Krieg wird er als »Bürgerkrieg« bezeichnen. Doch wird er einräumen, daß diese Konkurrenz auch Positives zeitigte: Unter Friedrich dem Großen und Maria Theresia entwickelten sich in Deutschland »die geistigen und die Streitkräfte zur höchsten Blüte; es erreichte den größten inneren Wohlstand, den höchsten Grad wissenschaftlicher Bildung und politischen Einflusses und hatte die vorzüglichsten Feldherrn und Staatsmänner aufzuweisen«. Sein Bruder Johann Friedrich war schließlich doch in preußische Dienste getreten, während sein Bruder Ludwig Friedrich auf die österreichische Fahne schwor.

In den beiden feindlichen Lagern stehen zwei Söhne der Familie Stein, als Ende der siebziger Jahre ein neuer Streit zwischen Preußen und Österreich ausbricht. Mit Maximilian Joseph stirbt 1777 die bayerische Kurlinie aus; der Kurfürst von der Pfalz, Karl Theodor, erbt als Haupt der älteren Linie der Wittelsbacher die bayerischen Länder. Joseph II. beansprucht Niederbayern und die Oberpfalz zur Vergrößerung seiner österreichischen Hausmacht. Die Fronten haben sich verkehrt: Der Kaiser greift nach einem deutschen Territorium, der König von Preußen fällt ihm in den Arm. Aus preußischer Staatsraison selbstverständlich, doch mit dem Glorienschein eines Verteidigers der Reichsverfassung. Durch die Erhaltung Bayerns habe »Friedrich der Einzige« die Dankbarkeit dieses Landes und des ganzen Vaterlandes sich erworben, wird der alte Stein feststellen. Er, der Reichsfreiherr, sei dadurch bewogen worden, dem Preußenkönig »zu dienen, unter ihm mich zu bilden«.

Der junge Stein nennt andere Gründe: »Unruhe und den Rat des Herrn von Heinitz.« Studium und Praktikum sind auf den Reichsdienst angelegt gewesen. Ihm fernzubleiben, ist sein fester Entschluß. Sind diese Jahre umsonst gewesen? Was soll aus ihm, dem Dreiundzwanzigjährigen, werden? Die Mutter ist besorgt, unruhig der Sohn. Einen Ausweg eröffnet Friedrich Anton Freiherr von Heinitz. Der Witwer hat eine Baronesse von

Adelsheim geheiratet, eine Freundin der Freifrau vom Stein; ihr dankt er, daß er die Braut »von ihr geschenkt bekommen habe und daß er sie zusammen mit ihr liebe und achte«. Seit 1777 ist Heinitz preußischer Staatsminister und Chef des Bergwerks- und Hüttendepartements. Das verspricht Protektion, erleichtert den Entschluß.

Heinitz veranlaßt 1780 die Anstellung des jungen Barons in seinem Amtsbereich, setzt 1782 die Ernennung des Referendars zum Oberbergrat durch, verschafft sich die lebenslange Dankbarkeit seines Schützlings: »Der Staatsminister von Heinitz war einer der vortrefflichsten Männer seines Zeitalters: tiefer, religiöser Sinn, ernstes, anhaltendes Streben, sein Inneres zu veredeln, Entfernung von aller Selbstsucht, Empfänglichkeit für alles Edle, Schöne, unerschöpfliches Wohlwollen und Milde, fortdauerndes Bemühen, verdienstvolle, tüchtige Männer anzustellen, ihren Verdiensten zu huldigen und junge Leute auszubilden.«

Ein Reichsfreiherr als Beamter des preußischen Staates – außergewöhnlich ist das nicht. Die besseren Köpfe ziehe es nicht in den Reichsdienst, sondern in die Fürstenlaufbahn, klagt der Reichspublizist Friedrich Karl Moser. Dieses fortschrittsgläubige, zukunftsreiche, energiegeladene Preußen wirkt wie ein Magnet auf tatendurstige und karrierebewußte junge Leute. Ein Reichsfreiherr vergibt sich dabei nichts; auch in der preußischen Amtsstube bleibt er reichsunmittelbar, Besitzer seines Grundes und Bodens, Herr über eigene Untertanen. Auf Lebenszeit freilich hat er sich dem König zu verpflichten. Die Ochsentour eines Bürokraten bleibt ihm nicht erspart.

Er müsse die Bergwerkssachen von Grund auf lernen, befiehlt der König. »Und muß Er also wissen, daß man das alles recht gründlich verstehen muß, wenn man in den Sachen mit Nutzen was machen will, denn wenn man das nicht recht gründlich lernt, so ist es nichts.« Der Alte Fritz hat seine Erfahrungen mit jungen Herren aus dem Reich. Und Respekt vor einem neuen Departement, das Spezialkenntnisse erfordert und besondere Staatseinkünfte verspricht.

Stein ist angetan von seiner ersten Aufgabe. Sie erscheint

ihm sinnvoll und zweckmäßig. Im Bergwerk- und Hüttenwesen kann man sich nützlich machen, für die Prosperität des Staates und die Progression der Menschheit. Die Bergwissenschaften sind ein modernes Metier; Kohle und Eisenerz gelten als Bausteine einer gewerbereichen Zukunft. Reizvoll erscheint es, nach dem Studium der Geschichte, der historischen Schichten des Reiches, nun die Erdgeschichte, die geologischen Schichten zu erforschen. Das Angenehme ist mit dem Nützlichen verbunden, »in einem auf die Natur und den Menschen sich beziehenden, die körperlichen Kräfte zugleich entwickelnden Geschäfte«, das verspricht, »den praktischen Geschäftssinn zu beleben und das Nichtige des toten Buchstabens und der Papiertätigkeit kennen zu lehren«.

Von Papier bleibt ein Referendarius auch im Bergwerks- und Hüttendepartement nicht verschont. Er muß an den Sitzungen des Kollegiums teilnehmen, Protokoll führen, Akten indizieren, rubrizieren, extrahieren, Vortrag halten. Und er muß einschlägige Bücher lesen und Vorträge besuchen. 1770 gründete Friedrich der Große in Berlin eine Bergakademie. Hier hört Stein Chemie, Physik, Mathematik, Mineralogie und »zum Vergnügen die so ungewisse physische Erdbeschreibung«. Die Anschauung wird nicht vernachlässigt; der Minister nimmt seinen Protegé mit auf Inspektionsreisen in die westlichen Provinzen Preußens, nach Westfalen, und in die entgegengesetzte Richtung, nach West- und Ostpreußen. Bergwerke und Hüttenbetriebe lernt er dabei kennen. Und die Geographie des preußischen Staates, dieses Aggregats verschiedenartiger Territorien.

Verstreut sind preußische Besitzungen in Westfalen und am Niederrhein: Cleve, Mark und Ravensberg, 1609 geerbt; Minden, ein Zubringsel des Westfälischen Friedens; Moers und Lingen aus der oranischen Erbschaft; Geldern, 1713 erworben – schwarz-weiße Flecken zwischen Fürstbistümern und weltlichen Territorien. Holland liegt näher als Brandenburg. Der Rhein ist ein europäischer Strom; seine Ufer sind kultiviert, die Bewohner aufgeschlossen. Am Rhein, im westfälischen Kreis ist die Mannigfaltigkeit des Reiches erhalten, auf der Landkarte, in der Herrschaftsform, in den Gesinnungen der Menschen. Die Westfalen sprechen noch wie der Sachsenherzog Widukind, pflegen Eigentümlichkeiten ihres Stammes, hegen Restposten altgermanischer Freiheit und altständischer Selbstverwaltung. Hier gibt es fette Äcker, Bodenschätze und ein aufstrebendes Gewerbe, wohlhabende Bauern, selbstbewußte Bürger und eigenwillige Adelige. Für sie ist Ostelbien eine Kulturwüste, bewohnt von erbuntertänigen Landarbeitern, geduckten Städtern und disziplinierten Junkern, eine königlich-preußische Mongolei.

Mit den Augen des Westens sieht der Rheinländer Stein den preußischen Osten. Er gewahrt sandige Steppen, »dürre und öde und einförmig«, Kiefernheiden, »pfiffige, herzlose, hölzerne, halbgebildete Menschen – die doch eigentlich nur zu Caporalen und Calculators gemacht sind«. Der Brandenburger habe einen »Wolfsblick«; in ganz Preußen herrsche »nordische Gemütlosigkeit und Roheit«. Besonders schlimm findet er die neuesten Provinzen, Westpreußen und den Netzedistrikt. »Mit der Liebe zur Ordnung und zur Landwirtschaft, die Dich beherrscht«, schreibt er aus Bromberg der Mutter, »würdest Du nicht befriedigt sein von einem Lande, wo Unwissenheit, Mangel an Arbeitskräften und Trägheit bewirken, daß die Landwirtschaft ganz und gar vernachlässigt wird.«

Nach der preußischen nimmt er die polnische Wirtschaft aufs Korn. Mit Oberbergrat Friedrich Wilhelm von Reden durchquert er 1781 das Königreich Polen. Stein tadelt den Hang des gemeinen Mannes zu starken Getränken, die Ausschweifungen des Adels, die Sorglosigkeit aller Polen. Er bemerkt »die zu große Ungleichheit der Stände« in einer Nation, »wo alles Edelmann oder Sklav ist«, raisonniert über den Klassengegensatz zwischen adeligen Gutsbesitzern und leibeigenen Bauern, mißbilligt die ungesunde Verteilung des Grundeigentums und beklagt als Folgen die Verwilderung der Sitten, die Zunahme venerischer Krankheiten und die Stagnation der Bevölkerungszahl.

Der anerzogene Moralismus und der angelernte Merkantilismus, aber auch die Steinsche Zivilcourage sprechen aus seinem amtlichen Bericht: Er kritisiert die von Friedrich dem Großen initiierte Teilung Polens und die friderizianische Handelspolitik. Die eine habe die Wirtschaft dieses Landes ruiniert, die andere verhindere eine Genesung. Später wird Stein die durch fremde Gewalt unterjochte polnische Nation bedauern. Und wenigstens die Entwicklung der polnischen Nationalität im Rahmen des preußischen Staates verlangen, eine Förderung der polnischen Schulen und Unterstützung der katholischen Kirche; eine preußisch-polnische Doppelmonarchie schwebt ihm vor.

Der junge Mann macht Fortschritte. Das beeindruckt den Minister, weniger den König. Als Heinitz die Beförderung des 24jährigen Referendars zum Oberbergrat beantragt, erwidert Friedrich: »Gleich Oberbergrat zu werden, das ist doch ein bisgen viel, was hat er denn getan, womit er das verdient, und um das zu werden, muß einer sich doch ein bisgen distinguiret haben.« Heinitz hilft nach: Er möchte den jungen Mann dem König und sich erhalten; es fehle ihm ohnehin an tüchtigen Leuten. Friedrich zeigt sich gnädig. Der frischgebackene Oberbergrat Stein wird ermahnt, unablässig auf die Verbesserung des Bergwesens und auf die Vermehrung der königlichen Einkünfte bedacht zu sein. Zur Vervollständigung seiner Ausbildung wird er auf eine »mineralogische Reise« geschickt. Fast ein Jahr studiert er an der Bergakademie Freiberg in Sachsen; mehrere Wochen hält er sich in der Bergwerksstadt Clausthal im Harz auf.

Berlin, die Hauptstadt der Monarchie, bleibt Steins Standort. Friedrich der Große hat sie vergrößert und verschönert, dem Apoll ein Opernhaus und dem Mars Kasernen gebaut, das Ganze auf 150 000 Einwohner gebracht. Unter den Linden kann man den Alten Fritz auf seinem Schimmel reiten sehen. Und Offiziere betrachten, die sich als »Schwerenotkerls« aufspielen, mit schiefgesetzten Hüten, gespreiztem Schritt und schnarrender Stimme. Bewunderung wie Abneigung erregen die Damen. Den einen gefällt ihr spröder Reiz und burschikoser Charme, ein Mundwerk, das auch in französischer Sprache Urberlinerisches produziert. Anderen mißfällt das Garçonhafte, das Wachtstubenmäßige. Der Engländer Malmesbury spricht gar von »Harpyen, die mehr aus Mangel an Scham als aus Mangel an etwas Anderm so weit gesunken sind. Sie geben sich dem preis, der am besten zahlt, und Zartgefühl und wahre Liebe sind ihnen ganz unbekannte Gegenstände«.

Berlin ist jedem eine Reise und einen Tadel wert. Johann

Georg Forster bekennt: »Ich habe mich in meinen mitgebrachten Begriffen von dieser großen Stadt sehr geirrt. Ich fand das Äußerliche viel schöner, das Innerliche viel schwärzer, als ichs mir gedacht hatte.« Ihm mißfallen Üppigkeit und Prasserei, der Dünkel der Schriftgelehrten und »daß alle, bis auf die gescheitesten, einsichtsvollen Leute, den König vergöttert und so närrisch angebetet, daß selbst was schlecht, falsch, unbillig und wunderlich an ihm ist, schlechterdings als vortrefflich und übermenschlich proniert werden muß«. Gotthold Ephraim Lessing steigt die Galle ins Blut, wenn er an die Frivolität und die Freigeisterei im »französisierten« Berlin denkt: Dort reduziere sich die Freiheit zu denken und zu schreiben, auf die Freiheit, gegen die Religion so viele Sottisen als man will, zu Markte zu bringen.

Das Mißverhältnis zwischen Freisinn und Freizügigkeit bemerkt auch Stein in Berlin, in dieser »Einöde, wo alles vernünftelt, tadelt und Quadrille spielt«. Die raisonnierende Freigeisterei fordert seine unreflektierte Religiosität heraus. Die politische Servilität der freischwebenden Philosophen provoziert seinen persönlichen Freiheitsdrang. Die ungebärdige Unmoral verletzt sein gepflegtes sittliches Empfinden. Der Wildwuchs der Gefühle ramponiert die Baumschule seiner seelischen Regungen. Dem Standesherrn mißfallen die kleinlichen Bruchstücke, aus denen die Berliner große Welt zusammengeleimt ist: Sie besteht »nicht aus den Familien ansehnlicher Grundeigentümer, bei denen langjähriger Besitz großer Reichtümer, Bekleidung wichtiger Staatsämter Grundsätze von Liberalität, Würde und Selbständigkeit heiligten, sondern aus den oberen Staatsbeamten, emporgestiegen aus der Wachtstube oder dem Kollegienstaub oder aus dem wenig begüterten Brandenburger Adel«. An Wiens große Gesellschaft denkt der Baron und verachtet den »kärglichen Anstrich« der Berliner Veranstaltungen.

Städte mag der Landedelmann ohnehin nicht. »Für ein so reizbares Tier wie ich, ist der Aufenthalt großer Städte, wo eine Menge entgegengesetzter Eindrücke auf einen zuströmt und wo man unter dem Bestreben, sie zu ordnen, unterliegt, nicht gemacht.« Schon gar nicht in Berlin, »wo die Herzen kälter als das Klima sind«, wo der Aufenthalt weder seiner Gesundheit noch seiner Moral bekommt. Er vermißt Familie und

Freunde. Er hat sie leid, diese ebenso abweisenden wie aufgekratzten Berliner, ihre emphatischen Nichtigkeiten und schlecht formulierten Sottisen, die als Großzügigkeit ausgegebene Indifferenz, das weltstädtisch verbrämte Spießbürgertum. Der Freiherr geht nicht mehr aus, vergräbt sich in mineralogischen Studien, schließt sich in seinen vier Wänden ein, im Spiegelkabinett seines Innenlebens.

Einblicke gewährt er Friedrich Wilhelm von Reden, dem einzigen Freund. In Briefen, wie es dieser schreibseligen Zeit beliebt. Sie schätzt den Narziß, der sich bespiegelt, seine Stimmungen reflektiert, seine Entwicklung betrachtet – nicht ohne Voyeur, dem man sich mitteilt, einem Gleichgestimmten, mit dem man sich austauscht. Reden ist ein Freund, wie er im Buche steht; mit ihm ist Stein gereist, er hat ihn besucht; beide haben dieselben beruflichen Interessen, die gleiche Laufbahn. Das bleibt für den strebsamen Beamten wichtig; bergmännische Fachsimpelei hält die Korrespondenz in Fluß. Was darüber hinausgeht, könnte einem Briefsteller oder einer Sentenzensammlung der Zeit entnommen sein: ein bißchen Rousseau und Richardson, mit Werther gewürzt, gebunden in Freundschaftskult. Was ist Glück? Die Erinnerung an das Gute, das man getan habe oder das man zu tun gedenke, häuslicher Frieden, Gesellschaft der Freunde, das Studieren.

Hinter dem modischen Klischee wird der echte Stein sichtbar: ein unsicherer junger Mann, der sich seinen Weg ertastet, nach innen wie nach außen, mit viel Gefühl, doch nicht ohne den Stab eines praktischen Verstandes. Er ist ein kleiner Sokrates, der mit der Lampe der Aufklärung sich selber sucht, »Ahndungen und Erscheinungen in dämmernder Entfernung aufzuhellen« bestrebt ist. Klarheit ist sein Ziel – über sein Ich, sein Verhältnis zu den anderen, Beruf und Berufung. Zu erkennen ist ein ungeduldiger junger Mann, der ein Grillenfänger, Hypochonder oder Misanthrop zu werden verspricht, wenn er nicht bald in die Pflicht eines tätigen Lebens genommen wird.

Einige Pflichten und mehr Selbstdisziplin bringt der Tod der Mutter im Jahre 1783. Sich ihren praktischen Tugenden zu assimilieren, nimmt er sich vor. Zu übernehmen hat er die Verwaltung des Familienbesitzes, noch zu Lebzeiten seines kranken Vaters, assistiert von der Schwester Marianne. Bereits 1779 wurde Karl vom Stein, unter Umgehung der älteren Brüder, zum Stammhalter und Alleinerben erklärt – und laut Familienvertrag »zum Heiraten ernennet«. So sehr ihm das eine zusagt, so lästig ist ihm das andere.

Der Mittzwanziger scheint ein geborener Junggeselle zu sein, ein frühreifer Hagestolz. Er findet sie fad, »unsere Weiber, die weder verliebt, noch ruhig zärtlich, noch angenehm intrigant und kokett sind, die endlich gar keine Rolle, wofür dem Himmel gedankt sei, in Geschäften spielen«. Er findet nicht zu ihnen, über die selbstgestellten hohen Ansprüche hinweg, und über die Barriere der im Vertrag ihm auferlegten Heiratsverpflichtung. Die Schwestern werden tätig. Ein Fräulein von Weyhern wird ausgesucht. Seinen Unwillen bekundet Stein der Schwester Marianne: »Du weißt, daß es eine dumme Situation ist, aufzutreten als einer, der da ein Herz erobern will, insbesondere wenn das Herz 12 000 Taler Einkünfte hat, oder gar auf die Schultern der väterlichen Gewalt zu treten und in das Herz hineinsteigen zu wollen.« Dem Kuppelgeschäft läßt er indessen freien Lauf: »Ich werde es mit diesem Projekt machen, wie ich es soeben mit einem Buch des Herrn von Trebra gemacht habe, auf das ich drei Louisdors subskribierte, weil ich überzeugt bin, daß es nie herauskommt.« Die Liaison kommt nicht zustande.

So muß er daran denken, mit einer Köchin und einer Magd seinen ersten eigenen Hausstand zu begründen – im Schloß von Wetter an der Ruhr. Dorthin übersiedelt er im Frühjahr 1784, als neuernannter Direktor der Westfälischen Bergämter und der Mindenschen Bergwerkskommission, wohlbestallt mit einem Gehalt von 1060 Talern nebst Gebühren und freier Dienstwohnung. Sie gediegen einzurichten, ist seine erste Sorge. Aus Nassau bestellt er sich Geschirr, Besteck, Wäsche – und Wein »für die ausgetrockneten Kehlen« seiner bergmännischen Gäste. Freund Reden in Schlesien soll ihm Glatzer gedrucktes Leder für ein Sofa schicken, »es müßte weiß und grün gestreift sein, vergessen Sie es nicht«. Das ist ein geeigneter Platz, um Merciers »Bonnet de Nuit« zu lesen. Behaglich, doch zum Gähnen sind die Mußestunden.

Um so heftiger stürzt er sich in die Amtsgeschäfte. 170 Gruben mit 1200 Beschäftigten und die Ruhrschiffahrt hat er zu beaufsichtigen; er muß darauf achten, daß die Kohlenbestände stimmen. In die Bauhütte der Industrialisierung fühlt er sich versetzt; er geht ans Werk für den Aufstieg des Staates und den Fortschritt des Universums. Kaum im Amt, macht er Vorschläge zur Verbesserung des Grubenbaus, des Fabrikwesens, der Transportwege; er will mehr staatliche Kontrolle der privaten Bergwerke und eine Festsetzung der Löhne. Er empfiehlt die Wahl der Knappschafts-Ältesten; denn es sei der Sache angemessener, wenn die Bergleute sich diejenigen wählen könnten, denen sie ihr Interesse und die Mitaufsicht über eine für sie gemeinnützige Anstalt anvertrauten.

Der neue Direktor kümmert sich um alles und jedes, um Maschinenteile, Gesteinsproben, Rechnungspositionen – als ob er das Goethewort kennte: »Willst du ins Unendliche schreiten, geh nur im Endlichen nach allen Seiten. Willst du dich am Ganzen erquicken, mußt du das Ganze im Kleinsten erblikken.« Er scheint Faust II vorwegzunehmen, das Glück im Schöpfergenuß suchen zu wollen: im Urbarmachen, Grabenziehen, Zivilisationsgewinn. Unermüdlich tätig zu sein, an jedem, auch dem bescheidensten Platz, auf den man gestellt ist, sich immer strebend bemühen – das ist das Ethos der bürgerlichen Klassik. Auch Stein will »tätig und duldsam bleiben«. Tätig ist er, duldsam nicht.

Der neue Besen kehrt allzu forsch, wirbelt zu viel Staub auf. Er scheint sich für Fridericus Rex in der Provinz zu halten, der jeden gängelt, in alles hineinredet, das Ganze kommandiert – zum gemeinen Nutzen, versteht sich. Preußische Beamte sind im Westfälischen ohnehin nicht beliebt, schon gar nicht dieser rheinische Baron, der den hundertzehnprozentigen Preußen spielt, keck erklärt, »meine dickhäutigen Westfälinger sollen besser exerzieren, als sie es vorher taten«. Den Kollegen mißfällt das Protektionskind des Ministers, das alles besser weiß, alles besser kann, gestandene Bürokraten bekrittelt und in Berlin anschwärzt. Die Subalternen leiden unter diesem Federritter, der sie in einer Parforcejagd zuschanden reitet, einen westfälischen Bergmann unter Androhung einer Gefängnisstrafe zur Ausbildung nach Schlesien bewegt. Mit scharfer Lauge werden alle übergossen, die »petit êtres«, die »Halbwisser« und »Trunkenbolde«; ihr Vorgesetzter rauft sich die Haare »wegen der Schlaffheit und Dummheit des größten Teils der Menschen, die unter mir arbeiten«.

Ein Durchgreifer ist er aus Übereifer und Unsicherheit. Weil er leicht verletzlich ist, umgibt er sich mit einem Stachelpanzer; weil er seiner nicht sicher ist, greift er andere an, sucht ihre Sicherheit ins Wanken zu bringen. Er weiß, »daß keine Leidenschaft die ruhige Zufriedenheit gewähren kann, die eine beständige bestimmte Tätigkeit für das allgemeine Beste gibt«, aber er kennt seine Ungeduld: »Eine neue, meine Einbildungskraft spannende Arbeit verrichte ich gerne und mit anhaltendem Fleiß, aber die Polierarbeit ... diese zu verrichten, finde ich mir wenig Neigung – und Ekel gegen das Heer sich zudrängender mechanischer Geschäfte, die fast den ganzen Dienst ausfüllen.« Und er beklagt seinen »äußerst reizbaren und gespannten Stolz«, seine Intoleranz. Aus seiner Selbstverpuppung ist er zu plötzlich ausgebrochen, in die Welt hinausgeflattert; einen Menschheitsverbesserer ohne Menschenkenntnis haben wir vor uns.

Das Resultat ist Mißvergnügen in seiner Umgebung, Unbefriedigung und Unzufriedenheit bei ihm selbst. Am liebsten würde er den ganzen Krempel hinschmeißen, den Dienst für einen Staat quittieren, in dem Dummköpfe die ersten Stellen erhalten und er als Maulwurf in der Provinz vergraben bleibt.

BERLIN hat den Bergamtsdirektor in Westfalen nicht vergessen. Dieser intelligente und aktive junge Herr könne Diplomat werden, befindet das auswärtige Departement. Er verfüge über so gute Beziehungen in Mainz, daß er sogleich die Mission des überraschend verstorbenen Freiherrn von Seckendorff übernehmen soll: die Anwerbung des Kurfürsten für den deutschen Fürstenbund des Königs von Preußen.

Dieses Projekt ist gegen den Kaiser gerichtet. Joseph II. hat seine Erblande und das Reich in Unruhe versetzt. Aus dem alten Österreich will er einen modernen Musterstaat machen, nach den Reißbrettplänen der Aufklärung, mit der Gewalttätigkeit des Absolutismus, im Schnellverfahren. Er hebt die Leibeigenschaft auf und erläßt ein Toleranzpatent. Er schließt

Klöster, will ständische Privilegien einstampfen, die Provinzen gleichschalten. Joseph II. planiert, zentralisiert und kujoniert, ein Anpeitscher aus Ungeduld, Despot aus Idealismus und Menschenschinder aus Menschenfreundlichkeit. Ein junger Mann, der immer den zweiten Schritt vor dem ersten tue, spottet Friedrich der Große. Und ist besorgt über das Straffen der österreichischen Kräfte und die Übergriffe des Kaisers im Reich.

Wie seinem Österreich, möchte Joseph II. am liebsten auch dem Reich eine einheitliche Uniform verpassen. Das alarmiert den buntscheckigen Haufen der Reichsarmee. Existenzangst befällt die kleineren Reichsstände angesichts der Gewaltakte des Kaisers gegen ihresgleichen. Beispielsweise gegen das Fürstbistum Passau. Dessen auf österreichischem Gebiet liegenden Sprengel kassiert Joseph II. Sein Versuch, Teile von Bayern einzuheimsen, ist noch nicht vergessen. Nun nimmt er einen neuen Anlauf: Er will ganz Bayern erwerben, dem bayerischen Thronerben im Austausch die österreichischen Niederlande geben.

Der Pfalzgraf von Zweibrücken, bayerischer Kurfürst in spe, ist davon nicht entzückt. Schon gar nicht der König von Preußen, der das Gleichgewicht der beiden deutschen Großmächte nicht zu seinen Ungunsten verschoben sehen will. Der Reichsverächter Friedrich II. setzt auf die gemeinsamen Interessen der Reichsstände. Er betreibt eine gegen Kaiser Joseph II. gerichtete Verbindung von Reichsfürsten, mit dem Ziel, »die bisherige gesetzmäßige Verfassung des gesamten deutschen Reiches in seinem Wesen und Verbande, und jedem sowohl der hierin Verbundenen, als auch jeden anderen Reichsstand bei seinem rechtmäßigen Besitzstande durch alle rechtliche und mögliche Mittel zu erhalten und gegen widerrechtliche Gewalt zu schützen«.

Für diese Verbindung soll Stein den Kurfürsten von Mainz gewinnen. Der Ruf des auswärtigen Departements erreicht ihn während einer Dienstreise in Minden. Eigentlich müßte er ein offenes Ohr finden. Bei allem Wohlwollen für die Reformideen Josephs II. hat der Reichsfreiherr an der kaiserlichen Praxis einiges auszusetzen, vor allem den Mangel »an gewissenhafter Achtung für Herkommen, Verfassung und Verträge«.

Friedrich II. hingegen, dem er später die Auflösung der Reichseinheit anlasten wird, hat immerhin schon einmal Bayern gerettet und will es nun ein zweites Mal tun. Einen Zusammenschluß von Reichsfürsten zur Erhaltung der Reichsverfassung und damit der Rechte und des Besitzstandes aller Reichsglieder – das begrüßt der reichsunmittelbare Standesherr aus grundsätzlichen wie aus persönlichen Erwägungen.

Aber er lehnt es ab, daran mitzuwirken. Er sei kein Diplomat, schreibt er nach Berlin. Dazu fehlte ihm, dem Mann mit dem heißen Kopf und dem Herz auf den Lippen, schon die natürliche Begabung, von Kenntnissen und Erfahrungen ganz zu schweigen. Drei Jahre vorher verschmähte er den Gesandtschaftsposten in Kopenhagen. Stets wird er der Diplomatie abgeneigt sein, »wegen der Wandelbarkeit der Politik der Höfe, des Wechsels von Müßiggang und einer schlau berechnenden Geschäftstätigkeit, des Treibens, um Neuigkeiten und Geheimnisse zu erforschen, der Notwendigkeit, in der großen Welt zu leben, mit ihren Genüssen und Beschränkungen, Kleinlichkeiten und Langeweile mich zu befassen, und wegen meines Hanges zur Unabhängigkeit und meiner Offenheit und Reizbarkeit«. Er wird nie das diplomatische Handwerk erlernen wollen, das Taktieren und Finassieren als unsittlich empfinden, Diplomaten als charakterlose Pinsel oder gar als Schurken bezeichnen.

Natürlich befürchtet er auch ein Scheitern der Mainzer Mission; er kennt die starke Position der kaiserlichen Diplomatie am kurfürstlichen Hofe. Einen weiteren, sehr wichtigen Grund für die Ablehnung verrät er dem Freunde Reden: Er sei kein Möbelstück, das man hin- und herschieben könne. Und er mag mit dem Gedanken spielen, eines Tages doch noch in österreichische Dienste zu treten; diese Absicht hat er vor zwei Jahren der Mutter anvertraut. Das würde er sich verbauen, wenn er nun auf diplomatischem Parkett den Österreichern entgegenträte. Und könnte dies nicht seine Interessen als reichsunmittelbarer Standesherr beeinträchtigen?

Berlin würdigt seine amtlich vorgebrachten Gründe und dispensiert ihn von der Übernahme der diplomatischen Mission. Als das Rescript vom 7. Juni 1785 bei ihm eintrifft, hat er sich aber schon eines anderen besonnen. Er will nun partout den preußischen Diplomaten am Mainzer Hofe spielen, nicht zuletzt deshalb, weil seine geheimen Gründe den Vorgesetzten nicht verborgen geblieben sind. Zweifel an seiner Loyalität – das kann der Freiherr nicht auf sich sitzen lassen. Zudem hat ihn Gönner Heinitz am Portepee gefaßt.

Der Erfolg in Mainz rechtfertigt ihn in Berlin und vor sich selber. Seine Verbindungen haben ihm ebenso geholfen wie die Abneigung des geistlichen Herrn gegen den kaiserlichen Kirchenverfolger. Am 15. Oktober 1785 tritt Kurmainz dem zwischen Preußen, Kursachsen und Hannover geschlossenen Fürstenbund bei. Das ist eine Sensation: Der erste der geistlichen Kurfürsten, der Erzkanzler des Reiches, hat sich gegen den römisch-deutschen Kaiser gestellt, an der Seite des protestantischen Königs von Preußen. Joseph II. ist gebremst; der Ländertausch kommt nicht zustande. Der Amateurdiplomat Stein wird entsprechend belobigt. Und er darf in sein Bergamt zurückkehren.

Der Fürstenbund ist ein Markstein in der Geschichte des alten Reiches. Er weist nicht vorwärts, kennzeichnet keine Modernisierung der Reichsverfassung, keine Straffung der deutschen Vielfalt, verspricht nicht mehr Einheit. Er weist zurück auf die im Westfälischen Frieden von 1648 verankerte staatenbündische Reichsordnung. Eine Bestätigung des Status quo ist der Fürstenbund, dieses regionale System kollektiver Rechtswahrung innerhalb des Reichsverbandes, eine Bekräftigung der deutschen Libertät, ein Erfolg der Teile, nicht des Ganzen. Und ein Kapitel in der Geschichte des deutschen Dualismus – mit einem Happy-End für Preußen.

Der Fürstenbund hat den Reichsfreiherrn und preußischen Beamten an den Scheideweg geführt. Stein entscheidet sich endgültig gegen den Kaiser und für den König – »pour le roi de Prusse«, das sprichwörtlich bedeutet, etwas umsonst zu tun.

Signale aus dem Westen

Aus eigener Tasche muß er seine Reise nach England finanzieren. Obwohl sie im Interesse des Königs liegt: Der Bergamtsdirektor soll englische Gruben und Hütten besichtigen, »die dortigen metallischen, zu einem hohen Grad der Vollkommenheit gebrachten Fabrikanstalten« studieren – zum Nutzen der preußischen Industrie. Das hat ihm die 5000 Gulden wert zu sein, die er für eine einjährige Reise in Anschlag bringt, eine Stange Geld. Sie ist ihm dies wert. Denn »it will enlarge the circle of my ideas«, wie er, nun zum Englischen greifend, bekennt.

England – das ist sein Utopia. Schon den Knaben faszinierte die Geschichte der Insel. Durch die Brille deutscher Britannia-Verehrer und des französischen Anglophilen Montesquieu lernte der Student in Göttingen diesen Staat und seine Menschen sehen. Zum Vademecum wird ihm Adam Smiths *Wealth of Nations*. Dieses grundlegende Werk der klassischen Nationalökonomie »bestritt mit Erfolg die Grundsätze des Merkantilsystems, zeigte, daß Arbeit und die freiwilligen Produkte der Erde der Grund allen Reichtums seien und daß Reichtum nicht in der Summe des bei einer Nation vorhandenen Geldes, sondern des von ihr besessenen nutzbaren Eigentums bestehe, dessen Quantität von der Menge der besessenen rohen Produkte und der Zahl und der Geschicklichkeit der Arbeiter abhängt«. So wird Stein dozieren und als »denkender praktischer und theoretischer Staatswirt« die Folgen dieser Lehre begrüßen: die Begünstigung der Freiheit der Gewerbe und der Bürger, die Beeinträchtigung »einer sich in alles mischenden, alles vorschreibenden Regierungstätigkeit«.

Großbritannien in der zweiten Hälfte der achtziger Jahre des 18. Jahrhunderts – das ist die erste Seemacht der Welt. Verloren sind zwar die nordamerikanischen Kolonien, die sich als Vereinigte Staaten die Unabhängigkeit erkämpft haben. Aber das Georgskreuz steht über Kanada und Indien, die englische Flagge weht auf allen Meeren. Leitender Staatsmann ist William Pitt der Jüngere, ein Tory, was ihn dem Reichsfreiherrn von vorneherein sympathisch macht. Stein ist beeindruckt, wie Pitt sein Land aus dem Tief des nordamerikanischen Krieges zu neuen Höhen emporführt. Er bewundert »das Feuer seiner Seele, die für Recht, Freiheit und Vaterland glühte«, seinen hellen Verstand und seinen männlichen Anstand.

Dieses England ist eine Monarchie, in der die Aristokratie regiert. Auf dem Grundbesitz ist die Staatspyramide errichtet. Gentry und Nobility, der niedere und hohe Adel haben nicht nur zu Hause das Sagen; sie nehmen an den öffentlichen Geschäften teil, des Bezirks, der Stadt, des Staates, als Amtsträger, als Mitglieder der Nationalvertretung. Selfgovernment und Parliament erscheinen als modernisierte Formen des mittelalterlichen Feudalsystems und Ständewesens, als Ergebnis einer vernünftigen Fortentwicklung alter Freiheiten, die auf dem Kontinent durch den Absolutismus beseitigt oder überlagert worden sind. Weil der Wurzelgrund gepflegt und das Astwerk nicht beschnitten wurde, ist England mächtig emporgewachsen.

Die englische Geschichte wie die englische Gegenwart interessieren Stein »durch die Öffentlichkeit der Verhandlung über die Angelegenheiten der Nation«. Das Selfgovernment gilt als Grundschule, das Parlament als hohe Schule der Staatskunst und der »Staatsberedsamkeit«. Pitt brilliert in beidem. Richard Brinsley Sheridan schreibt Komödien-Dialoge und spricht Monologe im Unterhaus. 1787 hält er eine Anklagerede gegen Warren Hastings, den ehemaligen Generalgouverneur von Ostindien. Einen einzelnen Ausbeuter und das ganze Kolonialsystem dazu verurteilt Sheridan; England und Europa hören zu, spenden Beifall dem Anwalt der Humanität und Ankläger des Machtmißbrauchs. Auch Edmund Burke – von Stein besonders geschätzt – benützt die Gelegenheit, öffentlich Dinge beim Namen zu nennen, die ein Puritaner privat zu verschweigen hat: »Die Heiligkeit des Harems wurde mißachtet und gebrochen. Mütter und Töchter zog man nackt aus, schändete sie ... Man riß ihnen die zwischen Bambusstäbe gepreßten Brustwarzen aus, und was bei allen Völkern der Erde die Schamhaftigkeit verbirgt, wurde durch die Schergen des Ungeheuers vor offener Gerichtsbank enthüllt und mit langsamem Feuer gesengt – in die Quelle des Lebens fuhr der Tod.«

Ein Puritaner ist Stein von Hause aus; England gilt ihm als Kanaan der öffentlichen wie der privaten Moral. Die Staatsmänner sehen auf Zucht und Ordnung; von der Rostra des Parlaments verdammen gepuderte Ciceros ebenso gepuderte katilinarische Existenzen. Die Dichter haben Filzpantoffel angezogen und ihre Herzen in Watte gepackt; »sie führten die Musen auf das Neue in das häusliche Leben ein, erfanden den Familienroman«, loben die Strenge des Vaters, die Sittsamkeit der Mutter, den Anstand der Kinder. Die Philosophen übertreiben die Wißbegierde nicht, halten sich an die praktische Vernunft, preisen die Erkenntnis des Guten als Quelle des Vergnügens. Kurzum: Die Engländer sind kirchengläubig, verfassungstreu, ehrenfest wie die Vorfahren; »dem Strom der Neuerungen jeder Art widerstand die Besonnenheit und der gesunde Menschenverstand der Bewohner der glücklichen Insel, deren lebendige Teilnahme am praktischen Leben sie von hohlen Spekulationen abhielt«.

Die menschlich glückliche Insel ist ein wirtschaftlich reiches Land; das Wohlverhalten zahlt sich aus. Die »Industrielle Revolution« hat begonnen – die einzige Revolution, die Stein gutheißt; denn sie verspricht Fortschritt ohne Rückfall in die Barbarei, Wohlstand für die Nation im allgemeinen und für die staatstragenden Schichten im besonderen. Dampfmaschine und Spinnmaschine sind erfunden. Kohlen und Erze werden gefördert, Fabriken schießen aus dem Boden. »Hierdurch ward England in den Stand gesetzt, der Nationalkraft eine beispiellose Ausdehnung zu geben«, 1783 ein öffentliches Einkommen von 15 397 471 Pfund Sterling zu erreichen, wie Stein notiert. Der Bergamtsdirektor und Fabrikenkommissar will die englischen Erfahrungen für die westfälischen Verhältnisse nutzbar machen, das große Beispiel in einen kleinen Rahmen fassen.

Ende 1786 reist er nach England, begleitet vom Obersteiger Friedrich. Es ist Winter, kalt und naß. Im Nebel verschwimmen mitgebrachte Vorstellungen. Sicherlich, die Londoner Kulisse ist imposant: der St.-James-Palast, die Westminster-Abtei, die Kuppel von St. Paul. Die Straßenszenen erinnern freilich weniger an Samuel Richardson als an William Hogarth; in der Demonstration menschlicher Schwächen scheinen die Briten kein Understatement zu kennen. Der König ist ein hausbackener Hohlkopf, sein Hof nicht weniger verderbt als der französische, nur daß in London die Vorhänge mitunter zugezogen bleiben. Im Parlament liegen sich die Parteien in den Haaren. Aristokraten spielen, wetten, saufen, huren, führen sich als Negativ-Elite auf. Ein Bischof jammert, seit Georges III. Thronbesteigung habe es mehr Ehescheidungen gegeben als in Jahrhunderten zuvor. 1786 fällt Old Bailey 133 Todesurteile. Abschreckend wirkt das nicht; die Straßenräuber haben Hochkonjunktur. Dem Lordkanzler wird das große Siegel von England gestohlen.

Vorbildlich bleibt der industrielle Aufschwung. Der Geheime Oberbergrat – das ist er seit dem 31. Oktober 1786 – fühlt sich in geheimer Mission. Er will fertigbringen, was einigen preußischen Abgesandten vor ihm mißlang: technische Einzelheiten erfahren, Pläne von Maschinen erhalten, hinter Fabrikgeheimnisse kommen. Als Industriespionage qualifizieren dies die Briten. Jedenfalls stellt sich der Amateur so ungeschickt an, daß er den Verdacht herausfordert. Ohne beim Dampfmaschinen-Fabrikanten Boulton vorstellig geworden zu sein, läßt er in einer Londoner Brauerei Zeichnungen einer »Feuermaschine« anfertigen. Stein ist an den Werkmeister Cartwright geraten, der schon früher im Rausch Konstruktionsgeheimnisse ausgeplaudert hat. Dieser läßt sich zwei Guineas geben, und da ihm das wahrscheinlich zu wenig dünkt, benachrichtigt er Matthew Boulton. Der Dampfmaschinenzar explodiert. Das sei nun der dritte eklatante Fall von preußischer Industriespionage. Stein habe sich unter dem Decknamen eines Grafen Vidi bei Cartwright eingeschlichen, anstatt unter seinem richtigen Namen bei ihm, Boulton, vorzusprechen.

Cartwright wird später wegen eines Diebstahls zum Tode verurteilt und zur Deportation begnadigt. Im Augenblick fällt es Stein schwer, die Briten von seiner eigenen Rechtschaffenheit zu überzeugen. Er sucht Fürsprecher zu gewinnen, einen Parlamentsabgeordneten und den Präsidenten der Royal Society. Er pocht auf seine Ehre als Standesherr, »who is not sprung from nothing, and who has a charakter to lose«. Er bestreitet zwar nicht, daß er sich Zeichnungen verschaffen wollte, aber er verwahrt sich gegen die Verdächtigung, er werde nach diesen Plänen in Deutschland Dampfmaschinen bauen lassen. Richtig sei, daß er ein paar davon bei Boulton kaufen wolle.

Der Fabrikant bleibt zugeknöpft, aus Empörung oder in der Absicht, den Preis hinaufzuschrauben. Steins Vorhaben, nach Cornwall zu reisen, ist ihm unangenehm. Als Naturwissenschaftler, Mineraloge oder als Edelmann würde er ihn gerne ziehen lassen, bedeutet ihm Boulton; einem reisenden Mechaniker und Ingenieur müsse er Steine in den Weg legen. Ausdrücklich warnt er ihn vor einem Besuch der dortigen Bergwerke. Und er schickt einen Steckbrief voraus: Dieser Baron Stein sei der gefährlichste aller Spione, »ein schurkischer Charakter und gänzlich geeignet für das schmutzige Geschäft«. Boultons Compagnon Watt, der Erfinder der Dampfmaschine, fügt hinzu: Man könne nicht genug auf der Hut sein vor diesem Stein, der mit hohen Summen bestechen, alle in seiner Macht liegenden Mittel anwenden wird. Der Baron findet in Cornwall verschlossene Stollen und Maschinensäle. »Stein samt Assistenten sind hier und scheinen sehr enttäuscht zu sein«, stellt Boulton abschließend mit Genugtuung fest.

Das halbe Jahr England ist für Stein eine halbe Sache gewesen. Mitte 1787 kehrt er zurück, ohne Dampfmaschinen. Die Idealvorstellung des Britischen, die er auf die Reise mitgenommen hat, bringt er einigermaßen unversehrt nach Hause. Über die Konfrontation mit der britischen Wirklichkeit wird er – der Mitteilsame und Schreibfreudige – indessen schweigen, sein Leben lang.

Im Herbst 1788 legt sich der Vater zum Sterben nieder. Schon lange kränkelte Karl Philipp vom Stein; der Achtzigjährige ist nun entkräftet, leidet an Atemlosigkeit, an Erstickungsanfällen. Der Sohn ist nach Nassau gekommen, weicht kaum mehr von seiner Seite. »Vor einigen Tagen war es mir äußerst peinlich und erschütternd, an seinem Krankenbett zu stehen«, schreibt er der Schwester Marianne, »jetzt ist es mir aber so hehr und feierlich und ruhig dabei, und es ist mir vieles wert, daß ich die letzten Pflichten noch gegen ihn erfüllen kann.«

Dabei sollte der neuernannte Erste Direktor der Cleveschen Kammer nach Westfalen zurück; der Landtag tritt in Kürze zusammen. Am 30. Oktober stirbt der Vater. Das einzige seiner Kinder, das am Totenbette steht, Karl vom Stein, teilt die traurige Nachricht den Geschwistern mit und ermahnt sie zum Zusammenhalten. Dem Freunde Reden offenbart er, wie lehrreich das Beispiel eines Sterbenden sei: »Die nun gemachten Erfahrungen überzeugen mich, daß nützliche bestimmte Tätigkeit die reichste Quelle von Genuß ist, das sicherste Verwahrungsmittel gegen Torheit und alle Auswüchse, die Müßiggang und Langeweile verursacht, und die beste Vorbereitung zu den Situationen, die uns jenseits des Grabes erwarten.«

Der Vater war ein Edelmann, ein Aristokrat, ein Privilegierter – ein Repräsentant des Ancien régime, das sich mit ihm zum Sterben anschickte. Die Agonie begann am 8. August 1788. An diesem Tage berief der französische König Ludwig XVI. zum ersten Mal seit 1614 die Generalstände, auf den Mai 1789. Die absolute Monarchie steht vor dem finanziellen Bankrott; ihn zu verhüten, beschwört sie den politischen Ruin herauf.

Um diese Zeit plant Stein, der Bürokrat des aufgeklärten Absolutismus, die Anlegung eines Getreidemagazins zur Versorgung der Arbeiter, denkt er an eine Reform der Domainenverwaltung zugunsten der Pachtbauern. Über die Vorgänge in Frankreich urteilt er später: »Die allgemeine Gärung wurde genährt durch die Geistlichkeit aus Unzufriedenheit über ihre beabsichtigte Besteuerung, durch den Adel, der verdrießlich über seinen verminderten Einfluß bei Hof war, Neuerungen wünschte, ohne ihre Folgen zu berechnen, durch ungebundene und eitle Schriftsteller, die in Flugschriften und durch ihr Treiben in Gesellschaften verderbliche und die bürgerliche Ordnung untergrabende Meinungen verbreiteten.«

Das Frankreich des Ancien régime – Stein kennt es wenig und liebt es gar nicht. Zwar ist auch er à la mode französisch lackiert. Er spricht französisch, schreibt französisch, in letzter

Zeit allerdings weniger. Bald wird er das Deutsche bevorzugen, »weil ich gewohnt bin, über ernsthafte Gegenstände in meiner Muttersprache zu denken«. Die Ernsthaftigkeit – das vermißt er an den Franzosen, diesem leichtsinnigen, leichtfertigen, windigen Volk. Dem seßhaften Landmann mißfällt das Bewegliche und Sprunghafte. Paris, diese Massenansammlung von Häusern und Menschen, erscheint ihm als zeitgenössisches Babel. »Cherchez les femmes« ist keine Devise für einen Hagestolz, das Genießerische kein Attribut für einen allzeit Tätigen, der sich kaum Zeit zum Essen nimmt; der gallische Hahn eignet sich nicht zum Vorbild für einen Imitator des britischen Understatements. »In keiner Geschichte findet man eine solche Unsittlichkeit, einen solchen moralischen Schmutz als in der französischen«, entrüstet sich der Puritaner. Katholisch sind sie obendrein, und nun nicht einmal mehr dieses, sondern ungläubig und kirchenfeindlich.

Und neuerungssüchtig sind die Franzosen. Das verdient eine besonders schlechte Note. Sie lieben neue Bonmots, Liaisonen und Romane. Sie wechseln Gesinnungen, Grundsätze und Staatslehren wie Kleidermoden. Und berücksichtigen weder die allgemeinen Erfahrungen noch die besonderen Lehren der Geschichte – im Gegensatz zu den bedächtigen, konservativen Briten. Die englische, nicht die französische Aufklärung leuchtet Stein voran. Er ist kein Obskurant und Reaktionär; auch er will umformen, ändern, verbessern, glaubt an den Fortschritt. Aber der Verwaltungsfachmann geht die Probleme pragmatisch an und löst sie praktisch. Der Landwirt weiß, daß die Dinge Zeit zum Reifen brauchen. Der Geschichtskenner achtet das Gewordene, sucht das Neue aus dem Alten zu entwickeln.

Genau das Gegenteil bemerkt er bei den Franzosen. »Literatoren« halten sich für Fachärzte am Krankenbett der Menschheit, schreiben Patentrezepte aus, säbeln wie Regimentschirurgen alles ab. Gelehrte entwerfen am grünen Tisch Konstruktionspläne für eine neue Gesellschaft, für einen neuen Staat, wollen das – zugegeben reparaturbedürftige – alte Gebäude kurzerhand einreißen und einen Neubau von Grund auf errichten. Wie Möser hält es Stein nicht für richtig, daß eine Verfassung wie ein französisches Schauspiel nach rational deduzierten Regeln aufgebaut werden soll, auf daß sie sich »wenigstens im Prospekt, im Grundriß und im Durchschnitt auf einen Bogen Papier vollkommen abzeichnen lasse, damit die Herren beim Departement mit Hilfe eines kleinen Maßstabes alle Größen und Höhen sofort berechnen können.«.

Doktrinen und Doktrinäre verachtet der Pragmatiker; er verabscheut die »Hirngespinste der Metaphysik«, die »metapolitischen« Systeme französischer Philosophen, dieser »eitlen Sophisten des Zeitalters«. In England seien »die metaphysischen Untersuchungen mit Ernst, Wahrheitsliebe von einzelnen Weltweisen angestellt« worden, »in Frankreich wurden sie als Parteisache von den Anhängern der neuen verderblichen Philosophie behandelt«. Varnhagen von Ense wird von Stein belehrt werden: »Die Metaphysik ist bei den Menschen das, was bei den Schafen das Drehen. Aber sie wissen wohl gar nicht, was das ist. Werden Sie Landwirt, dann werden Sie mich verstehen.«

In der Nassauer Bibliothek stehen die Werke Voltaires. Vor der französischen Revolutionsarmee wird sie Stein in Sicherheit bringen lassen. Der Baron kennt den Wert dieser Bücher, er schätzt den Freund Friedrichs des Großen. Und kritisiert den geistigen Urheber der Revolution. François Marie Arouet, genannt Voltaire, hatte in England gelernt, die Hochschätzung der britischen Zustände und die Verachtung des französischen Systems mit nach Hause gebracht. Er ficht wider den Allmachtsanspruch der Kirche und die Omnipotenz der Monarchie, mit dem Florett seines Denkens, dem Degen seines Witzes und dem schweren Säbel seines Spottes. Seine Werke – Gedichte, Novellen, Romane, Dramen, Essays, historische Schriften und philosophische Traktate – haben, wie Stein bemerkt, »auf seine Zeitgenossen den ausgebreitetsten Einfluß«. Auch ihm gefallen Voltaires Esprit, Verstand und Vielseitigkeit. Aber ihm mißfällt die Überdosis von »Frivolität, menschenfeindlichen Sätzen, offener Bosheit und unverantwortlichen Versündigungen gegen das moralische Gefühl«. Die Geschichte sei durch ihn beleidigt worden, und die Religion, alles Sittliche und Anständige. »Nach seinem Beispiel behandelte man die ernsthaften Untersuchungen oberflächlich, witzig, und man glaubte sich vollkommen nach den Grundsätzen einer gesunden Philosophie gebildet, wenn man über alles Heilige und Ehrwürdige spottete und den Menschen zu einem Tier nur von höherer Art herabwürdigte.«

Voltaire zersetzt mit der Lauge seines Hohns das Ancien régime; Rousseau bringt es mit seinem Enthusiasmus ins Wanken. »Zurück zur Natur« – die sentimentalische Direktive des unruhigen Uhrmachersohnes ist für den Landwirt eine vorgegebene, naive Existenzform. Tugend, häusliches Glück und Religiosität – das Evangelium der *Nouvelle Heloïse* findet bei Stein offene Ohren. Was er kritisiert, ist die Übertreibung in allem, das Infragestellen des Ganzen. Der tätige Mensch verabscheut das Hinschlummern und Hinträumen, das leidende Sichüberlassen an äußere Eindrücke, das Genießen des eigenen Gemüts. Dem braven Mann, der sein Inneres wie seinen Verwaltungsbereich geordnet haben will, widerstrebt die Anarchie der Gefühle. Rousseau sei krank im Herzen, ein phantastischer Sonderling, ein schwacher Charakter, ein femininer Typ. Wie Freund Rehberg, der strenge Rezensent der *Confessions*, verweist er auf die Widersprüche zwischen Gelehrtem und Gelebtem: Wenn Rousseau Menschenliebe predigt und seine fünf Kinder ins Findelhaus steckt. Wenn der Lobredner republikanischer Schlichtheit erklärt, sein größtes Erlebnis sei der Besuch eines königlichen Prinzen gewesen.

Der *Contrat social* stört Stein am meisten. So sieht er die Freiheitsforderung und das Gleichheitspostulat Rousseaus, die Lehre von der »Volonté générale«: Die Individuen unterwerfen sich und ihr Eigentum dem allgemeinen Willen, vereinigen sich zu einer bürgerlichen Gesellschaft und bilden vereinigt die Staatsgewalt. Das souveräne Volk stellt sich in der Volksversammlung dar; die Regierung ist nur eine Kommission, die jederzeit abberufen werden kann; die Garantie von Freiheit und Gleichheit ist Sinn und Zweck der Brüderlichkeit. Der Gutsbesitzer, Standesherr und königlich-preußische Beamte hält dieses »metaphysische System« weder für anziehend noch für anwendbar: »Denn der allgemeine Wille eines zahlreichen Volkes bedarf der Leitung der Veredelteren aus ihm.« Und dazu zählt sich Stein zweifellos.

Schon 1760 prophezeite Rousseau: »Ihr vertraut auf den bestehenden sozialen Zustand, ohne zu bedenken, daß derselbe unausweichlichen Umwälzungen ausgesetzt ist. Der Große wird klein, der Reiche arm, der Monarch ein Untertan werden. Wir nähern uns der Krisis und der Epoche der Revolutionen.«

Ihr Donnergrollen hört auch Stein. Er weiß, daß in Frankreich vieles im Argen liegt: Bauern werden ausgebeutet, Bürger gedrückt. Die Geistlichkeit klammert sich an Vorurteile, der Adel an Vorrechte, obwohl er – unterworfen der Monarchie und unterwürfig dem Monarchen – längst keine Gegenleistung mehr erbringt, weder realiter noch ideell. Diese geschwätzigen, genußsüchtigen, sittenlosen Marquis, Comtes und Viscomtes verzerren das Wunschbild, das Stein vom Adel hegt. Die französischen Standesherren untergraben höchstselbst das Fundament, auf dem ihre überlieferte Stellung beruht, durch Weichlichkeit, Trägheit, Uneinigkeit. Sie liebäugeln mit dem Umsturz, vergehen vor Lust am eigenen Untergang. Andererseits sperren sie sich gegen fällige Reformen, notwendige Beschneidungen des Gewachsenen, eine Korrektur ihrer Feudalrechte und ständischen Privilegien.

Der König und seine Regierung erstreben einen Mittelweg – im aufgeklärten Absolutismus. Das wollen auch der Kaiser in Österreich, der König von Preußen – und sein Beamter Stein. Er schätzt Turgot, den französischen Reformer, schon als verwandten Menschentyp: »Er teilte die Menschen nur ein in gute und schlechte, von den ersteren erwartete er, daß sie gleich ihm das Gute befördern würden, die letzteren, glaubte er, verdienen keine Schonung.« Nicht einmal in seinen Gesichtszügen habe Turgot seinen Ausdruck der Verachtung gegen Böswillige und Scharlatane unterdrücken können. Ein ständig verzerrtes Gesicht muß Turgot gehabt haben, denn ihm widerstrebten viele. Widerspruch fand seine physiokratische Theorie: Die zuverlässigste Quelle des Reichtums und der allgemeinen Wohlfahrt sei die Produktionskraft von Grund und Boden; deshalb müßten Feudallasten beseitigt, die Bauern freier und damit leistungsfähiger werden. Die Pläne des Reformers forderten die Privilegierten heraus: Abschaffung der Fronden beim Wegebau, freier Handel für Getreide und Wein, Aufhebung der Zünfte, ein gerechteres Steuersystem. 1776 wurde Turgot als Finanzminister entlassen, weil ihn der König dem Geschrei »der zünftigen Handwerker, der Bankiers, der Finanzleute, der Parlamente, der habsüchtigen Hofleute aufopferte« – wie Stein resümiert.

Ludwig XVI. Der rheinfränkische Reichsfreiherr sucht diesem Bourbonen gerecht zu werden, obwohl er nicht vergessen kann, daß diese Dynastie das Reich geschwächt, seine Heimat verwüstet hat. Dieser Monarch erstrebe das Gute, sei verständig, fleißig, sparsam, aber auch »lenksam aus Mißtrauen in seine Einsichten, aus Willensschwäche«, und das mache ihn zum Spielball seiner Umgebung, unfähig zu einem klaren und mutigen Entschluß. Ein untauglicher Regent also. So kommt es, wie es kommen muß: »Seine Güte wurde Schwäche, seine einfachen häuslichen Sitten, sein wenig gefälliges Äußere und sein öfters auffahrendes Wesen gaben Gelegenheit zum Spott, würdigten die Majestät des Thrones herab; sein Wunsch, das Glück seines Volkes zu machen, dessen Stimme zu berücksichtigen, riß ihn zu verkehrten und sich selbst widersprechenden Maßregeln hin, durch die er alles Ansehen verlor, und veranlaßte, daß ihm die Zügel der Regierung zuerst durch intrigante Hofleute, zuletzt durch wilde Demagogen entrissen wurden.«

Der Gaul geht durch. Am 5. Mai 1789 versammeln sich in Versailles die Generalstände, 300 Geistliche, 300 Adelige – und 600 Bürger. Am 17. Juni konstituieren sich die Vertreter des »Dritten Standes« als Nationalversammlung; drei Tage später schwören sie im Ballspielhaus, nicht eher auseinanderzugehen, bis sie Frankreich eine Verfassung gegeben haben. Am 14. Juli stürmen Pariser die Bastille – in ihren Augen das Bollwerk der Despotie, das Burgverließ der Patrioten. Sie erschlagen die Offiziere und befreien sieben Gefangene: vier Urkundenfälscher, einen auf Veranlassung seiner Angehörigen eingesperrten Wüstling und zwei Wahnsinnige.

Das sei ja eine Revolte, meint der König. »Nein, Sir«, erwidert der Herzog von Liancourt, »es ist eine Revolution!« Auf dem Lande erheben sich Bauern gegen Barone. In den Städten entstehen Bürgerkomitees, formiert sich die Nationalgarde. Die Nationalversammlung schafft Feudalrechte und Standesprivilegien ab. Das Vorbild der amerikanischen Revolution vor Augen, formuliert sie die Erklärung der Rechte des Menschen und des Bürgers: »Frei und gleich an Rechten werden die Menschen geboren und bleiben es«, lautet Artikel Eins. Frankreich wird eine konstitutionelle Monarchie. Das Einkammer-Parlament erhält die gesetzgebende Gewalt; der König behält eine eingeschränkte Exekutive; die richterliche Gewalt ist unabhängig. Das Lilienbanner der Bourbonen wird durch die Trikolore ersetzt, die Fahne der Volkssouveränität. »Freiheit, Gleichheit, Brüderlichkeit« heißt die Parole. Sie verheißt die Freiheit des Individuums, garantiert in einer rechtsstaatlichen Verfassung, die Gleichheit aller vor dem gemeinsam beschlossenen Gesetz und Brüderlichkeit für jeden, der sich zu beidem bekennt – auf dem Boden der Nation und im Rahmen der Menschheit.

Der französische Dreiklang findet Widerhall in Europa, in Deutschland. Klopstock feiert die Revolution als »die größte Handlung des Jahrhunderts«. Sie wird von Herder und Kant begrüßt. In Tübingen tanzen Hegel, Schelling und Hölderlin um einen Freiheitsbaum. In Berlin tragen Damen blau-weiß-rote Busenschleifen. Der Göttinger Professor Schlözer ist hingerissen: »Welcher Menschenfreund wird das nicht sehr schön finden! Eine der größten Nationen der Welt, die erste in allgemeiner Kultur, wirft das Joch der Tyrannei, das sie anderthalbhundert Jahre lang komisch-tragisch getragen hatte, endlich einmal ab: zweifelsohne haben Gottes Engel im Himmel ein Tedeum laudamus darüber angestimmt.«

Stein zögert, in diesem Chore mitzusingen. Lange schweigt er. Am 10. Juli 1790 – ein Jahr nach dem Bastille-Sturm – schreibt er an Reden: »Unsere Freunde jenseits des Rheines beweisen, daß zum praktischen Leben Ideenreichtum und Fähigkeit, sie mit Leichtigkeit zu verbinden, nicht genug ist, sondern daß es hauptsächlich auf kalte, ruhige Vernunft und einen festen beharrlichen Charakter ankommt.« Mißtöne hört Stein heraus. Immerhin gibt er zu: »Es liegt jedoch sehr vieles in den Procès Verbaux der Nationalversammlung und man findet viel Belehrendes darin.« Er steigert sich: »Ich wünschte doch, eine Zeitlang unter diesem aufbrausenden gärenden Volk zu leben, um Zeuge von allen diesen erschütternden Auftritten zu sein.« Er ist »conscious liberty«, bleibt aber vorsichtig: Bevor er sich nach Frankreich hineinwagt, will er in Straßburg durch das Schlüsselloch blicken.

Auch das läßt er bleiben. Aus sicherer Distanz beobachtet er die Eskalation der Revolution: Abschaffung des erblichen Adels, Zerschlagung der Kirche, Zertrümmerung der historischen Provinzen; die wachsende Macht der Parteien, der radikalen Girondisten und der noch radikaleren Jakobiner; die Agitation der Volkstribunen und Zeitungsschreiber, die Aufwiegelung der Massen. Er sympathisiert mit dem bedrängten König, beklagt seine Unentschlossenheit, bedauert sein Schicksal: den vergeblichen Fluchtversuch, die Demütigung. Wie »jeder Freund der Veredlung der Menschheit« erhofft er sich eine Verbesserung der französischen Zustände. Der Verlauf der Revolution gibt ihm zu denken, ihr Ergebnis wird ihn entsetzen: »Als man in der Folge sah, daß die Nation mit verwegener Hand alle Teile einer seit Jahrhunderten bestehenden Verfassung zertrümmerte, Königtum, Adel, Geistlichkeit stürzte und sich der Leitung frecher Faktionen überließ, die an die Stelle von Recht, Herkommen, Erfahrung metapolitische Formeln und die Eingebungen der wilden Neuerungssucht setzten«, als man sich überzeugen mußte, »die Beschlüsse der Nationalversammlung seien nicht das Resultat ruhiger, weiser Überlegung, sondern würden von den Faktionisten durch Volksaufwiegelung, Schrecken und Verführungen jeder Art erzwungen« – da »ergriff alle Freunde der Sittlichkeit und Gesetzlichkeit Betrübnis über die fehlgeschlagenen Hoffnungen und Besorgnis über die furchtbare Zukunft.«

Stein hat seinen Burke und seinen Brandes gelesen. 1790 erschienen die *Reflections on the Revolution in France.* Sein England vor Augen, entwirft Edmund Burke das Idealbild eines Staatswesens: wurzelnd in der Tradition, gewachsen in Generationen, blühend in Gerechtigkeit und Freiheit – ein Naturprodukt gleichsam. Er stellt es dem Menschenmachwerk der französischen Verfassung gegenüber, der deliberierten Freiheit, der konstruierten Gleichheit, der dekretierten Brüderlichkeit, der oktroyierten Wohlfahrt. Der Brite verteidige »die Sache gesetzlicher und religiöser Freiheit gegen die wilden metaphysischen Neuerer«, meint Stein. 1792 liest er die Schrift *Über einige bisherige Folgen der französischen Revolution in Rücksicht auf Deutschland.* Verfasser ist sein Göttinger Studienfreund Ernst Brandes, der Burkes Pfaden folgt. Er sieht eine Armee von 7000 deutschen Schriftstellern gegen die Bastionen der Ordnung vorrücken, unter dem Feldzeichen französischer Ideen. Brandes gibt Verhaltensmaßregeln für die Verteidiger: »Eine gute Administration und eine allmähliche, den Menschen und Umständen angemessene Verbesserung der Konstitution, wo dieses möglich ist, kann noch allem vorbeugen.«

Das ist ihm aus der Seele gesprochen, dem aufgeklärten Bürokraten Stein, der seinen westfälischen Acker umpflügt, das Saatgut der Reform ausstreut, das Aufkeimen erwartet. Wie ein Bauer, der auf Gott und den heiligen Petrus vertraut, doch die Wolken eines Unwetters heraufziehen sieht.

DIESES Preußen sei die Fäulnis vor der Reife, sagte Mirabeau 1787, als er den brandenburgischen Sand von den Schuhen schüttelte und nach Paris zurückkehrte, um dort eine Karriere als Revolutionsredner zu beginnen. In Berlin seien die Einkünfte vermindert, Ausgaben vermehrt, Genies zurückgesetzt, Dummköpfe am Ruder. »Ich will nicht länger zu der Rolle des Tiers verdammt sein, die kotigen Krümmungen einer Regierung zu durchkriechen, die sich jeden Tag durch eine neue Kleinlichkeit und Unwissenheit auszeichnet.«

Ein Jahr vorher war Mirabeau dabei, als der große König zu Grabe getragen wurde. Alles sei totenstill, aber niemand traurig gewesen, »weil Friedrich diejenigen mehr geliebt hatte, denen er zugehörte, als diejenigen, die ihm zugehörten«. Sein Neffe und Nachfolger, Friedrich Wilhelm II., wurde als der »Vielgeliebte« begrüßt. Mirabeau riet ihm, er solle die »militärische Sklaverei« abschaffen, die Zensur aufheben, Standesprivilegien beseitigen, den Untertanen die Lasten abnehmen, die ihre politische und wirtschaftliche Entfaltung hemmten. Einiges erwartete sich auch Stein vom neuen König: Er besitze gesunden Menschenverstand, Gutmütigkeit und ziemliche Menschenkenntnis, doch »man muß ihn führen, das, was geschehen soll, selbst vorschlagen, sich ein wenig geltend machen und alles mit einer Sauce von Ehrfurcht und Ergebenheit verdünnen«.

Friedrich Wilhelm II. überragt die ihn Umgebenden um Kopfeslänge; doch in Berlin sagt man, Häuser von sechs Stockwerken seien im obersten schlecht bewohnt. Der 42 jährige Throndebutant, wegen seines Körperumfanges »der Dicke« genannt, ist mundfaul, abergläubisch, sinnlich, lenkbar. Geführt wird er indessen nicht von Steins oder gar Mirabeaus. Drahtzieher sind seine Günstlinge Bischoffwerder und Wöllner; der eine ist ein aalglatter Höfling und Kabalen-Könner, der andere ein Geisterseher und Geheimbündler, ein Anti-Aufklärer. Am meisten gelten aber die Maitressen, die französischen, die durch Koketterie fesseln, die deutschen, die herrschen wollen. Favoritin bleibt Wilhelmine Encke, verheiratete Rietz, geadelte Gräfin Lichtenau, genannt Roxolane. Die Schranzen sorgen für die Sauce von Ehrfurcht und Ergebenheit.

Preußen, die noch an den weiberfeindlichen Alten Fritz oder schon an den sittenstrengen Kronprinzen Friedrich Wilhelm denken, sind schockiert. Oberst von Massenbach wettert: »Der König hat die größte Ähnlichkeit mit einem asiatischen Fürsten, der sich in das Innere seines Serails zurückgezogen hat und mit seinen Sklaven und Sklavinnen lebt, die Regierungsgeschäfte aber seinen Wesiren überläßt.« Der klassizistische Bildhauer Schadow spielt den Berliner Jeremias: »Alles besoff sich in Champagner, fraß die größten Leckereien, frönte allen Lüsten.« Der Puritaner Stein beklagt die Sinnlichkeit und den Wunderglauben des Königs, beschuldigt indessen das ganze Preußen, es sei vor dieser Günstlingswirtschaft gekrochen und habe die wohlgemeinten politischen Pläne des Monarchen vereitelt.

Friedrich Wilhelm II. zeigt sich lieber im Frack als in der Garde-Uniform. Er redet alle Leute mit »Sie« an, behandelt sie nicht wie Rekruten, sondern wie Menschen. Sie sollen nicht ständig stramm stehen. Dieser a-preußische und deshalb von den Borussen verachtete König lockert die Korporalszucht seines Vorgängers, hebt das Kaffee- und Tabaks-Monopol auf, sucht die Steuerlast zu erleichtern, aber alles wird halbherzig angegangen, und Rückzieher bleiben nicht aus. Wöllner, als Justizminister auch für die geistlichen Angelegenheiten zuständig, erläßt 1788 das Religionsedikt. Es garantiert eine königlich-preußische Gewissensfreiheit, »solange ein Jeder ruhig als guter Staatsbürger seine Pflichten erfülle, seine jedesmalige besondere Meinung aber für sich behalte und sich sorgfältig hüte, sie auszubreiten«. Gleichzeitig wird die »zügellose Freiheit« der sogenannten Aufklärer verdammt und Geistlichen wie Lehrern unter Strafandrohung verboten, die Irrlehren der Neuerer zu verbreiten. Die Pastoren haben sich an die lutherische Orthodoxie zu halten, und damit basta. Im Regiment Friedrich Wilhelms II. herrscht der Korporalstock nun auch in einem Bereich, den Friedrich der Große verschonte.

Dem Blitz, der in die Bastille einschlägt, folgt ein Donnergrollen in Preußen. Am Geburtstag Friedrich Wilhelms II. begrüßt ein Berliner Gymnasialprofessor die beginnende Französische Revolution als »groß, schön und ehrenvoll« – und Graf Hertzberg, der Minister des Alten Fritz, ermutigt ihn, diese Rede drucken zu lassen. Trotz des Zensuredikts werden Widrigkeiten verbreitet: Man kritisiert die Regierenden und das Regierungssystem, verlangt Gedankenfreiheit und gesellschaftliche Gleichbehandlung, in einem untertänigen Ersuchen freilich. Das Regime ist irritiert, nicht erschüttert. Erst 1787 hat man die holländischen Republikaner gezüchtigt; die bewaffnete Intervention ist ein militärischer Spaziergang gewesen. Die preußische Monarchie hält sich für einen »rocher de bronce« des Ancien régime.

Aufgescheucht ist der Hühnerhof der kleinen Potentaten. Der Fürst von Öttingen-Wallerstein rafft Pretiosen zusammen und will nach Amerika fliehen. Der Bischof von Bamberg beantragt ein Reichsgesetz, wonach gegen alle Verbreiter aufrührerischer Ideen mit Leibes- oder Lebensstrafe zu verfahren und jede Zeitung zu verbieten sei, »welche auf eine anpreisende und belobende Art, oder auch nur mit einzelnem Beifall von einer in auswärtigen Ländern vorgekommenen Handlung der Empörung berichtete«. Der neue Kaiser Leopold II. wird von den Reichsständen in der Wahlkapitulation verpflichtet, nichts zu dulden, was mit dem herkömmlichen Glauben und den guten Sitten unvereinbar sei oder wodurch der Umsturz der gegenwärtigen Verfassung und die Störung der öffentlichen Ruhe befördert werden könnten. Im übrigen ist der Reichstag in den Jahren 1789, 1790 und 1791 mit der Revision des Reichsgerichtswesens vollauf beschäftigt.

Die beiden deutschen Großmächte wollen noch größer werden. Die Österreicher kämpfen – im Bunde mit den Russen – gegen die Türken, gewinnen den Paß des Eisernen Tores. Preußen und Russen teilen Polen 1793 zum zweiten Male; preußisch werden Danzig, Thorn, Gnesen und Posen. 1795 wird die dritte Teilung Polens wiederum Rußland den Bärenanteil einbringen, Preußen Warschau, das Gebiet zwischen Weichsel, Bug und Njemen und Österreich Westgalizien mit Krakau. Im übrigen sehen es Habsburger wie Hohenzollern nicht ungern,

daß die außenpolitischen Aspirationen der Bourbonen durch die Revolution gedämpft werden. Das gibt ihnen Gelegenheit zur Pflege der deutschen Intimfeindschaft. Schon haben sie ihre Armeen wieder einmal gegeneinander aufmarschieren lassen. Auch Stein findet das nicht ungewöhnlich; erst später – als die Schaukler des europäischen Gleichgewichtes gemeinsam am Boden liegen – wird er feststellen: »Das Verhältnis der verschiedenen Mächte des festen Landes enthielt Prinzipien der Eifersucht und des wechselseitigen Mißtrauens, die eine feste Vereinigung gegen gemeinschaftliche Gefahr verhinderten und auf alle in der Folge geschlossenen Verbindungen nachteilig wirkten.«
Daß alle Könige in einem Boot sitzen, entdecken sie erst, als es dem französischen Vetter an den Kragen geht. Nun fährt ihnen Revolutionsangst in die Knochen. Sie stammeln etwas von monarchischer Solidarität. Die französischen Adeligen, denen die Flucht gelungen ist, predigen den konterrevolutionären Kreuzzug. Doch hart im Raume stoßen sich die konservativen Ideen mit den machtpolitischen Interessen. Immerhin vereinbaren im August 1791 Kaiser Leopold und König Friedrich Wilhelm, zugunsten einer »den Rechten des Souverains und den Interessen der Nation gleichmäßig angemessenen monarchischen Regierung« in Frankreich einzuschreiten – falls die anderen dazu eingeladenen Staaten daran teilnähmen, Lust dazu verspürt keiner. Sie wird ihnen von den Franzosen beigebracht: Am 20. April 1792 erklärt die Gesetzgebende Versammlung dem Kaiser den Krieg.

Auf Leopold II. ist Franz II. gefolgt. Am 14. Juli 1792 – am dritten Jahrestag des Bastille-Sturms – wird er in Frankfurt gesalbt und gekrönt. Noch einmal entfaltet sich das Zeremoniell des »Heiligen Römischen Reiches Deutscher Nation«, dem die französischen Revolutionäre den Tod geschworen haben. Fünfzig Fürsten, hundert Grafen und Marquis versammeln sich in Mainz. Die Crème de la crème des feudalen Europas schart sich um den Habsburger und seinen Verbündeten, den Hohenzollern. Sie haben das Schwert gezogen, wollen in Frankreich einmarschieren; die Umstürzler müssen bestraft, der Thron der Bourbonen soll gesichert werden. Man ist siegesgewiß, in dem erhebenden Gefühl, für die gerechte Sache zu kämpfen. Man pocht auf die Überlegenheit der preußischen und österreichischen Heere gegenüber dem wilden Haufen der Sansculotten. »Meine Herren, kaufen Sie sich nicht zuviel Pferde, die Komödie wird nicht lange dauern«, prahlt Bischoffwerder.

Stein, der in Nassau den Urlaub verbringt, schaut nach Koblenz hinüber, in das Hauptquartier der Invasionsarmee. Unter den Uniformen fühlt er sich deplaziert; er bleibt nur einen Tag. Das genügt für die Überzeugung: Die friderizianisch beflügelten preußischen Truppen werden schon bald im Herzen von Frankreich sein. »Der Geist, der in der Armee herrscht, von Disziplin, von kriegerischem Mute, von Bereitwilligkeit, jeder Gefahr sich zu unterziehen, jede Beschwerde zu dulden, ist wirklich sehr achtungswert.« Eigentlich steht kein Krieg bevor, nur eine Strafexpedition. Den Erfolg habe man schon in der Tasche. Unterhalten müsse man sich nur noch darüber, welche Entschädigung die Alliierten und welche Verfassung die Franzosen bekommen sollen.

Der Oberbefehlshaber, Herzog Karl Wilhelm Ferdinand von Braunschweig, beantwortet auch diese Frage. Er läßt sich vom Marquis de Limon, einem französischen Emigranten, ein Manifest an das französische Volk aufsetzen. Kurz und bündig sind die Kriegsziele formuliert: Erstens, Restauration der absoluten Monarchie; zweitens, exemplarische Züchtigung der Pariser. Das ist ein Blasebalg, der mit dem Selbsterhaltungstrieb der Revolutionäre den Patriotismus der Franzosen zum Lodern bringt. Ein Graf Gorani schreibt aus Paris dem Braunschweiger: »Es ist jederzeit eine Torheit, eine Nation zu insultieren, es ist Wahnsinn, sie zu insultieren, ehe man sie besiegt hat.« Pariser erstürmen das Tuilerienschloß; sie wollen endgültig Schluß machen mit der Herrschaft eines Königs, der auf den Sieg der Feinde Frankreichs zu setzen scheint. Die Antwort der Marseillaise ertönt: »Aux armes, citoyens!«, »Allons, enfants de la patrie!« Zwei französische Kriegsziele werden proklamiert: Erstens, in Anknüpfung an die Außenpolitik der Monarchie, die Forderung nach »natürlichen Grenzen«, worunter im Osten die Rheingrenze verstanden wird. Zweitens, im Streben nach Ausbreitung der Revolution über Europa, die Devise: »Krieg den Palästen, Friede den Hütten!«

Schwerfällig und langsam wie eine Dampfwalze setzt sich die preußisch-österreichische Kriegsmaschine in Bewegung. Von Anfang an fehlt es an Brot, weil man die Feldbäcker zu Hause gelassen hat. An Troß fehlt es nicht: die Kutschen der Madame Rietz, der Maitresse des Königs von Preußen, und der Reisewagen des Geheimrats von Goethe, des Vertrauten des Herzogs von Sachsen-Weimar. Sie bleiben bald stecken. Denn General Wetter ist mit den Franzosen im Bunde. Dieser Sommer ist viel zu kalt; es regnet ununterbrochen. Der Heerwurm kriecht durch Schlamm und Dreck. Das Pulver ist naß. Der Hunger geht um, die Ruhr grassiert. Ohne im Feuer gestanden zu haben, schmilzt der Truppenbestand dahin. Die Feldherren, gewohnt für Interessen, nicht für Ideen zu streiten, zaudern und zagen. Die alte Eifersucht zwischen Preußen und Österreichern ist wieder da.

Immerhin: Verdun wird besetzt. Bei Valmy, in der Champagne, stoßen Preußen und Österreicher endlich auf eine französische Armee. Eine Kanonade beginnt, als wollten Revolution und Gegenrevolution mit Geschützschlünden diskutieren. Die Feldschlacht wagt der Herzog von Braunschweig nicht. Nachdem 20 000 Kugeln und Granaten verschossen sind, läßt er zum Rückzug blasen. »Von hier und heute geht eine neue Epoche der Weltgeschichte aus, und Ihr könnt sagen, Ihr seid dabeigewesen«, sagt der Kriegsberichterstatter Goethe am Abend des 20. September 1792. Einen Tag später beschließt der Nationalkonvent die Abschaffung der Monarchie und die Einführung einer republikanischen Zeitrechnung. Nach gehabter Erfahrung mit der neuen Epoche wird Stein im Zorn auf die verpaßte Gelegenheit von Valmy zurückblicken: »Die Aufgabe des Angriffs erfüllte die preußische Armee mit Unwillen, die feindliche mit höhnendem Übermut; sie frohlockte zu sehen, daß ein tapferes, geübtes, von einem berühmten Feldherrn geführtes Heer den Kampf mit ihr abgelehnt hatte.«

Dem gallischen Hahn schwillt der Kamm. Während sich die Invasionasarmee aus Nordostfrankreich zurückschleppt, marschiert der Revolutionsgeneral Dumouriez nach Belgien, stößt der Revolutionsgeneral Custine in die offene Rheinflanke des Reiches, rollt die Pfaffengasse auf, nimmt Speyer und Worms, rückt auf Mainz vor. Von hier war der Kreuzzug der Adler ausgegangen, nun ist diese Stadt ein Etappenziel des langen Marsches der Blauweißroten. Die Grenzfestung des Reiches hat längst abgerüstet, ist ein Lusthaus geworden; in den Gräben wachsen Reben, die Schanzen dienen als Promenade. Der preußische Ministerresident in Mainz – es ist Steins Bruder Johann Friedrich – rät dem geistlichen Kurfürsten, das Weite zu suchen. Er tut es, nicht ohne seine Untertanen ermahnt zu haben, Mainz aufs äußerste zu verteidigen. Custine erscheint und zeigt sich als Kavalier: Er bittet die Frauen, die zum Trocknen aufgehängte Wäsche von den Wällen wegzunehmen, damit sie bei den unvermeidlichen Kriegshandlungen nicht beschmutzt werde.

Mainz kapituliert. Am 21. Oktober 1792 rücken die Franzosen in die Stadt: »Linientruppen, Freiwillige, Nationalgarden in buntem Gemenge durcheinander. Wohlgekleidete junge Leute mit einnehmenden Gesichtszügen und feiner Haltung neben schmutzigen, zerlumpten Kerlen. Viele ohne Schuhe und Strümpfe, ihr Kommißbrot oder ihre Portion Fleisch auf Piken und rostige Bajonette gespießt. Überall die rote Mütze auf Fahnen und Standarten.« Johann Georg Forster, Weltumsegler außer Dienst und aktiver Weltbürger, begrüßt die »Neufranken« mit dem Ruf: »Es lebe die Republik!« Sie wird wohl auch ohne euch leben, brummt einer der Franzosen. Doch sie unterstützen den Mainzer Jakobinerklub, den »rheinisch-deutschen Nationalkonvent«, der »im Namen des souverainen Volkes« beschließt, das von der Revolutionsarmee besetzte »freie Deutschland sei mit der Frankenrepublik zu vereinigen«.

Im Westfälischen saß Stein wie auf Kohlen. Er hörte die Nachrichten vom Vormarsch und vom Rückzug der preußisch-österreichischen Armee, vom Gegenstoß der Sansculotten. Er beklagte den neuen französischen Einfall in das Reich, bangte um seinen Besitz in Nassau, befürchtete, die Revolutionsidee könnte sich wie ein Ölfleck ausbreiten. Schließlich hielt es ihn nicht länger in seiner Amtsstube; am 11. Oktober 1792 brach er nach Nassau auf, um dort nach dem Rechten zu sehen und seiner Schwester, der Gräfin Werthern, beizustehen, die sich mit Scheidungsgedanken trug. In Wetzlar ereilte ihn die Hiobsbotschaft, Mainz sei gefallen. Er hörte die schrecklichsten Gerüchte, sah Hals über Kopf flüchtende Standesgenossen. Auch er wollte kehrtmachen, über Kassel nach Westfalen zurückgehen. In Gießen traf er seinen Bruder Johann Friedrich, den preußischen Gesandten in Mainz, verzweifelt über den Fall der Festung, die Besetzung Frankfurts, die Operationen im Hessischen. Und weit und breit keine Preußen, keine Österreicher – nur Panik.

Stein reißt sich zusammen. Er will nicht wie sein Minister Graf Schulenburg-Kehnert die Hände in den Schoß legen und das Weitere dem Höchsten Wesen überlassen, das stets über dem preußischen Staat und dem Haus der Hohenzollern gewacht habe. Stein richtet den Bruder auf; beide versuchen zu retten, was zu retten ist. Berlin und das königliche Hauptquartier werden über die Vorgänge informiert. Den Gouverneur von Wesel und den Kammerpräsidenten in Cleve macht Stein auf die Gefahren aufmerksam, die für die preußischen Gebiete am Niederrhein entstehen könnten; für entsprechende Verteidigungsmaßnahmen und die Anlage von Getreidemagazinen solle gesorgt werden. Der Bruder depeschiert an seinen Kollegen, den preußischen Gesandten in London, er solle den Briten ein Eingreifen nahelegen. Aus preußischen Werbeoffizieren wird eine Patrouillenkette zwischen Mainz und Koblenz gebildet; sie soll die Bewegungen des Feindes beobachten. Zur Finanzierung schießt der Herr von Nassau 4000 Taler vor. Johann Friedrich eilt nach Würzburg, Karl nach Kassel; die zunächst betroffenen Reichsfürsten sollen zum Widerstand ermutigt werden. Energisch sind sie, diese Steins, und eigenmächtig genug, auch ohne Weisungen das zu tun, was sie für notwendig halten.

Endlich erscheint der König mit der Armee. Nach dem Rückzug aus Frankreich wird in Koblenz haltgemacht. Dorthin begibt sich Karl vom Stein. Er hört, die Preußen wollten sich hinter die Werra zurückziehen, die unter dem Begriff »Reich« subsumierten Herrschaften preisgeben – und damit auch den Nassauer Besitz des Reichsfreiherrn. Stein redet dagegen und macht einen Streifzug Richtung Limburg mit, das die Franzosen indessen wieder geräumt haben. Friedrich Wilhelm II. entschließt sich, das rechte Rheinufer vom Feind zu säubern. Stein bleibt im Hauptquartier, ist bei der Rückeroberung Frankfurts dabei. Dann eilt der Kammerdirektor zurück nach Westfalen; es gilt die Magazine für den nächsten Feldzug zu füllen. Im Februar 1793 wird er zum Präsidenten der Märkischen Kriegs- und Domainenkammer in Hamm ernannt.

Mainz bleibt französisch und jakobinisch. Seit April 1793 wird es von Preußen, Österreichern und Reichstruppen belagert. Ende Juni beginnt die Beschießung. Dieses Schauspiel läßt sich Stein nicht entgehen. Er sieht die Feuerbrände in der Stadt und im Lager den Herzog Karl August von Weimar »mißvergnügt, geschäftslos, ennuiert und sich alle Tätigkeit wegraisonnierend«. Die hochgestellten Schlachtenbummler »schleppten ihre zentnerschwere Langeweile herum und predigten entweder eine alles ertötende, niederdrückende Philosophie oder ergossen sich in bittere Klagen«. Das Lager der Gegenrevolution mißfällt dem Reichsfreiherrn. Dem Ganzen fehle Einheit, Leitung, Energie; die Spannung sei durch Trägheit ersetzt.

Stein zieht sich nach Nassau zurück. Er kommt wieder zur Kapitulation von Mainz im letzten Drittel des Juli. Die französische Besatzung hat freien Abzug mit allen militärischen Ehren erhalten. Fasziniert ist Augenzeuge Goethe von den Jägern zu Pferde: »Sie waren ganz still bis gegen uns herangezogen, als ihre Musik den Marseiller-Marsch anstimmte. Dieses revolutionäre Tedeum hat ohnehin etwas Trauriges, Ahnungsvolles, wenn es auch noch so mutig vorgetragen wird. Diesmal aber nahmen sie das Tempo ganz langsam, dem schleichenden Schritt gemäß, den sie ritten. Es war ergreifend und furchtbar.« Der Augenzeuge Stein sieht lediglich einen Haufen roher, verwilderter Menschen. »Der Ausdruck von Frechheit, dummem Übermut, Unsittlichkeit auf dem Gesichte der ausmarschierenden Garnison war unausstehlich.« Im wiedergewonnenen Mainz erblickte er ruinierte Häuser und »abscheuerregende Degradation« in weiblichen Gesichtern.

Immerhin: die Ruhe, die Sicherheit des Eigentums ist wiederhergestellt, der »Freiheitsschwindel« der Mainzer Jakobiner verflogen, das »Luftgebild der Gleichheit« in sich zusammengesackt. Ein Stein ist ihm vom Herzen: »Französische Anarchie und Sittenlosigkeit wird für den ruhigen, sittlichen Deutschen nicht ansteckend sein.« Er prophezeit: »Das Beispiel der Greuel, die seine Nachbarn begehen, das Elend, welches zwei zahlreiche und glänzende Stände dieser Nation leiden, wird manches Vorurteil vernichten und manches Gute beschleunigen.« Der Krieg, in dem Deutschland vielleicht nichts erobern, aber auch nicht unterliegen wird, erscheint als Vater guter Dinge: »Seine Einflüsse sind vorteilhaft, sie stellen Energie und Mut wieder her, sie geben einen Reiz zur Tätigkeit, sie werden die Abneigung gegen die scheußliche Nation der Franzosen vermehren.«

So zuversichtlich ist er mitunter. Dann wieder quälen ihn Zweifel über das Stehvermögen der Reichsfürsten, die sich am liebsten untereinander befehden. Skepsis befällt ihn über die Standfestigkeit seiner Landsleute, deren alten Tugenden vom Zeitgeist angenagt sind. Vorsichtshalber will er französische Kaufleute nicht auf die Frankfurter Messe lassen, unter Berücksichtigung der »bekannten Gesinnungen dieser Nation, bei ihrem unruhigen Bestreben, ihre verderblichen Grundsätze zu verbreiten«. Sorge ergreift ihn angesichts des revolutionären Frankreichs, das, in patriotischer Begeisterung entbrannt, ungeahnte Energien entwickelt. Angst sitzt dem Baron im Nakken, als er mitansehen muß, wie Seinesgleichen guillotiniert werden. Er kann nur hoffen, daß die Jakobiner, »diese Räuberbande«, bald vom Erdboden verschwinden. Bis dahin wird er – wie er Charlotte Streckeisen, geborener César, vorschlägt – nicht mehr französisch schreiben.

Die Schreckensherrschaft in Paris hat selbst Deutsche, die mit den Ideen von 1789 sympathisieren, erschreckt und aufgebracht. Klopstock, Ehrenbürger des revolutionären Frankreichs, fragt nun, wie es kommen konnte, »daß sich der Glanz der beginnenden Revolution verdunkelt und so sehr verdunkelt hat«. Ehrenbürger Schiller schreibt Anfang Februar 1793: »Ich kann seit 14 Tagen keine französische Zeitung mehr ansehen, so ekeln diese elenden Schinderknechte mich an.« Am 21. Januar ist König Ludwig XVI. hingerichtet worden. Am 16. Oktober muß Königin Marie Antoinette das Blutgerüst besteigen. Die Guillotine trifft Herzöge und Marquisen, schließlich Revolutionäre selber, die Girondisten, Danton und Robespierre.

Stein verdammt alle. Er blickt »auf die Franzosen als auf ein Volk, das die Bande des allgemeinen Sittengesetzes und der Religion, die die europäischen Staaten vereinigte, zerrissen und in einen Zustand von roher Ungebundenheit und Gesetzlosigkeit zurückgetreten sei«. Robespierre, der Würger im lichtblauen Bratenrock, erscheint ihm als Inbegriff des Bösen. Ein schlechter Mensch: »Metapolitischer Fanatismus«, »neidische Herrschsucht«, »unfähig des Mitleids oder des Wohlwollens«, »ein blutdürstiges, lügenhaftes Gemüt«, »durch Verbrechen verwildert«. Ein abscheuliches Ziel: »Alles, was an die alten Einrichtungen erinnerte, sollte zerstört, alles, was durch Reichtum, Geburt, Ansehen, Kenntnisse hervorragte, gestürzt und alle religiösen und wissenschaftlichen Anstalten vernichtet und Frankreich von einem rohen, verarmten, irreligiösen, kriegerischen Volk bewohnt werden, das die Volksführer durch republikanische Gaukelspiele und Formen und durch hochtönende metaphysische und moralische Worthälle willkürlich leiten und zu ihren Zwecken mißbrauchen konnten« – mutatis mutandum: »die reine Demokratie«.

Stein redet vom schwarzen Mann, weil er ihn fürchtet. Der Boden des feudalen Europas schwankt. Alte Bande lösen sich. In diesem Moment geht der Mittdreißiger eine Bindung ein, die er lange genug vermieden hat: er heiratet.

Mehr die Pflicht als die Neigung knüpft das Eheband. Nach dem Familienvertrag ist er derjenige, »welcher zum Heiraten wird ernennet werden und also den Besitz der Steinischen Güter überkommen soll«. Die Güter besitzt er bereits, eine Frau hat er immer noch nicht. Zugegeben, die Auswahl ist nicht groß: Paragraph acht des Familienpaktes schreibt vor, daß die künftige Reichsfreifrau und Mutter künftiger Reichsfreiherren »zu den rheinischen Hochstiftern oder zu dem Hohen Deutschen Orden fähigen Ahnen führt«. Das ist normal, durchaus üblich in reichsritterlichen Kreisen, die daran denken müssen, ihre Sprößlinge standesgemäß zu versorgen. Unnormal ist seine Zurückhaltung gegenüber dem weiblichen Geschlecht in toto. »Er ist der Liebe eben nicht hold und verdammt so gern ihre süßen Gefühle«, wird Gneisenau äußern.

Frauen beeindruckt er durchaus. Schon durch sein Äußeres: eine gedrungene Statur, starke Knochen, breite Schultern – konzentrierte Kraft, geballte Energie, Bäuerisch-Urwüchsiges in aristokratischem Schliff. Im Sitzen ist er stets zum Aufspringen bereit, das Hin- und Hergehen liegt ihm mehr als das Stehen. Seine Handbewegungen sind etwas eckig, entschieden, jeden Widerspruch abschneidend. Ein leicht gerundetes Kinn, eine kantige Stirne, fast waagrechte, querliegende Brauen, braune Augen, deren Repertoire von melancholischer Umflortheit bis zu jähzornigem Blitzen reicht. Die Lippen sind schmal, oft zusammengepreßt, als sollte verhindert werden, daß dem Munde noch mehr unbedachte, unbeherrschte Worte entrinnen, laut, schneidend, befehlend. Die Dominante des Gesichtes ist die Nase – ebenso kühn wie elegant geschwungen, eine Adlernase par excellence.

Harmonisch ist dieses Antlitz nicht, so wenig wie der Charakter. Was aber Männern mißfällt, finden Frauen apart: das Widersprüchliche im Herrn vom Stein. Er ist selbstbewußt, selbstsicher und zugleich seiner selbst nicht sicher – selbstkritisch, schüchtern, anlehnungsbedürftig. Er erscheint als festverwurzelte, knorrige, allen Stürmen trotzende Eiche – und dann wieder als Mimose, hochempfindlich, leicht verletzlich, pflegebedürftig. Er ist hart im Geben und weich im Nehmen, teilt Prankenhiebe aus und erwartet, daß er gestreichelt wird. Dieser Mann ist vernunftkalt und gefühlsfeurig, abgeklärt und aufbrausend, himmelhochjauchzend und zutodebetrübt. Der Prototyp einer Zeit, die zwischen Ratio und Emotion, Heroismus und Wehleidigkeit schwankt. Eine Traumfigur für gebildete, empfindsame Damen dieser Phase zwischen Aufklärung und Romantik.

Eine Seelenfreundin findet er zuerst: Caroline von Berg, geborene von Häseler, Gattin eines preußischen Kammerherrn. Sie hält literarischen Cercle in Berlin. Gleim nennt sie »seine Santa Carolina«, Kleist wird von ihr gefördert, Jean Paul hält es für ihren Lebensberuf, »für alles Ausgezeichnete überall die rechte Liebe zu entzünden«. Frau von Berg korrespondiert mit Herder, Goethe, Wieland und dem Philologen Wolf. Sie wird die engste Freundin der Königin Luise, die in ihren Armen stirbt, der sie eine biographische Schrift widmet, eine klassizistische Hagiographie, die Hausbibel des Königin-Luise-Kults.

Er liebe an Frau von Berg den geschliffenen Geist und die

Aufrichtigkeit des Charakters, bekennt Stein am 1. August 1790 dem Freunde Reden. In den folgenden Jahren schreibt er ihr Briefe voll galanter Komplimente und schwärmerischer Offenbarungen. »Unter allen den vielen menschlichen Wesen dieser Erde, mit denen ich in Verbindung kam, sind es nur drei, mit denen ich in einem vollkommenen Verhältnis der Übereinstimmung der Empfindungen und Begriffe stehe, in deren Umgang es mir unbedingt wohl ist, deren Meinungen, Handlungen und Betragen im Wesentlichen mit den meinigen übereinstimmen oder mir die Nachgiebigkeit zu einer leichten Pflicht machen, für die ich keinen verborgenen Gedanken haben mag und auch nicht vorsätzlich habe, und dies sind meine Schwester Marianne, Rehberg und Sie.«

Was ihm Frau von Berg antwortet, ist nicht bekannt. Jedenfalls protegiert sie ihn bei Hofe; in entscheidenden Situationen des Steinschen Lebenslaufes wird sie in Erscheinung treten, vor seiner Ernennung zum Finanz- und Wirtschaftsminister im Jahre 1804, bei seiner Berufung als leitender Minister Ende 1807. Das Schlußwort, das Stein diesem platonischen, doch für ihn nicht unpraktischen Verhältnis nachschicken wird, klingt für beide Teile wenig erfreulich: Sie habe »eine Fertigkeit in einer zweideutigen, doppelsinnigen Handlungsweise, die der Wahrheit des Charakters nachteilig ist und sie zugleich verleitet, den Meinungen und Gesinnungen ihrer Freunde zu schmeicheln, statt belehrend und berichtigend auf sie zu wirken«. Und: »Ihr Gefühl für das Gute und Große brachte sie zwar in Verbindung mit ausgezeichneten Männern, aber ein gewisses Zusammentreffen von Situationen bildete auch zwischen ihr und Männern aus der guten Gesellschaft und geringerem innerem Wert Verbindungen von weniger edler Art.«

Daß er sich zu den »ausgezeichneten Männern« mit großem innerem Wert zählt, daran läßt er keinen Zweifel. Am Anfang der neunziger Jahre erwartet er von Frau von Berg Belehrung und Berichtigung in einer Angelegenheit, in der er sich nicht sicher fühlt. Das Angenehme mit dem Nützlichen verbindend, bittet er die Seelenfreundin um die Beurteilung der Comtesse Wallmoden. Mit der Antwort ist er einverstanden: »Ihr Urteil über die Gräfin Wilhelmine ist sehr wahr, sie ist gewiß empfänglich für das Gute, und in dem Umgange guter, gebildeter Menschen wird sie Liebe zu Beschäftigung und einen größeren Reichtum der Begriffe, als sie besitzt, erhalten.«

Stein ist auf Brautschau, wie es der Familienvertrag befiehlt und weil er sein einschichtiges Dasein in westfälischen Provinznestern satt bekommt. »Der Wunsch, jemand um mich zu haben, der ein Gegenstand von Liebe und Wohlwollen für mich ist, wird täglich lebhafter bei mir«, schreibt am 9. Juni 1792 der fast Fünfunddreißigjährige an Frau von Berg. Zudem hat er erkannt, daß man nicht alles in einer haben könne: »Eine Frau, die Verstand, Figur, Ton und Gefühl in einem außerordentlichen Grad besitzt, ist eine vortreffliche Freundin, aber keine gute Frau, ihre Pflichten sind ihr zu kleinlich, ihr Zirkel zu eng, und sie existiert mehr für andere als für ihr Haus – der Wunsch, eine solche zu besitzen, scheint mir nicht richtig raisonniert.« So dozierte er schon vor Jahren dem Freunde Reden: »Suchen Sie bei Ihrer Frau einen gesunden und gebildeten Verstand, reine Sitten, einen sanften Charakter und einen mäßigen Grad von Welt- und Menschenkenntnis – und mir scheinen diese Eigenschaften zureichend, um häusliches Glück zu geben.«

Das Ideal einer Weltdame meint er in Caroline von Berg gefunden zu haben, die Realität einer Hausfrau in Magdalene Wilhelmine Friderike Gräfin von Wallmoden. Die Zwanzigjährige ist ein dunkler Typ, ziemlich hübsch; »sie hat in ihrer Figur einen Ausdruck von Reinheit, von Vernunft, Ruhe und weiblicher Milde, dem ihr ganzes Betragen entspricht«. Der empfindsame Hagestolz findet sie sanft, gut, lenksam, ihren Freunden und Eltern anhängend, »ein wenig leer und auch eine Portion versteckter Familienstolz«. Immerhin ist die etwas steifleinene Niedersächsin die – wenn auch illegitime – Enkelin eines Königs von England. Ihr Vater, Johann Ludwig Reichsgraf von Wallmoden-Gimborn, hannoverscher General, ist der natürliche Sohn Georgs II. und seiner Maitresse Amalie Marianne, geborener von Wendt, geschiedener von Wallmoden, geadelter Gräfin Yarmouth. Der »Moral sense« Karl vom Steins nimmt daran keinen Anstoß; sein »Common sense« läßt ihn die Vorteile einer solchen Partie erkennen; den Anforderungen des Steinschen Familienvertrages entspricht die hochadelige Verbindung mehr als genug.

Zu überstürzen braucht er nichts; Liebe und damit Gefühlsüberschwang ist bei dieser wie bei anderen standesgemäßen Alliancen kaum im Spiel. Seit Sommer 1790 kennt er die Familie, besucht sie, prüft die anderen und sich selber, holt sich Rat beim Freunde Reden und bei der Freundin Berg. Dieser erklärt er am 2. September 1792: »Wahrscheinlich heirate ich zwischen hier und dem Frühjahr, und noch immer wahrscheinlich die Gräfin Wilhelmine Wallmoden, es müßten denn in Ziegenberg ganz unerhörte Dinge zu sehen sein.« Dort hat seine besorgte Schwester Luise eine andere mögliche Partie ausfindig gemacht: Charlotte Freiin von Diede. Die Schilderung ist so vorteilhaft, daß Stein sich erst nach dem Augenschein in Ziegenberg endgültig festlegen will.

Schließlich schreibt er – nach stattgehabter Korrespondenz mit ihrer Mutter – den offiziellen Werbebrief an Wilhelmine von Wallmoden, am 3. Dezember 1792, aus dem Feldquartier in Homburg. Die Diedes waren vor der französischen Revolutionsarmee geflohen. Statt dessen traf Stein in Gießen den hannoverschen General Wallmoden mit Frau und Tochter; zusammen reiste man nach Kassel. Das gemeinsame Kriegserlebnis brachte Karl und Wilhelmine einander näher; der revolutionäre Sturm trieb Stein in den Hafen der Ehe. Im Stil der alten, zu Ende gehenden Zeit ist der Brautbrief gehalten, in Französisch selbstredend, wie es die Delikatesse des Anliegens erfordert, mit langatmigen Passagen, konventionellen Wendungen, moralischen Sentenzen und sentimentalen Floskeln. Wie ein Advokat, der sich selber vertritt, sucht Stein der Auserwählten zu erklären, warum er sich solange nicht erklärt hat, was er erstrebt: das häusliche Glück. Hiermit endet der erste Briefbogen. Der zweite, auf dem Stein sich über sich selbst und seine Verhältnisse ausgelassen hat, ist verschwunden – wahrscheinlich von ihm später absichtlich beseitigt.

Die Verlobung ist im Februar 1793 in Hannover. Geheiratet wird am 8. Juni desselben Jahres in Heinde, auf einem Wallmodenschen Gut. Vor der Hochzeit versichert er Reden seiner unverbrüchlichen Freundschaft; »denn wir bedürfen uns wechselseitig«. Nach der Hochzeit – im August – berichtet er Frau von Berg, seine Frau weile auf dem Gut ihrer Schwester bei Bamberg. »Wo und wann werde ich Sie wiedersehen, gnädige

Frau, und Sie über so manches sprechen, was mir sehr tief in der Seele liegt?« Im Oktober schreibt er der Freundin bissige Bemerkungen über die verkehrte Erziehung der Weiber in den oberen Klassen der Gesellschaft, und er klagt, er müsse jetzt unter Menschen leben, mit denen man über tiefere Empfindungen und höhere Begriffe nicht reden könne.

So haben schon die ersten Ehemonate ihre Probleme. Äußere kaum: Der Reichsfreiherr ist nun Präsident der Cleveschen Kammer, man wohnt im alten Herzogschloß zu Cleve. Sein Innenleben sieht Stein nicht befördert. Eine Selbsterziehung durch Erziehung anderer – seine Lieblingsbeschäftigung – stößt auf die Indolenz der Hocharistokratin, die sich von Hause aus für hinreichend gebildet hält. Eine Selbstbeglückung durch Beglückung anderer – theoretisch von ihm durchaus erstrebt – verkümmert in sexueller Unterkühlung. Es bleibt ihm der politische Eros, der faustische Tätigkeitsdrang in seinem Verwaltungsbereich, das prinzipielle Festhalten an der Ehe als gesellschaftlicher Einrichtung – und der Appell an das Mitgefühl der Frau von Berg: »Auch Sie, meine Freundin, sind Dulderin, haben vieles und manches schweigend und sanft gelitten, auch Sie leben in Reminiszensen, in betrogenen Erwartungen. Diese Ähnlichkeit der Situation gibt unseren Empfindungen einen Einklang, unseren Maximen des Lebens eine Übereinstimmung, die uns mehr als alle bürgerlichen Institute vereinigt.«

Mit Steins bürgerlichem Ehe-Institut wird es besser gehen, wenn Kinder da sind. Am 2. August 1796 kommt das erste, Henriette Luise. Die Nase habe sie vom Vater, stellt er fest, ohne an die Folgen für das Mädchen zu denken. 1801 wird ein zweites Mädchen geboren, das ein Jahr später stirbt. Am 3. Mai 1803 kommt ein drittes Kind, wieder ein Mädchen, Therese Marianne Magdalene. Sie sei rund und fett wie eine Ammer, und recht ungebärdig, behauptet der Vater. Wenn von seinen Kindern die Rede ist, steigt er von den Stelzen des Pathos, spricht er ganz natürlich, wird humorvoll, läßt für einen Augenblick den Sarkasmus beiseite. Seine Kinder darf und kann er erziehen, sein Leben lang. Ein Stachel bleibt: es sind nur Mädchen. Mit ihm, Karl vom Stein, wird das alte Reichsrittergeschlecht aussterben, erlöschen wie das alte Reich und das Ancien régime.

»Seit zwei Jahren bin ich durch Situationen durchgerissen worden, die das Innerste meines Ideen- und Empfindungssystems angegriffen haben«, bekennt Stein am 22. Februar 1794. Er denkt dabei an sein Privatleben wie an das Weltgeschehen. Die vorwärtsstürmende Revolution hat ihn aufgewühlt; sie signalisiert Gefahr für seinen Besitz, sein Amt, seine moralischen Grundsätze und politischen Anschauungen. Wie kann ihr der Wind aus den Segeln genommen werden? »Bildung der unteren Klassen und Verbesserung ihres Zustandes scheint mir das sicherste Mittel, um Revolutionen zuvorzukommen – doch wie erginge es dem schlesischen Gutsbesitzer?« Dieses Fragezeichen setzt der rheinische Standesherr hinter sein antirevolutionäres Rezept – in einem Schreiben an Reden, den schlesischen Gutsbesitzer.

Eine preußische Antwort auf die französische Herausforderung wird 1794 erteilt, durch die Verkündung des »Allgemeinen Landrechts«. Das sind seine Grundgedanken: »Die allgemeinen Rechte der Menschen gründen sich auf die natürliche Freiheit, sein eigenes Wohl ohne die Kränkung der Rechte eines anderen suchen und fördern zu können.« Und: »Die Gesetze des Staates verbinden alle Mitglieder desselben ohne Unterschied des Ranges, Standes und Geschlechtes.« Und: »Ein jedes Mitglied des Staates ist das Wohl und die Sicherheit des gemeinen Wesens nach dem Verhältnis seines Standes und Vermögens zu unterstützen verpflichtet.« Der Trias der Französischen Revolution wird eine preußische Dreiheit entgegengesetzt: Freiheit – doch nur in den Schubladen der Kastenordnung. Gleichheit aller vor dem Gesetz, das aber nicht von den Mitgliedern des Staates beschlossen, sondern von der monarchischen Staatsgewalt erlassen wird. Brüderlichkeit – das ist die Pflicht jedes Preußen, für König und Vaterland einzustehen.

Den friderizianischen Staat gibt es noch. Doch die Epigonen sind dabei, seine Härten zu mildern, ihn anziehender und damit verbindlicher zu machen. Die Blößen des Machtstaates werden bedeckt; er soll als Wohlfahrtsinstrument und Rechtsanstalt erscheinen. Das Ancien régime in Preußen rüstet sich mit den Defensivwaffen des aufgeklärten Absolutismus für die Auseinandersetzung mit der offensiven Aufklärung, der Revolution.

Stein steht in dieser Abwehrfront. Er ist Aristokrat, der mit der überkommenen Gesellschaftsordnung auch seine Vorrechte und seinen Besitz erhalten will; indessen ist er belehrt worden, daß man Ballast abwerfen muß, wenn man Wesentliches retten möchte. Er ist Beamter, der den preußischen Staat bewahren will, zum allgemeinen Nutzen und zu seinem eigenen Besten; doch er hat erkannt, daß man die friderizianischen Zügel lockern muß, wenn die Pferde den Karren weiter voranbringen sollen. Er ist ein aufgeklärter Bürokrat, auch wenn er immer wieder Giftpfeile gegen den Bürokratismus verschießt; denn auch er meint, jede Verbesserung, jede Wohltat müsse von oben verordnet, gegebenenfalls erzwungen werden. Als Statthalter des Ancien régimes, Stellvertreter des Königs von Preußen und Schrittmacher des Fortschritts fühlt sich Stein – seit 1793 Präsident der Märkischen Kammer, 1794 Präsident der Cleveschen Kammer, 1796 Oberpräsident der Cleveschen, Märkischen und Mindenschen Kammer, Vorsteher der königlichen Provinzialbehörden in Westfalen.

»Vieles Neues läßt sich hier nicht machen, ein bißchen Wegebau, einige Verbesserungen in der Landwirtschaft – sonst ist es das einförmigste Land, das der Schöpfer je gebaut hat«, raisonniert er Anfang 1794. Westfalen ist für ihn keine Liebe auf den ersten Blick. Mitunter teilt er die Abneigung der preußischen Könige gegen diese westlichen Territorien, die wie Balkone dem Block der Monarchie angehängt sind, hegt er den Argwohn der preußischen Bürokratie gegen die Bewohner, die nicht slawisch-fügsam wie ostelbische Untertanen sind, sondern eben eigenbrötlerische, selbstbewußte, dickschädelige Westfalen, die gegen die Obrigkeit aufmucken, nach Möglichkeit sich vom Militärdienst drücken und notfalls den Steuereinnehmer verprügeln. Stein müßte nicht Stein sein, wenn ihm das nicht – bei allem Ärger, den er damit hat – imponierte: das Tiefverwurzelte, Knorrige, Aufrechte. Wie einen herben Wein, der sich nicht beim ersten Schluck erschließt, lernt er die Westfalen schätzen.

Verwandtes entdeckt er in Westfalen. Als Reichsfreiherr achtet er die alte Reichsverfassung, die seine Standesprivilegien vor dem Zugriff des Landesfürsten schützt. Im alten Sachsenland, bei Widukinds Stamm, findet er Reste der kommunalen

Selbstverwaltung und der ständischen Mitwirkung, Relikte der altdeutschen Verfassung, Überbleibsel der vorabsolutistischen Zeit. Das historisch Gewachsene, freilich recht Verkümmerte wird von hochgestochenen Adeligen wie eigenwilligen Bauern zäh verteidigt – gegen die Heckenschere des preußischen Absolutismus. Der Kammerpräsident Stein, der sich als Heckenstutzer betätigen soll, wird nachdenklich, als er in der Praxis erlebt, was er bei Göttinger Reichsrechtlern gehört, bei Justus Möser gelesen und von den Engländern erfahren hat: das Vorhandensein einer eigentümlichen Tradition und die Möglichkeit ihrer Fortentwicklung.

Es wird noch gewählt, im Cleveschen und Märkischen, in diesem – von Berlin aus gesehen – rückständigen Winkel der Monarchie: die Bauerschaftsvorsteher von den Bauern, die Bezirks-Steuereinnehmer von den Steuerzahlern, der Landrat vom Adel. Auf den »Amts- oder Erbentagen« versammeln sich alle »Eingesessenen« des Bezirks, die mindestens zehn Taler Grundsteuer entrichten, ohne Unterschied des Standes. Dort »verhandeln« sie – Bauern wie Adelige – Angelegenheiten des Bezirks. Die Stände von Cleve und Mark, Ritterschaft – adelige Großgrundbesitzer – und Städte, treten jährlich zum Landtag zusammen. Dieser berät über Provinzsachen, beispielsweise Wegebau und Wasserstraßen, redet mit bei entsprechenden Gesetzen und Anordnungen, ist an der Bewilligung und Verteilung der Steuern für Provinzbedürfnisse – und nur für diese – beteiligt.

Viel ist es nicht mehr, was unter der preußischen Glasglocke vom alten ständischen Bewilligungsrecht konserviert ist. Und selbst das Wenige sucht die königliche Bürokratie noch einzuschränken. Kurz vor der Ernennung Steins zum Präsidenten der Cleveschen Kammer hat diese die Periodizität des Landtags in Frage gestellt; der »ständische corpus« solle gefälligst jedesmal um Erlaubnis fragen, ob er tagen dürfe. Auf seine Beschwerde reagierte das Berliner Ministerium mit der Drohung, man könne die friderizianische Kabinettsordre von 1754 wieder hervorholen, die einen Landtag nur alle drei Jahre erlaubte.

Einen anderen Ton schlägt der frischgebackene Kammerpräsident an. In seinem Bericht vom 14. Dezember 1793 legt Stein ein Wort für die ständische Verfassung ein: »Das Recht der Stände, sich in Landtagen zu versammeln, ist eine Folge ihrer zur Erhebung und Ausschreibung neuer Steuern erforderlichen Einwilligung, welche sowohl auf der Steuerverfassung aller deutschen mit Landständen versehenen Territorien beruht, als insbesondere in dieser Provinz auf eine alte Observanz und die ausdrückliche Disposition des Landtagsabschieds anno 1660, den 14. August, sich gründet.« Auf das alte gute Recht der Stände verweist Stein, und auf deren Berechtigung, aus eigenem Beschluß und ohne vorheriges Ersuchen alljährlich zusammenzutreten. Er warnt: Eine Veränderung der Landtagsperioden würde die Eintracht zwischen Ständen und Provinzbehörden stören, die Verwaltung erschweren. Und er mahnt: Eine regelmäßige Mitwirkung sei für den Staat von Nutzen; Landtag wie Erbentag würden die Verwalteten »mit dem Interesse und dem Gang der Geschäfte« bekanntmachen.

Zum ersten Mal ist ausgesprochen, was das Ceterum censeo des Reformers werden wird: Nicht über die Köpfe der Untertanen hinweg soll regiert werden, sondern durch Heranziehen dieser Köpfe ist das Beste für alle, für den Staat anzustreben. Zum ersten Mal stellt sich Stein auf die Seite der provinziellen Besonderheit, macht Front gegen die Allgemeinheiten des Zentralismus. Und nicht zum letzten Mal sucht er das altständische Wesen zu beleben und dem modernen Konstitutionalismus entgegenzusetzen.

Seine »westfälische Gesinnung« erregt Anstoß. Reformen auszuführen, indem »man sich nicht übereilt, eine Idee nach der anderen aushebt, und wenn sie zur Reife gekommen, bei der Auswahl der Menschen, denen man sie übergibt, vorsichtig ist« – diese gleichsam gärtnerische Erfahrung Steins widerstrebt den Menschheitsverbesserern, die Fortschritt mit Siebenmeilenstiefeln erreichen wollen. »Kenntnis der Örtlichkeit als Seele des Dienstes« – das ist keine Maxime aufgeklärter Systematiker, die ihre Weisheit nicht aus der Anschauung gewinnen, sondern aus allgemeinen Prinzipien ableiten. Vorabsolutistische Relikte nicht nur zu respektieren, sondern sogar als Bausteine für eine nachabsolutistische Staatsordnung zu verwenden – diese westfälische Überlegung Steins widerspricht dem preußischen System, dessen Architekten keinen Umbau und schon gar keinen Neubau, sondern lediglich einen Ausbau nach den Reißbrettkonstruktionen des aufgeklärten Absolutismus planen.

Westfälisch gestimmt wird der Reichsfreiherr, aber er ist ein preußischer Beamter und bleibt ein aufgeklärter Bürokrat, – jedenfalls mehr als dies zeitgenössische Kritiker und spätere Bewunderer wahrhaben. Sein Temperament verführt ihn zu der Annahme, daß er alles besser weiß und schneller kann; seine autokratischen Allüren sind offenkundig. Dem Preußischen hat er sich immerhin so weit assimiliert, daß er ein Etatist geworden ist; Reformen kann er sich nur durch Verordnung, Verbesserungen nur von oben nach unten, als von Staatsdienern wohlüberlegte und wohldosierte Geschenke der Staatsgewalt vorstellen.

Überdies sieht er die Unzulänglichkeiten des altständischen Wesens, das Beschränkte, Verhockte, eben Rückständige, mitunter Lächerliche. Da im Cleveschen nur die »altadeligen Besitzer adeliger Güter« auf den Landtagen erscheinen, entstehe »die Absurdität, daß der Corpus des Adels nur aus einem einzigen Individuo besteht, das dirigiert, votiert, konkludiert und nomine collectivo correspondiert«. So mokiert er sich später. Unter allen Umständen haben die Landtage in ihren Schranken zu bleiben: »Stände müssen nicht Administratoren sein, sondern die Kontrolle und Informationsmittel der Administration.« Das ist aber auch das Äußerste; vorerst billigt er ihnen lediglich die Rolle von Hilfswilligen zu, zwecks Rationalisierung der Verwaltung, zur Verstärkung der Monarchie – in Abwehr der Revolution.

Was nützt dem Staat und damit der allgemeinen Wohlfahrt? Das ist die Kardinalfrage für den preußischen Kammerpräsidenten in Westfalen. Auch seine gesellschaftspolitischen Reformansätze bleiben innerhalb der Grenzen der schwarz-weißen Staatsraison. Die Hörigkeit der Bauern sei dem »Nationalreichtum« schädlich, meint Stein. »Der Kaufwert, der Ertrag, die Sicherheit des Absatzes, die Möglichkeit, große öffentliche gemeinnützige Anlagen auszuführen, ist gewiß in Ländern, wo Bevölkerung und Gewerbefleiß existiert, überwiegend größer als in denen, wo man den Menschen zum integranten Teil des Viehinventarii eines Gutes herabgewürdigt hat.«

Die Bauernbefreiung – auch das Ancien régime ist mit diesem Thema beschäftigt, freilich nur mit halbem Herzen, beflügelt von staatswirtschaftlichen Nützlichkeitserwägungen und gehemmt von der Sorge, die überkommene Besitzverteilung, die alte Sozialordnung könnten gefährdet werden. Das Rokoko hat mit Schäfermelodien präludiert, die Zopfzeit das Landleben entdeckt; Aufklärer wie August Ludwig Schlözer plädieren für die »Lasttiere der menschlichen Gesellschaft«, Idealisten wie Johann Gottlieb Fichte meinen, das Gefühl der Knechtschaft sei es, das den Bauern tief verderbe. Pragmatiker erklären, ein freier Bauer leiste mehr als ein unfreier. Der Staat, stets auf Vermehrung seiner Einkünfte bedacht, hebt Ackerbau, Viehzucht und die persönlichen Verhältnisse der Landleute – menschenfreundlich, wie er sich gibt und auf Steuern versessen, wie er ist.

Inzwischen hat die Revolution die französischen Bauern von den letzten Fesseln des Feudalismus befreit. In Preußen gibt es zwar keine eigentliche Leibeigenschaft mehr, aber Erbuntertänigkeit. Der Bauer ist der Gutsobrigkeit untertan, dem adeligen Grundherrn hörig. Er ist schollenpflichtig, an seinen Wohnsitz und Tätigkeitsbereich gebunden. Der Gesindezwang hält Männer und Frauen an, als Knechte und Mägde auf dem Gutshof zu arbeiten und später Hand- und Spanndienste für den Gutsherrn zu leisten. »Drei Tage in der Woche zu dienen, ist billig, darüber kann sich kein Untertan beschweren«, bestimmte Friedrich der Große noch 1783. Als Hintersasse ist der selbst wirtschaftende Bauer zu gewissen Abgaben und Diensten für den Gutsherren verpflichtet. Überdies muß er dem König geben, was des Königs ist: Die Bauern der Kurmark etwa entrichten mehr als dreißigmal soviel Steuern wie die Ritterschaft.

Bedrückt und ausgepreßt werden die Bauern vor allem im Osten Preußens. Ausnahmen von der Regel gibt es auch dort. Andere Verhältnisse findet Stein im Clevesch-Märkischen vor: Selbständige Bauern auf stattlichen Erbhöfen, ohne Erbuntertänigkeit, mit geringfügigen Zins- oder Dienstpflichten – Nachfahren der freien Germanen. Ostelbien näher ist Minden-Ravensberg: Hier sind die Bauern größtenteils hörig, abhängig vom Gutsherrn, der allerdings nicht, wie im Osten, Obrigkeitsrechte besitzt, etwa die Polizeigewalt oder die niedere Gerichtsbarkeit. Immerhin gibt es drückende Abgaben, vor allem den »Sterbfall«: beim Tode eines »Eigenbehörigen« fällt die Hälfte seiner fahrenden Habe an den Gutsherrn.

Die wohlmeinende Behörde trifft Anstalten zur Behebung dieses Mißstandes. Justizamtmann Schrader beantragt die »Allodifikation der gutsherrlichen Eigenbehörigen sowohl als die der königlichen«, das heißt, die Umwandlung der Lehnsgüter in mehr oder minder freies Eigentum der Bauern, die bislang adeligen Gutsherren oder dem Monarchen höchstpersönlich hörig sind. Der in Berlin für Westfalen zuständige Minister von Heinitz treibt die Dinge voran – ein Grund mehr für seinen Protegé und Untergebenen, den neuen Oberpräsidenten Stein, sich mit dem Gedanken der Bauernbefreiung vertraut zu machen.

Von Hause aus ist der Gutsherr Stein darauf keineswegs erpicht. Er denkt nicht daran, die – freilich ziemlich milde – Hörigkeit auf seinen Nassauischen Besitzungen aufzuheben. Die Rentenzahlungen sind ihm willkommen. Vor allem aber kann er sich keine andere Gesellschaftsordnung vorstellen als die gewohnte, die dem Adel die Bel étage und den Bauern das Souterrain zuweist. Die Pflichten, die sich daraus ergeben, nimmt er ernst: Der Patriarch kümmert sich um seine Kinder, der Patronatsherr sorgt für regelmäßigen Kirchenbesuch und hinreichenden Unterricht: »Die Eltern jedes Kindes, so die Schule versäumt, bezahlen jedesmal zwei Kreuzer Strafe an die Kirche, und wird monatlich ein Verzeichnis der straffälligen Kinder vom Herrn Pfarrer bei der Herrschaft eingereicht.«

Nun hat er sich von Amts wegen der »Milderung der Eigenbehörigkeit« zuzuwenden. Zunächst studiert er die Literatur, als ob er seine private Voreingenommenheit durch die öffentliche Meinung korrigieren wollte. Das Ergebnis enthält die Denkschrift vom 1. Juni 1797: »Übereinstimmend mit der Erfahrung und der Meinung aller Schriftsteller ist der Satz, daß der Zustand des Landmannes, der ihm persönliche Freiheit und Eigentum sichert, am zuträglichsten ist für sein individuelles Glück und für die möglichste Beförderung seines Erwerbfleißes.« In der Praxis geht es darum: Wie können die Ansprüche der Grundherren auf ein gerechtes und erträgliches Maß heruntergeschraubt werden? Wie können Dienste und Naturalabgaben der »Eigenbehörigen« in Geldleistungen umgewandelt und fixiert werden? Wie kann schließlich der Bauer der Besitzer des von ihm bewirtschafteten Hofes werden? Dies ist das Ziel: »Das

Wesentliche der Verbesserungen des bürgerlichen Zustandes des Bauern besteht in Überweisung des ungeteilten Eigentums seines Landes.«

Selbstverständlich soll der Grundherr gebührend entschädigt werden. Das verlangen die alte Rechtsauffassung wie das Interesse des Nassauer Grundbesitzers. An den Klippen des adeligen Eigennutzes, der in Preußen weiterhin mit dem Gemeinnutz identifiziert wird, stranden einstweilen die allgemeinen Reformbestrebungen. Der König muß allein vorangehen: Hörige Bauern der staatlichen Domainen werden freie Erbpächter – im Westfälischen und auch in Ostelbien. An die fünfzigtausend Domainenbauern erlangen persönliche Freiheit und freies Eigentum. Die Hörigen privater Grundherren sind weniger glücklich. Es finden sich zwar etliche Großgrundbesitzer, die dem Beispiel des Königs freiwillig folgen, doch das Gros des Feudaladels pocht auf seine Herrenrechte.

Stein selber schwankt – zwischen den Anforderungen des Gemeinwohls und der Rücksichtnahme auf seinesgleichen, zwischen großen Grundsatzerklärungen und halben Reformvorschlägen. Dabei weiß er, was die Stunde geschlagen hat. Seit Herbst 1794 stehen die Franzosen auf dem linken Rheinufer. Sie halten einen Teil seiner reichsritterschaftlichen Güter wie seines preußischen Amtsbereiches besetzt. Nun ist er unmittelbar mit der Revolution konfrontiert.

Der Rhein ist die Demarkationslinie zwischen dem Neuen und dem Alten geworden. Drüben schreckt »der Verlust des Eigentums durch Kontributionen, durch Lieferungen und durch Vertauschung aller nutzbarer Gegenstände gegen Papiere«, die berüchtigten Assignaten, und droht die Annexion deutscher Gebiete, wodurch »alle Sicherheit des Eigentums und der Person vernichtet und alle bürgerliche und religiöse Verfassung aufgehoben wird«. Hüben steht der Kammerpräsident von Cleve, der seinen Amtssitz räumen, nach Wesel zurückweichen mußte. In den Knochen sitzt die Revolutionsangst, durch den Kopf schwirren Überlegungen, wie man das Verbliebene verteidigen könne.

Das Nächstliegende sei »ein außerordentlicher Beitrag an

Geld oder Lebensmitteln zu den allgemeinen Kriegsbedürfnissen«. Die Besitzenden, die das Messer bereits an der Kehle kitzele, wären dazu sicherlich bereit. So einfach ist das nicht. Er muß viel Energie aufbringen und sich einiges einfallen lassen, Getreide kaufen, um die zum Schutze Westfalens eingerückte preußische Armee zu verpflegen. Seine etwas unbürokratische Methode finden Oberkriegskollegium und Feldkriegskommissariat kommentwidrig: Der p. p. Stein habe erstens zuviel Getreide aufgekauft und zweitens Überschüsse zu Schleuderpreisen an Zivilisten abgegeben. Der Kammerpräsident wird per Kabinettsordre gerüffelt. Er wehrt sich hartnäckig und widerborstig, wie stets, wenn er sich im Recht glaubt, wovon er fast immer überzeugt ist. Er habe es für seine Pflicht gehalten, »getreuen und notleidenden Untertanen, so viel an mir ist, ihr Schicksal zu mildern«.

Preußisch ist die Berufung auf die Pflicht, nicht unbedingt die Fürsorge für Zivilisten womöglich auf Kosten der Uniformierten. Vom Waffenhandwerk sollen indessen auch Nichtdienende, Bauern und Bürger, nicht verschont bleiben. Aufstellung einer Landmiliz – das ist ein Gedanke aus dem alten Reichsarsenal. Viel verspricht sich Stein davon nicht; er verweist auf »die Abneigung der hiesigen Eingesessenen gegen den Kriegsdienst, ihren Hang zu Unabhängigkeit und Bequemlichkeit«. Die Erinnerung an Wotan und Thor ist bei Widukinds Erben verblaßt; die schwerfällig gewordenen Stände prestieren mit Mühe und Not den Federkrieg mit den preußischen Behörden. Immerhin denkt Stein an eine Miliztruppe von ein paar tausend Mann, für die Gefangenenbewachung, zur Unterstützung der regulären Truppen, auszulosen aus allen wehrfähigen Männern mit Ausnahme der Seelsorger; die Stellung von Ersatzleuten soll statthaft sein.

Eine allgemeine Volksbewaffnung, wie sie in einigen geängstigten Köpfen spukt, kommt für ihn nicht infrage – sei es nach dem Vorbild des germanischen Heerbanns, sei es nach dem Muster der französischen »Levée en masse«. Ihr »stehen entgegen die Unbrauchbarkeit eines großen unorganisierten Haufens, die Gefahr, so vielen unsicheren Menschen die Waffen in die Hände zu geben«. Könnte man von halbfreien oder gar hörigen Untertanen erwarten, daß sie freiwillig ihr Leben für König und Feudaladel in die Schanze schlügen? Müßte man nicht befürchten, daß die Waffen, die man ihnen auslieferte, gegen Gutsherren und Staatsbeamte erhoben würden? Als einer vorschlägt, in den Kirchen müsse ein Aufruf des Königs an sein Volk verlesen und ein allgemeiner Landtag aus Deputierten der Kreise und Städte einberufen werden, zur Ausführung und Kontrolle der Volksbewaffnung, da erwidert der Kammerpräsident: Aufruf ja, aber als »Darstellung der Übel, welche eine Invasion der Franzosen verursachen würde und der Pflichten, die dem Untertanen zur Verteidigung seines Vaterlandes und seiner Verfassung aufliegen«. Allgemeiner Landtag, nein; denn er sei »verfassungswidrig und würde bei so wenig vorbereiteten Menschen, als die Markaner sind, eine solche Versammlung entweder einen bloß passiven, oder einen Verwirrung verursachenden Haufen abgeben«.

Nein, auch der westfälisch gestimmte und reformerisch gesinnte Reichsfreiherr erwartet die Rettung des Ancien régime primär von der schimmernden Wehr Friedrichs des Großen, von der von Junkern gedrillten und vom König kommandierten preußischen Armee. Umso enttäuschter und verbitterter reagiert er, als die Militärmacht Preußen einen faulen Frieden mit Frankreich schließt, die Koexistenz mit der Revolution anvisiert.

Seit 1792 bekriegen Preußen und Österreich samt dem Heiligen Römischen Reich das revolutionäre Frankreich. Der Kreuzzugsrausch ist längst verflogen; ernüchtert und in alter Eifersucht stehen sich die beiden deutschen Großmächte gegenüber. Die Dritte polnische Teilung nimmt sie in Anspruch. Preußen wie Österreich wollen nicht zu kurz kommen, ziehen Truppen aus dem Westen ab, werfen sie nach Osten. Ohnehin erweist sich die französische Republik als Gegner, mit dem man nicht fertig wird; die Sansculotten erobern Belgien, Holland, das linke Rheinufer. »Die Dinge liegen so, daß jeder nur an sein eigenes Heil denken darf; drum predige ich offen den Frieden«, meint der Marchese Lucchesini, außenpolitischer Berater Friedrich Wilhelms II. Am 5. April 1795 wird in Basel ein Sonderfriede geschlossen – zwischen dem Bevollmächtigten des Hohenzollernkönigs und dem Vertreter des Pariser Wohlfahrtsausschusses. Preußen verläßt die Koalition, läßt Österreich und das Reich im Stich, gibt das linke Rheinufer preis und bekommt rechtsrheinische Entschädigungen versprochen; ganz Norddeutschland wird für neutral erklärt. Die französische Republik erhält freie Hand für den Einfall in Süddeutschland und Oberitalien, zum Stoß gegen die Hauptfeinde: den österreichischen Staat und das alte Reich.

Im Mai reist Stein heim nach Nassau, »ins Reich«, wie er es nennt. Hoffnungen erweckt dieser Frühling nicht. Es ist regnerisch und kalt; Weinstöcke sind erfroren. Am jenseitigen Rheinufer, wo Steinsche Besitzungen liegen, stehen die Franzosen Gewehr bei Fuß, jederzeit bereit, den Strom zu überschreiten und das Stammgut zu verwüsten. Im »Reich« wachse die Mißstimmung gegen Preußen; der unglückliche Friede von Basel sei »eine treulose Preisgabe Deutschlands«, schreibt er am 22. Juni 1795.

Sein Zorn schwillt mit dem Sichtbarwerden der Folgen. »Wir werden keinen Vorteil ziehen aus der Perfidie unserer Grundsätze, denn die Charakterlosigkeit unseres Benehmens macht uns zum Gegenstand allgemeiner Verachtung und allgemeinen Abscheus«, meint er 1796, als der Krieg in Süddeutschland wütet und das Nassauer Schloß geplündert wird. Nachdem Bonaparte in Italien die Österreicher besiegt und im Frieden von Campo Formio ihre Zustimmung zur Abtretung des linken Rheinufers erreicht hat, als Österreich, Rußland und Großbritannien den zweiten Koalitionskrieg gegen Frankreich führen – 1799 kritisiert Stein die preußische Neutralitätspolitik: »Es ist betrübend, uns gelähmt und in einem Zustande der Starrsucht zu sehen, während man mit Nachdruck die Ruhe Europas auf den alten Grundlagen wiederherstellen konnte, die Unabhängigkeit Hollands, der Schweiz, Italiens, Mainz.« Nachdem das Reich versunken ist und die getrennt marschierenden deutschen Großmächte hintereinander geschlagen worden sind, nach Austerlitz und Jena wird Stein noch klarer sehen und deutlicher sprechen: Ein Produkt des Egoismus und der Kurzsichtigkeit sei der Sonderfriede von Basel gewesen, zustandegekommen unter »Aufopferung aller Verbindungen mit den Alliierten, dem deutschen Vaterland und der ehrwürdigen Grundsätze, worauf das Gleichgewicht Europas beruhte«, mit dem Ergebnis, daß das nördliche vom südlichen Deutschland getrennt, Preußen isoliert und ganz Deutschland und halb Europa die Beute Frankreichs geworden sind.

Ein Bündel von Motiven! Zuwider sind ihm die doppelzüngigen, hirnrissigen Diplomaten, die halbherzigen, zaudernden Generale, der schwankende König; Laue möchte der Ritter stets ausgespuckt wissen. Um Preußens, seines erwählten Staates willen, beklagt der Oberpräsident die Selbstlähmung dieser Großmacht: »Wir amüsieren uns mit Kunststücken der militärischen Tanzmeisterei und Schneiderei, und unser Staat hört auf, ein militärischer Staat zu sein und verwandelt sich in einen exerzierenden und schreibenden.« Das europäische Gleichgewicht hält der Baron für gefährdet, durch das französische Plus, durch das Minus, das aus dem Auseinanderdividieren von Preußen und Österreich entstanden ist. Das gemeinsame deutsche Vaterland sieht der Rheinländer bedroht, seitdem der Rhein Deutschlands Grenze geworden ist; wenn er an seine von Frankreich beherrschten Landsleute jenseits des Stromes denkt, gibt es nationale Zündungen: »Daß es übrigens entehrend und die Würde der deutschen Nation erniedrigend ist, seinen Nakken unter das Joch eines französischen Proconsuls zu beugen, hierin wird wohl das Gefühl jedes nicht ganz herabgewürdigten Mannes übereinstimmen.«

DAS Reich, die altehrwürdige Kuppel der deutschen Nation, droht im französischen Sturmwind einzustürzen. Seine Fundamente sind längst zerschlagen, seine Pfeiler geknickt – von Deutschen selber. Goethe raisonniert: »Das liebe heil'ge Röm'sche Reich, wie hält's nur noch zusammen?« Schiller idealisiert: »Die deutsche Würde ist eine sittliche Größe, sie wohnt in der Kultur und im Charakter der Nation, der von ihren politischen Schicksalen unabhängig ist ...; indem das politische Reich wankt, hat sich das geistige immer fester und vollkommener gebildet.«

Der Reichsfreiherr im preußischen Staatsdienst denkt einmal daran, die alten Reichskreise wieder zu beleben, zur Lösung regionaler Wirtschafts- und Verkehrsprobleme. Er läßt diesen Gedanken alsbald fallen; er ist abwegig genug. Artikulationen eines Reichspatriotismus – etwa im Sinne seiner Göttinger Lehrer – sind von ihm nicht zu hören. Noch nicht. Vor allem gilt ihm das Reich als Rechtsgarant seiner ritterschaftlichen Privilegien. Und diese scheint er vorerst nicht für gefährdet zu halten. Denn deutsche Fürsten werfen begehrliche Blicke zunächst auf reichsunmittelbare geistliche Territorien, auf der Suche nach Entschädigung für linksrheinische Verluste. Preußen beispielsweise hat Cleve, Moers und Geldern eingebüßt – einen Teil des Steinschen Amtsbereiches.

Das Reichsgewissen schlägt ihm nicht, als der alte Reichsmantel zerteilt wird und es ihm zufällt, ein paar Fetzen dem preußischen Rock anzustückeln. Preußen gewinnt das Bistum Paderborn, die östliche Hälfte des Oberstiftes Münster mit der Hauptstadt, und die Reichsabteien Essen, Werden, Elten, Herford und Cappenberg. Im September 1802 wird Stein zum Leiter der Spezialorganisationskommission für die erworbenen geistlichen Gebiete berufen. Er ist an verantwortlicher Stelle in die Säkularisation eingeschaltet, in den historischen Prozeß, an dessen Ende die Auflösung des alten Reiches stehen wird.

Der preußische Oberpräsident scheint als geborener Reichsfreiherr und studierter Reichsjurist nicht befangen zu sein. Schon 1798 meinte er, Deutschland könne seine nationale Unabhängigkeit gegenüber Frankreich nur behaupten, wenn es seine Kräfte vereinige, die »eine fehlerhafte Verfassung« zerstückelt habe. Man müsse die beiden deutschen Militärmächte, Preußen und Österreich, vergrößern; Säkularisationen seien ein Mittel, diese »réunion totale« in Gang zu bringen. Deshalb animiert er die preußische Regierung, tief in den westfälischen Stiftsapfel hineinzubeißen, große Stücke zu schlucken – mit einer Begründung, in der Steins nationales Motiv zum ersten Mal anklingt.

Vorerst ist ein anderer Beweggrund wichtiger. Organisieren und Reformieren – dem aufgeklärten Bürokraten bietet sich ein ideales Betätigungsfeld bei der Eingliederung der geistlichen Lande, verkümmert und verbesserungsbedürftig wie sie nach preußischer und protestantischer Auffassung sind. Arrondieren und Vergrößern – das ist das Grundgebot und Kompositionsgesetz seines Staates. Ein Beamter, der die preußischen Territorien in Westfalen mit den dazwischenliegenden Gebieten zu einem schwarz-weißen Ganzen verschweißt, täte er nicht im Kleinen das, was der König im Großen tut?

Von Minden, wo er seit 1796 wohnt, nach Münster zu ziehen, ist auch ein persönlicher Vorteil, »weil ich hier vorteilhaftere und angenehmere gesellschaftliche und wissenschaftliche Verhältnisse habe – Buchhandel, verschiedene Gelehrte, Gelegenheit zum botanischen Garten«. Bisher mußte er in westfälischen Provinznestern leben, nun zieht es ihn in den Hauptort des Landes. Münster ist eine mittelalterliche, barock aufgeputzte Stadt, mit stattlichen Bürgerhäusern und Winterresidenzen des westfälischen Adels, heimeligen Laubengängen und weitläufigen Gartenanlagen, das Ganze vom Geläute und Gebimmel zahlreicher Kirchen erfüllt. Am Turm der Lambertikirche hängen noch die drei Eisenkäfige, in denen man die Anführer der Wiedertäufer nach ihrer Hinrichtung zur Schau stellte. Im Saal des gotischen Rathauses wurde 1648 der Westfälische Friede geschlossen, der Dreißigjährige Krieg beendet. Im spätbarocken Schloß residierte der Fürstbischof. Nun bezieht es der preußische Oberpräsident, der Liquidator der alten Stiftsherrlichkeit.

Die Preußen sind im westfälischen Rom noch unbeliebter als im italienischen Rom ein dreiviertel Jahrhundert später die Piemontesen. Unter dem Krummstab ließ es sich behaglich leben; man hatte, was man hienieden brauchte, und für das Seelenheil sorgten die Priester, Mönche und Nonnen, von denen es mehr als schwere Sünder gab. Der Adel stand mit den geistlichen Regenten – seinen Brüdern und Vettern – auf Du und Du. Die Bürger besaßen viel Freiheit und bezahlten wenig Steuern. Die Bauern waren zufrieden mit ihren fetten Äckern und milden Gutsherren. In dieses Paradiesgärtlein sind nun die Preußen eingebrochen, Protestanten, Bürokraten, Militaristen. Blutjunge Offiziere stolzieren auf dem Prinzipalmarkt umher, und – wie sich ein Augenzeuge erinnert – »wer ihnen in den Weg kam und nicht beizeiten auswich oder nicht mehr ausweichen konnte, wurde mit dem Rohrstock oder mit dem Degenknopf beiseitegestoßen«.

Der Münstersche Mops trage den Kopf hoch, bemerkt Stein, der Prokonsul. Ein Aufbegehren erwartet er von den Preußen wider Willen allerdings nicht. »Man bemerkt mehr Niedergeschlagenheit, trübes Hinblicken in die Zukunft, als Unwillen und Widersetzlichkeit. Der Adel fürchtet den Verlust seines politischen Daseins, seines Ansehens, seiner Stellen; die Geistlichkeit sieht ihrer gänzlichen Auflösung entgegen; der große Haufe ist beunruhigt über Abgaben, Akzise, Konskription und fürchtet auch mitunter für seine Religion.« Stein, der Verwaltungsexperte, fühlt sich vor den Kopf gestoßen: »Es ist unbegreiflich, daß in einem Lande, welches zwischen den Preußischen Provinzen eingeschlossen, in diesen überall Beweise einer energievollen, milden, gesetzlichen, kenntnisreichen Verwaltung findet, solche rohen Begriffe über diese Verwaltung herrschen.«

Stein ist entschlossen, die Münsterländer – »dieses ernsthafte, nachdenkende und redliche Volk« – von der Überlegenheit der preußischen Verwaltung und der Notwendigkeit eines allgemeinen Fortschrittes zu überzeugen. Er kniet sich in seine neue Aufgabe hinein, konzipiert und korrespondiert, schickt Denkschriften nach oben und gibt Anweisungen nach unten, beachtet das Kleinste und betreibt das Große – ein Meisterbürokrat, von Reformeifer und Organisationswut besessen, vom Glauben an den Erfolg der guten Sache erfüllt.

Säkularisation, Verweltlichung, Beschränkung der Kirche auf seelsorgerische Funktionen, Umwandlung von geistlicher in staatliche Herrschaft, Enteignung von Kirchengut zugunsten der Allgemeinheit – Stein sind die Schlagworte des Jahrhunderts geläufig. Er teilt die aufgeklärten Vorurteile gegen das kontemplative Leben von Mönchen und Nonnen: »Ich gestehe, ich halte die Klosteranstalten für den Sitz des Aberglaubens oder eines dumpfen Hinbrütens, oder der Dissolution und Insubordination, ihr Geist ist im Widerspruch mit dem Geist wahrer Religion und der ersten Pflicht des Menschen, gemeinnütziger Tätigkeit.« Daher seien diese Institute aufzulösen, ihre Einkünfte für Schulen, Irrenanstalten, Krankenhäuser und Altersheime zu verwenden. Hier scheut er sich nicht, das Beispiel der Französischen Revolution zu zitieren. Dort soll es in Preußen nachgeahmt werden, doch doucement, unter Schonung der Individuen, der Verwendung von Mönchen und Nonnen als Zivilisationshelfer, mit vernünftigem Einsatz des kirchlichen Vermögens. In Politicis habe die Geistlichkeit nicht mehr mitzureden. Die Domkapitel sollen aus den ständischen Versammlungen ausgeschlossen werden, »weil überhaupt ihr Geist der

Preußischen Verfassung abgeneigt ist und sie nie vergessen werden, daß sie ihre Mitregentschaft verloren und sie entweder aus krassen Genießenden, oder aus intriganten und starrsinnigen Menschen bestehen«.

Als Puritaner, Protestant, preußischer Beamter und aufgeklärter Mensch beurteilt er den Katholizismus. Gegen das Sinnliche ist er überhaupt, und auch ein Zuviel an Übersinnlichem mag er nicht. Doch er scheint Friedrich des Großen Wort zu kennen: Die Calvinisten behandelten Gott als ihren Diener, die Lutheraner als Ihresgleichen, die Katholiken aber als ihren Gott. Immerhin imponiert ihm einiges am katholischen Münsterland: »Man findet mehr äußere Achtung für Religion, mehr Menschen von frommen und andächtigen Gefühlen, als ich anderwärts gefunden.« Diese Katholiken besäßen »ein unschätzbares Kleinod, dessen Verlust alle unsere Philosophismen nicht ersetzen«.

Toleranz hat er daheim gelernt; die Verwaltungserfahrung lehrt ihn die neuen Untertanen schätzen. Mitunter fragt er sich, ob der Münsteraner, aufs Ganze gesehen, mit der preußischen Herrschaft das große Los gezogen habe: Seine Kräfte würden jetzt zwar gespannt, seine Tätigkeit aufgereizt – »ob er aber darum glücklicher, besser wird?« Jedenfalls will Stein moralische Eroberungen machen, die Westfalen durch schonendes Vorgehen und durch behutsames Eingehen auf ihre Besonderheiten für das neue Regiment gewinnen.

Münster soll die Hauptstadt eines von Preußen wiedervereinigten Westfalens werden. Seine Universität, nach Göttinger Vorbild reformiert, könnte von weither Gelehrte anziehen und ihre Gelehrsamkeit weithin ausstrahlen. Die einheimischen Beamten will er, »soweit sie irgend zu benützen«, übernehmen. Die »ständischen und Communitäts-Einrichtungen« möchte er, wenngleich modifiziert, beibehalten.

Dem Ständewesen – wie er es von Hause aus schätzt und in Cleve-Mark kennenlernte – schenkt er Aufmerksamkeit, Respekt und Sympathie. Schon weil er darin eine Klammer für die neuen Landesteile und eine Hilfestellung für die preußischen Behörden sieht: Die ständische Verfassung habe »in Westfalen das Zutrauen der Eingesessenen, und durch sie erhält die Landesverwaltung ein Mittel, den Eingesessenen mit dem

Geist und den Absichten ihrer Maßregeln bekanntzumachen, ein Mittel, sich die Kenntnisse und Erfahrungen der großen Gutsbesitzer, der nicht in Diensten und nicht bei den Oberkollegien stehenden Geschäftsleute zu eigen zu machen und zu benutzen, ein Mittel, das Publikum immer in der Verbindung mit der Landesadministration zu erhalten«. Doch er verläßt mitunter die Bahnen des etatistischen Nützlichkeitsdenkens, läßt dem Reichsfreiherrn die Vorfahrt vor dem Oberpräsidenten: »Ich hoffe immer, man wird die alte deutsche Verfassung, die auf Grundeigentum gebaut war und die sich in Westfalen erhalten, nicht umstürzen und an ihre Stelle eine bloße Bürokratie, deren Unvollkommenheit wir kennen, setzen.«

Westfalen soll nicht einfach über den preußischen Leisten geschlagen werden. »Man vermeide nur ja, alles generalisieren zu wollen«, Lokaleinrichtungen zu sprengen, Gesetze zu geben, »ohne von ihrer Ausführbarkeit und der Zustimmung der öffentlichen Meinung überzeugt zu sein«. Das ist nicht mehr die Sprache eines Bürokraten, der alles von seinem Schreibtisch aus für machbar hält. »Der Beifall des Gewissens und der verwalteten Menschen ist besser als der eines Ministers« – so spricht kein preußischer Beamter, dem das friderizianische System von Befehl und Gehorsam als die beste aller Welten erscheint. Steins »westfälischer Geist« entfaltet sich wie ein Feldzeichen; es wird ihm sein Leben lang voranwehen – in seinem an Siegen armen und an Niederlagen reichen Reformfeldzug gegen das alte Preußen.

Auch als Leiter der Spezialorganisationskommission und – seit November 1803 – Oberkammerpräsident der Münsterschen und Mindenschen Kammer berennt er vergebens die friderizianischen Bastionen. Die Berliner Zentralbürokratie beseitigt die westfälischen Stände. Anregungen Steins werden in den Wind geschlagen. Die westfälische Aufgabe, so wie er sie sich gestellt hat, wird nicht gelöst. Wenige Jahre später werden die Münsterländer die Franzosen als Befreier begrüßen. Persönliche Achtung, Freunde hat sich Stein in Westfalen erworben. Sein Bild bleibt im Sitzungszimmer der Kammer zurück. Er selber liebt nun dieses Land, wird sich später dort für immer niederlassen.

Hier der Beamte des preußischen Macht- und Obrigkeitsstaates, dort der Reichsfreiherr und Fürsprecher der alten westfälischen Freiheit – das ist der Dualismus Steins geworden. Von nun an wird er damit zu tun haben, diesen Widerstreit in seiner Brust auszutragen. Oft wird er ungelöst nach außen dringen, in widersprüchlichen Meinungen und Handlungen. Manchmal wird es scheinen, als sei das eine durch das andere majorisiert worden oder vice versa. Stets wird Stein bemüht bleiben, die Staatsraison und das Reichsgefühl, das Preußische und das Deutsche in Einklang zu bringen.

Zu einer ersten Probe fordert ihn schon bald das Schicksal heraus. »Endlich ist auch gegen uns das ausgeführt worden, was das von mehreren Reichsfürsten angenommene System von Raub und Plünderung befürchten ließ«, beginnt die Hiobsbotschaft, mit der für Stein das Jahr 1804 anfängt. Der Fürst von Nassau-Usingen, der alte Widersacher derer vom Stein, hat die reichsfreiherrlichen Dörfer Frücht und Schweighausen okkupiert, kündet ihre Mediatisierung an. Der Fürst nimmt sich im Kleinen heraus, was der König von Preußen im Großen tut – und wobei ihm der Oberpräsident Stein behilflich ist. Als der Reichsritter nun selber von einem Reichsliquidator zur Kasse gebeten wird, fühlt er sich ins Mark getroffen, wähnt er die heiligsten Rechte verletzt. »Ich werde nie einen Räuber für meinen Landesherren erkennen«, läßt er seinen Nassauer Verwalter wissen. Dem Fürsten schreibt er einen gepfefferten Brief, läßt ihn in *Häberlins Staatsarchiv* veröffentlichen. Fehden müssen nun in juristischen Zeitschriften ausgetragen werden.

Gefochten wird mit Worten. Zunächst die Abwehr des Angriffs, die Parade: »Schutz erwarte ich von den Reichsgesetzen, worauf die persönlichen Rechte und die Landeshoheit der Fürsten beruht, und von dem Reichsoberhaupt, das seinen Willen den Fürsten, welche Eigenmacht und Gewalttätigkeit gegen Schwächere sich zuschulden kommen ließen, deutlich genug eröffnet hat.« Dann der Nachstoß, die Riposte: »Deutschlands Unabhängigkeit und Selbständigkeit wird durch die Konsolidation der wenigen Reichsritterschaftlichen Besitzungen mit den sie umgebenden kleinen Territorien wenig gewinnen; sollen diese für die Nation so wohltätigen großen Zwecke erreicht werden, so müssen diese kleinen Staaten mit den beiden großen Monarchien, von deren Existenz die Fortdauer des deutschen Namens abhängt, vereinigt werden.« Und das Finale: Sollte die Reichsritterschaft zertrümmert werden und er seine Unabhängigkeit verlieren, werde er seine Nassauische Heimat verlassen, »um der gesetzlosen Übermacht zu entgehen«, – doch es gebe ein richtendes Gewissen und eine strafende Gottheit!

Ein echter Stein – verwegen im Ausfall und unbekümmert um die Deckung. Der Gegner sieht die Achillesferse des königlich-preußischen Mediatisators, der gegen die eigene Mediatisierung Sturm läuft. Überdies hält er es unter seiner Würde, ein Schreiben zu beantworten, »in dem ein preußischer Präsident und Diener von Unabhängigkeit spricht und sich gleichsam in eine Linie mit deutschen Fürsten stellen will«. Beifall erhält der Reichsritter von seinesgleichen, von Reichsfreiherren und Reichsjuristen. Sie wissen freilich nicht viel mit der zentralen Passage des Steinschen Briefes anzufangen. Die deutschen Kleinstaaten sollen in Preußen und in Österreich aufgehen – das ist kein Bekenntnis zum alten Reich, doch eine Hoffnung auf die von beiden deutschen Großmächten garantierte nationale Zukunft.

Er hat sich bereits entschieden, und dies realiter. Seit 1780 steht er nun im Dienste Preußens. Hier liegt seine berufliche Zukunft, hier hat er 1802 Grund und Boden erworben, die Herrschaft Birnbaum in Posen – fern von der Rheingrenze und den Franzosen, weit vom Schuß, inmitten von unterwürfigen Fronbauern, unangetastet in seinem Besitz. Die linksrheinischen Güter hat er abgestoßen, das linke Rheinufer abgeschrieben; so umsichtig und vorsorglich ist er bei seinen Privatgeschäften.

Stein setzt sich ab, vom sterbenden Reich und von der aufsteigenden Revolution, Richtung Osten, tief nach Preußen hinein. In die Hauptstadt Berlin wird er berufen, ernannt zum »wirklichen Geheimen-Staats-Kriegs-und-dirigierenden Minister«, beauftragt mit der Leitung des »Accise- und Zoll-, auch Fabriken- und Kommerzialdepartements«, am 27. Oktober 1804, zwei Monate nach der Annahme des österreichischen Kaisertitels durch den römischen Kaiser Franz, eine Woche vor der Krönung Napoleon Bonapartes zum Kaiser der Franzosen.

Ein Regime bricht zusammen

Der »wohlaffectionierte König«, wie die Schlußfloskel der Kabinettsordre lautet, hat es sich lange genug überlegt. Vor einem Jahr war die Ernennung des Oberkammerpräsidenten zum Staatsminister für das niedersächsisch-westfälische Departement am Nein Friedrich Wilhelms III. gescheitert. Auch jetzt, als er Finanz- und Wirtschaftsminister werden soll, verweist der König auf Steins »schädliches Vorurteil für die westfälische Verfassung«. Einen Hinterwäldler hat er vor Augen, wie mit der Axt behauen, grob und kantig. Berliner Bürokraten sträuben sich die Federn, wenn sie an den quirligen, quengeligen Rheinfranken denken, an seine »in Unruhe ausartende Tätigkeit, die jedes Neue schnell umfaßt und die nicht ermüdet, das Neue nach kurzer Zeit mit etwas Neuerem zu vertauschen«. Der Herr vom Stein sei mit den Jahren ruhiger und gemäßigter geworden, habe vorgefaßte Meinungen hin und wieder aufgegeben, »und zwar überzeugt aufgegeben«, beschwichtigt Graf von der Schulenburg-Kehnert, der sein Chef als Leiter der Organisationskommission gewesen ist. Das Ohr des Monarchen hat der Kabinettsrat Karl Friedrich Beyme. Er setzt Steins Ernennung durch – um es bald bitter zu bereuen.

Der also Umstrittene ist um diese Zeit wieder einmal mit sich selbst zerfallen. »Ein wehmutsvoller Rückblick in die Vergangenheit, eine ahnungsvolle Zukunft, das ist meine Art zu existieren und das Resultat eines vierzigjährigen meist angestrengten und tätigen Lebens – wie verschieden von den Erwartungen, womit man seine Laufbahn anhebt.« Resigniert überschreitet er die Schwelle zum neuen Jahrhundert. Am liebsten möchte er den Krempel hinwerfen, den Dienst quittieren, aufs Land gehen, nach Birnbaum, wo es sehr hübsch sei, wo man so viel verbessern könne, wo man die Plackerei vom Halse habe. Er will den Amtsschimmel nicht mehr reiten, keine Federfuchser und Tintensäufer mehr sehen. Inzwischen liest er Goethes *Faust*, spiegelt sich im Seelenzustand dieses Menschen, der gelernt und gelernt hat, um schließlich »das Leere und Unbefriedigende des bloßen Wissens für ein Wesen, das zum Empfinden und Handeln bestimmt ist«, zu fühlen. Und er besucht Frau von Berg in Bahrendorf.

Der Siebenundvierzigjährige gleicht einem Rennpferd, das nie rennen darf. Mit 22 Jahren war er in den preußischen Staatsdienst getreten, stampfend und schnaubend, ungeduldig mit den Hufen scharrend. Doch nur Schritt für Schritt kam er voran, immer an der Kandare; das Erreichte blieb hinter dem Erwarteten stets zurück. Ein Vierteljahrhundert Beamtenlaufbahn hat ihn geprägt und gezeichnet. Man sollte meinen, den endlich geglückten Sprung auf die Ministerialebene hätte er aufatmend begrüßt. Nichts dergleichen. Wenn schon, dann wäre ihm ein Provinzialdepartement lieber gewesen, womöglich das für Westfalen zuständige – aber akkurat dieses wollte man dem Pro-Westfalen nicht geben. Er nimmt dann auch das angebotene Sachressort, mit den üblichen Redewendungen von gehorsamer Ergebenheit und strammer Selbstverpflichtung. Und mit einem Bekenntnis, das einigermaßen seiner Auffassung und gänzlich dem entspricht, was man in Berlin von einem landfremden Reichsfreiherrn hören will: »Wenn man innig überzeugt ist, daß Deutschlands Veredlung und Kultur fest und unzertrennlich an das Glück der Preußischen Monarchie gekettet ist, so kann man gewiß nicht einen Augenblick zwischen Pflicht und Persönlichkeit schwanken.«

Berlin – in guter Erinnerung hat er die Hauptstadt nicht. Seit den letzten Tagen Friedrich des Großen und den langen Nächten Friedrich Wilhelms II. ist freilich manches anders geworden. Die Athener Propyläen imitierte Langhans in seinem Brandenburger Tor, einem Doppelporticus von zwölf dorischen Säulen. Darauf ist eine kupferne Siegesgöttin in einer Quadriga gestellt. Sie soll an die bescheidenen preußischen Erfolge gegen die französische Revolutionsarmee bei Pirmasens und Kaiserslautern erinnern. Victoria ist der Charlottenburger Chaussee zugewandt, fährt von der Stadt weg, in Richtung Westen, woher dann Napoleon kommen und sie nach Paris entführen sollte. In Berlin hat der Klassizismus seinen Einzug gehalten; er bleibt und herrscht, in Klarheit, Würde und Tugend. Das beeindruckt den patriotischen Puritaner: »Berlin hat sich vorteilhaft geändert, das Beispiel der Sittlichkeit, Ordnungsliebe, Häuslichkeit, welches die königliche Familie gibt, wirkt günstig auf das Publikum.«

Die königliche Musterfamilie. Friedrich Wilhelm III. ist ein zweitklassiger Regent und ein erstklassiger Ehemann. Er hat ein längliches, durch Koteletten noch mehr nach unten gezogenes Gesicht, einen gepflegten Pferdeschädel. Die Augen sind groß, offen, redlich; sie scheinen stets nach etwas zu fragen, was sie nicht verstehen. Der Mund ist weich und meist verschlossen; wenn er sich öffnet, entrinnen ihm trockene Worte, Infinitive, stockende Sentenzen wie: »Durch Schweigen niemand sich verrät.« Der Mittdreißiger erscheint als Inkarnation der märkischen Heide, eintönig, karg, langweilig. Der Großneffe Friedrichs des Großen, ein Nepote gewissermaßen, neigt zur Schmalspurigkeit, und er übertreibt die preußischen Tugenden: er ist zu schlicht, zu sparsam, zu gewissenhaft. Eine klassische, togagewandete Herrscherfigur, wie sie den Klassizisten vorschwebt, ist dieser Blauuniformierte nicht. Der Bildhauer Schadow klagt: »Ach Herr Jemine, was war der Herr unschlüssig, nicht die kleinste Sache war, über die er nicht gezweifelt hätte, die er nicht aufgeschoben hätte, solange es noch möglich war; er mußte zu allem gedrängt, gestoßen werden, und suchte doch immer bis auf die letzte Minute Ausflüchte.« Nach gehabter Erfahrung urteilt Stein: Die Regententugenden Friedrich Wilhelms seien »etwas gelähmt durch Leerheit, Trägheit und einen Mangel an Erhabenheit und Größe in den Gesinnungen«.

Königin Luise, die mecklenburgisch-strelitzsche Herzogstochter, weiß alle für sich einzunehmen. Klassizisten sehen in ihr das weibliche Ideal, ein Marmorbild des Schönen, Wahren und Guten. Empfindsamen gilt sie als Muttergestalt eines sentimentalen Romans, sittsam, häuslich und holdselig. Romantiker halten sie für eine wiedererstandene Thusnelda, die Frommen für eine Heilige im Empire-Gewand, die Patrioten für den Schutzengel Preußens. Der Frauenkenner Goethe vergißt nicht ihre »himmlische Erscheinung«. Stein schätzt sie als Gönnerin, doch er erliegt ihrem Zauber nicht, beginnt sie zu kritisieren, als sie sich von ihm abzuwenden scheint: »Die Königin hat liebenswürdige, angenehme Formen, ein gefälliges Betragen, aber wenige und nur oberflächliche Bildung, vorübergehende Gefühle für das Gute; sie ist gefallsüchtig, ihr fehlt die Zartheit des Gefühls für Würde und Anstand, und sie erfüllt sehr unvollkommen und nachlässig ihre Pflichten als Mutter.«

An der Zuneigung Luisens für Friedrich Wilhelm zweifelt Stein nicht. Die Jungverheirateten leben wie die Turteltauben auf dem Landgut Paretz. Gemeinsam lesen sie die Spießbürgerromane des Feldpredigers August Lafontaine, das *Gemälde des menschlichen Herzens* oder *Leben und Taten des Freiherrn Quinctius Heymeran von Flaming*. Sie lassen sich zu Tränen rühren, wenn das Gute verfolgt, und wischen sie befriedigt ab, wenn das Böse schlußendlich bestraft wird. Luise schwärmt außerdem für Jean Paul, diesen Equilibristen zwischen Soseinsansprüchen und Daseinslust; die Königin führt den Pfarrerssohn aus dem Fichtelgebirge in Sanssouci umher. Haare des Dichters wie seines Pudels werden von Berlinerinnen in Medaillons verwahrt. Dem König geht das über die Hutschnur: »Höre denn doch zuviel diesen Jean Paul herausstreichen. Mag ganz gute Romane geschrieben haben, für den Liebhaber, mir freilich ein bißchen gar zu kraus sein.«

Auch manchen Damen genügt das nicht. Sie wollen es sich »gelüsten lassen nach der Männer Bildung, Kunst, Weisheit und Ehre«. Der Salon kommt in Mode. Bei Rahel Levin, Henriette Herz und Dorothea Veit ist die literarische Crème der Hauptstadt zu finden. Romantiker, die Schule zu machen beginnen, wie Friedrich Schlegel. Als Theoretiker verlangt er eine progressive Universalpoesie, »die allein unendlich ist, wie sie allein frei ist und das als erstes Gesetz anerkennt, daß die Willkür des Dichters kein Gesetz über sich leide«. Als Programmatiker schreibt er die lüsterne, schlüpfrige *Lucinde*, als Praktiker befreit er Dorothea Veit aus »einer langen Sklaverei«; sie läßt sich von ihrem Mann, einem Bankier, scheiden. Weder für den ästhetischen Subjektivismus noch gar für die praktizierte Freizügigkeit hat Stein Verständnis. Seine musischen Bedürfnisse sind nicht stark; er sucht ein tätiges, kein genießerisches Leben; dem Eros huldigt er nur im übertragenen Sinne, im Streben nach Gerechtigkeit und Vollkommenheit. Er ist eine unromantische Natur, ein männlicher Charakter, Ethiker nicht Ästhetiker, ein Anhänger des Ancien régimes religiös gegründeter

Gebote und rational deduzierter Gesetze, Verfechter einer hierarchischen Wertordnung – kein Gefühlsjakobiner und Sittenanarchist.

Bei Rahel Levin verkehrt Prinz Louis Ferdinand, ein Vetter des Königs. Der »preußische Alkibiades« wird er genannt. Er ist schön gewachsen, hochbegabt, belesen, beredt, musisch wie der Schüler des Sokrates – und ebenso ehrgeizig, unausgefüllt, ausschweifend, ein waghalsiger Spieler, verwegener Reiter und passionierter Jäger, des Frevels an den preußischen Hermen verdächtig. Friedrich Wilhelm verdrießen seine attischen Symposien, wo um die Wette Klavier gespielt wird, der Champagner in Strömen fließt und die Damen, auf dem Sofa hingelagert, scherzen, entzünden, hinreißen. Der König ist ungehalten über Louis Ferdinands politische Sottisen, aufrührerische Reden; er rügt ihn mehrfach, läßt ihn einmal arretieren und nach Magdeburg abführen.

Stein kennt den Prinzen seit langem; seine Anteilnahme ist zweifelsfrei, sein Urteil differenziert. Louis Ferdinand sei »ein junger Mensch von Anlagen und großen Vorsätzen, der Kleinlichkeit und Weichheit des Zeitalters wird er aber nicht widerstehen, wenn ihn nicht große Situationen, in welche er in Zukunft kommt, dagegen schützen«. Bis dahin will ihm Stein Mentor sein; er erteilt ihm eine Lektion über betrübliche Folgen mangelnder Charakterstärke in der Geschichte, er empfiehlt ihm die Lektüre von Plutarchs Heldenleben, er sucht ihn zu trösten mit der Erinnerung, »daß gleicherweise Friedrich der Große in Ihrem Alter von der Schulfuchserei und dem Geize erdrückt worden ist, und keinen anderen Trost fand als nur in der Einsamkeit und der Liebe zu Wissenschaften und Künsten«. Der Oberpräsident Stein sucht zwischen dem Prinzen und seiner Familie zu vermitteln, bittet diese um Nachsicht und jenen um einen besseren Lebenswandel, ermahnt ihn zu einem geregelten, häuslichen Dasein; er soll heiraten. Louis Ferdinand denkt nicht daran. Schließlich muß der Finanzminister Stein dem König melden, der Prinz schulde der Seehandlung hunderttausend Taler und zahle keinen Pfennig Zinsen.

Das Anfangsgehalt des Ministers beträgt 6200 Taler im Jahr. Die Wohnung ist frei. Stein bezieht das Donnersche Haus, die Residenz der königlichen Finanzminister. Mitte des 18. Jahrhunderts von Christian Friedrich Feldmann erbaut, hat es eine in die Breite gezogene, schlichte, fast strenge Fassade; aerarisch würde man in Wien sagen. Die einzige Extravaganz sind vier ungeschlachte Atlasse, die den Balkon tragen; sie gleichen den wilden, keulenbewehrten Männern, die das preußische Staatswappen stützen. Von großen Gesellschaften oder gar einem Salon im Hause des Ministers ist nichts bekannt. »Seine Frau ist ungeheuer unbedeutend, sie hat nur einen Wunsch, in Berlin zu leben«, behauptet Wilhelm von Humboldt. Sie habe eine gewisse Kälte und Unlebendigkeit »und ist von manchen Seiten wie ummauert, so daß sie nicht auf ihn auf eine erweiternde Art einwirken kann, höchstens wohl auf eine manchmal, wenn er zu heftig ist, anhaltende und beruhigende«.

Seine Energien investiert Stein in die Amtsgeschäfte, wie gewohnt. Das Departement hält er für einen Augiasstall, der einen Herkules benötigt. Er kennt seinen Ruf – »neuerungssüchtig und wenig schonend« – und steht nicht an, ihn zu bestätigen. Er will die Rückständigkeit beseitigen, die Nichtskönner, die Erschlafften, die Ränkespinner hinauskehren. 128 Zentner überflüssige Akten läßt er einstampfen, nicht ohne den Magazinbeamten Gratifikationen zu gewähren, »zur Entschädigung wegen ihrer durch den Aktenstaub verdorbenen Kleidungsstücke«. Er krempelt um, teilt neu ein, organisiert ein Statistisches Büro, das erste seiner Art in Preußen, und holt sich tüchtige Leute, beispielsweise aus Kopenhagen den Bankfachmann Barthold Georg Niebuhr.

Zuständig ist er für Finanzen: die Eintreibung der indirekten Abgaben, Akzise und Zölle, die Erhebung der Salzsteuer, für die Seehandlung und die Bank. Das ist der Nervus rerum jedes Staates, besonders aber des preußischen, der seine Ansprüche über seine Verhältnisse hinaus steckt. Um die Einkünfte zu steigern, ist Stein zugleich für die Belebung des Handels und die Förderung des Fabrikwesens verantwortlich. Der neue Minister tut sein möglichstes. Er hebt die Binnenzölle auf, die Provinz von Provinz abschnürten, den Güteraustausch wie den Einheitsstaatsgedanken hinderten; die Mindereinnahmen gleicht er mit einer Erhöhung der Salzabgabe aus. Durch eine Reform der Akzise sucht er die wirtschaftlichen Barrieren zwischen Stadt und Land abzubauen. Nach englischem Muster will er die Textilfabrikation modernisieren; in Berlin entsteht eine große Baumwollspinnerei. Als 1805 der dritte Koalitionskrieg den Absatz stocken läßt, Webstühle stillegt, kümmert er sich um die Arbeitslosen; bedürftige »Stuhlarbeiter-Familien« sollen zu zwei Dritteln mit Brot und zu einem Drittel mit Geld unterstützt werden.

Und er bereist die östlichen Provinzen. Er will inspizieren, Wind machen, frische Luft durch entlegene Amtsstuben blasen. Er möchte sich auch selber den Wind um die Nase wehen lassen, die Lage vor Ort erkunden, die Lokalkenntnisse dem Ganzen nutzbar machen. Wie er es in Westfalen gelernt hat. Das Ziel ist »Verminderung der unnützen Schreiberei bei den Oberbehörden« durch Vermehrung der Selbständigkeit von Provinzialstellen, – Verwaltungsvereinfachung und Verwaltungsverbesserung durch Delegierung nach unten.

Vom festgefahrenen Instanzenweg abzuweichen, ist schwierig, in jeder Richtung. Auf der Ministerialebene, im Generaldirektorium, herrscht ein enervierender Gegenverkehr von Provinzialressorts und Sachressorts, »ohne einen festen Berührungspunkt, wo sich die Kenntnisse der Resultate ihrer Operationen vereinigten und wo gemeinschaftliche Beschlüsse genommen werden konnten«. Der neue Minister macht keine guten Erfahrungen. Der Vorsitzende des Ministerplenums läßt den Karren laufen, Friedrich Wilhelm Graf von der Schulenburg-Kehnert, der damit ausgelastet ist, »sich mit einem gewissen Schein von Bedeutendheit und Wichtigkeit zu umgeben und den großen Haufen zu blenden«.

Gemeinsam leiden die Minister unter einem König, dessen liebste Zeit die Bedenkzeit ist, der – laut Stein – nicht die Willensstärke hat, »die Entschlüsse faßt, ins Leben bringt und mit unerschütterlicher Beharrlichkeit verfolgt«. Obschon ihm der Dreispitz Friedrichs II. viel zu groß ist, will Friedrich Wilhelm III. wie sein Vorvorgänger selbst regieren – und vermag es nur, mehr als schlecht als recht, mit Hilfe des Vorzimmers, seines persönlichen Büros, dem Kabinett. Gemeinsam hassen die Minister die Geheimen Kabinettsräte, die zwischen ihnen und dem Monarchen stehen, näher seinem Ohr und seinem Hintern.

Je nach Temperament werden die Institution und die Instituierten charakterisiert. Stein gehört nicht zu denen, die nach oben buckeln und unter ihresgleichen tuscheln. Das Kabinett bezeichnet er als eine den Ministerien gleichgestellte, ja übergeordnete Instanz ohne »gesetzliche Verfassung, Verantwortlichkeit, genaue Verbindung mit den Verwaltungsbehörden und Teilnahme an der Ausführung«. Kabinettsräte nimmt er auf die Hörner. Johann Wilhelm Lombard, einen Hugenottenabkömmling, nennt er einen französischen Dichterling, einen Roué, »der mit der moralischen Verderbtheit eine gänzliche physische Lähmung und Hinfälligkeit verbindet«. Karl Friedrich Beyme, einen Bürgersohn, stellt er als Paragraphenreiter und Pantoffelhelden hin; »die gemeine Aufgeblasenheit seiner Frau war ihm nachteilig, seine genaue Verbindung mit Lombard und dessen Familie untergrub seine Sittenreinheit, seine Liebe zum Guten und verminderte seine Arbeitskraft«. Den Generaladjutanten Carl Leopold von Köckritz, der auch Kameraden als »ein ausgeschnittener Kürbiskopf ohne Licht im Innern« erscheint, hält Stein für eine Plaudertasche, einen Freßsack und Gamaschenknopf.

Mit solchen Figuren ist kein Staat zu machen. Gerade Preußen, kein geborener, sondern ein permanent zu machender Staat, braucht Männer, die diese auf die Spitze gestellte Pyramide im Lot halten können. Die Basis der Macht ist schmal und brüchig. Preußen ist eine nagelneue, doch keineswegs niet- und nagelfeste Großmacht, »ein sehr neues Aggregat vieler einzelner durch Erbschaft, Kauf, Eroberungen zusammengebrachter Provinzen«, wie Stein bemerkt. Von den 27 Millionen Talern Staatseinkünfte im Jahr frißt über 20 Millionen das Militär, das Heer von 250 000 Soldaten, der Kriegsschatz, das Kriegsschuldenwesen. Die Gegenleistung befriedigt nicht mehr; die Armee versagte im Kampf gegen die französischen Revolutionäre, wurde in langen Friedenszeiten »kriegsunerfahren, verweichlicht, insubordiniert«. Die alten Lorbeeren werden als Paradekissen verwendet; man träumt von Roßbach und Leuthen, den schönen Tagen Friedrichs des Großen, »war aber nicht geneigt zu Kraftäußerungen und Aufopferungen der Vorfahren«.

Wie ein Fideikommiß verwaltet Friedrich Wilhelm III. das Vätererbe. Auf Meliorationen ist er durchaus bedacht. Seine Anordnungen sind mit philantropischen Sentenzen gespickt wie die Anweisungen eines Gutsherrn, der mehr Leistung aus seinen Hörigen, mehr Ertrag für sich herausholen will. Der König verbessert die Lage der Domainenbauern, lockert das Gängelband für Handel und Gewerbe, kümmert sich um das Erziehungswesen, beruft Kommissionen zur Reorganisation von Armee und Verwaltung. Der gekrönte Gutsbesitzer streut Reformkörner in die Furchen des friderizianischen Staates. Voll Vertrauen auf Gott und in die höhere Einsicht eines Monarchen von Gottes Gnaden erhofft er das Aufsprießen der Saat. Und er glaubt genug Zeit zu haben, ihr Heranreifen erwarten zu können.

Eher für eine Dampfmaschine halten die Beamten ihren Staat. Sie ölen und schmieren, heizen und schalten. Die einen lassen die Schwungräder schneller laufen, die anderen ziehen die Bremse. Den meisten ist die preußische Maschine modern genug. Manche halten sie sogar für ein Fortschrittsmodell. »Die heilsame Revolution, die ihr von unten nach oben gemacht habt, wird sich in Preußen langsam von oben nach unten vollziehen«, erklärt ein preußischer Staatsminister dem französischen Geschäftsträger. »Der König ist Demokrat auf seine Weise; er arbeitet unablässig an der Beschränkung der Adelsprivilegien und wird darum den Plan Josephs II. verfolgen, nur mit langsamen Mitteln. In wenig Jahren wird es in Preußen keine privilegierte Klasse mehr geben.«

Es gibt nicht allzu viele Preußen, die das glauben, und noch weniger Franzosen. Napoleon jedenfalls ist nicht der Mann, solchen Märchen aufzusitzen und einen preußischen Wolf im Schafspelz hinzunehmen.

Preussen sei aus einer Kanonenkugel ausgebrütet, sagt Napoleon Bonaparte. Er hält sich für einen Meteoren, dazu bestimmt, sich selber verzehrend zu brennen und sein Jahrhundert zu erleuchten. Es gibt Preußen, die fasziniert gen Westen schauen, wo dieser Himmelskörper seine Laufbahn begonnen hat. Den Schriftstellern Buchholz und von Bülow etwa erscheint der Kaiser der Neufranken als wiedererstandener Karl der Große, sein Imperium als Reich des Fortschritts und des Friedens.

Meteorengleich ist in der Tat der Aufstieg des Korsen. 1793 macht er zum ersten Mal von sich reden: der vierundzwanzigjährige Artillerieoffizier vertreibt die Engländer aus dem Hafen von Toulon. 1795 kartätscht der Brigadegeneral in Paris einen Aufstand gegen den Konvent nieder. 1796/97 marschiert der Oberbefehlshaber der französischen Südarmee in Oberitalien von Sieg zu Sieg. 1798 unternimmt er einen Alexanderzug nach Ägypten. 1799 stürzt er die französische Direktorialregierung, ernennt sich zum Ersten Konsul, bezieht die Tuilerien, das alte Königsschloß. 1800 schlägt er wiederum die Österreicher, erringt neue Lorbeeren, gewinnt an Popularität, festigt sein persönliches Regiment. 1801 stiftet er die Ehrenlegion für tapfere Soldaten wie anpassungsfähige Bürger, gewinnt die Katholiken durch ein Konkordat. 1802 bestellt ihn eine Volksabstimmung zum Konsul auf Lebenszeit. 1803 läßt er durch den Reichsdeputationshauptschluß die Basis des Heiligen Römischen Reiches Deutscher Nation zerstören. 1804 gründet er ein neues Imperium, krönt sich zum Kaiser der Franzosen »par la grace de Dieu et la volonté nationale« – aus eigener Macht wie Cäsar, von der Kirche gesalbt wie Karl der Große, durch Plebiszit berufen von der Nation.

»Eh bien, ich habe eine hübsche Karriere gemacht, ich gebe es zu. Aber welch ein Abstand gegen das Altertum! Nehmen Sie zum Beispiel Alexander. Nachdem er Asien erobert und sich den Völkern als einen Sohn des Jupiter dargestellt hatte, glaubte alle Welt daran, mit Ausnahme seiner Mutter Olympias, die wohl wußte, was daran sei, sowie des Aristoteles und noch etlicher Philosophen von Athen. Ich aber, wenn ich heute erklären wollte, daß ich ein Sohn Gott Vaters, und wenn ich nach Notre-Dame ginge, ihm dafür zu danken, jedes Fischweib, das mir begegnete, würde mich auslachen. Ah, die Völker sind heutzutage zu klug; man kann nichts Großes mehr vollbringen!« Das sagte Kaiser Napoleon I. am 3. Dezember 1804, einen Tag nach seiner Selbstkrönung in der Kathedrale von Paris.

Am 16. November 1804, drei Wochen nach seiner Ernennung zum preußischen Staatsminister, beantwortet Stein das Schreiben eines Gratulanten: »Die mir gewordene Stelle habe ich nicht gesucht, nicht erwartet, nicht gewünscht, ich kann sie mit gutem und reinem Gewissen antreten; ich werde mich möglichst bestreben, meine Pflicht zu erfüllen und das Übrige der Vorsehung überlassen.«

Ihn trennt zu vieles von Bonaparte, den Freiherrn vom Stein, der ein entschiedener und engagierter Gegner Napoleons werden wird, sein deutscher Feind par excellence. Was sollte er, der Christ, von einem Erlösungsbedürftigen halten, der erklärt, für ihn bestehe die Unsterblichkeit in der Spur, die er dem Gedächtnis der Menschheit einpräge? Jenem Prometheus, der den Göttern das Licht zur eigenen Glorifizierung stahl? Diesem Machiavellisten, der in seiner Bibliothek die Bibel unter die politischen Schriften eingereiht hat, der den Papst als Zeremonienmeister und die Priester als Gewissenspolizisten zu benützen sucht?

Bonaparte glaubt nicht an Gott, baut nur auf sich selbst, liebt die Menschen nicht. »Der Mensch hat keine Freunde, nur das Glück hat welche. Es gibt bloß zwei Hebel, womit man die Menschen in Bewegung setzt, Furcht und Eigennutz. Freundschaft? Bah, das ist nur ein Wort. Ich liebe niemand, nicht einmal meine Brüder.« Das muß einen Empfindsamen stören, der zwar praktisch kaum Freunde hat, aber theoretisch immerfort nach solchen sucht, und einen Philanthropen entsetzen, der mit Nachbarn wenig auskommt, doch die ganze Menschheit umarmt. »Die gänzliche Abwesenheit leitender moralischer Grundsätze und Gefühle«, die »moralische Verwilderung« – das entzürnt den Moralisten. Nicht als Übermenschen, sondern als Unmenschen sieht Stein den Kaiser; für ihn ist er der Erzfeind der privaten wie der öffentlichen Tugend, eine Inkarnation des Bösen – »der Verruchte« schlechthin.

Überdies ist er ein Emporkömmling, ausgespuckt vom Vulkan der Revolution. »Das Eigentümliche in dem Gemälde Napoleons ist seine Ungebundenheit, die gänzliche Rücksichtslosigkeit auf Recht, Besitz, Herkommen, auf menschliches Bedürfnis und Gefühl der Einzelnen und der Massen – ein eiserner Wille, eine fieberhafte Tätigkeit und unfehlbares Glück, ein Egoismus des sich selbst vergötternden und die Menschheit in Staub tretenden Despoten.« Das Feldherrngenie, das staatsmännische Talent, das Titanische hat Stein durchaus erkannt. Die Bändigung des revolutionären Wildpferdes kann er nicht beklagen. Doch es ekelt ihn vor den Franzosen, die sich dem starken Mann in die Arme geworfen haben, den Republikanern von gestern, die »in geschmeidige, charakterlose, vom Wink eines Einzigen abhängige Höflinge« verwandelt sind. Er verachtet die militärische und bürgerliche Elite, die den alten Adel abgelöst hat. Er trauert um die bourbonische Monarchie, mag sich mit der Autokratie nicht abfinden, die an die Stelle der jakobinischen Anarchie getreten ist.

Napoleon ist Überwinder wie Testamentsvollstrecker der Revolution. Die neue Gesellschaftsordnung und Güterverteilung hat er bestätigt, die Rechtsgleichheit in einem bürgerlichen Gesetzbuch, dem »Code civil« verankert. Er vollendet den Zentralismus, schafft ein bürokratisches Räderwerk, gesteuert »von dem ungebundenen und rücksichtslosen Willen eines Einzelnen«. Die Ideen von 1789 sind zwar abgewertet, doch immer noch gültig: Die Liberté als Antifeudalismus, die Egalité als gleiche Verpflichtung aller zum Steuerzahlen und Kriegsdienst, die Fraternité als Auftrag zur gemeinsamen Ausbreitung der revolutionären Ideologie und der französischen Macht.

Obendrein ist er ein Korse, dieser Bonaparte, untersetzt, zur Korpulenz neigend, mit fettschwarzem Haar, fahlem Teint und Augen, die glimmenden Kohlen gleichen. »Seine Gemeinheit und Rohheit nimmt mich nicht wunder, Rohheit, leidenschaftliche blinde Wut, systematische Rachsucht, Hang zur Ungebundenheit« seien das Eigentümliche dieses Inselvolkes. Nun gebärdet sich der Halbitaliener als Vollfranzose, und das kritisiert Stein nicht zuletzt und nicht zu wenig. Seit Ludwig XIV. hat Frankreich den Kontinent sprachlich und kulturell bestimmt. Seit 1789 breitet es sich ideologisch aus. Nun sucht es Europa machtpolitisch zu beherrschen. Das neue Regime will und braucht den Krieg, wie es Napoleon formuliert: »Die Regierung Frankreichs bedarf der Handlung, bedarf des Glanzes und demnach des Krieges, um inmitten ihrer inneren und äußeren Feinde eine imponierende Stellung einzunehmen. Sie muß die erste von allen sein oder sie geht zugrunde!«

Der Verfechter des Ancien régimes und der Anhänger des europäischen Gleichgewichtes ist alarmiert. Die napoleonische Kriegsmaschine droht das hergebrachte Staatensystem und dessen überkommene Gesellschaftsstruktur niederzuwalzen, getrieben vom französischen Nationalismus, das römische Imperium in der Erinnerung, ein französisches Empire vor Augen. Wenn dieses Ziel erreicht ist, wird Stein seine Voraussagen bestätigt sehen: »Das Elend der Europäer besteht in der Zertrümmerung des auf Recht und Besitzstand beruhenden und die Unabhängigkeit der einzelnen Glieder verbürgenden Staatenbundes, in der Unterdrückung der politischen und Redefreiheit, in der Vernichtung des europäischen Handels und der Schiffahrt, in der Verwendung aller Kräfte der erschöpften Länder zu zwecklosen, den Ehrgeiz eines Einzigen befriedigenden Plänen – also in Sklaverei, fortschreitender Verarmung und zwecklosen Kriegen.«

MOMENTAN sind Propheten in Preußen nicht gefragt. Seit 1795 glaubt man aus der Weltgeschichte ausgestiegen zu sein; in der mit dem Basler Frieden erkauften Neutralität fühlt man sich sicher wie in Abrahams Schoß. Außenpolitik wird, wenn überhaupt, so betrieben, als ob in Paris wieder ein Bourbone regierte, als ob das alte Gleichgewichtssystem noch funktionierte. Man unterschätzt die Durchschlagskraft der revolutionären Ideologie, verkennt den Expansionsdrang der französischen Machtpolitik, übersieht die Eroberungsgier Napoleons. Es klingelt nicht einmal, als er sich 1803 vor der Haustüre Berlins einnistet, Hannover besetzt – das deutsche Kurfürstentum, dessen Souverän der König von Großbritannien ist, der Hauptfeind Bonapartes.

Napoleons Adler im Herzen Norddeutschlands – das könne für Preußen gefährlich werden, meint der hannoversche Gesandte in Berlin. »Mit einer Armee wie die unsrige und mit unseren Staatskünsten haben wir nie etwas von Frankreich zu besorgen«, erwidert der preußische Außenminister. Christian August Heinrich Kurt Graf von Haugwitz setzte schon den Basler Frieden durch, was ihm eine Belohnung im Werte von 200 000 Talern sowie eine negative Beurteilung durch Stein einbrachte: »Ich gestehe, ich habe für Herrn von Haugwitz eine große Verachtung, er ist leichtsinnig, wankelmütig, kleinlich, nachlässig und unordentlich im Betrieb seiner Geschäfte, mit zwei Worten: charakterlos und faul.« Der in Schlesien begüterte und in Italien geistig beheimatete Haugwitz ist nicht zu bewegen, dem König regelmäßig Vortrag zu halten; Stein verübelt ihm dies umso mehr, als er selber als gewöhnlicher Minister dieses Recht nicht besitzt.

So hört der Monarch in auswärtigen Angelegenheiten hauptsächlich auf seinen Geheimen Kabinettsrat Johann Wilhelm Lombard. Der Vater war ein Friseur aus der Berliner französischen Kolonie; der Sohn wird als Bürgerlicher an die königliche Tafel gezogen. Der Günstling Friedrich Wilhelms III. ist von Napoleon beeindruckt, betreibt eine »Politik der wohlwollenden Politik« gegenüber Frankreich. Die Adelsstolzen und die Patrioten verachten ihn; Stein verurteilt den lebenslustigen Mann zudem nach dem Strafgesetzbuch seiner gestrengen Moral.

Keinen eindeutigen außenpolitischen Kurs steuert Preußen, das zwei Außenminister hat: einen nominellen, den Grafen Haugwitz, und einen tatsächlichen, den Kabinettsrat Lombard. Und bald noch einen dritten, einen zweiten offiziellen Außenminister: Karl August von Hardenberg. 1772 kreuzte der hannoversche Freiherr den Lebensweg des Reichsfreiherrn zum ersten Mal: Der zweiundzwanzigjährige Jurist besuchte auf seiner Kavalierstour die Familie Stein in Nassau, bewunderte die Hausfrau, verliebte sich in die Tochter Luise, wäre beinahe der Schwager des damals fünfzehnjährigen Karl vom Stein geworden. Dieser gratulierte sich später, daß diese Alliance nicht zustandekam. Als 1788 der braunschweigische Kammerpräsident Hardenberg sich von seiner Frau Christiane, geborener von Reventlow, scheiden ließ und die ebenfalls frisch geschiedene Sophie von Lenthe, geborene von Haßberg, heiratete, empörte sich der Junggeselle Stein über diese »Folge von Leichtsinn, Sinnlichkeit und beides mit etwas romanhaften und empfindsamen Wesen überguldet – damit diese Menschen ihre Laster edeln und interessant machen wollen«.

Die beiden Männer, die in einem Atemzug als die Reformer Preußens genannt werden sollen, verbindet manches und trennt vieles. Gemeinsam ist ihnen das adelige Herkommen, das Rechtsstudium in Göttingen, die Beamtenkarriere, die Stein von Anfang an in Preußen absolviert, während Hardenberg über Hannover, Braunschweig und Ansbach-Bayreuth nach Berlin gelangt. Unterschiedlich sind sie in Erscheinung und Habitus. Ein

Kavalier des Ancien régime wie aus dem Bilderbuch ist Hardenberg, elegant, gewandt, geschmeidig, der mit Charme Widersprüche aufzuweichen, mit Klugheit Widerstände zu umgehen, mit List seine Ziele zu erreichen versteht. Er ist Epikuräer, Salonmensch, Liebhaber der Frauen und zudem passionierter Bürokrat, versierter Administrator, in allen Sätteln gerecht, beweglich und anpassungsfähig, sicher auf höfischem Parkett, – ein geborener Diplomat und gelernter Politiker, ein angehender Staatsmann.

»Halb Fuchs, halb Bock« nennt Stein sein Gegenbild. Wie den ersten moralischen, so hat er Hardenberg den ersten politischen Fehltritt nie verziehen. Dessen Unterschrift steht auf dem Friedensvertrag von Basel, den der Reichsfreiherr als die Kapitulationsurkunde Preußens ansieht, als Absage an Deutschland und Europa. 1804 werden Stein und Hardenberg preußische Minister, der Außenminister freilich in bevorzugter Stellung. Ihre gemeinsame Gegnerschaft gegen das Regime der Kabinettsräte verwischt Gegensätzliches, erlaubt ein Arrangement. Außenpolitisch bleibt Hardenberg zunächst auf dem Neutralitätskurs von Haugwitz und Lombard; auch er finassiert und laviert, sucht das preußische Staatsschiff zwischen der napoleonischen Scylla und der antinapoleonischen Charybdis hindurchzuwinden. Als am 8. September 1805 der dritte Koalitionskrieg zwischen Frankreich einerseits und Österreich, Rußland, England und Schweden andererseits ausbricht, bleibt Preußen wiederum neutral.

Der Finanz- und Wirtschaftsminister bereist um diese Zeit das östliche Preußen. Am 24. September kommt er nach Berlin zurück, am selben Tag, da der König eine Kabinettsordre abschickt: »Da Ich Mich genötigt gesehen habe, zur Behauptung der Neutralität Meiner Staaten Meine ganze Armee auf den Kriegsfuß zu setzen und im Gefolge dieser Maßregel mehrere wichtige Finanzoperationen werden vorbereitet werden müssen, wozu Ich Euren Rat zu benutzen wünsche, so befehle Ich Euch, Eure Departements-Bereisung zu sistieren.« Eine bewaffnete Neutralität will der König von Preußen. Die Mobilmachung kostet Geld, viel Geld. Der Finanzminister muß her.

Stein beginnt die Kassenbestände zu zählen. Das Ergebnis ist nicht ermutigend. 31 Millionen Taler werden benötigt; sie sind aus dem Staatsschatz und den laufenden Staatseinkünften nicht zu bestreiten. Der Finanzminister unterbreitet Dekkungsvorschläge: Ausschöpfung des Staatsschatzes von 17 Millionen Talern; Anleihen in Amsterdam, Leipzig und Kassel; Einführung einer Trank- und Schlachtsteuer auf dem Lande. Und – als finanzpolitische Ultimo ratio – die Ausgabe von fünf Millionen Talern Papiergeld. Die zunächst in Metallgeld einlösbaren »Tresorscheine« tragen die Unterschrift des Staatsministers vom Stein, des Kritikers der französischen Assignatenwirtschaft und des Nachahmers eines englischen Beispiels: der Umwandlung von Noten der Zentralbank in die – allerdings nicht einlösbaren – Exchequer Bills.

Griff nach der Notenpresse, Spiel mit der Inflation – das ist im Zeitalter des Hartgeldes ein gefährliches Unterfangen. Dilettantismus wird dem Finanzminister vorgeworfen, mehr noch: Egoismus eines Landeigentümers. Er wisse nichts von Geldtheorie, wird Theodor von Schön, der spätere Mitarbeiter Steins, behaupten; überdies habe der Grundbesitzer auf eine Geldentwertung spekuliert, um seine Grundstücksverschuldung zu verringern und den Wert seines Grundeigentums zu steigern. Ein anderer Mitarbeiter Steins, Heinrich von Beguelin, wird hinzufügen: Zumindest von staatlicher Geldwirtschaft habe der Baron nichts verstanden.

Wie alles Preußische werden auch die »Tresorscheine« durch die Katastrophe von Jena und Auerstädt entwertet; dies kann Stein freilich nicht voraussehen. Seinem Konto ist auch nicht unbedingt die Erfolglosigkeit anderer finanzpolitischer Maßnahmen anzulasten. Einer ländlichen Trank- und Schlachtsteuer widersetzen sich die Gutsherren. Statt der acht Millionen Taler, die er sich an ausländischen Anleihen erhofft hat, gehen nur 1,8 Millionen ein. Der preußische Staat besitzt kaum mehr Kredit bei den Bankiers in Holland und Sachsen. In Hessen ist zu hören: Man wolle dem König von Schweden Geld geben, weil er sich gegen Napoleon wehre, dem unschlüssigen König von Preußen aber nicht.

Die Finanznot läßt Stein schließlich ein Projekt erfinden, das kühn in die Zukunft springt, über die Realisierungsmöglichkeiten der preußischen Gegenwart hinweg: den Plan einer allgemeinen, gestaffelten Einkommensteuer. In Frankreich dekretierte der Nationalkonvent eine solche dem Gleichheitsprinzip entsprechende Steuer, mit einer steilen, eigentumsfeindlichen Progression. In gemäßigter Form und nur für die Dauer des Krieges wurde sie in England eingeführt, ähnlich in Österreich. Stein hält sich vornehmlich an das englische Beispiel, ohne auf eine fast jakobinisch-rigorose Progression zu verzichten: Zehn Prozent sollen bei 800 Talern Einkommen abgeführt werden, 30 Prozent bei 30 000 Talern. Steinsches Eigengewächs ist der vorgeschlagene Weg der Einkommensteuererklärung, die Selbsteinschätzung aus ethischen Motiven: »Er beweist von Seiten der Regierung das Zutrauen zu der Moralität und Vaterlandsliebe der Nation, das sie verdient; er erleichtert das Geschäft, indem es jedem einzelnen Familienvater zur Pflicht gemacht wird, den Betrag seines Einkommens darzustellen, und den Distriktsbehörden nur die Prüfung dieser Angaben übrigbleibt.«

Eine freiwillig zu erfüllende allgemeine Steuerpflicht fordert Stein – zur gleichen Zeit, da Oberst Scharnhorst die allgemeine Wehrpflicht verlangt, die Aufstellung einer Miliz, in der jeder Preuße aus freien Stücken dienen soll. Der Finanzminister, der die Kriegskasse zu füllen hat, glaubt die Steuermoral durch Anfachen einer Kriegsbegeisterung heben zu können. Der Blick der Nation müsse von der niederdrükkenden Steuerlast abgelenkt und auf erhebende Kampfziele gerichtet werden: Sicherung Preußens gegen die Eroberungslust Napoleons, Wiederherstellung des europäischen Gleichgewichts, »Umformung der Verfassung Deutschlands« – dies noch ein nur aufblitzender, nicht näher erläuterter Gedanke. Der Krieg mit Frankreich sei unvermeidlich, die Entscheidung dürfe nicht länger hinausgeschoben werden, Preußen müsse endlich Farbe bekennen, – gegen den korsischen Korporal und für den russischen Kaiser.

Die Veröffentlichung eines Kriegsmanifestes schlägt Stein dem König vor, am 26. Oktober 1805. Der Augenblick scheint günstig. Tags zuvor ist Zar Alexander I. in Berlin eingetroffen. Seitdem die Franzosen die preußischen Territorien Ansbach und Bayreuth als Aufmarschgebiet gegen Österreich und Rußland besetzt, die Neutralität Preußens mißachtet haben, weht in Berlin ein antinapoleonischer Wind. Er treibt das

Staatsschiff näher an die beiden Kaiserreiche heran, die Napoleon die Stirn bieten. Prinz Louis Ferdinand hat das Schwert schon halb aus der Scheide gezogen. *Wallensteins Lager* wird aufgeführt, das »Loblied auf den Krieg« des Majors von dem Knesebeck gesungen. Am 3. November schwört Alexander I. am Grabe Friedrichs des Großen Friedrich Wilhelm III. ewige Freundschaft; im Potsdamer Vertrag verpflichtet sich Preußen zum militärischen Eingreifen, falls Napoleon Deutschland, Neapel, Holland und die Schweiz nicht räumen und auf die Vereinigung der Kronen von Frankreich und Italien nicht verzichten werde.

Einen Monat später, am 2. Dezember, schlägt Napoleon die Russen und Österreicher bei Austerlitz. Der Siegesbericht des Jahres 1805 wird auf dem Pariser »Arc de Triomphe du Carrousel« eingemeißelt: »Eine dritte Koalition kommt auf dem Kontinent zustande. Die Franzosen eilen vom Ozean zur Donau. Bayern wird befreit, die österreichische Armee in Ulm gefangen. Napoleon zieht in Wien ein und triumphiert bei Austerlitz. In weniger als hundert Tagen ist die Koalition aufgelöst. Der Sieger von Austerlitz erhebt seine Stimme, und es fällt das Deutsche Reich, der Rheinbund nimmt seinen Anfang, die Königreiche von Bayern und Württemberg sind geschaffen, Venedig ist wiedervereint mit der Eisernen Krone, ganz Italien unterwirft sich dem Gesetz seines Befreiers.«

Preußen, das sich endlich für eine Seite entschied, hat die falsche Seite gewählt. Der König sucht zu retirieren: »Im Grund ist ein Glück für die Welt, daß Napoleon siegte; nun wird Friede.« So Friedrich Wilhelm, als er die Nachricht von Austerlitz hört. Außenminister Haugwitz ist unterwegs, dem Sieger die Bedingungen des Potsdamer Vertrages zu erklären. Der König hat ihn angewiesen, einen Bruch zu vermeiden. Er selber ist so klug, Napoleon das Ultimatum vorzuenthalten, und schwach genug, daß er sich vom Korsen den Hut ins Gesicht werfen und den Vertrag von Schönbrunn aufzwingen läßt: Preußen schließt ein Bündnis mit Frankreich, billigt dessen Gebietsforderungen an Österreich und das Reich, verzichtet auf Ansbach, Bayreuth, Wesel sowie Neuenburg und schickt sich an, das Danaergeschenk Hannover entgegenzunehmen. Zwischen alle Stühle hat sich Preußen gesetzt. Ihm zürnen der Zar Alexander und der Kaiser Franz, die Engländer und die deutschen Patrioten. Napoleon lauert auf eine Chance zur völligen Niederwerfung Preußens.

»Schreckliche Nachrichten aus Mähren, hoffentlich erlogen, sonst möchte man sich schämen, ein Preuße zu heißen und dem preußischen Staate zu dienen«, meint der Oberpräsident Vincke, als er von den Haugwitzschen Unterhandlungen hört. Stein sucht den Freund und Nachfolger in Münster sowie sich selber zu beschwichtigen. »Man muß auf die großen Beispiele aus der Geschichte zurückblicken und Vertrauen auf die Vorsehung haben«, schreibt er ihm am 16. November, zwei Tage nach der Abreise des Außenministers aus Berlin. Er hofft noch immer, Preußen werde das Schwert ziehen, gegen Napoleon antreten, Rußland und Österreich zu Hilfe kommen. Am 18. Dezember, ehe noch der Vertragsabschluß von Schönbrunn in Berlin bekannt ist, beschimpft er die Österreicher, die nach Austerlitz einen Waffenstillstand abgeschlossen haben und redet sich ein, Preußen sei mit russischer Unterstützung »im Stande, die Ruhe des nördlichen Europas zu erhalten oder einen energischen Widerstand zu leisten«. Am 30. Januar 1806, als der Nebelvorhang zerrissen und die Schattenseiten des preußisch-französischen Vertrages sichtbar geworden sind, grollt Stein: »Hätte eine große moralische und intellektuelle Kraft unseren Staat gelenkt, so würde sie die Koalition, ehe sie den Stoß, der sie bei Austerlitz traf, erlitten, zu dem großen Zweck der Befreiung Europas von der französischen Übermacht geleitet und nach ihm wieder aufgerichtet haben.« Diese Kraft habe gefehlt, stellt er mit Blickrichtung auf den König fest. »Ich kann dem, dem sie die Natur versagte, so wenig Vorwürfe machen, wie Sie mich anklagen können, nicht Newton zu sein – ich erkenne hierin den Willen der Vorsehung, und es bleibt nichts übrig als Glaube und Ergebung.«

Zwischen Kriegswilligkeit und Resignation pendelt Stein, auch er ein schwankendes Rohr im Sturm der Zeit. Antinapoleonisch bewegt, bleibt er der preußischen Staatsraison verhaftet, und bei der Berücksichtigung ihrer tatsächlichen oder vermeintlichen Ansprüche verstrickt er sich in ähnliche Widersprüche wie die kritisierten Lenker der auswärtigen Angelegenheiten. Wie Hardenberg hält er nach Austerlitz eine »ehrenvolle und unabhängige« norddeutsche Neutralität, garantiert durch die preußischen Waffen, für möglich. Wie Haugwitz will er Hannover nur allzu gerne aus der Hand Napoleons entgegennehmen: »Soll Preußen diese Vergrößerung, welche es abrundet, mit Menschen und Einkommen verstärkt, von sich stoßen?« fragt er den aufmüpfigen Vincke. Annektieren, arrondieren – das geopolitische Grundgesetz des preußischen Staates ist auch dem Reichsfreiherrn geläufig. Er übersieht dabei, daß man nicht beides haben kann: Hannover und die Partnerschaft oder mindestens die wohlwollende Neutralität Englands. Und die traditionellen englischen Hilfsgelder. Stein wird nicht anstehen, sie dennoch zu erbitten. Er erhält die Abfuhr, die jedermann, nur er nicht, vorausgesehen hat: London will Hannover zurückhaben, ehe es an neue Subsidien denkt.

Der König, dessen Unschlüssigkeit mitunter richtig liegt, will sich nicht wegen Hannover mit Preußens klassischem Verbündeten England anlegen. Vorsichtshalber ratifiziert er den Schönbrunner Vertrag nicht, sendet Haugwitz mit einem modifizierten Text nach Paris, rüstet unterdessen ab – tritt ohne Schild und Panzer dem Korsen gegenüber. Napoleon stößt zu. Er erzwingt den Pariser Vertrag vom 15. Februar 1806: Preußen muß Hannover sofort annektieren und die Nordseehäfen sowie den Lübecker Hafen schließen.

Der Bruch mit England ist da. Die Folgen verspürt in erster Linie der für Wirtschaft und Finanzen zuständige Minister. Die für englische Waren geschlossenen Häfen werden von den Briten blockiert, in englischen Gewässern befindliche preußische Schiffe beschlagnahmt. Stein präsentiert dem König die roten Zahlen der Handelsbilanz. Haugwitz konfrontiert er mit den Folgen: »Gänzliche Vernichtung unserer bedeutenden Reederei, Stockung in unsern Aus- und Einfuhrgeschäften, äußerst erschwerte Versorgung der östlichen Provinzen der Monarchie mit Salz, bedeutender Verlust an der Einnahme von Seezöllen.« Mit beißender Ironie ersucht er den Außenminister: »Ich zweifle nicht, Eure Exzellenz werden mich in der angetragenen Konferenz mit den Mitteln bekanntmachen, wie alle diese Nachteile zu vermeiden sein möchten.«

Stein, der Möchtegern-Annektionist, schiebt alle durch die Besetzung Hannovers entstandenen Unannehmlichkeiten anderen in die Schuhe. Der Finanz- und Wirtschaftsminister beklagt die ökonomischen Einbußen. Der Anglophile bedauert den Konflikt mit seinem Musterland, der sich zum Krieg auswächst. Der Feind Napoleons ist entflammt, die Kampflust angefacht. Stein wird zum entschiedenen Widersacher der nur bedingt gewollten und unbedingt gemußten pro-französischen Außenpolitik. Er beteiligt sich am Kesseltreiben gegen die Personen, die mit diesem Kurs identifiziert werden – Haugwitz und die Geheimen Kabinettsräte. Zwei Gegner will er mit einem Schlage treffen: den Geist von Schönbrunn und das Kabinettsgespenst.

Munition hat er lange gesammelt; nun lädt er die Geschütze. Die Denkschrift trägt das Datum des 26. und 27. April 1806: »Darstellung der fehlerhaften Organisation des Kabinetts und der Notwendigkeit der Bildung einer Ministerialkonferenz.« Hinter diesem Titel, der nach Aktenstaub schmeckt und sich wie Pappdeckel anfühlt, steckt ein politisch brisanter Text. Es ist der Fehdebrief des Freiherrn an das preußische Kabinettssystem, die Herausforderung eines aufgeklärten Bürokraten an die absolute Monarchie.

Die Außenpolitik hat den Anstoß gegeben: »Zu der Untersuchung des Zustandes der Angelegenheiten dieser Monarchie wird jeder bedeutende öffentliche Beamte aufgefordert durch die Gefahr, die sie bedroht, ihre Selbständigkeit und die ergiebigsten Quellen ihres Nationalreichtums zu verlieren, und durch den allgemeinen Unwillen der Nation über den Zustand der Erniedrigung, in dem sie sich findet und über den Verlust ihres alten, wohlerworbenen Ruhms.« Er meint die preußische »Nation«, der Reichsritter, mit deren Geschichte und Gegenwart sich der preußische Staatsminister identifiziert, deren Zukunft er auch um Deutschlands und Europas willen sichern will. Eine »Nation« freilich, wie er weiß, die im modernen Sinne gar keine Nation ist, sondern erst eine werden muß.

Das unterscheide Preußen von Frankreich und England:

»Der preußische Staat hat keine Staatsverfassung, die oberste Gewalt ist nicht zwischen dem Oberhaupt und Stellvertretern der Nation geteilt.« Er sei ein Sammelsurium verschiedenerweise zusammengebrachter und verschiedenartig gebliebener Provinzen. »Die Stände einiger dieser Provinzen sind örtliche Korporationen, denen eine Mitwirkung bei der Provinzialverwaltung anvertraut ist, die aber nur örtliche und nicht allgemeine Verhältnisse zu beurteilen und zu leiten imstande sind, wenn nicht der Gang der allgemeinen Angelegenheiten gelähmt und irre geleitet werden soll.« Stein konstatiert die preußische Realität, von der jede Reformbestrebung auszugehen hat, die sie im Auge behalten muß und deren Basis sie nicht verlassen darf. Eine preußische Nation kann und soll nicht durch Revolution entstehen, den Umsturz des Bestehenden, einen Neubau von Grund auf, von unten her, sondern durch Reorganisation, durch Verbesserung des Vorhandenen, einen Ausbau des Staatsgebäudes, für dessen Oberleitung der Monarch, für dessen Ausführung die Bürokratie verantwortlich zeichnet.

»Da der preußische Staat keine Staatsverfassung hat, so ist es um so wichtiger, daß seine Regierungsverfassung nach richtigen Grundsätzen gebildet sei, und da er eine solche besitzt, da sie nur durch Zeit untergraben worden, so muß sie in einer dem gegenwärtigen Zustand der Dinge angemessenen Form wiederhergestellt werden.« Re-formieren im eigentlichen Sinn des Wortes will er, einen vorgegebenen Zustand zeitgerecht restaurieren. Der Reformer wie der Revolutionär bedarf beim Vorgriff auf die Zukunft des Rückgriffs auf einen vorgestellten Idealzustand der Vergangenheit. Die friderizianische Wirklichkeit sah freilich anders aus, und eigentlich will Stein ja auch das friderizianische System überwinden. Indem er es beschwört, erweist er sich als perfekter Preuße; denn nach wie vor gilt Fridericus Rex als das A und O des Preußentums. Zudem erscheint es vorteilhaft, dem Nepoten Friedrich Wilhelm III. zu insinuieren, sein Kabinettssystem sei eine Abkehr von der Tradition, eine Zuwiderhandlung gegen das große Beispiel, der Grund für das gegenwärtige Desaster.

So behauptet er, der Autokrat Friedrich II. habe seine Minister weitgehend zu den Regierungsgeschäften herangezogen;

tatsächlich besaßen sie so wenig Einfluß wie die Kabinettssekretäre. Mehr als die Minister gelten nun die Kabinettsräte: »Friedrich Wilhelm III. regiert unter der Influenz seines Kabinetts, des mit diesem innig vereinigten und von ihm abhängigen Kabinettsministers Graf von Haugwitz und des königlichen Freundes, des Generals Köckritz; mit diesen verhandelt, beratschlagt, beschließt der Regent, und seine Minister machen Anträge und führen Beschlüsse dieses Kabinetts aus.«

Auch Stein weiß, daß Preußen nicht nur an Kabinettsinfluenza leidet. Ihm ist klar, daß Friedrich Wilhelm III. nicht mehr wie Friedrich II. regieren kann – wie ein Gutsbesitzer, der in seiner begrenzten Welt jeden kennt, sich um alles kümmert, das Ganze höchstpersönlich verwaltet und selbstherrlich regiert. Die Staatsaufgaben haben sich vermehrt, die komplizierter gewordenen Geschäfte bedürfen der verschiedensten Spezialisten, der Monarch allein kann sie nicht bewältigen. Helfer gesteht ihm auch der Staatsminister Stein zu, aber nicht solche, deren sich Friedrich Wilhelm zunächst und vor allem bedient: der Geheimen Kabinettsräte. Der König hat sich an sie gewöhnt, braucht ihren Sachverstand, mag nichts ohne sie entscheiden, kann sie nicht mehr entbehren – ein absoluter Monarch an der Kandare seines Vorzimmers.

Mag auch der König der Illusion eines persönlichen Regiments anhängen, muß er jedenfalls nach außen die friderizianische Fiktion des Alleinherrschenden und Alleinregierenden aufrechterhalten – es nützt nicht den Staatsgeschäften, dient nicht dem Staatswohl und verärgert die Minister. »Den obersten Staatsbeamten bleibt die Verantwortlichkeit der Anträge, der Ausführung, die Unterwerfung unter die öffentliche Meinung, währenddem daß die Mitglieder des Kabinetts aller Gefahr entrückt sind. Alle Einheit im Handeln unter den Ministern selbst ist aufgelöst, da sie unnütz ist, da die Resultate aller ihrer gemeinschaftlichen Überlegungen, die Gültigkeit ihrer gemeinschaftlichen Beschlüsse von der Zustimmung des Kabinetts abhängt.« Er greift eine Oktav höher: Diese Abhängigkeit von Subalternen kränke das Ehrgefühl der obersten Staatsbeamten, stumpfe ihr Pflichtbewußtsein ab, lähme ihren Tätigkeitsdrang, untergrabe ihre Autorität. »Der Geist des Dienstgehorsams verliert sich bei den Untergebenen der obersten Vorsteher der Departements, da ihre Ohnmacht bekannt ist, und jeder, der den Götzen des Tages nahe kommen kann, versucht sein Heil bei ihnen und vernachlässigt seine Vorgesetzten.«

Bis dahin, ungewohnt lange, ist der Duktus der Denkschrift reguliert geblieben, dahinfließend in ruhiger und sachlicher Argumentation. Nun bricht das Temperament durch, braust wie ein Wildbach mit Invektiven und Injurien daher. Der angestaute Groll gegen die kabinettsrätliche Bevormundung. Die gekränkte Würde des Ministers. Das verletzte Selbstgefühl des Sachverständigen. Der Unmut des beflissenen Staatsdieners, der sich nicht genügend beachtet sieht. Die Verachtung des Aristokraten gegenüber Lombard und Beyme, den arrivierten Bürgersöhnen. Der Unwille des allzeit Tüchtigen angesichts des Taugenichtses Haugwitz. Der mit Neid getränkte Zorn des Puritaners über das süße Leben anderer. Der Gerechte läßt Maß vermissen; wie so oft schießt Stein über das Ziel hinaus, verpatzt die erhoffte Wirkung. Richtig ist seine Tendenz, mit der für falsch gehaltenen Sache die sie tragenden und verteidigenden Personen anzugreifen. Indem er aber die persönlichen Angriffe überzieht, vom König gar die Köpfe von dessen engsten Mitarbeitern fordern will, erweckt er den Verdacht der subjektiven Motivierung, erschwert er eine Würdigung seiner objektiven Argumente.

Nachdem er alles kurz und klein geschlagen hat, offeriert er durchaus konstruktive Vorschläge. »Es ist demnach notwendig, daß eine unmittelbare Verbindung zwischen dem König und den obersten Staatsbeamten wiederhergestellt werde, daß die Personen, welche den Vortrag der Staatsgeschäfte zur endlichen Entscheidung bei dem König haben, gesetzlich und öffentlich hiezu berufen, ihre Versammlungen zweckmäßig organisiert und mit Verantwortlichkeit versehen werden.« Stein will fünf Ministerien einrichten: für Militär, Auswärtiges, Inneres, Finanzen und Justiz. Die Ressortminister bilden ein Kollegium, einen Konseil, in dem jedes einzelne Mitglied Sachvortrag hält und alle gemeinsam abstimmen; der König präsidiert und fällt seine Entscheidung nach stattgehabter Abstimmung. Einsame Beschlüsse des Monarchen und geheime

Verfügungen des Kabinetts darf es nicht mehr geben; die Kabinettsräte sollen nur noch als gehobene Ausfertigungsbeamte fungieren. Der Vollzug verbleibt dem Monarchen; das Konzept jeder Kabinettsordre, die nun eigentlich eine Konseilsordre ist, hat jedoch die Unterschriften aller Minister zu tragen.

Stein fordert damit eine für preußische Verhältnisse unerhörte Aufwertung des einzelnen Ministers und des gesamten Ministerrats. Er hat die Ressorteinteilung der französischen Revolutionsverfassung von 1791 sowie das englische Ministerkabinett vor Augen. An eine parlamentarische Ministerverantwortlichkeit denkt er nicht. Er hält sich durch Sachverstand, Charakter und höhere Berufung hinreichend legitimiert. Verantwortlich fühlt er sich den Geboten des Sittengesetzes und Forderungen des Zeitgeistes. Er ist kein Einzelgänger: Die Ministerialbürokratie geriert sich als elitäre Repräsentanz der Nation, als geschlossene Fortschrittspartei – und ist es im gewissen Sinne auch. Ein Staat wie Preußen kann nur von oben regiert und verwaltet, verändert und verbessert werden. Diese Aufgabe will nun, nachdem sich die absolute Monarchie überlebt hat, die durch die Aufklärung geprägte und durch den Idealismus beflügelte Beamtenschaft übernehmen. Ihr Ziel ist die absolute Bürokratie.

Steins Vorschlag rüttelt an den Grundfesten Preußens. Der König ist groß und allmächtig; die Beamten haben allerhöchstens die Rolle von Propheten zu spielen, von Verkündern und Bahnbrechern seiner Offenbarungen. Nun will der kaum eingepreußte Reichsfreiherr den Monarchen gewissermaßen von seinem Thron auf eine Art Ministerpräsidentensessel umquartieren, ihn beinahe zum Primus inter pares des Ministerkonseils erniedrigen! Friedrich Wilhelm soll auf seine stummen Lakaien, die Kabinettsräte, verzichten und diskutieren mit sachverständigen und selbstsicheren Staatsdienern, die sich für die kommenden Staatsherren halten! Zwischen den Obersten Kriegsherren und seine Armee, seinem Ein und Alles, soll ein verantwortlicher und kompetenter Kriegsminister, ein Mitbefehlshaber, eingeschoben werden! Dem Monarchen müßten die Ohren klingen, als Stein den Satz niederschreibt: »Andere Mittel, diese Veränderungen herbeizuführen, weiß ich nicht anzuführen, als die Vereinigung mehrerer angesehener

Staatsbeamten, die dem König die Notwendigkeit der Veränderung vortragen und sich erklären, im Fall der Nichtannahme des Vorschlags ihre Stellen niederzulegen.« Das ist ein Aufruf zur Insubordination! Der König und seine Getreuen müßten entsetzt sein – wenn sie diese Denkschrift zu Gesicht bekämen.

Einen Immediatbericht hat Stein am 26./27. April 1806 aufgesetzt, das Begleitschreiben seiner Denkschrift, – ein schönes Zeugnis für Männerstolz vor Königsthronen. Doch Bericht wie Memorandum sind nicht an den Adressaten abgegangen. Eine gereinigte Fassung erhält Königin Luise, der Schutzengel der Reformer; sie rät ab, dem Monarchen so kommen zu wollen.

Inzwischen sucht Stein Mitunterzeichner und Mitverschwörer. Es gibt manchen Preußen, der das Kabinettsregime für die Misere verantwortlich macht. Hardenberg etwa, der als zweiter Außenminister beurlaubt wird; er schüttelt nur zu gerne die Verantwortung für eine Politik ab, die er eine Zeitlang mitgetragen hat. Nun kritisiert er Haugwitz und die Kabinettsräte, freilich vorsichtiger als Stein, von dem er sagt: »Er ist ein braver, einsichtsvoller, achtungswerter Mann, aber viel zu tranchant für den König – vortrefflich als Finanzminister, aber unmöglich als Kabinettsminister für alle Gegenstände.« Da ist der Staatsminister Friedrich Leopold von Schroetter, von Kant begeistert, von Adam Smith beeinflußt, auf Reformen bedacht. Ein paar Generäle: Ernst Philipp von Rüchel, der als letzter Schüler Friedrichs des Großen gilt, dem Stein beizubringen sucht, der Zeitpunkt sei günstig, »um die Entfernung einer verruchten Kabale zu bewirken«. Der Generalquartiermeister Karl Ludwig August von Phull und der Generalleutnant Gebhard Leberecht von Blücher, der zum Krieg gegen Napoleon treibt und mit der deutschen Sprache längst auf Kriegsfuß steht; er teilt Steins Abscheu vor einer »boßhafften Rotte niedere Faull Thire«, stellt sich auf die Seite der Gegner des Kabinettsregimes, erklärt sich bereit, »mit diesen Ehdlen menschen vor die erhalltung des Vaterlandes Freiheit und leben sein Opffer dahr zu bringen«. Da sind die Brüder des Königs, Heinrich und Wilhelm, von Hause aus unzufrieden. Und Prinz Louis Ferdinand, der seinen Tatendurst mit Franzosenblut stillen möchte.

Mehr an die Ehre Preußens, weniger an eine Reform des preußischen Staates denken die Prinzen und Generäle. Unangebracht erscheint ihnen die Form der Denkschrift Steins, ungehörig ihr Inhalt. Überdies hat ihm der König einen Verweis erteilt. In Immediatberichten vom 26. und 28. Mai wagte Stein zu behaupten, Preußen habe für die Anlehnung an Frankreich mehr bezahlt als Portugal, und er war impertinent genug, die Gesinnung der dafür Verantwortlichen in die Nähe des »reinen Knechtsgeist Rustans«, des Leibmamelucken Napoleons, zu rücken. Friedrich Wilhelm wird den Verdacht nicht los, dieser Stein schlage den Sack und meine den Esel.

Person und Regierungshandlungen des Königs seien sakrosankt, bedeutet der General Blücher dem Minister Stein; einzig und allein die Bösewichter in seiner Umgebung gelte es zu treffen. Schließlich kommt ein Kompromiß, ein gemeinsamer Schritt der Opponenten zustande: die Immediateingabe mit dem Datum des 25. und 31. August 1806. Darin wird die isolierte und gefährdete Lage Preußens geschildert, die Erniedrigung des Staates Friedrichs des Großen beklagt, dessen Nachfahre am Portepee gefaßt: »Man kann nicht begreifen, wie das schöne, unüberwundene Heer Friedrichs, das durch so viele große und schwere Schlachten so herrlich hervorleuchtet und welchem Eure Majestät selber die größte Aufmerksamkeit schenken, für die Erhaltung so heiliger Interessen nicht verwendet wird.« Ceterum censeo: die Sündenböcke Haugwitz, Lombard und Beyme müssen in die Wüste geschickt, die ruhmreichen Fahnen entfaltet werden. Gezeichnet: die Prinzen Heinrich, Wilhelm und Louis Ferdinand, der Prinz von Oranien, die Generäle Rüchel und Phull – und der Staatsminister vom Stein.

Eine Reorganisation des Regierungssystems wird nicht verlangt. Dem König reicht es auch so. Mit Blitz und Donner fährt er dazwischen. Er schickt die Prinzen zur Armee, rüffelt die Generäle, läßt Stein durch den Mitbetroffenen Phull sein allerhöchstes Mißfallen aussprechen. Nachhaltigen Eindruck macht das nicht – so weit ist es schon mit der Autorität des Königs von Preußen gekommen. Eine zweite Sammeleingabe wird vorbereitet. Das Konzept trägt Spuren der Handschrift Steins. Es ist schärfer im Ton und entschiedener in der

Sache; von der »Bildung einer ordentlichen, gesetzmäßigen, responsablen Ministerialbehörde« wird nun gesprochen. Zur Reinschrift des Entwurfs vom 9. September kommt es nicht. Er bleibt in der Schublade der verpaßten Gelegenheiten.

STEIN leidet an Podagra. Er ist nicht in die Krankheit geflüchtet; die Aufregung hat ihn hineingetrieben. Es schmerzt die Erkenntnis der fatalen Lage Preußens, Deutschlands und Europas.

Von den Zinnen des Berliner Zeughauses ist das Bild der Bellona gestürzt. Der Kriegsgöttin der Römer, deren Kult in den Spätzeiten entartete; an ihrem Hauptfest ritzten sich die Priesterinnen Arme und Lenden blutig, gaben sich das Blut zu trinken, weissagten unter dem Dröhnen von Pauken und Trompeten. Geht es im Tempel der preußischen Viktoria nicht ähnlich zu? Minister, die sich gegenseitig bis aufs Blut peinigen, Generäle, die sich am eigenen Bramarbasieren berauschen – und dazwischen der Prophet Stein, der in das Durcheinander ruft: »Sollten des Königs Majestät die vorgeschlagene Veränderung der Regierungsverfassung nicht beschließen, sollten sie fortfahren, unter dem Einfluß des Kabinetts zu handeln, so ist es zu erwarten, daß der Staat entweder sich auflöst oder seine Unabhängigkeit verliert, und daß die Liebe und Achtung seiner Untertanen ganz verschwindet.«

Die Auflösung des Reiches hat dieses Preußen bereits mitbewirkt. Seine Beteiligung an den »willkürlichen Länderverteilungen« habe dem Reich die Existenzbasis genommen und Preußen das Vertrauen der Deutschen gekostet, meint der Reichsfreiherr, dessen Besitzungen am 31. Juli 1806 mediatisiert werden, durch den Nassauer, der nun Herzog von Napoleons Gnaden geworden ist. Im Rheinbund haben sich zunächst sechzehn süd- und westdeutsche Fürsten zusammengeschlossen, Protegés des Kaisers der Franzosen, Profiteure am Bankrott des Reiches. Sie treten aus dem Reiche wie aus einem Gesangverein aus. Am 6. August 1806 legt Kaiser Franz II. – ein Ultimatum Napoleons befolgend – die Kaiserkrone nieder, erklärt das »Heilige Römische Reich Deutscher Nation« für erloschen.

Der Beihilfe zum Totschlag beschuldigt der Reichsfreiherr den preußischen Staat, der im Basler Frieden gemeinsame Sache mit den Franzosen gemacht hat. Der Hehlerei, weil er gestohlenes Reichsgut an sich gebracht hat. Der unterlassenen Hilfeleistung, weil er Österreich im Stich ließ. Und der Selbstverstümmelung. Die durch eigene Hand angeschlagene Macht »steht nun mitten in Europa gegen die ungeheure Macht des französischen Eroberers, gegen seine ebenso despotisierten Bundesverwandten als Untertanen, allein, belastet mit Verwünschungen, Mißtrauen, Schadenfreude, gleichgültig oder verhaßt«.

Stein quält der Alptraum einer Zukunft, in der »ganz Europa von Napoleon unterjocht, alle unsere Monarchen in Präfekten, alle Gesandten in Deputierte, alle Monarchien in Departements verwandelt, oder wenn alle Staaten der vom Staatsrat Crétet den 14. April 1806 empfohlenen frommen Ligue beigetreten wären, deren Zweck ist, sie erst zu atomisieren und dann an die Stelle des Systems des Gleichgewichts das einfache System der Gravitation nach einem großen gemeinschaftlichen Mittelpunkt zu setzen«. Nein, soweit dürfe es nicht kommen! Wenn Preußen und Deutschland noch gerettet werden sollen, müsse Napoleon »eine feste, offene, kraftvolle Politik, ein vertrautes Einverständnis mit anderen Mächten und eine unüberwindliche Beharrlichkeit auf Recht und Würde entgegengesetzt werden«. Die Konsequenz eines solchen Auftrumpfens nennt Blücher beim Namen: Vom Leder ziehen und dreinschlagen!

Haugwitz werden die Fenster eingeworfen, der König wird mit starken Worten bestürmt. Die Kriegspartei zwingt Friedrich Wilhelm Cunctator auf Kollisionskurs mit Napoleon. Am 9. August hat Preußen mobilgemacht, am 26. September stellt das Kaninchen der Schlange ein bis zum 8. Oktober befristetes Ultimatum: Preußen fordert den Abzug der französischen Truppen aus Süddeutschland und freie Hand beim Ausbau seiner Hegemonialstellung in Norddeutschland. Auch ein geschwächtes Preußen verlangt nach Arrondierung, verliert nicht seine Arroganz. In Berlin wetzen Offiziere ihre Säbel an den Steinstufen der Französischen Botschaft. Napoleon verliert kein Wort über das Ultimatum. Er setzt seine Truppen in Marsch.

»Als Preußen sich entschloß, die Waffen zu ergreifen, hatte es sich zu diesem unerwarteten Fall auf keine Weise vorbereitet«, konstatiert Rühle von Lilienstern, ein preußischer Offizier. Der Finanzminister sollte dies eigentlich noch besser wissen. Die Kassen sind nicht gefüllt. Bundesgenossen fehlen. Mit England, dem Subsidienzahler, hat man sich wegen Hannover überworfen. Österreich pflegt die Wunden von Austerlitz. Auf Rußland ist vorerst nicht zu zählen; seine Truppen können erst in ein paar Monaten zur Stelle sein. Bleibt der Kurfürst von Sachsen. Dem König von Preußen schickt er 20 000 Mann, dem Kaiser der Franzosen eine Entschuldigung.

Auf den Zaren setzt Stein große Hoffnungen. Die Falten im preußisch-englischen Verhältnis sucht er auszubügeln. Beide Staaten, schreibt er dem Kaufmann MacLean, »haben merkantilistische und politische Motive, sich einander nicht zu schaden, und ich hoffe, daß man der Stimme der Vernunft werde Gehör geben«. Inzwischen ermahnt er die Armee zur Sparsamkeit. Jede unnütze Ausgabe sei zu vermeiden, »zum Beispiel Tafelgelder für nichtgehaltene Tafeln, Rationen für nicht existierende Pferde, Übernahmen überflüssiger, nur aus Unruhe und Neugierde mitgehender Personen auf den Feldetat«. 29 600 Pferdeknechte und Bedienstete hat die Truppe, einen aufgeblähten Troß, einen endlosen Wurmfortsatz. Seine Verkleinerung könnte die Beweglichkeit des Heeres vermehren. Die eingesparten Mittel sollten zur Verbesserung der Ausrüstung und Verpflegung der Kampfsoldaten verwendet werden – nach dem Beispiel anderer Armeen.

Preußens schimmernde Wehr – ihre Schattenseiten sind dem Zivilisten Stein nicht verborgen geblieben. Auf dem Papier kann sie imponieren. Laut Kantonreglement von 1792 beträgt die Sollstärke 225 000 Mann. Die Iststärke ist noch eindrucksvoll genug, in erster Linie bei der Parade: Wenn die Bataillone vorbeimarschieren, jeder Soldat im blauen Rock und weißer Hose, das Haar zum Zopf geflochten, alle in Reih und Glied, in kompakten Blöcken, eine Armee von Marionetten, die sich an der Schnur bewegen, steif, gemessen, mechanisch, gelenkt vom Willen ihres Kriegsherrn. Unter ihrem Gleichschritt dröhnt der Boden, erzittert die Erde. Über ihnen wehen die Fahnen Friedrich des Großen, ruhmbedeckt und siegesgewiß – ein Hundsfott, wer an ihrem Vormarsch zu zweifeln wagte!

Alles ist so, als ob der große Friedrich noch kommandierte. Das preußische Heer besteht zur Hälfte aus Nichtpreußen, Söldnern, die von Werbern angeheuert worden sind, mit schönen Worten und harten Talern, List und Gewalt. Im Lande selber wird kantoniert, heben die Regimenter Rekruten aus; da es zahlreiche Privilegierte gibt, trifft es vorab die Söhne von Landarbeitern und kleinen Handwerkern. Unsichere Kantonisten sind sie alle; mit eiserner Disziplin müssen sie zusammengehalten werden. Dafür sorgen die adeligen Offiziere und diensteifrige Unteroffiziere, mit Flüchen, Prügeln und Spießrutenlaufen. Wie zu Friedrichs Zeiten werden die Hiebe mit drahtbezogenen Stöcken ausgeteilt, und auch der Sold ist noch derselbe, ein Hungerlohn. Zum Staatmachen ist die Uniform da, aber auch daran wird immer mehr gespart. Das Tuch ist sackgrob und so locker gewebt, daß man Erbsen durchsäen könnte; die Beinkleider haben kein Futter, Unterhosen gibt es nicht, die Weste ist durch einen auf den Rock genähten Lappen markiert. Stiefelwichse und Zopfpuder gibt es genug, Verpflegung weniger: zwei Pfund schlecht gebackenes, mitunter verschimmeltes Kommißbrot pro Tag und pro Mann, zweimal in der Woche ein halbes Pfund Fleisch.

Strammstehen wird mehr geübt als Gefechtsausbildung, Griffeklopfen und Gewehrreinigen wichtiger genommen als Schießen. Im August 1806 meldet ein Potsdamer Regimentskommandeur, die Flintenläufe seien durch unaufhörliches Putzen und Polieren so abgenützt worden, daß sie das Feuern nicht mehr aushalten würden. Die Taktik ist bei Leuthen stehengeblieben. Auf dem Exerzierplatz wird das Avancieren eingebleut: das Vorrücken in befohlener Richtung, im gleichen Schritt und Tritt, in geschlossenen Reihen, die Züge in gehörigen Distanzen, das Bataillon als Menschenmauer, die sich mit der Langsamkeit und Unaufhaltsamkeit einer Straßenwalze vorwärtsbewegt. Im Herbstmanöver werden die Schlachten des Siebenjährigen Krieges repetiert: das Feuern auf Kommando, der Bajonettangriff, das Niederrennen des Feindes.

Seit der Französischen Revolution, im napoleonischen Heer gibt es andere Soldaten und eine neue Taktik. Alle Franzosen vom 20. bis zum 25. Lebensjahr sind wehrpflichtig; in der

Praxis gibt es Ausnahmen, die Theorie konveniert dem Nationalgeist. Sie bilden eine Kriegsarmee, zusammengehalten vom gemeinsamen Drang nach Ruhm und Beute. Dazu müssen sie nicht gedrillt, dahin müssen sie nicht geprügelt werden, was ohnedies der aufgeklärten Menschenwürde und dem revolutionären Bürgerrecht widerspräche. Jeder trägt den Marschallstab im Tornister; wenn schon nicht alle Gemeinen Marschälle, so können doch viele Offiziere werden. Allen Tapferen winkt das Kreuz der Ehrenlegion, die Umarmung durch den Kaiser. Auf Zopf und Stechschritt legt dieser keinen Wert; er duldet Soldaten mit wirren Haaren und kecken Hüten, die unordentlich daherkommen, Brote auf die Bajonette gespießt. Ihm genügt, wenn sie gut schießen und mutig angreifen – in aufgelockerten Schützenreihen, von Deckung zu Deckung springend, allein auf sich gestellt, mit fünfzig Patronen in der Tasche, jeder ein Einzelkämpfer, der im Rahmen des gegebenen Befehls aus persönlicher Initiative und in eigener Verantwortung handelt – ein Individuum, kein Maschinenteil.

Mehr Gerechtigkeit bei der Rekrutierung, mehr Gleichheit bei der Zusammensetzung der Armee, mehr Freiheit des Soldaten im Gefecht, mehr Brüderlichkeit in der Garnison und im Felde – das wollen auch preußische Militärs, deren Horizont nicht von ihrem Mützenschirm begrenzt ist. 1806 gibt es immerhin 24 Füsilierbataillone, die auch in der Tirailleur-Taktik ausgebildet werden. Die alten Generäle sehen es nicht gerne; nur die friderizianische Linear-Taktik, beharren sie, garantiere Manneszucht und Schlachtenglück. Disziplin muß in der Tat das Grundgesetz einer Armee bleiben, die weithin einer Fremdenlegion gleicht, die nicht aus Staatsbürgern, sondern aus Untertanen zusammengesetzt ist, einer Truppe, der man nicht erlauben kann, ungebunden zu kämpfen, weil sie sonst auseinanderlaufen würde. Ein solches Söldnerheer des Ancien régimes steht von vorneherein auf verlorenem Posten gegen eine Armee, die demokratischer Geist zusammenhält und nationale Begeisterung beflügelt. Vergebens fordert Oberst Scharnhorst Anfang 1806 die Aufstellung einer Nationalmiliz von 300 000 Mann, zur Unterstützung des stehenden Heeres und zur Hebung des Kampfwillens. Das Risiko für das friderizianische System wäre zu groß, was General Rüchel erkennt: »Die preußische Militärverfassung und Staatswirtschaft ist ein ehrwürdiges Original. Rührt man ein Glied an, so erhält die ganze lange Kette einen langen Schlag.«

Ohne preußische Staatsbürger ist ein modernes preußisches Heer nicht denkbar, ohne eine Veränderung der Heeresverfassung ist eine Liberalisierung des Militärstaates nicht möglich. Preußen steckt in einem Circulus vitiosus, und wenn es herausfände, wäre es nicht mehr das, was es ist und bleiben soll. Hauptmann Gneisenau blickt in einen Abgrund: »Als Soldat sehe ich nichts als Unordnung unter meinen Augen. Als Staatsbürger sehe ich bei schlechten Anstalten und versäumten kraftvollen Maßregeln manches Unglück hereinbrechen.«

Die Generalität ist guter Dinge. Sie lebt in der friderizianischen Vergangenheit, hält Preußen noch immer für den ersten Militärstaat der Welt, glaubt an die Unbesiegbarkeit der preußischen Armee. Die höheren Generäle sind zwischen sechzig und siebzig, benehmen sich wie Husarenleutnants, gedenken sich wie der Baron Münchhausen am eigenen Zopf aus der Misere zu ziehen. Der Generalissimus, Herzog Karl Wilhelm Ferdinand von Braunschweig, ist zweiundsiebzig und nimmt seine Maitresse mit ins Feld. General Friedrich Ludwig Fürst zu Hohenlohe-Ingelfingen ist hochgradig kurzsichtig, hat aber sein Fernglas daheimgelassen. General Rüchel will auf seinen Stall nicht verzichten; denn: »Ein preußischer Edelmann geht nicht zu Fuß.« Es ist derselbe Rüchel, mit dem Stein den Staat zu reformieren gedachte, den Clausewitz eine »aus lauter Altpreußentum konzentrierte Säure« nennt, der den Ausspruch tut: »Meine Herren, Generäle wie der Herr von Bonaparte einer ist, hat die Armee Seiner Majestät mehrere aufzuweisen!«

Wie ein Adler kreist Napoleon über diesem Kleingetier, bereit zum Hinabstoßen. »Preußen macht lächerliche Rüstungen. Es wird bald wieder entwaffnen oder aber es teuer bezahlen. Binnen wenigen Tagen wird es entwaffnet haben oder aber vernichtet sein«, meint er Mitte September. Einen Monat später, am 14. Oktober 1806, vernichtet er die Armee Friedrich des Großen in der Doppelschlacht von Jena und Auerstädt, im sächsisch-thüringischen Vorfeld Preußens. »Uff de

Plaine«, wohin die Junker die Franzosen haben wollten, bleiben tausend und aber tausend preußische Soldaten. Die genaue Anzahl kann nicht ermittelt werden; auch die Zählmaschinen funktionieren nicht mehr.

»Ich habe die preußische Monarchie zermalmt«, brüstet sich der Sieger. Die Reste der Armee stieben in alle Winde davon. Wie ein Kartenhaus fällt der stolze Staat zusammen. Beamte beginnen sich auf den neuen Befehlshaber einzuschreiben. Generäle benehmen sich wie Marionetten, deren Lenkfäden abgeschnitten worden sind. Eine Festung nach der anderen fällt. In Erfurt kapitulieren 11 000 Preußen vor einem französischen Reiterhaufen. In Magdeburg ergeben sich 24 000 Mann und 19 Generäle, die zusammen 1300 Jahre alt sind; ihr Kommandeur, ein Kleist, hat zuvor geprahlt, er werde nicht die weiße Fahne hissen, bevor ihm nicht das Schnupftuch im Hosensack brenne. Eine Ausnahme macht Blücher, ob eine rühmliche, bleibt umstritten. Er besetzt auf dem Rückzug das neutrale Lübeck, verteidigt die Stadt, setzt ihre Bürger und Bürgerinnen Greueltaten der eindrängenden Franzosen aus, gibt schließlich auf, »weill ich kein brot und keine Muhnitsion nicht mehr Habe«.

In Berlin herrscht Panik. Koffer werden gepackt, Wertgegenstände versteckt; Pferde und Wagen sind nicht mehr aufzutreiben. Der Generalgouverneur, Graf von der Schulenburg-Kehnert, läßt Plakate anschlagen: »Der König hat eine Bataille verloren. Jetzt ist Ruhe die erste Bürgerpflicht. Ich fordere die Einwohner Berlins dazu auf. Der König und seine Brüder leben!« Näheres und Genaueres wird den Berlinern nicht mitgeteilt. Der bayerische Gesandte Bray entrüstet sich: «Ist das eine Art, wie man ein Publikum behandelt, das sich für philosophisch und patriotisch hält? Man weiß nichts, man erfährt nichts, und hunderte von Bürgern verbringen ihren Tag vor der Tür des Grafen Schulenburg, ohne sich von der Stelle zu rühren und den geringsten Lärm zu machen.« Laut werden sie erst, als der Generalgouverneur Hals über Kopf abreist. Sie bekommen zur Antwort: »Beruhigt euch, ich lasse ja meine Kinder hier!«

Auch der Finanzminister verläßt Berlin, am 20. Oktober, mit der Staatskasse und dem Hofservice. Er ist sehr krank, bestürzt wie alle; der Tod des Prinzen Louis Ferdinand, der bereits beim ersten Vorpostengefecht fiel, geht ihm nahe. Am 23. Oktober meldet er dem nach Küstrin retirierten König aus Stettin: Gelder, Archiv und Personal seien auftragsgemäß verlagert, mit Seeschiffen und Pferdewagen auf dem Wege weiter nach Osten. Er selber möchte vorerst in Stettin bleiben, glaubt hier näher seinem Geschäftsbereich zu sein, doch die rasch vorrückenden Franzosen sorgen dafür, daß dieser immer mehr zusammenschrumpft. Stein setzt sich nach Danzig ab, wo er sich aber nicht sicher fühlt. Das Fluchtziel ist Königsberg, für den König, die Kasse und den Finanzminister.

Napoleon zieht in die preußische Haupt- und Residenzstadt ein, am 27. Oktober 1806, durch das Brandenburger Tor. Seine Kanonen donnern, und die Mamelucken ziehen vor ihm her. Alle Kirchenglocken läuten, Berliner rufen »Vive l'empereur«, bewundern die funkelnden Kürassiere, die goldstrotzenden Marschälle und – »da ist er!« – den Kaiser, den Sieger, das Marmorgesicht eines Halbgottes. Napoleon nächtigt im königlichen Schloß, die Garde biwakiert im Lustgarten. Der Schriftsteller Varnhagen von Ense, ein Romantiker, ist hingerissen: »Der ganze Mittelraum des bis dahin sorgsam geschonten Rasens und selbst der Straßenplatz nach dem Schlosse hin war bedeckt mit unzähligen, hellflammenden Wachfeuern, um welche her die kaiserliche Garde in tausend Gruppen muntrer Fröhlichkeit und Geschäftigkeit sich bewegte. Die mächtigen Feuer beleuchteten taghell die prächtigsten, schönsten Leute, die blanksten Waffen und Kriegsgeräte, die reichsten, bunten Uniformen, in deren sich tausendfältig wiederholendem Rot, Blau und Weiß die volle Macht der französischen Nationalfarben die Augen traf.«

Sie sind es gewohnt, die Macht zu verehren und dem Mächtigen zu gehorchen. Schriftsteller und Professoren, Johannes von Müller etwa, der Stein den Entwurf eines preußischen Kriegsmanifestes geliefert hat, antibonapartistischen Schaum vor dem Munde, und nun offenbart: »Gott, ich sehe es, hat dem Kaiser Napoleon das Reich, die Welt gegeben.« Die Geistlichen, die der Sieger ins Schloß zitiert und sie auffordert, Gehorsam gegenüber jeder Obrigkeit zu predigen – eine Ermahnung, die er sich hätte sparen können, denn dieses ist ihr

Anliegen stets gewesen. Die preußischen Beamten, die im Berliner Schloß den Eid leisten: »Ich schwöre, die Gewalt, die mir von Seiner Majestät dem Kaiser der Franzosen und König von Italien anvertraut ist, mit der größten Loyalität auszuüben, und sie nicht anders, als zur Erhaltung der Ordnung und der öffentlichen Ruhe anzuwenden, auch aus allen meinen Kräften beizutragen, um die Maßregeln und Anordnungen, welche mir für den Dienst der französischen Armee vorgeschrieben werden, auszuführen und weder Briefwechsel noch irgendeine andere Art von Verbindung mit den Feinden derselben zu unterhalten.« Viele der Vereidigten schreiben ihre Namen unleserlich in die Liste. Einer ergreift statt des Sandstreuers das Tintenfaß, macht einige Seiten der Liste unentzifferbar.

Hochachtung behält der Kaiser vor dem König, der diese Untertanen geschaffen hat. »Messieurs, dieser Ort verdient unseren Respekt«, erklärt er seinem Gefolge im Arbeitszimmer Friedrichs des Großen in Sanssouci. Vor dem Grab in der Potsdamer Garnisonskirche verweilt er schweigend zehn Minuten lang – Napoleon, der Friedrichs Armee vernichtet, seinen Staat zerschlagen hat, das Universalgenie bewundert, und die Einschichtigkeit: Er sei ein großer König gewesen, der sich die Weiber vom Leibe gehalten habe, bedeutet er dem Konsistorialrat Erman. Napoleon sackt den Degen des großen Friedrich ein, und seine Uhr, auf der geschrieben steht: »Diem perdidi – Ich habe den Tag verloren.«

Was er in wenigen Tagen verloren hat, steht Friedrich Wilhelm III. vor Augen. Klägliche Reste seiner Armee sind hinter die Weichsel zurückgedrängt. Nur noch Fetzen seines Staatsgebietes hält er in Händen: Ostpreußen, Schlesien, polnische Gebiete – wer weiß, wie lange noch. Königsberg wird Hauptstadt, der Krönungsort des ersten Königs von Preußen, woran sich nun der fünfte schmerzlich erinnert. »Eine mausade Provinzstadt«, wie sein Beamter Niebuhr raisonniert. Die Bundesgenossenschaft des Zaren ist ihm verblieben. Russische Truppen stehen ihm bei, die freilich – laut Niebuhr – »ein bißchen asiatisch in unserm Land verfahren«.

Der Waffengang sei ein Mißverständnis gewesen, hat der König am Abend der Niederlage bei Jena und Auerstädt dem Kaiser der Franzosen geschrieben. Und ihn um Frieden gebeten. Napoleon diktiert Vorfriedens-Bedingungen: Abtretung der Gebiete links der Elbe (ausgenommen Magdeburg und die Altmark), hundert Millionen Franken Kriegsentschädigung. Der Finanzminister findet das hart, doch erträglich; was die Kontributionssumme betrifft, sollte man zu handeln versuchen, »durch Vorstellung der Unfähigkeit zu zahlen«. Napoleon schraubt seine Forderungen höher: Mitte November verlangt er zusätzlich für einen Waffenstillstand die Festungen Kolberg, Danzig, Graudenz, Glogau und Breslau, die Räumung weiter Gebiete von Schlesien und Südpreußen, die Zurückweisung der russischen Truppen.

»Ich weiß darüber nichts zu sagen, als zu jammern«, ist die Reaktion Schulenburgs. Stein klappt das Visier herunter: »Es ist unmöglich, die Vorschläge anzunehmen.« Darauf beharrt er bei der Konferenz von Osterrode am 21. November. Ihn unterstützen Minister Voß, Kabinettsrat Beyme und Generaladjutant Köckritz; sie werden überstimmt. Stein läßt protokollieren, er verwerfe den Waffenstillstand, »weil derselbe Preußen gar keine Versicherung für die Fortdauer seiner Existenz gibt«, da man den einzigen Bundesgenossen, Rußland, und damit sich selber vor den Kopf stoßen würde. Das Unerwartete geschieht: Der Monarch stellt sich auf die Seite der Minorität, entschließt sich zur Fortsetzung des Krieges an der Seite Rußlands. Nun bekommt Haugwitz die Gicht; er zieht sich zurück. Lombard ist bereits passé.

Friedrich Wilhelm scheint Eisen geschluckt zu haben. Er erläßt aus Ortelsburg das »Publicandum wegen Abstellung verschiedener Mißbräuche bei der Armee«, bestraft Offiziere wegen Feigheit vor dem Feind, stellt dem Unteroffizier wie dem Gemeinen, »wenn er sich durch Gewandtheit und Geistesgegenwart besonders auszeichnet«, die Beförderung zum Offizier in Aussicht. Aus Ortelsburg ist auch die Kabinettsordre datiert, die Stein mit der interimistischen Übernahme des Außenministeriums beauftragt, »indem Ich von Euren Talenten und Kenntnissen mir versprechen kann, daß Ihr die Geschäfte des Auswärtigen Departements ganz in dem Geiste führen werdet, den die jetzige Lage des Staats mit sich bringt«. Beyme, der letzte der Kabinetts-Mohikaner, offeriert die Friedenspfeife: Ein Mann von Steins Geist und Charakterstärke sei nun vonnöten: »Ich sehe in Ihnen den von der Vorsehung für unser Vaterland bestimmten Retter.« Die Auslagen würden erstattet; allein an Tafelgeldern könne er jährlich 8000 Taler erwarten.

Welch eine Wendung durch Napoleons Fügung! Zwei Hauptgegner sieht Stein fallen, der dritte klopft an seine Tür; dem Hauptkritiker des auswärtigen Kurses wird das Außenministerium angetragen. Er sollte Genugtuung empfinden, könnte es besser machen; der Sache würde es dienen. Stein reagiert anders. Den kleinen Finger hat er schon, nun will er die ganze Hand. Er verschanzt sich hinter Gegenargumenten. Einerseits sei er kein »Diplomatiker«, habe in 27jähriger Beamtenlaufbahn nie in den Auswärtigen Dienst gestrebt, könne und wolle als Fünfzigjähriger dieses Handwerk nicht mehr erlernen. Andererseits harre ein geeigneter Kandidat auf dieses Portefeuille, der Freiherr von Hardenberg, dieser mit allen Wassern gewaschene Diplomat; französischer Druck habe ihn vor Jena als Außenminister verdrängt, antifranzösischer Gegendruck müßte ihm wieder auf den Kabinettssessel helfen. Stein selber besteigt das Streitroß, zeigt die Farben seiner April-Denkschrift, will das ganze Regierungssystem aus dem Sattel heben. Mit seinen Trägern soll das Kabinettsregime fallen, ein Ministerkonseil eingesetzt werden; mit der Alleinherrschaft des Regimentskommandeurs und der Regimentsschreiber muß es ein Ende haben, die Bataillonschefs und Kompanieführer wollen mitbestimmen. Der Freiherr tritt in die Schranken, freimütig wie eh und je, überzeugt davon, daß die Nichtbeachtung seiner April-Denkschrift die Katastrophe heraufbeschworen habe, und rechthaberisch darauf verweisend, daß ihre Auswirkungen nur durch eine Beseitigung ihrer Ursachen zu überwinden seien.

Beyme versucht es mit einem Kompromiß. Er verteidigt »die Regierung des Königs aus dem Kabinett, die eine Eigentümlichkeit des preußischen Staates ist und seinen raschen Fortschritt aus einem beschränkten Kurstaat zu einer bedeutenden Monarchie begleitet hat«. Er räumt die Notwendigkeit einer Reform ein, macht Gegenvorschläge: Ein Triumvirat – Kriegsminister, Außenminister und ein »Direktorialminister«, Primus inter pares der Fach- und Provinzialminister des Generaldirektoriums – gibt dem Monarchen Entscheidungshilfe, ohne daß dieser seines gewohnten Kabinetts entraten müßte.

Ein Vorschlag, über den sich reden ließe, zumal er als Übergangslösung gedacht ist. Doch Beyme beißt auf Granit. Stein ist nicht bereit, in eine »kasuistische Erörterung« einzutreten. Er lehnt eine Koexistenz von Kabinett und Konseil ab. Und beharrt darauf: Beyme muß weg und Hardenberg muß her; ein ordentlich eingesetzter und verantwortlicher Ministerrat hat das Heft in die Hand zu nehmen. Sein »Alles oder Nichts« verunsichert den geschickt taktierenden Mitstreiter Hardenberg, verängstigt den Vermittler Schulenburg, verletzt den ihm persönlich wohlgesonnenen und der Reformsache durchaus aufgeschlossenen Beyme. Und strapaziert die Geduld des Königs.

Friedrich Wilhelm ist in einer morosen Emotion. Napoleon drangsaliert ihn, die Königin boudiert ihn, sein Minister inkommodiert ihn. Er verlangt von ihm mit der Brüskierung seiner engsten Mitarbeiter das Eingeständnis seiner Schuld, sie nicht rechtzeitig entlassen zu haben. Auf seine eingespielten Schreiber, die gewohnte Kanzlei soll er verzichten, im Konseil versierten Ministern Rede und Antwort stehen – bloßgestellt soll er werden, einsilbig, schwerfällig, entscheidungsscheu wie er ist. An das Leitseil der Ministerialbürokratie will dieser Stein den Monarchen nehmen, seinen König und Herrn!

Und er verkennt seinen guten Willen. Friedrich Wilhelm zeigt sich bereit, friderizianischen Ballast abzuwerfen, damit sich die preußische Monarchie – beziehungsweise das, was von ihr geblieben ist – über Wasser halten kann. Er hat Beymes Kompromissvorschlag akzeptiert und verfügt nun einen neuen, einen nicht so weit gehenden und weniger entgegenkommenden freilich: Zurücksetzung des Kabinettsrats Beyme zum Protokollführer und Expedienten, Aufwertung der Minister durch Berufung eines Dreierrates. Die Regierungszügel will der König in der Hand behalten; er bestimmt, welche Angelegenheiten die Minister bearbeiten und gemeinsam beraten; von förmlichen oder gar bindenden Konseilbeschlüssen ist keine Rede. Außenminister soll General Zastrow, Kriegsminister General Rüchel werden, Innen- und Finanzminister Stein, »der Mir als denkender, großer Konzeptionen fähiger Kopf so sehr rühmlich bekannt ist«.

Mit Komplimenten ist er nicht weichzuklopfen. Kompromisse mag er ohnehin nicht; wer ihm die Annahme eines solchen faulen Kompromisses zumutet, hält ihm ein rotes Tuch entgegen. Keine seiner wesentlichen Forderungen sieht er auch nur annähernd erfüllt. Hardenberg kommt nicht, Beyme bleibt, zwar weg vom Fenster, doch hinter der Gardine, alles hörend, alles sehend, seines Einflusses auf den König gewiß. Der Ministerkonseil ist zu einem Kronrat degeneriert, der König behält das persönliche Regiment. Es ist lediglich neu eingekleidet, mit dem, was Friedrich Wilhelm für ein Reformgewand halten mag; darunter steckt der alte Adam der absolutistischen Monarchie.

Die Bescherung ist schon vor dem Heiligen Abend da. Weihnachten 1806 – das wird ein trauriges Fest. Die Franzosen nähern sich Königsberg; der Hof packt die Koffer für die Flucht nach Memel, in die äußerste Nordostecke der Monarchie. Stein plagt das Podagra; er wohnt mit seiner Familie in beengten Verhältnissen, ein Kind hat Nervenfieber. Silvester 1806 – Friedrich Wilhelm wie Stein blicken düster in das Neue Jahr. Der Finanzminister hat erfahren, daß der König freiwillig die Kosten der Hofhaltung Napoleons in Berlin übernommen hat; zur Halbherzigkeit im Innern gesellt sich Würdelosigkeit nach außen – Stein zittert vor Empörung, schwankt zwischen der anerzogenen Pflicht, bei der Stange zu bleiben, und der wachsenden Neigung, den Dienst zu quittieren. Der König muß von anderen hören – der Minister meldet sich nicht zur Audienz –, daß Stein dem schriftlich gegebenen Befehl zur Übernahme des Kabinettsressorts nicht gehorchen will, daß er – in seinem Schreiben vom 30. Dezember an den Generaladjutanten Köckritz – die patriotische Zurechnungsfähigkeit Friedrich Wilhelms III. in Zweifel zieht: »Beispiellos ist es übrigens wohl, daß die Kosten des Hofstaats des Eroberers des größten Teils der Monarchie von dem aus diesen Provinzen verdrängten Monarchen getragen werden sollen.«

Des Königs Geduldsfaden reißt mit dem scharfen Ton einer

überstrapazierten Langmut. Geradeheraus, rundweg schreibt er seinem Staatsminister am 3. Januar 1807: »Ich hatte ehemals Vorurteile gegen Sie! Zwar hielt ich Sie immer für einen denkenden, talentvollen und großer Konzeptionen fähigen Mann; ich hielt Sie aber auch zugleich für exzentrisch und genialisch, das heißt mit einem Worte, für einen Mann, der, da er immer nur seine Meinung für die wahre hält, sich nicht zum Geschäftsmann an einem Flecke paßte, wo es immerfort Berührungspunkte gibt, die ihn bald verdrossen machen würden.« Er kennt seinen Pappenheimer, dieser König, der besser zu beobachten als zu reden versteht. »Ich überzeugte mir bald, daß Ihre Departementsführung musterhaft war. Schon regte sich bei mir der Gedanke, Sie näher an mich zu ziehen, um Sie dereinst für größere Wirkungskreise zu bestimmen.« Offenherzig ist Friedrich Wilhelm, enttäuscht, daß Stein das ihm angebotene Portefeuille des Auswärtigen ablehnte, erbittert über fehlinvestiertes Vertrauen, erzürnt über die »trotzige Art«, in der ein Beamter das Entgegenkommen des Königs in der Kabinettsfrage geringschätzt und die Ordre zur Übernahme eines Kabinettsressorts mißachtet.

Noch faßt er ihn mit Glacéhandschuhen an, bis ihm bewußt zu werden scheint, daß dies keine preußische Umgangsform mit einem Befehlsverweigerer sei. Friedrich Wilhelm III. verfällt in einen Ton, der nach den Stockprügeln Friedrich Wilhelms I. schmeckt: »Aus allem diesem habe ich mit großem Leidwesen ersehen müssen, daß Ich Mich leider nicht anfänglich in Ihnen geirrt habe, sondern daß Sie vielmehr als ein widerspenstiger, trotziger, hartnäckiger und ungehorsamer Staatsdiener anzusehen sind, der, auf sein Genie und seine Talente pochend, weit entfernt, das Beste des Staates vor Augen zu haben, nur durch Kapricen geleitet, aus Leidenschaft und aus persönlichem Haß und Erbitterung handelt. Dergleichen Staatsbeamte sind aber gerade diejenigen, deren Verfahrungsart am allernachteiligsten und gefährlichsten für die Zusammenhaltung des Ganzen wirkt.« Schließlich scheint die angeborene Gutmütigkeit und die angelernte Menschenfreundlichkeit wieder durch: »Es tut mir wahrlich wehe, daß Sie Mich in den Fall gesetzt haben, so klar und deutlich zu Ihnen reden zu müssen.« Fazit: »Da Sie indessen vorgeben, ein wahrheitsliebender Mann zu sein, so habe ich Ihnen auf gut Deutsch meine Meinung gesagt, indem ich noch hinzufügen muß, daß, wenn Sie nicht Ihr respektwidriges und unanständiges Benehmen zu ändern willens sind, der Staat keine große Rechnung auf Ihre ferneren Dienste machen kann.«

Am 3. Januar, um 19 Uhr, erhält Stein diesen Ungnadenerweis. Eine halbe Stunde später, um 19.30 Uhr, ist seine Erwiderung unterwegs: Er habe die Kabinettsordre in einem Augenblick erhalten, »wo ich mich zu einer in sehr vielen Hinsichten beschwerlichen und bedenklichen Reise nach Memel vorbereitet hatte und im Begriff war, diese Nacht abzugehen«. Da »Höchstdieselben« ihn als widerspenstigen und ungehorsamen, nur durch Kapricen geleiteten Staatsdiener qualifiziert hätten, werde er nun hier bleiben. Und da auch er überzeugt sei, »daß dergleichen Staatsbeamte am allernachteiligsten und gefährlichsten für die Zusammenhaltung des Ganzen wirken«, müsse er um seine Dienstentlassung bitten.

Stein kontert schnell und hart, ohne sich nur einen Augenblick in den anderen hineinzuversetzen, die Argumente des Königs zu prüfen, als wenn er mit Seinesgleichen spräche, unvermittelt, wie er es meistens tut: verletzend mit dem Degen der Ironie, dreinschlagend mit dem Säbel der Unfehlbarkeit, gleichgültig, wohin er trifft, unbekümmert um die eigenen Blößen. Nicht ohne Würde, kurz und bündig, antwortet der König, zieht tags darauf den Schlußstrich: »Da der H. Baron v. Stein unter gestrigem Dato sein eigenes Urteil fällt, so weiß ich nichts hinzuzusetzen.«

Stein setzt etwas hinzu, gibt dem Kontrahenten noch eins drauf: Er läßt die Korrespondenz mit dem König unter Kollegen und Freunden zirkulieren, spielt mit dem Gedanken ihrer Drucklegung, »weil sie einen interessanten Beitrag zu der Geschichte der Auflösung dieses Staates und der fehlerhaften Organisation der obersten Behörde ausmachen«, schimpft über die »Erbärmlichkeit unserer Machthaber«, beklagt das Schicksal Preußens, das nun ohne ihn auszukommen hat, sucht Verständnis für sein Verhalten. Schulenburg läßt es bei einer Kondolenzvisite bewenden, Rüchel drückt schriftlich sein Bedauern aus, der amtierende Minister Voß fragt sich, was aus diesem Staate werden solle; Hardenberg, der Minister in spe, entringt sich eine zurückhaltende Sympathiekundgebung. Zustimmung und Verehrung findet Stein bei Untergebenen und Mitarbeitern. Staatsrat Niebuhr verurteilt den »ungeheuren, unbegreiflichen« Brief des Königs; »nur durch ein solches Maß der Verblendung und des Wahnsinns läßt sich der Gang der Auflösung begreifen, die dieses Land zum Untergang geführt hat«. Staatsrat Kunth bekennt: »Eure Exzellenz sind auch mein Chef nicht mehr. Jetzt ist es mir erlaubt, Ihnen frei zu bekennen, wie innig und wahrhaft ich Ihren großen, edlen, reichen Geist verehrt, Ihr Herz voll Gefühle geliebt habe.« Aus Memel, wohin der Hof geflüchtet ist, schickt ihm Prinzessin Luise Radziwill eine Träne, hört er vom Finanzrat Beguelin, der König habe seine Arbeit als Minister gelobt.

»Ich verspreche mir nichts von den Ingredienzen de la cour de Memel – es ist eine geistlose, geschmacklose Zusammensetzung, keiner als der faulenden Gärung fähig«, läßt der Entlassene Niebuhr in Memel wissen, in der Erwartung, daß es die Schranzen erführen. Trotz allem denkt er an die Möglichkeit einer Rückberufung: »Sollte man mich einst wieder bedürfen, so werde ich mir wenigstens eine Garantie gegen unanständige Behandlungen ausbedingen und voraussetzen, daß die oberste Leitung der Geschäfte in die Hände verständiger, schätzbarer Männer gelegt werde.«

Vorerst will er weg aus Preußen, heim nach Nassau. Der Kriegsschauplatz rückt näher; bei Eylau stoßen die Franzosen mit den Russen und Preußen zusammen, gehen unentschieden auseinander, in die Winterquartiere. Der Aufenthalt in Königsberg wird ihm von Tag zu Tag unerträglicher, »immer aufgereizt, ohne handeln zu können, geschäftslos und diese unpassende Stellung des Taglöhners, der an der Straßenecke steht, bis er gerufen wird«. Die Abreise verzögert sich. Stein ist krank, »durch Gicht und bitteren Unwillen«. Vierzehn Köpfe zählt sein Haushalt, zwei Wagen und zehn Extrapost-Pferde sind aufzutreiben. Die Reiseroute macht Kopfzerbrechen: Soll er den Seeweg wählen, von Danzig nach Kopenhagen, auf einem britischen Schiff? Soll er den Landweg durch die französisch besetzten Gebiete nehmen? Dazu braucht er Pässe mit dem Stempel des Eroberers.

Mitte Februar fährt die Familie nach Danzig, über dem noch die schwarz-weiße Fahne weht, steigt im Hause eines Reeders ab. Dann reist sie über Stettin nach Berlin. Stein wird nach Neuigkeiten ausgequetscht, nimmt die Huldigungen seines Schwagers Graf Arnim-Boitzenburg entgegen: Er habe sich »als einer der seltenen Männer bewährt, die das Gute und Rechte nur um des Guten und Rechten willen tun, ohne Rücksicht auf sich, ohne Interesse, bloß weil sie überzeugt sind: es muß so sein«. Und er besucht den französischen Gouverneur Clarke. Ein Bericht geht an Napoleon: der Exminister Stein habe mit dem König von Preußen gebrochen und wolle es – wegen seiner Besitzungen im Rheinbundgebiet – mit dem Kaiser der Franzosen nicht verderben.

Heim ins »Reich« will er – wie er das westliche Deutschland immer noch nennt. Am 22. März sieht er wieder sein heimatliches Tal, das nach einem langen Winter zu grünen beginnt.

Das Jahr der Reformen

Ein verletzter Löwe kriecht in seine Höhle, leckt die Wunden. Stein badet in Ems, trinkt Schwalbacher Wasser, rückt dem Podagra zu Leibe, hofft »dem bösartigen Lindwurm die Gurgel abzuschneiden«. Er offenbart: »Übrigens gehen alle animalischen Funktionen des Körpers bis auf eine ihren Gang«, und verschweigt, welche dies ist. Er genießt die Frühjahrssonne, die Ruhe, den Frieden. Und will ein Gartenhaus bauen, mit einem mit Ölfarbe gestrichenen Schindeldach und einer Dampfheizung – ein komfortables Schneckenhaus.

Die Büroarbeit vermißt er nicht. »Sie ist erträglich, wenn sie zu einem großen Zweck hinleitet; ist aber die allgemeine Führung der öffentlichen Angelegenheiten in den Händen der Leerheit, Trägheit und Plattheit, wird diese beherrscht durch seichte, aufgeblasene, schlaffe Menschen, so hat die Tätigkeit des einzelnen Büro-Chefs kein verständiges Resultat, und glücklich ist der, den die Fremdartigkeit der Elemente, mit denen ihn der Zufall zusammenbringt, verdrängt und ausstößt.« Preußen hat ihn ausgespuckt. Nun steht er wieder auf eigenen Füßen, ist sein eigener Herr; er liest die Berichte seiner Gutsverwalter, und was er denen anschafft, ist ohne Wenn und Aber auszuführen. Dennoch: Er genießt die Unabhängigkeit und Abgeschlossenheit wie saure Trauben.

Aus den Gazetten erfährt er den Lauf der Welt. Hardenberg ist nun Außenminister. Napoleon schlägt die Russen bei Friedland; Königsberg wird von den Franzosen besetzt. In Bad Ems hört er einiges von den kurenden »Staatsmännern und Ministrillons«. Wenig Erfreuliches liest er in den Briefen der Freunde. Vincke ist von den Besatzern abgesetzt. Sack berichtet aus Berlin, Gehälter würden nur noch »für die aktiven und produktiven Behörden« gezahlt. »Unsere Lage ist schrecklich«, klagt Reden. »Von den Preußen ist nicht mehr die Rede, als wenn sie nicht in der Welt wären, und vielleicht ist dies in der Tat der Fall.«

Stein liest die Geschichte des Falls von Athen nach der Schlacht bei Aegospotami. Der Spartaner Lysander feierte in der eroberten Stadt seinen Sieg mit einer Aufführung der *Elektra* des Euripides. »Als nun der Chor die Stelle rezitierte ›Wir kommen, o Tochter Agamemnons, in deine demütige ländliche Hütte‹, und Elektra, die Königstochter, hier im Elend erschien, da dachten sich die Zuhörer den Fall Athens, einst Beherrscherin Griechenlands und seiner Meere, nun in Staub und Asche getreten – und die ganze Versammlung brach in Tränen aus.«

Athen fiel durch die Spartaner, das deutsche Sparta durch ein neues Rom. Wie konnte es dazu kommen? Preußen sei auf den Lorbeeren Friedrichs des Großen eingeschlafen, meint Königin Luise; der Feind konnte kommen wie ein Dieb in der Nacht. Nun müsse man wachwerden, wieder Tritt fassen, sekundieren Altpreußen. Der geschaßte Minister geht weiter: Nicht nur die Epigonenherrschaft, das Herrschaftssystem selber sei die Ursache des Übels, seine politische Form und gesellschaftliche Struktur, die absolute Monarchie und die starre Ständeordnung.

Die Maschine ist fehlerhaft konstruiert, nicht nur unzureichend gepflegt und unzulänglich bedient. Im Führerstand hat nur einer Platz, der Monarch. Die Transmissionsbänder des königlichen Willens sind die Beamten, das große Schwungrad ist die Armee. Die Energie haben Bürger und Bauern zu liefern. Ständig steht die Maschine unter Dampf, immer läuft sie übertourig, die Kraftquellen sind nicht unerschöpflich – das Versagen war nur eine Frage der Zeit. Friedrich der Große ahnte es: Die Armee sei nicht mehr die Alte, klagte er schon kurz nach dem Siebenjährigen Krieg. Stein weiß es, nach der Katastrophe von Jena und Auerstädt: »Solange an der Spitze des Ganzen ein großer Mann stand, der es mit Geist, Kraft und Einheit leitete, so brachte das Maschinenspiel gute und glänzende Resultate hervor, die das überall hervorstechende Flickwerk, die Halbheit und die nordische Gemütlosigkeit der Masse verbargen.«

Das Menetekel der Revolution vor Augen, schrieb der Philosoph Fichte 1793: »Ich weiß, daß der Staat von jeher gearbeitet hat, uns auf jede Art zu gewöhnen, Maschinen zu sein, statt selbständige Wesen!« Nach dem Erlebnis des Zusammenbruchs kritisiert Stein das friderizianische Regierungssystem: Alles sei auf die Alleinherrschaft und Selbstregierung des Monarchen angelegt gewesen, es habe keine ständische Verfassung gegeben, »keine Einrichtungen, wo sich Gemeingeist, Übersicht des Ganzen bilden, feste Verwaltungsprinzipien entwickeln und aufbewahrt werden konnten; alle Kräfte erwarteten den bewegenden Stoß von oben, nirgends war Selbständigkeit und Selbstgefühl«.

Das friderizianische Korsett aufschnüren, zum Wohle des preußischen Staatskörpers – das hatte Stein versucht. Der Kammerpräsident pflegte das Ständewesen in Westfalen, der Minister widersetzte sich dem persönlichen Regiment des Monarchen. Der Zivilist respektierte die kriegerische und mißtraute der gesellschaftlichen Rolle des Militärs. Der Aristokrat pochte stets auf seine Vorrechte, der Feudalherr genoß seinen Besitz; der Staatsdiener war indessen bestrebt, die Bauernschaft zu heben und das Bürgertum zu fördern. Die Standesgrenzen wollte er zwar nicht aufheben, aber durchlässiger machen. Zunächst und letztendlich kam es ihm immer auf die allgemeinen Prinzipien und die gesamte Menschheit an. »Will man etwas erreichen, dann bedarf es einer großen Reform der Grundsätze und der Menschen«, schrieb er 1797, als er beim Regierungsantritt Friedrich Wilhelms III. die Verabschiedung des friderizianischen Systems erwartete. Eine vergebliche Hoffnung, wie sich herausgestellt hat.

»Ich suche meine Ruhe zu benutzen, um eine Revision meiner Grundsätze anzustellen«, schreibt er nun. Nach bestem Wissen und Gewissen hatte er am »Rocher de bronce« gefeilt und geschliffen. Er hatte das Pochen des Zeitgeistes an die preußische Tür vernommen, mit Gleichgesinnten und Gemeintätigen versucht, das schwere Balkentor zu öffnen. Es war kaum zu bewegen; nur einen Spaltbreit stand es offen, als es der Sturm von außen eindrückte. Im Windschatten des Lahntals sucht er nach den Gründen. Ist das preußische System aus seinem Guß, so daß es nur als Ganzes stehen und als Ganzes fallen kann? Haben die Reformer zu viel des Neuen versucht, der Revolution Ansatzpunkte gegeben, an denen sie das Ganze aus den Angeln heben könnte? Oder haben sie zu wenig getan, dem Sturm zu große Angriffsflächen geboten?

Den *Geist der Zeit* liest Stein. Der Verfasser, Ernst Moritz Arndt, hält Gericht über Fürsten und Beamte, Gescheite und Eingebildete, über alle, die »zu klug für die Erde, zu feige für den Himmel« seien: »Gelehrt, fein, schlau war man genug; aber Weisheit, Zucht, Begeisterung und das heilige os magna sonatorum – die mächtig tönende Stimme – für Freiheit und Kraft, wo waren, wo klangen sie aus denen, welche die Sprecher und Seher Europas sein sollten?« Zu begeistern ist Stein leicht, auf Zucht hält er stets, doch auch ihm mangelt es an dieser Einsicht: Eine neue Generation gibt sich nicht mehr mit dem freiheitlichen Finger zufrieden, den ihr eine progressiv gesinnte und konservativ gestimmte Obrigkeit reicht. Das aufgeklärte Individuum will sein Geschick selber in die Hand nehmen.

Aus seiner selbstverschuldeten und staatsgebundenen Unmündigkeit will Immanuel Kant den Menschen herausführen; dem ersten, vom großen Friedrich erlaubten Schritt, der »Freiheit zu denken«, müsse der zweite, wichtigere Schritt, die »Freiheit zu handeln«, folgen. »Niemand wird kultiviert, sondern jeder hat sich selbst zu kultivieren«, meint Johann Gottlieb Fichte in seiner Absage an den aufgeklärten Absolutismus. »Durch eine zu ausgedehnte Sorgfalt des Staates leidet die Energie des Handelns überhaupt und der moralische Charakter«, unterstreicht Wilhelm von Humboldt in seinen »Ideen zu einem Versuch, die Grenzen der Wirksamkeit des Staates zu bestimmen«. Der Staat dürfe lediglich der Rahmen sein, in dem sich die Individualität zu entwickeln habe, geschützt nach außen und unbehindert im Innern.

Kant, Fichte, Humboldt, Preußen alle drei, und deutsche Idealisten. Philosophen denken gegen das Ancien régime, formulieren die deutsche »Liberté«, tiefschürfend und hochfliegend, von der Wirklichkeit abstrahiert. Auch von der »Egalité« beginnen Preußen und Deutsche zu sprechen, vollmundig über die gleiche Würde der Menschen, betont über die Rechtsgleichheit, gedämpft über die politische und gesellschaftliche Gleichheit; über eine Egalisierung der Eigentumsverhältnisse wird kaum geflüstert. Am weitesten wagt sich Fichte vor, in der Theorie selbstredend. »Der Wohlstand der Nation ... soll so ziemlich über alle in demselben Grade sich verbreiten«, politische Rechte schlössen wirtschaftliche Rechte ein; für die rechte

Ordnung habe die Regierung als Ausdruck des allgemeinen Willens zu sorgen. Fichte löst das Spannungsverhältnis zwischen Freiheit und Gleichheit zugunsten des Gemeinwesens. Als Verteidiger der Einzelpersönlichkeit gegenüber dem absolutistischen Staat hat er begonnen; er endet als Staatsanwalt, fordert die Einweisung des Individuums in eine überindividuelle Ordnung, die alle Menschen für den Staatszweck einspannen dürfe, weil dieser Zweck die Kultur selber sei.

Die deutsche »Fraternité« kann die etatistische Vaterschaft nicht verleugnen: Der Staat ist und bleibt der Vater aller Dinge. Nicht nur allgemeine Entwicklungsziele, auch und immer mehr das besondere Erbgut betonen die deutschen Brüder. Der im östlichen Preußen geborene und im klassischen Weimar domizilierte Johann Gottfried Herder entdeckt als Literaturwissenschaftler eine volkhafte Eigentümlichkeit der Poesie, als Geschichtsphilosoph den »Volksgeist«, die naturbedingte und historisch gewachsene Individualität eines Volkes. Der einzelne könne Reife nur durch Hingabe an die Gattung erreichen, doziert der Philosoph Friedrich Wilhelm Joseph Schelling, formuliert einen organischen Staatsbegriff. Der Philosoph Friedrich Heinrich Jacobi mobilisiert deutsche Gemütswerte gegen westliche Vernünftelei. Nicht die rationalistische »Volonté générale«, sondern der romantische »Volksgeist« wird das wesentliche Kriterium der deutschen Nationalfamilie. Ihr anzugehören genügt nicht die Willenserklärung eines Individuums; man muß ihr eingeboren sein, als Glied einer Sprach- und Kulturgemeinschaft, im Gefühl geschichtlich gewachsener deutscher Eigenart.

Die deutsche Nationalidee wird anders begründet als die französische; sie zu realisieren, wird eine andere Methode vorgeschlagen: nicht Revolution, sondern Evolution, Fortschritt durch gezielte Regierungsmaßnahmen und eine allgemeine Volkserziehung. Der Schweizer Pädagoge Johann Heinrich Pestalozzi adaptiert die Ideen von 1789 an mitteleuropäische Gegebenheiten, für schulische Zwecke. Er verlangt Eigentätigkeit des Schülers, Gleichheit der Bildungschancen, Familien- und Volksgemeinschaft als Bildungsziel, Universalität als Bildungsinhalt. Königin Luise möchte dafür Pestalozzi im Namen der Menschheit ans Herz drücken, Fichte fordert eine umfassende

Nationalerziehung nach der Methode des Schweizers, Stein will sie auf den Elementarunterricht angewendet wissen: »Sie erregt die Selbsttätigkeit des Geistes, sie erhöht den religiösen Sinn und alle edleren Gefühle – sie befördert das Leben in der Idee und mindert den Hang zum Leben im Genuß.«

Schon Jahre vor Jena hat sich Stein mit Pestalozzi beschäftigt; ihm liegt die volksnahe und menschheitsbezogene Schulmoral des Schweizers. Weniger anzufangen weiß er mit der Philosophie des deutschen Idealismus. Am ehesten noch läßt er Kant gelten, weil er »mit neuen Beweisgründen die Lehre von Gott, Unsterblichkeit, Freiheit« untermauert habe. Der »Kategorische Imperativ« scheint sich mit Steins ausgeprägtem Pflichtbewußtsein zu decken; doch dieses ist nicht in der eisigen Höhenluft des kritischen Denkens entstanden, sondern in der Nestwärme des Sentiments, auf dem Boden eines tätigen Lebens. Humboldts anfängliche Staatsabstinenz ist ihm fast noch unsympatischer als Fichtes spätere Staatseuphorie. In dessen früheren Schriften tadelt er »Grundsätze der französischen Neuerer«. Im Nassauer Bücherschrank stehen *Die Grundzüge des gegenwärtigen Zeitalters*, in denen es heißt: Da der einzelne im Staate aufgehen solle, müsse der einzelne vom Staat begeistert sein. Stein ist nicht entzündet von Fichte, Jacobi und Schelling, »deren Untersuchungen auf keine festen Resultate führten, sondern eine Menge Streitigkeiten verursachten, die in einer unverständlichen, trockenen, schwerfälligen Sprache geführt wurden, einen nachteiligen Einfluß auf die übrigen Wissenschaften, auf Religion und Moral äußerten und die Achtung für eine Philosophie verminderten, die aus unverständlichen, hohlen, den gemeinen Menschenverstand und das sittliche Gefühl beleidigenden Sätzen bestand«.

Ein Romantiker ist er nicht, weder in Gedanken noch in Worten und Werken. Mitunter zitiert er aus Herders Werken, beispielsweise: »Ein edler Geist kann nicht würdig denken und unwürdig leben.« Oder: »Tyrannen erzeugen Sklaven, Wortkrämer, Pedanten, Schmeichler, kriechende, niederträchtige Seelen.« Oder: »Die Erziehung dauert durch das ganze Leben, und das wirksamste Mittel, wie der Staat auf Wissenschaften wirkt, ist ihre öffentliche Anwendung und Übung.« Das sind Sentenzen für den moralischen Hausschatz eines Staatsbeamten – Lesefrüchte; von einer Befruchtung durch Herder ist wenig zu spüren. Der romantische »Volksgeist« wühlt ihn nicht auf. Volk – das ist für ihn in erster Linie die in Provinzen ansässige und in Stände gegliederte Bevölkerung eines Staates. Zur preußischen Staatsnation etwa kann man gehören, ohne in Preußen geboren zu sein, ohne sich als Preuße zu fühlen – wie er selber, der in preußische Dienste getretene Reichsfreiherr. Angehörige des preußischen Staatsvolks und damit des deutschen Reichsverbandes müssen nicht deutschsprachig sein, brauchen sich nicht zur deutschen Kultur zu bekennen – wie etwa die polnischen Untertanen der Hohenzollern.

Die modernen Philosophien passen ihm nicht, und nicht die Philosophen. Er verspottet »Metaphysiker« und »Metapolitiker«, verachtet den Spinner und Grübler, »der sich einem müssigen Hinbrüten überläßt, statt zu einem kräftigen Handeln zu schreiten«, verurteilt die Spekulanten und Phantasten, die aus der Wirklichkeit emigrieren, in ein erdachtes oder ein erträumtes Paradies. Die Neuhumanisten, die sich in ein Idealimperium der Bildung, der Humanität, des Weltbürgertums emporschwingen, zurück in den Parthenon Athens und in die Curia Roms, – die Romantiker, die sich in ein Idealreich der Poesie, des Nationalgeistes, der Nationalität flüchten, zurück in die germanischen Wälder, in die Kaiserpfalzen und Kathedralen des Mittelalters. Dem idealistischen Salto vom »reinen Individuum« zum »reinen Staat« applaudiert er nicht. Die Vorstellung, ein deutscher Gelehrter könnte in Staatsgeschäften tätig werden, läßt ihn erschauern.

Stein benötigt keine Gedankenbrücke, keine Gefühlsklammer zwischen Persönlichkeit und Gemeinschaft. Er stand ein Vierteljahrhundert im Staatsdienst, ist ein Staatsmann geworden; die Staatsraison führt ihn zur Berücksichtigung von Individual- und Gruppeninteressen, nicht umgekehrt. Was den einzelnen fördert und dem Ganzen nützt, hat er im Sinn, sucht er auszuführen; er muß stets tätig sein, will sich ständig nützlich machen. Verbesserungsfähig ist alles, erziehbar jeder – durch eigene Anstrengungen, unter Anleitung und Aufsicht der Behörde. Stein blickt nach vorne, voller Optimismus, hält den Fortschritt für machbar, nicht nur für denkbar. Sein Moralismus, der Motor seines Tuns, wird nicht von einer philosophischen Systematik, sondern von wenigen Grundsätzen angetrieben. Die Zehn Gebote, das Beispiel von Eltern und Erziehern, eine Handvoll Maximen der Popularethik des 18. Jahrhunderts, der »Moral sense« englischer Aufklärer und ihrer deutschen Vermittler – das sind die sittlichen Impulse. Der Geist des deutschen Idealismus, in seiner rationalistischen wie romantischen Ausprägung, ist nur Akzidenz, nicht Essenz seiner Reformideen.

Mehr als die Schulweisheit deutscher Philosophen interessiert den Staatspraktiker Stein, wie die Theorien von 1789 zur napoleonischen Praxis geronnen sind. Nassau, sein Refugium, liegt inmitten des rheinbündischen Deutschlands, in dem französische Ideen rezipiert, Institutionen des »Empire« imitiert werden. Das linke Rheinufer gehört nun ohnedies zu Frankreich, partizipiert unmittelbar an seinen Errungenschaften. Rechts des Rheins gründet Napoleon neue Staaten, das Königreich Westfalen, die Großherzogtümer Berg und Frankfurt. Alte Territorien entwickeln sich zu modernen Staaten: die Königreiche Bayern und Württemberg, die Großherzogtümer Baden und Hessen-Darmstadt, das Herzogtum Nassau.

Wie sie aus Einzelteilen zu einheitlichen Staaten zusammengebaut werden, das fasziniert den ehemaligen Leiter der Organisationskommission für Münster und Paderborn. Das Königreich Westfalen etwa entsteht aus Kurhessen, Hannover, Braunschweig und dem preußischen Westelbien. Die straffe und effektive Verwaltung des napoleonischen Frankreich wird kopiert: das Präfekten- und Departementssystem, die zentralistische Regierung. Der König, alleiniger Träger der Staatsgewalt, beruft ein Ministerium; die Fachminister gegenzeichnen die Regierungsakte des Monarchen, ein Staatsrat entwirft Gesetzentwürfe und den Haushaltsplan. Es ist ein Regime aufgeklärter Bürokraten, wie es Stein in ähnlicher Form in Preußen angestrebt hat, worüber er gestürzt ist.

Der »Code Napoléon« wird in Westfalen und in anderen Rheinbundstaaten eingeführt. In diesem bürgerlichen Rechtssystem sind Ideen der Französischen Revolution in Paragraphen gesetzt: Freiheit der Person, Gleichheit vor dem Gesetz,

Beseitigung der Standesunterschiede, Sicherheit und Unverletzlichkeit des Eigentums, Trennung von Staat und Kirche, Trennung der Justiz von der Verwaltung, Öffentlichkeit des Gerichtsverfahrens, Schwurgerichte. Die Feudalherren verlieren ihre Privilegien; es gibt keinen rechtlichen Unterschied mehr zwischen Adel und Bürgertum; mit der Aufhebung der Zünfte ist die Gewerbefreiheit anvisiert; die persönliche Hörigkeit der Bauern wird aufgehoben, Abgaben und Dienste für die Grundherrschaft werden für ablösbar erklärt. Die Stockprügel für Soldaten werden abgeschafft, die Zwangsimpfung gegen Pocken wird eingeführt. In Westfalen entsteht sogar eine Repräsentationskörperschaft: »Stände des Königreiches« werden von den Departements-Kollegien berufen, siebzig Grundbesitzer, fünfzehn Kaufleute und Fabrikanten, fünfzehn Gelehrte. Viel haben sie freilich nicht zu sagen. Mehr der König, Jérôme Bonaparte. Der eigentliche Regent ist aber auch hier der große Bruder, Napoleon I.

Den Pferdefuß unter dem modischen Mantel hat Stein erkannt. Vieles, was in den Rheinbundstaaten geschieht, folgt dem Zug der Zeit, entspricht seinen eigenen Reformbestrebungen, bleibt beispielhaft. Doch diese Neuschöpfung soll vor allem der Abschöpfung dienen, von Steuern und Rekruten, Wasser auf die Mühlen Napoleons leiten, der Deutschland beherrschen, ganz Europa erobern will. Auch wie hier rationalisiert und egalisiert wird, stört den empfindsamen Bürokraten und standesstolzen Gutsherrn. Den Staatsmechanismus kritisiert er schon in der preußischen Form; gar nicht gefällt ihm das französische Modell. Er weiß, daß eine Staatsverfassung ständig umgeformt werden muß, »da die Einrichtungen veraltern, von ihrem ursprünglichen Geist sich entfernen und daher teils einer neuen Stählung, Härtung, teils eines Ersatzes bedürfen«. Nicht Umsturz, sondern Umbau ist die zweckmäßige Methode. »Der Übergang vom alten Zustand der Dinge zu einer neuen Ordnung darf nicht zu unvermittelt erfolgen, und man muß die Menschen schrittweise daran gewöhnen, spontan zu handeln.« Das Ziel ist: »Nicht mechanische Ordnung, sondern freie Entwicklung und Veredlung der eigentümlichen Natur jedes Völkerstammes.«

Einen dritten Weg sucht Stein, zwischen dem Programm der

Französischen Revolution und den Postulaten des deutschen Idealismus, zwischen preußischer und napoleonischer Staatspraxis. Sein geistiger Ausgangspunkt ist ein »drittes Deutschland«, jenseits der deutschen Nachahmer der französischen Aufklärung und der romantischen Vorläufer eines deutschen Nationalismus. Sein Ziel wird von einer eigenständigen Dreiheit markiert: Freiheit – gebunden an religiöse Gebote und moralische Maßstäbe, abgesichert durch Besitz und Bildung, gehalten in den Schranken der Staatsraison. Gleichheit – die gleiche Pflicht aller Bürger gegenüber dem Staat, die sich in Gemeinsinn bekundet und in gemeinnütziger Tätigkeit ausdrückt; alle Stände, die ganze Gesellschaft ist aufgerufen, Preußen zu regenerieren. Brüderlichkeit – die Bündelung der Tugenden, Kenntnisse und Fähigkeiten aller Preußen, aller Deutschen; mit geballter Kraft soll Napoleon zurückgeworfen werden.

Die Mittelstraße einzuhalten, sei schwierig, schreibt Reden nach Nassau. Er weiß, daß der Freund die aufgezwungene Muße benutzt, Erfahrungen zu ordnen, Gedanken zu sammeln, Pläne für eine Renovierung Preußens zu entwerfen. »Der elende Kastengeist muß aus den Zivil- und Militärverhältnissen heraus«, läßt sich Stein am 7. Juni 1807 vernehmen. Am 3. Juli bedeutet er Reden, der Staat könne wiederhergestellt, der Gemeingeist wiederbelebt werden, »indem man der Nation einen Anteil an der Geschäftsführung unter gewissen Einschränkungen und Bestimmungen gibt – wie dieses nach meiner Ansicht einzuleiten, hierüber habe ich eine Denkschrift aufgesetzt«.

»Über die zweckmäßige Bildung der obersten und der Provinzial-, Finanz- und Polizeibehörden in der preußischen Monarchie«, hat Stein darübergeschrieben. Es ist die Denkschrift eines sich im Wartestand fühlenden Ministers, der eine künftige Durchführung im Auge behält. Eines preußischen Ministers, der weiß, daß alles Gute nur von oben kommen kann, jede Verbesserung von der Obrigkeit formuliert, dekretiert und exekutioniert werden muß. Der Staat ist das Alpha und Omega, nicht der Mensch, und auch nicht die Summe der Individuen, das Volk. Jede preußische Reform hat deshalb mit einer Verbesserung von Regierung und Verwaltung anzufangen, mit einer Vervollkommnung des Staates zu enden.

Schon in der Anordnung der »Nassauer Denkschrift« kommt dies zum Ausdruck. Sie beginnt mit den Vorschlägen einer Reorganisation der obersten Staatsbehörden. Stein knüpft dort an, wo er aufhören mußte: bei der Aufhebung des Kabinetts, der Bildung eines Staatsrates. Darüberhinaus will er das Generaldirektorium umbilden, das Nebeneinander von Provinzial- und Sachministerien beseitigen. »Nach Geschäften und nicht nach Bezirken« müsse die Zentralbehörde gegliedert sein; die Provinzialressorts seien abzuschaffen. Föderative Relikte des alten Terrritorialstaates sollen aus dem Weg des modernen Einheitsstaates geräumt werden. Die Regierungsorganisation hat transparent und effizient zu sein. Und die Kasse muß stimmen: »Die Einrichtung der französischen Haupt-Staatskasse scheint mir zweckmäßig und nachahmenswert.«

Unter dieser Zentralregierung sind die Provinzialbehörden neu zu organisieren. Die bürokratische Administration muß durch eine ständische Repräsentation ergänzt werden. Der Geschäftsbereich des Landtags wäre auf innere Provinzialangelegenheiten zu beschränken, etwa auf Fragen der Polizei, des Schulwesens, der Fürsorge und des Straßenbaus. Die westfälischen Erfahrungen sprechen daraus, und einiges, was er bei Montesquieu über die Gewaltenteilung gelesen hat. Stein geht darüber hinaus, verwischt die Grenzen zwischen ausführender Staatsgewalt und beratender Ständevertretung: Deputierte der Landtage sollen in die Provinzialregierungen berufen, mit der Bearbeitung gewisser Provinzialangelegenheiten betraut werden – »weil auf diese Art die zwischen verschiedenen konkurrierenden Behörden notwendigen Reibungen vermieden, Eintracht und ein gemeinschaftlicher Geist erhalten wird«.

Die Kreise, die der Provinz untergeordneten Verwaltungseinheiten, bekommen Kreisstände und Kreistage. Repräsentationskörperschaften sollen auch auf der Stufe darunter aufgerichtet werden, in den Kommunen. Für ländliche Gemeinden wird »die schlesische Verfassung der Schulzen und Gerichte« empfohlen, »denen man Dorf- und Feldpolizei, Ausführung der landesherrlichen Befehle und gewisse Zweige der unteren Gerichtsbarkeit beigelegt hat«. Dünn ist das, was für das flache Land, die Domaine der Feudalherren, vorgesehen ist. Immerhin plädiert Stein für die Aufhebung der gutsherrlichen Patrimonialgerichte und ihre Ersetzung durch staatliche Kreisgerichte. Und er fordert persönliche Freiheit für den Bauernstand, eine Fixierung der Abgaben und Dienste, die Möglichkeit ihrer Ablösung – mit dem Ziel, den Bauern zum Eigentümer des von ihm bewirtschafteten Hofes zu machen.

In die Vollen greift Stein für die städtische Kommunalverwaltung, für den Bürgerstand. Künftig sollen die Magistrate »von der mit Häusern und Eigentum angesessenen Bürgerschaft« gewählt werden; eine Besoldung für sie ist nicht vorgesehen. Unter Staatsaufsicht, versteht sich, sollen sie das Kämmerei- und Armenwesen, das Kirchen- und Gemeindevermögen verwalten. In kleineren Städten wird über Geldangelegenheiten öffentlich verhandelt, in den größeren »werden jährlich deutliche Rechnungsextrakte zur Einsicht jedes Hausbesitzers gedruckt, der die Belege auf der Registratur einsehen kann«. Die staatliche Rechnungskontrolle soll sich dadurch erübrigen, die Bürgerschaft selbständiger und selbstverantwortlicher werden. Etwas von der freien Stadtluft früherer Jahrhunderte ist hier zu spüren, und eine insulare Brise, etwas vom englischen »Local government«.

Privates Eigentum ist die Bedingung einer Mitsprache in öffentlichen Angelegenheiten – beim Stadtbürger, Kreisdeputierten und Landtagsabgeordneten. Das ist die politische Prädestinationslehre des Puritaners: Der Eigentümer habe sich im tätigen Leben bewährt – als adeliger Grundbesitzer, der Erbtes bewahrt und vermehrt, als bürgerlicher Gewerbe- und Handelstreibender, der Neues gewonnen hat. Ein solcher Mann sei menschlich mündig und politisch geschäftsfähig geworden – mehr als ein vom »Mietlingsgeist« beherrschter Beamter, mehr als ein Gelehrter, der an seiner Gänsefeder kaut, weit mehr als »Advokaten, Pamphletisten und Schreier«, die konkret nichts haben und abstrakt »alles ihrer Eitelkeit und Neuerungssucht opfern«. Es sei eine Ungereimtheit, »daß der Besitzer eines Grundeigentums oder anderen Eigentums von mehreren Tonnen Goldes eines Einflusses auf die Angelegenheiten seiner Provinz beraubt ist«. Auf den Kreistagen sollen die adeligen Gutsherren und die »Deputierten der städtischen und bäuerlichen Kommunitäten« erscheinen; Landtagsabgeordneter könne »nur Besitzer eines Eigentums, so eine bedeutende schuldenfreie Rente einbringt«, werden. Immerhin will Stein die Schicht der Eigentümer vergrößern. Der Feudalherr ist geneigt, einen Dritten Stand aus besitzenden und gebildeten Bürgern als Teilhaber der preußischen Kommanditgesellschaft zu akzeptieren.

Warum sollen private Geschäftsleute zu den öffentlichen Geschäften in der Gemeinde, im Kreis, in der Provinz herangezogen werden? Zunächst denkt der ehemalige Finanzminister eines bankrotten Staates an mögliche Einsparungen. Beamtenstellen könnten gestrichen, die Verwaltungsausgaben verringert werden. Er zitiert aus einem in London erschienenen Buch des Franzosen Francis d'Ivernois, der die Verwaltungskosten Frankreichs und Englands gegenüberstellt und die weit geringeren des Inselstaates ansieht »als Folgen der Übertragung der administrativen Stellen an Eigentümer unter der Bedingung, sie auf ihre eigenen Kosten zu verwalten, in der Zulassung aller Eigentümer zu allen Stellen, endlich in ihrer Zulassung zu den vorhandenen einträglichen Stellen«. Der Ex-Finanzminister beginnt zu rechnen: Durch Beschäftigung von ständischen Deputierten in den Provinzialbehörden könnten 150 000 Taler an Beamtengehältern eingespart werden. Die neue Magistratsverfassung würde eine Minderausgabe von 200 000 Talern bedeuten.

»Ersparung an Verwaltungskosten ist aber der weniger bedeutende Gewinn, der erhalten wird durch die vorgeschlagene Teilnahme der Eigentümer an der Provinzialverwaltung, sondern weit wichtiger ist die Belebung des Gemeingeistes und Bürgersinns, die Benutzung der schlafenden oder falsch geleiteten Kräfte und der zerstreut liegenden Kenntnisse, der Einklang zwischen dem Geist der Nation, ihren Ansichten und Bedürfnissen und denen der Staatsbehörden, die Wiederbelebung der Gefühle für Vaterland, Selbständigkeit und Nationalehre.« Stein kann den Anschlag nicht vergessen, der nach der Katastrophe von Jena und Auerstädt die Berliner ermahnte: »Der König hat eine Bataille verloren. Jetzt ist Ruhe die erste Bürgerpflicht.« Noch einmal zuckte das Ancien régime, das den Staat als eine Privatangelegenheit des Monarchen ansieht und den euphemistisch als Bürger bezeichneten Untertan zum schweigenden Dienen und zur ruhigen Hinnahme des Schicksals verpflichtet. In einem Augenblick, da die Folgen klar zutage liegen: Das friderizianische System tötet, »indem man den Eigentümer von aller Teilnahme an der Verwaltung entfernt, den Gemeingeist und den Geist der Monarchie.«

Wenn Preußen die Scharte auswetzen soll, müssen die Anachronismen des Ancien régime beseitigt und die Ansprüche der neuen Zeit berücksichtigt werden. Friedrich der Große hat den preußischen Staat geschaffen, nun muß eine preußische Nation entstehen. Indem eine wohlwollende Obrigkeit »Freiheit, Selbständigkeit und Eigentum« wohldosiert gewährt. Und eine einsichtige Regierung auf den unteren Etagen ständische Vertretungen einrichtet, sie an der Verwaltung mitwirken, am Staate teilhaben läßt. »Auch meine Diensterfahrung überzeugt mich innig und lebhaft von der Vortrefflichkeit zweckmäßig gebildeter Stände, und ich sehe sie als ein kräftiges Mittel an, die Regierung durch die Kenntnisse und das Ansehen aller gebildeten Klassen zu verstärken.« Der Gaul werde nicht durchgehen, wenn man die Zügel etwas lockert; er werde besser anziehen, den Staatswagen schneller voranbringen: »Die Regierung, weit entfernt, Ursache zu haben, über den Einfluß der Eigentümer aus einer ruhigen, sittlichen, verständigen Nation etwas befürchten zu müssen, vervielfältigt die Quellen ihrer Erkenntnis von den Bedürfnissen der bürgerlichen Gesellschaft und gewinnt an Stärke in den Mitteln der Ausführung.«

Was dem Staate nützt, das bleibt die Hauptsache. Freiwillig soll der zum Staatsbürger beförderte Untertan fortan dienen, weiterhin im Glied, versteht sich. Die Energien des aufsteigenden Dritten Standes sollen auf die Staatsmühle geleitet werden, sie zu Höchstleistungen antreiben. Die Etablierung von ständischen Vertretungen an den unteren Stufen der Herrschaftspyramide soll diese fester fundieren. Durch die Heranziehung von erprobten Geschäftsleuten soll die Administration vereinfacht und verbessert, die Regierung effektiver werden. Eine »Mitverwaltung«, keine »Selbstverwaltung« im modernen Sinn hat Stein anvisiert; die Staatsangehörigen sollen in Gemeinden, Kreisen und Provinzen sich nicht selbständig verwalten, sondern nach dem preußischen Grundsatz »Suum cuique« das Ihrige zur Gesamtverwaltung beitragen.

Etatismus bleibt das Grundgesetz des gelernten Preußen. Der Utilitarismus des aufgeklärten Bürokraten ist ein Hauptmotiv der Steinschen Reform. Die besondere Triebkraft ist der Moralismus eines »gentleman« des 18. Jahrhunderts, eines Zeitgenossen des deutschen Idealismus. Der Mensch, der ständig strebend sich bemüht, wohl-tätig ist, sich gemein-nützlich macht, wird stetig besser, vollkommener werden. Der Staat, der sich anschickt, solchen Menschen »eine freie Tätigkeit und eine Richtung auf das Gemeinnützige zu geben, sie vom müßigen sinnlichen Genuß oder vom leeren Hirngespinst der Metaphysik, oder von Verfolgung bloß eigennütziger Zwecke abzulenken«, erhöht mit den Einzelwerten den Gesamtwert, summiert die Privattugenden zu einem öffentlichen Tugendbund, dient mit der Veredelung der Nation dem Fortschritt der Menschheit.

Nicht die »Volonté générale«, sondern eine »Morale générale« ist das Konstitutionsprinzip der Steinschen Idealnation. Nicht durch spontanen Willensakt souveräner Individuen kommt sie zustande, sondern durch geduldige Erziehung der von Hause aus guten Menschen, durch selektive Heranziehung der durch Besitz und Bildung Ausgezeichneten. Stein, dem politischen Pestalozzi, erscheint der Staat als Erziehungsinstitut, der Regent als Erziehungsberechtigter, die Behörde als Schulmeister, der Staatsangehörige als Erziehungsbedürftiger. Zunächst muß er in die Elementarschule eingewiesen werden, zur Mitwirkung in der Gemeinde, im Kreis, in der Provinz herangebildet werden. Später wird Stein preußische »Reichsstände« vorschlagen, sie als »große nationale Erziehungsanstalt« bezeichnen, als Hochschule des Staatsbürgertums.

Den Rubikon überschreitet er nicht. Er ist nicht Caesar, nur Pontifex; er bleibt auf seinem festen, gesicherten Boden, versucht aber Brückenschläge zu neuen Ufern. Seine Staatsauffassung ist dualistisch: Staat und Bürger, Staat und Gesellschaft, Staat und Volk stehen sich gegenüber, gehen nicht ineinander über. Er hält sich an das »Allgemeine Preußische Landrecht« von 1794, worin es heißt: »Sowohl dem Staat als seinen Bürgern müssen die wechselseitigen Zusagen heilig sein.« Stein will die Gegenüberstehenden nicht integrieren, sie jedoch miteinander verbinden, mehr Wechselseitigkeiten herstellen, sie zu vaterländischer Kooperation veranlassen. Auch die alte Dreiteilung der Gesellschaft stellt er nicht infrage; in die Stände des Adels, des Bürgertums und der Bauernschaft soll die preußische Nation gegliedert bleiben. Aber er ist bestrebt, die Schranken zu öffnen, Verbindung und Austausch zu ermöglichen, den Kastengeist durch einen Gemeingeist zu überwinden. Nach dem Erlebnis des Zusammenbruchs, des Versagens der adeligen Führungsschicht geht er immerhin so weit: Sinken die höheren Klassen »durch Weichlichkeit und Gewinnsucht, so treten die folgenden mit verjüngter Kraft auf, erringen sich Einfluß, Ansehen und Vermögen und erhalten das ehrwürdige Gebäude einer freien, selbständigen, unabhängigen Verfassung«.

Ein Programm der Erneuerung des preußischen Staates und der preußischen Gesellschaft entwirft der Ex-Minister während der Denkpause in Nassau – aber eben ein Programm, eine Denkschrift. Auf dem Papier wird die Kluft zwischen Staat und Bürger, Staat und Gesellschaft überbrückt; es bleibt die Kluft zwischen den Steinschen Idealvorstellungen und der preußischen Wirklichkeit. Der Praktiker in ihm scheint sich dessen bewußt zu sein: »Was ich über die Umbildung der preußischen Verwaltungsbehörden zusammengesetzt habe, will ich Ihnen mitteilen, sobald als ich näher weiß, was vom preußischen Staat übrig geblieben, und ich den Inhalt des Friedens erfahren. Ich zweifle, daß je von allem diesem etwas wird ausgeführt werden, da es mit dem Schlendrian, der Persönlichkeit und dem Eigennutz so vieler Menschen in Widerspruch steht, und sehe ich es nur als eine Schul-Chrie an.«

Das schreibt er Reden am 21. Juli 1807. Vier Tage später erfährt er die Bedingungen des Tilsiter Friedens, die Napoleon dem vom Zaren verlassenen König aufgezwungen hat. Viel ist von Preußen nicht übrig geblieben: Westelbien und die meisten polnischen Gebiete sind verloren. Stein bekommt Fieber, muß sich ins Bett legen. Am 9. August erhält er Post aus Memel: Napoleon hat auf der Entlassung des Kabinettsministers Hardenberg bestanden und die Rückberufung Steins empfohlen; Friedrich Wilhelm III. läßt den so ungnädig Entlassenen auffordern, wieder in seine Dienste zu treten. Unverzüglich diktiert der Bettlägerige seiner Frau die Antwort an den König:

Er befolge sofort und unbedingt die allerhöchsten Befehle »wegen des Wiedereintritts in Dero Ministerium der einländischen Angelegenheiten«. Der Monarch solle den Geschäftsbereich und den Mitarbeiterkreis bestimmen. »In diesem Augenblick des allgemeinen Unglücks wäre es sehr unmoralisch, seine eigene Persönlichkeit in Anrechnung zu bringen.«

Stein fragt nicht nach dem Wie und Warum, stellt keine Bedingungen, scheint alle Unbill vergessen zu haben. Er will zurück an seinen Platz, an das Steuerruder des angeschlagenen, im Sturme stampfenden und schlingernden Staatsschiffes. In seiner Nassauer Denkschrift hat er den Kurs abgesteckt. Er führt zwischen der napoleonischen Scylla und der friderizianischen Charybdis hindurch.

Zuerst macht er sein Testament. Dann tritt er die weite Reise an, kaum genesen, noch unsicher auf den Beinen, ungewiß über den Ausgang. Die Familie läßt er in Nassau zurück. Die Sorge für die Seinigen und das Seinige begleitet ihn. Dem Gutsverwalter Wieler läßt er von unterwegs ausrichten, er solle Kirschbäume aus dem Hessischen beziehen, weil sie dort preiswert seien. Dem Töchterlein Therese sendet er eine Puppe mit splendider Garderobe. Der Gemahlin schickt er Reiseberichte und den Stoßseufzer: Der Gedanke, die Pflicht über die persönlichen Interessen gestellt zu haben, sei sein einziger Rückhalt beim Eintritt »in eine undankbare und widerliche Laufbahn«.

Die erste Station ist Frankfurt. Dort reicht er der mediatisierten Ritterschaft, die ihn als Fürsprecher nach Paris senden wollte, den in seinem Standesinteresse liegenden Auftrag zurück. In Eisenach übergibt er der Schwester Marianne sein Testament, mag er angesichts der Wartburg an Luthers »Hier stehe ich, ich kann nicht anders!« denken. In Weimar trinkt er Tee mit der Großherzogin und mit Goethe. Nicht über Poesie wird gesprochen, sondern über das Trauerspiel von Tilsit. Von Napoleon, der sich über Friedrich Wilhelm III. geärgert habe, weil ihm der Friedensuchende gestiefelt und gespornt gegenübertrat, mit keckem Schnurrbart und martialischem Tschakko. Von der beim Sieger antichambrierenden Königin Luise, die sich einen Korb holte und Spott zuzog: Sie solle bei ihrem Spinnrocken bleiben und ihre Kinder aufziehen; daran täte sie besser, als hinter den Armeen herzulaufen und sich bei der Garde aufzuhalten.

Unerhört hart sind die Friedensbedingungen. Erstens: Abtretung von mehr als der Hälfte des preußischen Staatsgebietes; statt neundreiviertel Millionen Einwohnern zählt die auf Brandenburg, Schlesien, Pommern, Ost- und Westpreußen zurückgeworfene Monarchie nur noch viereinhalb Millionen. Zweitens: Der degradierte Militärstaat darf nur noch ein Heer von 42 000 Mann behalten. Drittens: Preußen muß eine Kriegsentschädigung von vorerst ungenannter – und wie sich herausstellen wird – untragbarer Höhe aufbringen; bis zur Zahlung soll der größte Teil des Landes von französischen Truppen – 150 000 Mann – besetzt bleiben; für ihren Unterhalt haben die Besetzten aufzukommen. Summa summarum: Die Großmacht ist ein Mittelstaat geworden, ein »ärmlich zerstückelter Körper ohne Lebenskraft« in der Hand des Siegers, die ihn jeden Augenblick vollends zerdrücken kann.

In Berlin wurde der Frieden von Tilsit auf Anordnung der Besatzungsmacht »mit einer superben Illumination gefeiert und mit einem sehr schönen Tedeum«. Zu den Feierlichkeiten habe er den preußischen Marschall von Möllendorf im Wagen mitgenommen, berichtete General Clarke, der Militärgouverneur von Berlin, seinem Kaiser, und »daß der alte Marschall, als er eine ungeheure Volksmenge in den Straßen sah und die dort herrschende Ordnung, mir von sich aus sagte, er hätte als Gouverneur von Berlin keine bessere Ordnung schaffen können«. Zu diesem Zeitpunkt waren den meisten Berlinern die Einzelheiten des Friedensschlusses noch nicht bekannt. Bei der Illumination zeigte ein Kaufmann in der Friedrichstraße den Spruch:

»Ich kenne zwar den Frieden nicht,
doch aus Gehorsam und befohlener Pflicht
verbrenn ich auch mein letztes Licht.«

Inzwischen ist den Berlinern ein Licht aufgesteckt worden, haben sie die Friedensbedingungen erfahren. Empfindsame Seelen bedauern die arme Königin und den armen König, trauern um die Verluste, mehr um Magdeburg als um Polen. Praktische Köpfe denken ans Auswandern oder an ein Arrangement mit der Realität, eine Kollaboration mit der Besatzungsmacht. Kritische Mäuler schimpfen über die Ungeschicklichkeit Friedrich Wilhelms, die Treulosigkeit der Russen, die Beutegier der Franzosen. Patriotische Fäuste werden geballt – in der Tasche.

Auf der Durchreise sieht Stein vermögensgeschädigte Freunde und aus der Karriere geworfene Kollegen. »Alle Welt ist in der größten Entmutigung, und ich kann sie nur teilen.« Vor allem die Unfähigkeit der preußischen Regierung scheint ihn zu bedrücken: »Man hat unglaubliche Dinge gemacht, in unentschuldbarer Überstürzung gehandelt, alle Minister – ausgenommen Schroetter – fortgeschickt und folglich alles desorganisiert.« Entrüstet ist er über die »Härte und mangelnde Rechtlichkeit« des Generalintendanten Pierre Antoine Daru, Napoleons Kassenwart im besetzten Preußen. Stein sucht ihn auf, hört von ungeheuren Kontributionsforderungen – anfänglich ist von 514 Millionen, dann von 154 Millionen Franken die Rede – und erklärt: die Summe solle herabgesetzt und könne nur in Raten gezahlt werden. Daß man zur Kasse muß, ist dem angehenden leitenden Minister klar: »In diesem Augenblick scheint mir das Drängendste die Befriedigung der Forderungen der französischen Behörden.«

Nur gegen bar sind die Franzosen wieder loszuwerden. Wie dringlich das ist, erfährt er bei seiner Fahrt durch die Provinz. Drei französische Armeecorps stehen zwischen Elbe und Weichsel, fordern Quartier und Verpflegung, verlangen Hand- und Spanndienste, requirieren überall und drangsalieren jeden. Später wird ausgerechnet, daß Restpreußen in zwei Jahren zwischen 1,3 und 1,4 Milliarden Franken an Geldabgaben, Sachlieferungen und Arbeitsleistungen aufbringt – das sechzehnfache des Jahresaufkommens des preußischen Staates.

Jenseits der Weichsel stehen keine Franzosen mehr, doch die Spuren des Feldzugs sind geblieben: zerstörte Dörfer, verheerte Fluren, gezeichnete Menschen. In Ostpreußen ist der Viehbestand auf zwei bis fünf Prozent des Vorkriegsbestandes zusammengeschmolzen. In einem einzigen Amt müssen fünfhundert Kinder verarmter, verschollener oder in einer Fieberepidemie verstorbener Eltern versorgt werden. Nicht nur die französischen Feinde, sondern auch die russischen Freunde haben hier gehaust. Oberstleutnant von dem Knesebeck berichtete

Scharnhorst über »Grausamkeiten der Moskowiter, welche an nichts dächten, als das Land auszusaugen und zu verwüsten, um sich selbst durch diese Wüste zu decken«. Gneisenau resümiert: »Preußen ist gänzlich verheert von unseren russischen Alliierten.«

Am 30. September ist Stein in Memel. Bis ans Kurische Haff, an den nordöstlichsten Punkt, in eine Kleinstadt mußte sich der preußische Adler zurückziehen. Die Königsstandarte weht auf dem Consentius'schen Haus, einem schlichten, zweistöckigen Gebäude. Eine Statue des Atlas, der die Weltkugel trägt, steht auf dem Giebel. Das halbierte Preußen, die Last des Schicksals vermeint Friedrich Wilhelm nicht mehr tragen zu können. Klassizistisch beschlagen und schwarzgallig veranlagt, wie er ist, glaubt er den Fluch der Götter auf sich gezogen zu haben, und dieser könne von der Monarchie nur genommen werden, wenn er abdanke. Königin Luise trägt die Schicksalsschläge wie Wundmale, leidet und seufzt. »Wo bleibt denn Stein? Dies ist noch mein letzter Trost. Großen Herzens, umfassenden Geistes, weiß er vielleicht Auswege, die uns noch verborgen liegen.«

Der verloren gegangene und wiedergefundene Sohn wird gebührend empfangen. Der König bebändert ihn mit dem Roten-Adler-Orden und schlachtet ihm ein Kalb: der Kabinettsrat Beyme soll endlich entfernt werden; er wird zum Präsidenten des Kammergerichts in Berlin ernannt, darf aber vorerst noch an den Ministerialkonferenzen teilnehmen. Leicht ist Friedrich Wilhelm dieses Entgegenkommen nicht gefallen. Die Königin hat nachgeholfen, nicht ohne Stein beschworen zu haben: »Haben Sie nur Geduld mit den ersten Monaten.« Auch Frau von Berg setzt sich ein, sucht den Freund weicher, kompromißbereit zu stimmen: »Jetzt ruhen alle unsre Hoffnungen auf Ihnen. Welche Aufgabe, einen Staat zu erheben und zu stützen, der allein eines Tages wenigstens das nördliche Deutschland wieder aufrichten und die Knechtschaft brechen kann, welche das jetzige und das zukünftige Geschlecht entsittlicht und verderbt. Lassen Sie sich also doch nicht durch die ersten Unbequemlichkeiten abstoßen; ich denke mit Zittern an die Möglichkeit, daß Sie sich aufs neue entfernen könnten.«

Stein wird gebremst, bleibt jedoch in Fahrt. Ein Etappenziel hat er erreicht: Er wird leitender Minister für sämtliche Zivilangelegenheiten, erhält Vorsitz und Stimme in den Konferenzen des Auswärtigen Departements sowie das Recht zur Teilnahme an den Sitzungen der Militärorganisationskommission. Und er bekommt das Vortragsrecht, eine entscheidende Befugnis, denn nur durch die direkte Verbindung mit dem Monarchen, ohne Transmissionen und knirschendes Räderwerk, ist in Preußen etwas zu machen. Stein wird Kabinettschef ohne Nebenregierung, eine Art Premierminister. Wichtige Punkte seiner Denkschrift vom April 1806 kann er abhaken: er besitzt nun maximale Kompetenzen und eine optimale Handlungsfreiheit. Woran es ihm mangelt, ist ein entsprechendes Operationsfeld: Preußen ist durch den Friedensschluß halbiert, Restpreußen steht zum größten Teil unter der Verwaltung der Besatzungsmacht; lediglich 617 Quadratmeilen mit 728 000 Einwohnern sind als Versuchsstation für die fällige Reorganisation verblieben.

Reformeifrige und verwaltungserfahrene Mitarbeiter findet er vor. Westfalen, dem er verhaftet bleibt, und Ostpreußen, wo er nun wirken muß – die beiden entgegengesetzten Provinzen, die Flügel des alten Preußens, sind die Schwingen der Reform. Königsberg ist eine dem Meer geöffnete, weltoffene Stadt, auf freien Handel angewiesen und auf Gedankenfreiheit bedacht. Die Bürgerschaft ist proenglisch, nicht antifranzösisch, von lauer preußischer Gesinnung. Hier lehrte Immanuel Kant die praktische Vernunft und die sittliche Selbstbestimmung, betonte die Autonomie des Einzelnen und begrenzte sie durch die Verpflichtung gegenüber der Gemeinschaft. Hier vermittelte Christian Jakob Kraus die Theorie des englischen Nationalökonomen Adam Smith: freiwirkende, vom Staate ungehinderte Einzelinteressen dienten letztlich dem gemeinen Nutzen und dem sozialen Fortschritt.

Beamte sind hier herangebildet worden, die wenig von den überkommenen Befehlsformen und viel vom Kategorischen Imperativ halten. Da ist der Provinzialminister für Ostpreußen, Friedrich Leopold von Schroetter, der bereits 1802 dem König bedeutete: »Sollte ich als Hauptresultat die Mittel angeben, welche zur Beförderung des allgemeinen Wohlstands ganz unausbleiblich führen, so würde ich dies in folgende wenige Worte zusammenfassen: Eigentum der Person und der Grundstücke für die unteren und möglichste Freiheit der Gewerbe und des Handels für alle Volksklassen.« Theodor von Schön, Sohn eines ostpreußischen Domainenpächters, Schüler von Kant und Kraus, ein liberaler Kopf, ist als Geheimrat Mitglied der für innere Angelegenheiten und Finanzen zuständigen Immediat-Kommission. Ihr gehört auch Friedrich August Stägemann an; seit 1786 beschäftigt er sich mit Fragen der Bauernbefreiung, ein ostpreußisches Vorbild vor Augen: die »Köllmer«, einen freien, nichtadeligen Grundbesitzerstand.

Dem Verfasser der »Nassauer Denkschrift« werden zwei aus Riga datierte Denkschriften übergeben, ebenfalls Programme einer Reform des preußischen Staates und der preußischen Gesellschaft. Die erste, vom 11. September 1807, ist aus der Feder des aus Franken stammenden preußischen Geheimrates Karl Freiherr vom Stein zum Altenstein. Die zweite, auf ihr fußende, vom 12. September, trägt die Unterschrift des von Napoleon vertriebenen Kabinettsministers Hardenberg. Sie ist umfassender als das Steinsche Memorandum, behandelt auch Wirtschaftsfragen, Militärwesen und auswärtige Angelegenheiten, zielt direkt und deutlich auf eine Revanche für Tilsit. Sie ist von einem anderen Geist diktiert. Die Ideen von 1789 seien unwiderstehlich: »Die Gewalt dieser Grundsätze ist so groß, sie sind so allgemein anerkannt und verbreitet, daß der Staat, der sie nicht annimmt, entweder seinem Untergang oder der erzwungenen Annahme derselben entgegensehen muß.« Deshalb müsse Preußen »eine Revolution im guten Sinne« machen, von oben und gewaltlos: »Demokratische Grundsätze in einer monarchischen Regierung, dieses scheint mir die angemessene Form für den gegenwärtigen Zeitgeist.«

Hardenbergs Vorschläge sind dem Arsenal Napoleons entnommen, der die Ideen der Revolution in seine Autokratie hineingenommen hat: Freiheit – für den Wirtschaftsbürger, weniger für den Staatsbürger; Stärkung der Bürokratie, nicht Belebung der Mitverwaltung. Gleichheit – vor dem Gesetz und in der allgemeinen Wehrpflicht, aber mit der einer besitzbürgerlichen Gesellschaftsordnung entsprechenden Möglichkeit der Stellvertretung. Brüderlichkeit – in der Verfolgung des machtpolitischen Zieles: Preußen »muß sich wieder vergrößern, nicht nur seinen Verlust decken, sondern noch mehr erwerben, oder es sinkt, es geht ganz unter«.

Der Primat der Außenpolitik bestimmt die »Rigaer Denkschrift«, der Primat der Innenpolitik die »Nassauer Denkschrift«. Stein liest die Memoranden Hardenbergs und Altensteins. In einem höflichen Schreiben an den Ex-Minister stellt er grundsätzliche Übereinstimmungen fest: »Erstens: Mehr Einheit in der Administration. Zweitens: Teilnahme der Nation an der Verwaltung«; Differenzen sehe er lediglich in der Art der Ausführung. In einem Promemoria zur Denkschrift Altensteins bezieht er sich nur auf die letzten Kapitel zur Behördenorganisation. Zum prinzipiellen Teil nimmt er keine Stellung. Will er in dieser Stunde das Unterschiedliche nicht sehen? Hat er es überhaupt gesehen? Oder werden Dissonanzen von Hardenbergs und Altensteins sittlichem Pathos übertönt, das zwar nach Fichte klingt, doch Steins moralische Grundstimmung anrührt: »Mit eben der Kraft und Konsequenz, womit Napoleon das französische revolutionäre System verfolgt, müssen wir das unsere für alles Gute, Schöne, Moralische verfolgen, für dieses alles, was gut und edel ist, zu verbinden trachten.«

Mehr vom Geiste der »Rigaer Denkschriften« als der »Nassauer Denkschrift« atmen jedenfalls die beiden Gesetzentwürfe zur Bauernbefreiung, die der neue Minister in Memel vorfindet. Schroetter, der Krausianer, akzentuiert im ersten die wirtschaftliche Freiheit, die Befreiung von staatlicher Beschränkung und ständischen Schranken. Die freie Verwertbarkeit des Grundbesitzes im Sinn der liberalen Wirtschaftstheorie wird verfolgt, ohne sich um den Zusammenhang von Gütern oder den Schutz der Einzelbauern zu kümmern; jeder soll kaufen und verkaufen können, was er will und kann. Ein wirtschaftlich gestärkter, gesellschaftlich verschiedenartig zusammengesetzter Grundbesitz auf der einen Seite, auf der anderen ein wachsendes Landproletariat – dazu könnte das führen. Schön und Stägemann wollen einen mittleren Weg: Sie denken an staatliche Hilfsmaßnahmen bei der Schaffung eines wirtschaftlich und sozial gesicherten mittleren Bauernstandes. Für diesen Gesetzentwurf entscheidet sich Stein.

Der Reformminister benützt Vorarbeiten unterschiedlicher Provenienz, bedient sich vorhandener Mitarbeiter verschiedener Couleur. Er setzt auf einen Monarchen, den die Not reformtugendhaft gemacht zu haben scheint. Ihm stehen Beamte zur Seite, die im Ancien régime zur system-immanenten Opposition gehörten und nun die Gelegenheit beim Schopfe packen, das System zu verändern, wenn nicht gar zu überwinden. Die Probleme sind aufgeworfen, Lösungspläne aufgerissen. Der Durchreißer muß Stein selber sein, ganz allein.

Nur durch den biederen Bürger und den schlichten Landmann könne es vielleicht besser werden, seufzt Friedrich Wilhelm III. Doch allein mit braven und bescheidenen Untertanen wäre ihm kaum mehr geholfen, und ein selbständiges Bürgertum wie eine mündige Bauernschaft, einen leistungskräftigen und gemeinnützigen Dritten Stand gibt es in Preußen nicht. Voraussetzung dafür wäre eine Revision der überkommenen Gesellschafts- und Wirtschaftsordnung, eine Überwindung der Standesgrenzen zwischen gutsbesitzendem Adel, gewerbetreibender Stadtbürgerschaft und hörigem Rustikalstand. Vor allem müßten die Vorrechte des Adels beschnitten, wenn nicht gar – wie in Frankreich – mit Stumpf und Stiel ausgerissen werden.

Der Adel ist der Erste Stand im Staat und die wichtigste Stütze der Gesellschaft. Auch der Junker besitzt keine politischen Rechte, es sei denn, man sähe seine verdammte Pflicht und Schuldigkeit, dem König als Beamter zu dienen oder als Offizier für ihn sich totschießen zu lassen, als solche an. Für den Verlust ständischer Rechte ist der ostelbische Landadel mit sozialen und ökonomischen Vorrechten entschädigt worden. Ihm ist die Bel étage reserviert, sind die Führungspositionen in Armee und Verwaltung vorbehalten, wird nicht nur ein »Esprit de corps«, sondern der »Esprit de nation« schlechthin zugestanden. Die vorabsolutistischen Privilegien des Adels sind bestätigt und gesichert: die patrimoniale Herrschaft auf seinen Gütern, die wirtschaftliche Ausnützung seiner Hintersassen. Das soziale und ökonomische Grundgesetz Preußens ist der Feudalismus. Wie es Friedrich der Große in seinem »politischen Testament« von 1752 formulierte: »Der Gegenstand der Politik des Herrschers in diesem Staat ist es, den Adel zu schützen. Denn welcher Schicksalswechsel auch eintritt, er wird vielleicht einen reicheren, aber niemals einen wertvolleren oder treueren

Stand zur Verfügung haben. Um die Adeligen in ihrem Besitz zu erhalten, gilt es, die Bürger zu hindern, daß sie Adelsgüter erwerben, und sie zu ermuntern, daß sie ihr Geld in den Handel stecken.«

Auch Stein ist Grundbesitzer und Gutsherr, ein standesstolzer obgleich mediatisierter Reichsritter. Die Junker hält er nicht für ebenbürtig, das ostelbische System der Grundherrschaft weder für wirtschaftlich zweckmäßig noch für sozial sinnvoll, die Bevorrechtung des Adels im Staate für moralisch unzulässig und politisch undienlich. »Das Übergewicht eines Standes über seine Mitbürger ist nachteilig, ist eine Störung der gesellschaftlichen Ordnung, und man schaffe es ab. Der Adel in Preußen ist der Nation lästig.« Der Grund: »Der reiche Adel will nur genießen, der arme drängt sich zu allen Stellen vom Staatsminister und Feldmarschall bis zum Stadtinspektor und bringt nur Mangel an Bildung und Ansprüche in das Dienstverhältnis.« Nicht vom Junkertum, nur vom Bauernstand und vom Bürgerstand könne man in Norddeutschland etwas erwarten; man müsse diese durch »Reizmittel« in Bewegung bringen, den Adel beschränken, konzentrieren und aktivieren. »Ein achtbarer Bürger- und Bauernstand, ein Adel, der einen bedeutenden Anteil an den reichsständischen Rechten hat, der wohlhabend, wenig zahlreich ist, dies scheint eine wünschenswerte Organisation der Volksbestandteile.«

Ein erster Schritt zu diesem Ziel ist der vorgefundene Gesetzentwurf über die Bauernbefreiung, den er in seinem Inhalt akzeptiert und dessen Geltungsbereich er auf die ganze Monarchie ausdehnt. Seit dem 3. Oktober 1807 ist Stein leitender Minister, am 9. Oktober ergeht das »Edikt den erleichterten Besitz und den freien Gebrauch des Grundeigentums sowie die persönlichen Verhältnisse der Landbewohner betreffend«. Friedrich Wilhelm, von Gottes Gnaden König von Preußen, von der Not getrieben und vom Willen der Reformer geleitet, verkündet das Ende des patriarchalischen Wohlfahrtsstaates: das Elend sei so groß, die öffentliche Kasse so leer, daß der Monarch nicht mehr für jeden Untertanen da sein könne. Er wolle aber das Individuum instand setzen, für sich selber zu sorgen, alles entfernen, »was den einzelnen bisher hinderte, den Wohlstand zu erlangen, den er nach dem Maß seiner Kräfte zu erreichen fähig war«, nur noch die Schranken belassen, »welche das gemeinsame Wohl nötig macht«.

Freiheit des Güterverkehrs wird eingeräumt: Künftig kann ein Bürger oder ein Bauer adelige Güter erwerben, umgekehrt ein Adeliger bürgerliche und bäuerliche Güter. Freiheit der Berufswahl wird erlaubt: Ein Adeliger darf ein bürgerliches Gewerbe betreiben, einen bürgerlichen Beruf ergreifen, »und jeder Bürger oder Bauer ist berechtigt, aus dem Bauern- in den Bürger- und aus dem Bürger- in den Bauernstand zu treten«; zum Adeligen bleibt man weiterhin geboren oder wird vom König nobilitiert. Freiheit im Gebrauch des Grundeigentums wird gestattet: Alle veräußerbaren Grundstücke dürfen geteilt, verpachtet oder zusammengelegt werden.

Und die persönliche Freiheit des Bauern wird proklamiert: »Mit dem Martinitage 1810 hört alle Gutsuntertänigkeit in Unsern sämtlichen Staaten auf. Nach dem Martinitage 1810 gibt es nur freie Leute.« Der Bauer ist nicht mehr persönlich vom Gutsherrn abhängig, nicht mehr »schollenpflichtig«; er kann hinziehen, wohin er will, arbeiten, was er will; er braucht keine Erlaubnis mehr zum Heiraten, muß seine Kinder nicht mehr als Dienstboten auf den Gutshof schicken. An den Bauern haften bleiben die aus den Eigentumsverhältnissen herrührenden Pflichten, »alle Verbindlichkeiten, die ihnen als freien Leuten vermöge des Besitzes eines Grundstücks oder eines besonderen Vertrages obliegen« – Hand- und Spanndienste, Gefälle- und Zinszahlungen.

Ein französischer Bauer, der mit seinem Gutsherrn kurzen Prozeß machte, könnte über ein solches Edikt nur lachen. Doch in Preußen wird keine Agrarrevolution gemacht, nur eine Agrarreform versucht; das Feudalsystem soll liberalisiert, nicht liquidiert werden. Für den preußischen Bauern ist das Oktoberedikt ein großer Fortschritt in Richtung eines freien Bauernstandes. Der preußische Bürger ist dadurch dem Ziel einer Beseitigung der Geburtsstände, der Schaffung einer bürgerlichen Klassengesellschaft ein Stück nähergekommen. Und der preußische Adel muß sich nicht viel vergeben; im Endeffekt wird er gesellschaftlich gesichert und wirtschaftlich gestärkt aus der Reform hervorgehen.

Stein sieht schon ausschwärmende kleine Bauernfische, die

von adeligen Hechten verschluckt werden. Das ist die Kehrseite. Mit der Schollengebundenheit entfallen die Fürsorgepflichten des Gutsherrn gegenüber den Gutsuntertanen, mit dem Startschuß für den freien Wettbewerb zwischen Groß- und Kleinagrariern wird der Bauernschutz aufgegeben, dem Bauernlegen die Bahn geöffnet: der Einziehung von Bauernstellen zur Gutswirtschaft, der Verwandlung frei gewordener Gutsbauern in Landarbeiter. Stein will vermeiden, daß aus der Bauernbefreiung eine Bauernfängerei wird. »Nur eine gesetzliche Einschränkung der freien Disposition über das Grundeigentum wird bleiben müssen, diejenige nämlich, welche dem Eigennutz des Reicheren und Gebildeteren Grenzen setzt und das Einziehen des Bauernlandes zum Vorwerksland verhindert.« Das Oktober-Edikt enthält diesbezügliche Beschränkungen, die Stein indessen nicht genügen. Eine Ausführungsverordnung für Ost- und Westpreußen wird erlassen, die das Einziehen von unrentablen Bauernstellen nur gestattet, wenn der Gutsherr im Gegenzug ebensoviel Bauernland zu größeren Hofstellen zusammenfaßt; ein leistungsfähiger mittlerer Bauernstand ist anvisiert.

Er brennt auf den zweiten Schritt: Der Verleihung der persönlichen Freiheit müsse die Befreiung von den sachenrechtlichen Pflichten auf dem Fuße folgen; der Bauer solle freier Eigentümer des von ihm bewirtschafteten Grund und Bodens werden. Schon um die Agrarproduktion zu steigern: Wo es kein Eigentum gebe, fehle Nationalwohlstand und Menschenglück, lebe man von der Hand in den Mund, tue man nichts auf lange Sicht: »Es wird wenig zur Verbesserung der Viehzucht geschehen, es werden nicht Gräben gezogen, nicht Wiesen abgewässert, nicht Baumpflanzungen angelegt, und wenn es mit Zwang geschieht, so geschieht es schlecht.« Vor allem will er Eigentum in Bauernhand, weil er freie Eigentümer zur Mitverwaltung braucht, zum Mittragen des Staates heranziehen möchte. Nur ein Etappenerfolg ist ihm beschieden. Lediglich die Bauern der Königlichen Domainen in Ost- und Westpreußen – immerhin 47 000 Familien – erhalten das Eigentumsrecht an ihren Höfen, gegen eine entsprechende finanzielle Ablösung der darauf lastenden Abgaben und Dienste.

»Suum cuique« – niemand kann in Preußen etwas genommen werden, das ihm rechtmäßig gehört; wer etwas abtreten muß, hat dafür entsprechend entschädigt zu werden. Der königliche Gutsherr geht mit dem Beispiel »Abtretung gegen Ablösung« voran; die adeligen Gutsherrn folgen ihm nicht. Sie beharren auf ihrem privaten Eigentum. Und behalten öffentlich-rechtliche Funktionen: die Patrimonialgerichtsbarkeit und die niedere Polizeigewalt. Stein bleibt dies ein Dorn im Auge. Er klagt, »daß die besten Gesetze und namentlich die, welche dem ganzen Volke zustatten kommen sollen, nichts vermögen, wenn die Ausübung derselben in die Hände der Gutsherren und der von ihnen abhängigen Justitiarien gelegt ist«. Nur eine einheitliche Justiz und Polizei im Namen des Königs und in den Händen des Staates könne den Reformgesetzen die »nötige und gemeinnützliche Kraft geben, und darum muß darauf zum Besten des Ganzen bestanden werden«. Er beißt auf feudalistischen Granit. Die Patrimonialgerichtsbarkeit wird erst 1848, die gutsherrliche Polizeigewalt erst 1872 fallen.

Der adelige Grundbesitz bleibt steuerfrei – für die Reformer ein Grund zum Einspruch. Stein will auch die Steuerprivilegien beseitigen, jeden nach seinem Vermögen für die Gesamtaufgaben heranziehen. Sein vor Jena entworfener Plan einer Einkommensteuer griff den Ereignissen voraus, die Einführung einer Einkommensteuer für Ost- und Westpreußen im Jahre 1808, eine durch Jena bedingte Notmaßnahme, hinkt den Erfordernissen hinterher. Die volle Steuergleichheit bringt sie nicht, doch eine gewisse Anwendung des demokratischen Grundsatzes: »No taxation without representation.« Ein ostpreußischer Generallandtag, von Stein aus einem ritterschaftlichen Organ in eine provisorische Provinzialvertretung umgemodelt, verhandelt über die neue Steuer.

Mitzureden haben auch die Vertreter der schwerbelasteten Stadt Königsberg – Repräsentanten des Bürgertums, das Stein nicht nur verstärkt zur Unterstützung des Staates, sondern auch vermehrt zur Verwaltung seiner kommunalen Angelegenheiten heranziehen, zu einem wirtschaftlich selbständigen und politisch gemeintätigen Dritten Stand heranbilden möchte.

»Der Bürger hatte weder Kenntnis vom Gemeinwesen noch Veranlassung, dafür zu wirken, selbst nicht einmal einen Vereinigungspunkt. Eifer und Liebe für die öffentlichen Angelegenheiten, aller Gemeingeist, jedes Gefühl, dem Ganzen ein Opfer zu bringen, mußten verlorengehen. Selbst Bürger zu sein, ward längst nicht einmal mehr für Ehre gehalten.« Wie es in den preußischen Städten aussieht, schildern die Minister Stein und Schroetter dem König, und warum die Bürgerschaft heruntergekommen ist.

Die Kriegs- und Domainenkammern sind im friderizianischen Regime auch Vorgesetzte der Städte. Der Steuerrat hat die Hand im Stadtsäckel, regiert als königlicher Kommissar. Der Garnisonskommandant kujoniert die Bürger wie seine Rekruten. Zu parieren haben die Magistratsbeamten, und da sie meist Invalide, verdiente Veteranen sind, haben sie sich daran gewöhnt, dem Druck von oben nachzugeben und ihn nach unten weiterzugeben. Zünfte und Korporationen dürfen in manchen Angelegenheiten mitreden. Der einzelne Bürger hat die Hände zu rühren und das Maul zu halten.

Außerhalb Preußens waren Reste der altdeutschen Städtefreiheit konserviert worden, mehr schlecht als recht. Die Reichsstädte respektierte der Reichsritter, auf ihre Bürger sah der Aristokrat herab, ihr Verwaltungsgebaren schockierte den aufgeklärten Bürokraten. Noch standen die Zeugen einer stolzen Vergangenheit, Dome, Rathäuser, Mauern und Tore. Doch Bürgerstolz und Landmief hausten nebeneinander, der Unternehmungsgeist der Kaufleute und die Kleinkariertheit der Handwerker, der Patrizierpalast und der Misthaufen des Ackerbürgers, munizipales Wichtigtun und kleinstädtische Verhocktheit. Das Zunftwesen, einst nützlich und gemeinschaftsbildend, war wirtschaftlich überholt und gesellschaftlich rückständig. Das patrizische Stadtregiment war in Standesdünkel und Familienegoismus erstarrt, unbeweglich, verzopft, leistungsschwach. Christoph Martin Wieland – der Biberacher, der seine Spießbürger kannte – nannte das Reichsstädtertum einen Greis, »der kindischen Sinnes die großen Spiele seiner kraftvollen Mannesjahre auf Kinderart und Torenweise weiterspielt«. Eine Kommission des Fränkischen Kreises, welche die schwindsüchtige Reichsstadt Nürnberg untersuchte, diagnostizierte: »Keine menschliche Kraft noch Weisheit kann den hereinbrechenden Umsturz und alles das unermeßliche Elend, was die Folge davon sein muß, abhalten, es sei denn, daß eine ganz neue Schöpfung in der gesamten Stadthaushaltung eintritt. Eine ganz neue Schöpfung muß es sein, welche die toten Kräfte beleben, die Schlummernden wecken, ein richtiges und ungehindertes Zusammenwirken herstellen und alles auf den Mittelpunkt des öffentlichen Wohles vereinigen kann.«

Der Umsturz ist inzwischen erfolgt, die Reichsstädte sind verschwunden. Schon beginnen Romantiker die Erinnerung an das altdeutsche Städtewesen zu pflegen, die Spinnweben zu vergolden, die Zunftverfassung als Zukunftsmodell zu empfehlen. Vor Jena stritt der Finanz- und Wirtschaftsminister Stein, der gewerblichen Fortschritt durch Lockerung überkommener Fesseln ermöglichen wollte, wider die Monopolstellung einzelner Handwerkszünfte und einer schlesischen Großkaufmannsgilde: Eine weise Staatsverwaltung müsse bemüht sein, »den Geist der Innungen zu zerstören und den Codex von Verordnungen, den Habsucht und Unwissenheit geschmiedet, zu vernichten«. Ein hartes Urteil ist dem Merkantilisten entschlüpft, der die Industrialisierung voranbringen, sich der Bremsklötze entledigen will. Sie sind lästig genug. Zunftverordnungen legen fest, welcher Zunftmeister welche Ware herstellen darf, in vorgeschriebener Menge, Arbeitszeit, Gesellenzahl. Keiner darf dem anderen ins Handwerk pfuschen, sich mit ihm im freien Spiel der Kräfte messen.

Nach Tilsit geht der Reformminister daran, den Zunftzopf abzuschneiden. Er inspiriert einen Artikel in der *Königsberger Allgemeinen Zeitung*, in dem es heißt: »Die Hindernisse, welche der Erhebung des Gewerbefleißes durch den Druck des Zunftzwanges sich entgegenstellen, werden nach und nach weggeräumt und durch die Wiederherstellung des freien Umlaufs der Kapitalien und Arbeiten der Nationalreichtum befördert werden.« Der Zunftzwang und das Verkaufsmonopol der Bäkker, Schlächter und Höker werden aufgehoben, und der Mühlenzwang. Freigegeben wird der Handel mit Mühlsteinen.

Den Mühlstein der Wettbewerbsbeschränkung will er der Wirtschaft vom Halse schaffen. Ins Auge faßt er positive Seiten des Zunftwesens. Im Gegensatz zu den Theoretikern eines ökonomischen Liberalismus erkennt Stein moralische Werte: Solidität, Redlichkeit, Biedersinn. Im Unterschied zu Smithianern und Krausianern in der ostpreußischen Beamtenschaft sieht er soziale Sicherungen: die Verpflichtungen des Meisters gegenüber Gesellen und Lehrlingen, den Schutz aller vor unlauterem Wettbewerb. Und politische Zweckmäßigkeiten: das Gemeinsinnige, Gemeinschaftsbildende, »die Aufrechterhaltung einer gewissen Bürgerehre«. Das ist nicht unwesentlich für den Reformer, der die unreinen Quellen verstopfen will, »die den Charakter des Volkes verunedeln«. Der den einzelnen zur Eigentätigkeit anspornen, ihn zugleich aber vor Eigenmächtigkeiten der Stärkeren bewahren möchte. Der den Versuch unternimmt, Bürgersinn und Gemeingeist wieder zu beleben.

In Preußen ist die wirtschaftliche und soziale Zunftordnung einigermaßen in Takt geblieben, die politische Mitwirkung der Zünfte an der Stadtverwaltung unterbunden worden, und wie überall gilt die Vätersitte nicht mehr viel. In Frankreich hat die Revolution die Zünfte abgeschafft, die Gewerbefreiheit eingeführt, alle Stadtbürger frei gemacht und sie in der Stadtgemeinde zusammengeschlossen. Das imponiert dem Königsberger Polizeidirektor Johann Gottfried Frey. Er hat Kant studiert und kommunale Erfahrungen gesammelt; den französischen Konstitutionalismus schätzt er mehr, als es einem preußischen Beamten zukommt. Manchmal redet er wie ein Pariser Advokat daher; einmal muß ihm ein Verweis erteilt werden, weil er »eine Sprache wählte, die sich für die Würde seines Amtes nicht geziemt, und daß er sich teils zu unehrbietigen und animosen Kritiken einer vom Staat sanktionierten, wenngleich fehlerhaften Verfassung, teils zu persönlichen Verunglimpfungen eines von seinem Souverän mit vieljährigem Vertrauen beehrten Staatsmannes hinreißen ließ«.

Im allgemeinen ist Stein mit Frey zufrieden. Er wohnt in seinem Königsberger Haus, spricht mit ihm, findet manche Übereinstimmung. Der Minister veranlaßt den Polizeidirektor, eine Denkschrift über eine Reform der Städteverfassung auszuarbeiten. Sie findet grundsätzliche Zustimmung und Kritik an Einzelheiten. Der wichtigste Konsens: Die städtischen Repräsentanten werden von allen stimmfähigen Bürgern in topographisch eingeteilten Bezirken gewählt – nicht mehr in

Zünften und Korporationen; die Gewählten haben die gesamte Bürgerschaft zu vertreten, nicht mehr eine besondere Körperschaft. Bezeichnende Unterschiede: Die Wahlberechtigung will Stein weniger von intellektueller Bildung als von gewerblicher Erfahrung abhängig machen; den Eigentümer hält er für gemeinnützlicher als den Berufsjuristen. »Was von den Besoldungen angeführt ist, scheint mir nicht richtig. Ausgezeichnete Männer müssen die Posten aus Liebe zum gemeinen Besten selbst suchen.« Und: »Die Wahlversammlung würde nach vorhergegangener gottesdienstlicher Handlung gehalten werden.«

Am 19. November 1808 ergeht die »Ordnung für sämtliche Städte der preußischen Monarchie mit dazugehöriger Instruktion behufs der Geschäftsführung der Stadtverordneten bei ihren ordnungsmäßigen Versammlungen«. Was zum Besten der Bürger gedacht ist, kommt durch eine von der Bürokratie entworfene, vom Minister vorgeschlagene, vom Monarchen erlassene »Städteordnung« zustande. Das bleibt auch im reformerischen Preußen der einzig gangbare Weg. Nur so ist hier ein Fortschritt möglich. Hätte man die städtischen Körperschaften angehört, wäre ein Votum für einen Rückschritt in die Oligarchie herausgekommen, meint Frey. Man müsse den unmündigen Gemeinden die Bahn zur Mündigkeit vorzeichnen, ohne sie zu befragen, ob sie darauf zu wandeln Lust und Laune hätten.

Die Methode ist aufgeklärt-absolutistisch, der Inhalt gemäßigt-freiheitlich. Das Bürgerrecht kann erhalten, wer in der Stadt »sich häuslich niedergelassen hat und von unbescholtenem Wandel ist«. Alle Bürger müssen die Ordnung aufrechterhalten, das Wohl der Stadt nach Kräften fördern, die städtischen Lasten nach Vermögen mittragen, im Notfall persönliche Dienste leisten. Wählen darf noch lange nicht jeder, nur der Grundeigentümer und der Bürger, der jährlich mindestens 150 bis 200 Taler verdient. Das ist keine hohe Hürde; denn auch kleinere Handwerker erreichen dieses Einkommen, und mancher Tagelöhner besitzt ein Häuschen oder ein Stück Land.

Die Bürgerschaft wählt die Stadtverordneten auf drei Jahre – in Bezirken, »und es wirkt jeder lediglich als Mitglied der Stadtgemeine ohne alle Beziehung auf Zünfte, Stand, Korporation und Sekte«. Das ist die Absage an die alte Auffassung, daß der einzelne nur als Glied einer Körperschaft Rechte besäße; die Vertikale der mittelalterlichen Hierarchie wird durch die Horizontale der individuellen Freiheit und bürgerlichen Gleichheit ersetzt. Die Stadtverordneten – de jure die Elite, de facto die Honoratioren – sind ehrenamtlich tätig, an keine Aufträge oder Weisungen gebunden: »Das Gesetz und ihre Wahl sind ihre Vollmacht, ihre Überzeugung und ihre Ansicht vom gemeinen Besten der Stadt ihre Instruktion, ihr Gewissen aber die Behörde, der sie deshalb Rechenschaft zu geben haben.«

Die Stadtverordnetenversammlung bestimmt den Magistrat, das kollegial gegliederte Vollzugsorgan. Er hat unbesoldete und besoldete Mitglieder; alle sind von der staatlichen Aufsichtsbehörde zu bestätigen. Der Staat übernimmt die Gerichtsbarkeit und auch die Polizei, die er von vielen Städten in seinem Namen ausüben läßt. Das Finanzwesen, Schul- und Fürsorgeangelegenheiten dürfen die Stadtgemeinden künftig selbständig verwalten – in Reih und Glied des Staatsganzen, versteht sich. Ohne Uniform geht es in Preußen nicht: Paragraph 208 bestimmt, »daß die Magistratsmitglieder und Stadtverordneten bei ihren Zusammenkünften im Dienste der Stadt und bei der Ausübung ihres Amtes in ganz schwarzer Kleidung, als Amtskleidung, erscheinen«. In großen Städten haben sie goldene Ketten mit goldenen Medaillen zu tragen, in mittleren Städten silberne Ketten mit silbernen Medaillen, in kleinen Städten silberne Medaillen an einem Bande mit silberner Einfassung.

Als »Magna Charta« der Selbstverwaltung wird die preußische Städteordnung von 1808 gefeiert werden. Der englischen Verfassungsentwicklung gleicht sie jedenfalls mehr als der französischen Verfassungsschöpfung; die revolutionäre Kommune ist längst im Rachen des Zentralismus verschwunden. Die altdeutsche Städtefreiheit, die korporative Selbständigkeit der germanischen Gemeinde feiert königlich-preußische und das heißt an die etatistische Leine gelegte Urständ. Stein hält die von ihm durchgesetzte Städteordnung vor allem für »ein kräftiges Erziehungsmittel der Nation, um Bürgersinn und durch ihn Gemeinsinn zu erwecken«. Und für die kommunale Basis der neuen Verwaltungspyramide, die er mit der Energie eines Herkules und den Aussichten eines Sisyphus zu bauen beginnt.

OHNE Erfolg bemüht er sich um das Pendant zur Städteordnung – eine Landgemeindereform. Hier hat er nicht die Hilfestellung einer Selbstverwaltungs-Tradition; in Ostelbien lastet seit eh und je die Gutsherrschaft auf dem platten Land, ist die Lokalverwaltung in Händen der Feudalherren. Stein erinnert sich an Westfälisches, greift wieder ins englische Reservoir, knüpft an Denkschriften des anglophilen Vincke an, findet Ansatzpunkte im ehemals österreichischen Schlesien. Nach diesen Richtlinien entwirft Schroetter einen Plan, der die Einrichtung gewählter Schulzen und Dorfgerichte, den Abbau der gutsherrlichen Polizei verlangt. Er wird schubladisiert. Solange der ostelbische Gutsverband intakt bleibt, das Feudalsystem dauert, ist hier nichts zu machen. Erst 1891 wird Preußen eine Landgemeindeordnung im Steinschen Geist bekommen.

Auch auf der nächsten Stufe, den Kreisen, kommt er nicht weiter. Wiederum will er aus England Gehörtes und in Westfalen Erfahrenes auf den preußischen Osten übertragen. Er denkt an einen Kreistag, in dem neben den Rittergutsbesitzern die Vertreter der Städte und Landgemeinden Sitz und Stimme haben sollen. Diese Versammlung wählt den Landrat, der mit beigeordneten Deputierten die Kreisangelegenheiten verwaltet. Am Feudalblock scheitert auch dieser Vorstoß. Der Landrat, das ist immer ein Gutsherr gewesen, der Seinesgleichen nicht weh tut; in den Kreisständen ist man unter sich und will es bleiben.

Auf der Provinzialebene kommt er ein Stück voran. In den verbliebenen Provinzen Ost- und Westpreußen, Schlesien, Brandenburg-Pommern sowie Berlin werden Oberpräsidenten eingesetzt. Zugedacht ist ihnen die Funktion von Scharnieren zwischen den zu »Regierungen« avancierten Kammern und der Zentralregierung. Papier bleibt sein Plan, Provinzialstände zu organisieren, damit – wie er am 23. November 1807 dem König schreibt – »durch diese Einrichtung die ganze Administration lebendiger und kräftiger wird und an den Kosten erspart werden wird, das Volk aber inniger an die Administration gekettet wird«. Alle Grundeigentümer in Stadt und Land sollen für die Provinzialstände wahlberechtigt sein, Adelige, Bürger und Bauern. Ihr Geschäftskreis wäre »Aufsicht auf die Provinzialbehörden und beratschlagende und ausführende Teilnahme an den Einrichtungen, Anlagen und Verordnungen, die sich nur auf die Provinz beziehen«. Es sind Lieblingsideen der »Nassauer Denkschrift«, die Stein auch am Regierungshebel nicht realisieren kann. Die Vermengung von exekutiven und legislativen, bürokratischen und ständischen Elementen widerspricht nicht nur der friderizianischen Praxis einer monarchischen Regierung, sondern auch der westeuropäischen Theorie der Gewaltenteilung.

Am ehesten nimmt er die Hürden bei der Reform der obersten Staatsbehörden. Sein Steckenpferd ist dabei mit der Staatsraison identisch: Eine straffe, leistungsstarke Regierung braucht der König, um das Letzte aus dem geschwächten Land herauszuholen, die restlichen Kräfte für den Sprung über die Niederlage zu sammeln. Doch selbst hier bleibt Stein an altpreußischen Hindernissen hängen, landet er im Graben. Die Nebenregierung der Kabinettsräte kann er endlich beseitigen, doch der Monarch scheut sich weiterhin, mit einem Ministerkonseil zu regieren. Die vom Minister veranlaßte, vom König am 24. November 1808 erlassene »Verordnung die veränderte Verfassung der obersten Verwaltungsbehörden in der Preußischen Monarchie betreffend«, gelangt in dieser Form nicht zur Ausführung. Zwar wird das Nebeneinander von Sach- und Provinzialressorts endgültig abgeschafft, ein Ministerium aus fünf Fachministern gebildet. Aber ein zentrales Reformvorhaben Steins kommt nicht zustande: der aus Prinzen, Ministern und Geheimen Staatsräten zusammengesetzte Staatsrat als oberstes Gesetzgebungs-, Regierungs- und Verwaltungsorgan, eine Kollegialregierung, die in der Tat das persönliche Regiment des Monarchen zermürbt hätte.

Schon gar nicht will Friedrich Wilhelm mit »preußischen Reichsständen« Staat machen. Stadtverordnetenversammlungen, Kreistage, Provinziallandtage – der ständische Stufenbau sollte durch eine »Nationalrepräsentation« gekrönt werden, einen preußischen Reichstag. Solches empfehlen die »Rigaer Denkschriften« Altensteins und Hardenbergs. Der schlesische Gutsbesitzer, Ex-Jakobiner und spätere königliche Staatsrat Karl Niklas von Rehdiger verlangt anstelle einer Vielfalt von Provinzialständen eine einheitliche Notabelnversammlung, gewählt von der Elite der Nation: Beamten, Offizieren, Pastoren, Gelehrten, Gutsherren, Kaufleuten, Fabrikanten – einer »Aristokratie der Vernünftigkeit und Rechtlichkeit«. Zumindest was das aktive Wahlrecht betrifft, sind ihre Kriterien großzügig ausgelegt: Sekretäre und Feldwebel werden dazu gezählt, jeder Volksschullehrer, alle Träger von Kriegsauszeichnungen und Lebensrettungsmedaillen. Rehdiger setzt auf »den spekulativen Sturmschritt der Gelehrten« und den Fortschrittsgeist der »jüngeren Subalternität«.

Stein, der Adressat des Memorandums, fühlt sich dreifach getroffen: in seiner föderalistischen Erfahrung, seiner ständischen Gesinnung, seinem aristokratischen Bewußtsein. Kritisch setzt er sich mit Rehdiger auseinander. Erstens: Provinzialstände seien als Vorstufe und zur Ergänzung von Reichsständen notwendig; eine Zentralisierung ließe die Bedürfnisse der Provinzen »unbekannt und unabgeholfen«. Zweitens: Volksvertretungen müßten ständisch gegliedert sein – unter Beseitigung des störenden Übergewichts des Adels. Drittens: Subalternbeamte, Unteroffiziere und Dorfschulzen seien keine Notabeln; sie blieben von der Regierung abhängig, manipulierbar; eine von ihrer Majorität gewählte Notabelnversammlung erwecke kein Vertrauen, würde ihren Zweck verfehlen.

Kreditwürdig sind für Stein die »Eigentümer« aus allen Schichten, selbständig, tüchtig und ordentlich, wie sie ihm vorschweben. Sie sollen die Nationalrepräsentation wählen. Ihr will er vorerst »nur das Recht zum Gutachten, nicht zur Teilnahme an der Gesetzgebung«, immerhin eine Gesetzes-Initiative einräumen. Preußen stünde erst am Beginn des politischen Lernprozesses: »Überhaupt werden sich die Menschen erst durch Geschäfte bilden, und durch Handeln wird die Nation erst mit ihrer Geschäftsfähigkeit bekannt, und man wird anfangs zufrieden sein dürfen, wenn nur der fünfte Teil der Gewählten aus geschäftsfähigen Männern besteht.«

Die Einwände des geschäftskundigen Ministers berücksichtigt Rehdiger in seiner zweiten Denkschrift. Er empfiehlt einen »gesetzgebenden Senat«, bestehend aus drei »Kollegien«. Das erste soll – einer Anregung Steins zufolge – ein Oberhaus aus reichem Adel und hoher Geistlichkeit sein. Das zweite, das Nationalkollegium, soll 120 gewählte Abgeordnete zählen und ständisch gegliedert sein. Das dritte, das »Staatskollegium«, soll aus 48 vom König ernannten Mitgliedern bestehen. Dieses

»Dreikammersystem« entspricht dem Zustand des preußischen Staates, der auf drei gesellschaftlichen Säulen ruht: dem seinen Vorrang verteidigenden Adel, einem aufstrebenden Bürgertum und einer unentbehrlichen Bürokratie. Der Reformminister applaudiert – mit einer Ausnahme: In der zweiten Kammer sei eine ständische Abteilung für Militär und Beamtenschaft nicht zweckmäßig; sie hätten Befehle entgegenzunehmen, Verordnungen auszuführen, nicht Gesetze zu machen.

Ein repräsentatives System werde vorbereitet, »welches der Nation eine wirksame Teilnahme an der Gesetzgebung zusichert, um hierdurch den Gemeinsinn und die Liebe zum Vaterlande dauerhaft zu begründen«, heißt es in einem von Stein in die *Königsberger Zeitung* lancierten Artikel. Systemkonform muß auch für ihn eine Volksvertretung sein, eine »Volksabteilung« in der staatlichen Formation. Der König befürchtet »Inconvenienzen« von einem preußischen Konvent, eine Beschränkung seiner innen- und außenpolitischen Alleinregierung. Zumal in diesem historischen Moment auch seine liebste Befehlsgewalt in Frage gestellt wird – das Kommando über die Armee.

GEMEINGEIST à la Frankreich oder England werde es in Preußen nicht geben, »wenn wir nicht dem Militär Schranken anweisen, welche es in allen Ländern, wo Gemeinschaft herrscht, nicht überschreiten darf«. Polizeidirektor Frey, Steins Mitarbeiter bei der Städteordnung, spricht das Paradoxon an: Einerseits ist das Militär ein geschlossener Stand, andererseits greift es in die Angelegenheiten anderer Stände ein, reglementiert die Gesellschaft, kommandiert den Staat. Eine Reform des friderizianischen Systems müsse das Heer auf seine militärischen Aufgaben beschränken und es gleichzeitig der ganzen Gesellschaft öffnen, zu einer Gemeinschaftssache machen.

Zivile und militärische Reform gehören zusammen. Ein moderner Verfassungsstaat ist ohne eine moderne Heeresverfassung nicht denkbar, eine nationale Armee nicht ohne eine in staatsbürgerlicher Gleichheit formierte Gesellschaft. Da ist aber der Gordische Knoten des Friderizianismus: Zu einem Knäuel verschlungen haben sich die Interessen der adeligen Gutsherrschaft, die Privilegien des adeligen Offizierskorps, die Raison eines durch das Militär geschaffenen, durch eine militärische Niederlage verstümmelten und nur durch einen militärischen Sieg zu restaurierenden Staates.

Der bunte Rock hat Stein nie fasziniert. Die beiden älteren Brüder waren Soldaten geworden; er verschrieb sich der Beamtenlaufbahn. Als Gottfried, der kleine Bruder, zu den Fahnen – obendrein den französischen – eilte, seufzte der Oberbergrat, er würde ihn lieber in irgendeiner Finanzkammer als im Gardekorps sehen. Das Militär erschien ihm als ein nichtsnutziges Gewerbe. Das war 1782, noch zu Lebzeiten Friedrichs des Großen. Den Verwaltungsbeamten wurmte stets die Bevorzugung des Offiziers; der Finanzminister stopfte ungern den Großteil seiner Einnahmen in den Militärsäckel; den Patrioten erboste die schäbige Gegenleistung der Armee im Jahre 1806. Danach sah er mit Reden den Trugbegriff vom Nutzen und der Notwendigkeit eines Militärstaates entzaubert. Niebuhr sprach ihm aus der Seele, wenn er das »verfaulte und verdorbene Heer von Offizieren« geißelte, und appellierte an seinen Verstand mit der Feststellung, »daß eine Armee von 20 000 Mann das Maximum unseres Vermögens sein wird«.

Der Reformminister Stein äußert allerdings am 5. Januar 1808: »Man setze fest: daß alle Bewohner des Staats zwischen 18 und 26 Jahren schuldig sind, in der Linienarmee nach Bestimmung des Loses zu dienen.« Ein paar Monate später fügt er hinzu: »Ich halte es für ein tiefes Versinken im Egoismus, wenn man den Soldatenstand nicht für den ehrenvollsten hält zu jeder Zeit seines Lebens.« Das Junktim zwischen ziviler und militärischer Reform hat er erkannt. Preußen braucht neue Bürger und neue Soldaten, die freiwillig das ihrige tun, beflügelt von Gemeinsinn und Nationalehre. Ein Volksheer – basierend auf der allgemeinen Wehrpflicht, bestehend aus opferbereiten Gemeinen, geführt von ehrenwerten Offizieren – dünkt dem Volkserzieher als Teil der nationalen Gesamtschule, und als Voraussetzung einer Revanche: Nur mit einem quantitativ ausreichenden und einem qualitativ verbesserten Heer kann Napoleon besiegt werden, der selber das Verhältnis der moralischen zu den materiellen Energien für die Schlagkraft einer Armee auf 3 : 1 schätzt.

Mit den Grundideen der Militärreformer geht Stein konform, als Persönlichkeiten sind sie ihm sympathisch. Er respektiert Charakterfestigkeit und Bildungsbeflissenheit auch bei Offizieren, schätzt die Geisteshöhe und Gemütstiefe Scharnhorsts und Gneisenaus. Diese bewundern das tapfere Herz und den kämpferischen Sinn, die soldatischen Tugenden des Zivilisten. Die nichtpreußische Herkunft verbindet sie, stempelt sie zu engagierten Außenseitern wie distanzierten Konvertiten. An eine Front führt sie der Kampf gegen das friderizianische System. Der Haß gegen den französischen Eroberer schweißt sie zusammen. Die gemeinsame Enttäuschung macht sie zu Freunden.

Gerhard Scharnhorst, ein niedersächsischer Bauernsohn, lernte das Kriegshandwerk beim Grafen Wilhelm von Schaumburg-Lippe, avancierte als hannoverscher Artillerist, trat 1801 in preußischen Dienst, zunächst als Direktor der Lehranstalt für Infanterie- und Kavallerieoffiziere; 1802 wurde er geadelt und zum Obersten befördert. Im Berlin Friedrich Wilhelms imponierten sein schlichter, nüchterner, bedächtiger Charakter, sein ebenso einsilbiges wie vielversprechendes Wesen, die nie in Szene gesetzten, sondern gewissermaßen selbstverständlich in Ergebnisse umgesetzten Fähigkeiten, das vorweggenommene Moltkesche »Mehr sein als scheinen«. Die Neuhumanisten dachten eine Gestalt aus dem Plutarch unter sich zu haben, die anhebende Romantik schwärmte mit Arndt: »Wenn er so dastand, auf seinen Stock gelehnt, sinnend und überschauend, gesenkten Haupts und halbverschlossenen Auges und doch zugleich kühnster Stirn, hätte man meinen mögen, er sei der Todesgenius, der, über dem Sarkophag der preußischen Glorie gelehnt, den Gedanken verklärte: wie herrlich waren wir einst!«

Doch Scharnhorst ist kein Todesengel, eher ein Genius der Auferstehung. Er denkt nicht an Friedrich den Großen, sondern an Napoleon, trauert nicht verblichenen Lorbeeren nach, sondern hofft auf frische, grüne, zerbricht sich den Kopf, wie dem Elan der französischen Nationalarmee der Schwung eines preußischen Volksheeres entgegengesetzt werden könnte. Vor Jena fordert er vergebens eine Landmiliz von 300 000 Mann als Hilfstruppe des stehenden Heeres, als moderne Ergänzung der alten Linie. Während der Schlacht erfährt er als Generalstabschef des Herzogs von Braunschweig das schmerzhafte Auseinanderklaffen zwischen theoretischem Wollen und praktischem Können. Nach Jena beruft ihn der König an die Spitze der Militärreorganisationskommission. Die Trümmer einer stolzen Armee sollen aus dem Schutt der Niederlage geborgen, gereinigt und zu einer neuen Streitmacht zusammengesetzt werden. Alle wissen, daß organisatorische und technische Verbesserungen nicht genügen. Der König scheint geneigt zu sein, durch das Volk ersetzen zu lassen, was an Friderizianischem verlorenging. Scharnhorst will Freiheitsrechte gewähren: »Man muß der Nation das Gefühl der Selbständigkeit einflößen.« Und er will die also Gestärkten zur Pflichterfüllung heranziehen: »Alle Bewohner des Staats sind geborene Verteidiger desselben.« Ziel ist die allgemeine und gleiche Wehrpflicht – als Korrelat einer auf dem allgemeinen und gleichen Wahlrecht beruhenden Verfassung.

Diesen Zusammenhang akzentuiert August Neithardt von Gneisenau. Auch er ist Nichtpreuße, aus österreichischer Familie, in Sachsen geboren, auf einer Jesuitenschule in Würzburg erzogen. Ein Habenichts und Hungerleider, der Söldner werden mußte, bei den Österreichern, in Ansbach–Bayreuth; er geht als Leutnant nach Amerika, um für England gegen die Kolonisten zu kämpfen, kommt nicht ins Gefecht, kehrt mit einem Stück amerikanischer Freiheit unter dem Hut zurück. Nach dem Tode Friedrichs des Großen wird er preußischer Premierleutnant, langweilt sich in Provinzgarnisonen, ärgert sich über den Gamaschengeist, liest und liest, füllt sich mit Kantschen Ideen, Schillerschen Sentenzen, romantischen Lyrismen: »Religion, Gebet, Liebe zum Regenten, zum Vaterland, zur Tugend sind nichts anderes als Poesie.« Er versteht es, auf seinen Gefühlssaiten wie auf einem Hackbrett zu spielen. Und steht nicht an, ins »Zeughaus der Revolution« zu greifen, ihm handfeste Waffen zu entnehmen zum Kampf gegen das preußische Ancien régime, für individuelle Freiheit, staatsbürgerliche Gleichheit und nationale Brüderlichkeit.

Die Biographen können Gneisenau so schwer erfassen wie die Maler, laut Ernst Moritz Arndt: »Dieser schöne Mensch war eine leidenschaftliche und feurige Natur, und kühne Triebe und Gedanken fluteten unaufhörlich in ihm hin und her. Und ebenso war sein Angesicht, wenn er nicht zuweilen – was ihm selten begegnete – in eine halbträumende und sinnende Abspannung fiel, immer von einer wallenden und geistigen Flut übergossen, welche seine Gesichtszüge selten stillstehen ließ. Dadurch ist es geschehen, daß dieser schönste Männerkopf in seiner eigensten, sichersten Bedeutung sehr schwer zu fassen und festzuhalten war, so daß, wer ihn gekannt hat, durch kein Gemälde und keinen Kupferstich von ihm befriedigt worden ist.«

Eine Maschine, lange unter Dampf, nahe am Siedepunkt – 1806 erhält sie endlich freie Fahrt. Gneisenau zeichnet sich bei der Verteidigung Kolbergs aus, einer der wenigen preußischen Festungen, die nach Jena nicht die weiße Flagge hißt. Mit dem Orden »Pour le mérite« dekoriert, wird er Chef des Ingenieurwesens und Mitglied der Militärreorganisationskommission. Seine Triebkraft ist ein zwischen Haß und Bewunderung schwingendes Verhältnis zu Napoleon, dem genialen Feldherrn, dem Testamentsvollstrecker der Französischen Revolution – und dem neurömischen Cäsaren, dem Unterdrücker der Völker. 1808 fordert Gneisenau: Man bekämpfe den Tyrannen mit seinen eigenen Waffen und stelle entschlossene Menschen an die Spitze der Truppe. Zu diesen zählt er sich, mit jenen meint er die offensiven Ideen von 1789. Während Scharnhorst eine Brücke zwischen Altpreußischem und Neupreußischem zu schlagen sucht, will Gneisenau alles Friderizianische hinter sich abbrechen, vorab das Adels-Etablissement: »Die Geburt gibt kein Monopol für Verdienste. Räumt man dieser zu viele Rechte ein, so schlafen im Schoße einer Nation eine Menge Kräfte unentwickelt und unbenützt und der aufstrebende Flügel des Genius wird durch drückende Verhältnisse gelähmt. Währenddem ein Reich in seiner Schwäche und Schmach vergeht, folgt vielleicht in seinem elendsten Dorf ein Cäsar dem Pflug und ein Epaminondas nährt sich karg vom Ertrag seiner Hände. Man greife daher zu dem einfachen und sicheren Mittel, dem Genie, wo es immer sich auch befindet, eine Laufbahn zu eröffnen, um die Talente und Tugenden aufzumuntern, von welchem Range und Stande sie auch sein mögen. Die neue Zeit braucht mehr als alte Titel und Pergamente, sie braucht frische Tat und Kraft.«

Gneisenaus Forderung einer »Freiheit der Rücken« wird erfüllt, mit der »Verordnung wegen der Militärstrafen« vom 3.

August 1808. Stockprügel und Spießrutenlaufen werden abgeschafft. Mit dem knapp gewordenen Rekrutenmaterial ist pfleglicher umzugehen, den eigenen Landeskindern und künftigen Steuerzahlern; denn die Werbung von ausländischen Söldnern ist nun entfallen. Ein preußischer Soldat, der wie ein französischer Tirailleur zum Einzelkämpfer ausgebildet werden soll, muß anders angefaßt werden als der vorjenensische Grenadier, der sich wie am Schnürchen zu bewegen hatte. Scharnhorst meint: Ein Krieger, der sich als Verteidiger des Vaterlandes fühlen soll, darf nicht mit den entehrendsten Strafen belegt werden, »die selbst bei dem Auswurf der Nation in seltenen Fällen stattfanden«. Stein ist da weniger zimperlich: »Das Prügeln ist eine ganz passende Strafe und wurde sowohl zu Zeiten der Römer als selbst im Mittelalter bei den Vergehen der Geistlichen und Ritter angewandt. Der Mißbrauch des Prügelns bestand nicht in der Strafe, sondern darin, daß ihre Anwendung der Willkür, der Unbesonnenheit, der Leidenschaftlichkeit überlassen war.«

Der Verehrer von Bildung und Leistung applaudiert dem Reglement vom 6. August 1808: »Einen Anspruch auf Offiziersstellen sollen von nun an in Friedenszeiten nur Kenntnisse und Bildung gewähren, in Kriegszeiten ausgezeichnete Tapferkeit und Überblick.« Der Verfechter der Rechtsgleichheit der Stände begrüßt die Folgerung: »Aus der ganzen Nation können daher alle Individuen, die diese Eigenschaften besitzen, auf die höchsten Ehrenstellen im Militär Anspruch machen.« Der Kritiker des Junkertums empfindet Genugtuung über die Aufhebung des Adelsprivilegs: »Aller bisher stattgehabte Vorzug des Standes hört beim Militär ganz auf und jeder ohne Rücksicht auf seine Herkunft hat gleiche Pflichten und gleiche Rechte.« Ein Volltreffer im Altpreußischen ist dieses Reglement. Friedrich der Große befand: Im allgemeinen besäßen nur Edelleute Ehre und Ehrgefühl und deshalb müßten, wo immer möglich, alle Offiziersstellen dem Adel vorbehalten werden. Wenn sich der Rauch verzogen hat, wird man festzustellen haben, daß die Praxis hinter dem Prinzipiellen herhinkt: Bis 1860 besteht das preußische Offizierskorps zu zwei Dritteln aus Adeligen, zu einem Drittel aus Bürgerlichen.

Mit gemischten Gefühlen verfolgt Stein die Diskussion um

die allgemeine und gleiche Wehrpflicht. Scharnhorst und Gneisenau preisen sie als Palladium eines neuen Preußens. Vincke bezeichnet sie als »das Grab aller Kultur, der Wissenschaften und Gewerbe, der bürgerlichen Freiheit und aller menschlichen Glückseligkeit«. Der König hält sie für ein Produkt der Revolution, einen Wechselbalg der Demokratie. Der Reichsritter, dessen Vorfahren zur Heeresfolge berufen waren, will auf alle Zeitgenossen, ohne Ansehen des Standes, die Militärdienstpflicht ausgedehnt wissen, als Privilegium für jeden Staatsbürger. Der Finanzexperte schätzt die Einsparung von Werbegeldern. Der Wirtschaftsfachmann sieht den Vorteil einer Verkürzung der Dienstzeit – aber auch den Nachteil für den Produktionsprozeß.

Ohne Exemtionen scheint es ihm nicht zu gehen. Das Konskriptionssystem des napoleonischen Frankreichs beruht zwar auf der Regel der gleichen Verpflichtung für alle, ermöglicht jedoch Ausnahmen durch Freikauf. Zu diesem Muster neigt Hardenberg. Stein will Exemtionen für gewisse Gewerbe gelten lassen. Alle anderen tauglichen Achtzehn- bis Sechsundzwanzigjährigen sollen grundsätzlich wehrpflichtig sein. In der Praxis muß freilich ausgewählt werden; denn Napoleon beschränkt das preußische Heer auf 42 000 Mann. Dabei soll aber nicht der Geldbeutel entscheiden, sondern das Los, das Schicksal, nicht die Geschicklichkeit.

An den Geldbeutel als militärorganisatorisches Kriterium denkt indessen Scharnhorst. Dem stehenden Heer will er eine Miliz als Reservearmee zur Seite stellen. Wer sich auf eigene Kosten einkleiden und bewaffnen könne, dürfe in die Miliz, die anderen müßten den Rock des Königs anziehen. Stein erhebt Einspruch. Ihn stört weniger die Einteilung in Soldaten erster und Soldaten zweiter Klasse, und seiner dualistischen Auffassung von Staat und Nation entspricht das Gegenüber von Staatsarmee und Bürgerarmee. Sein Einwand ist praktischer Natur: Jeder, der es sich nur einigermaßen leisten könne, werde den laxen Dienst in der Miliz dem strammen Dienst in der Linie vorziehen; am Ende stehe der König mit ein paar Bauernjungen da.

Gneisenau, der königlich-preußische Demokrat, will mehr: Nicht ein Nebeneinander von Linie und Miliz, sondern ihre

Aufhebung in einem stehenden Volksheer. Jeder Preuße ein Krieger, die ganze Nation in Waffen – das wäre Friderizianismus mal »Levée en masse«. Mit vormilitärischer Ausbildung der Jugend soll es anfangen, das letzte Aufgebot der Alten nicht vergessen werden, das erstrebt auch Scharnhorst. Ein Konzept der Militärreorganisationskommission empfiehlt, »daß in jeder Schule eine völlig militärische Disziplin eingeführt würde« und »daß jede Schule ihren Exerziermeister hätte und in den Erholungsstunden sich in dem Gebrauch der Waffen übte.« Kaserne und Schule, die beiden Pfeiler des preußischen Systems, sollen auf eine breite Basis gestellt, demokratisch verstärkt, idealistisch erhöht werden.

Der Reichsfreiherr denkt lieber an die alte Reichsmiliz. In seiner Städteordnung wird die Schützengilde für eine notwendige Einrichtung erklärt; den Königsberger Gemeindeältesten, welche die ihrige auflösen wollen, wird bedeutet: Die Einrichtung der Schützengilde sei zwar veraltet, indessen erhalte sie Bekanntschaft im Gebrauch der Waffen und sei als ein Volksfest anzusehen. Der Gedanke einer Mobilisierung der Masse hat ihn bislang eher erschreckt, das Zweischneidige einer auf Volkskrieg angelegten Nationalarmee bleibt ihm bewußt: Stehe an ihrer Spitze »ein mit überwiegend kriegerischen Talenten versehener und daher zu ihrem Mißbrauch geneigter Mann, so wird der fortdauernde Kriegszustand, in welchem er die Nation erhält, auf die Entwicklung der Geisteskräfte, auf Erhaltung des Vorrats von wissenschaftlichen Kenntnissen und auf die Sittlichkeit nachteilig wirken, indem der Staat die Jugend frühzeitig zur Leistung von Kriegsdiensten in die Lager abberuft, wo alle ihre fernere Entwicklung gestört wird.« Jedoch: »Diese Nachteile sind Folgen der Verderbtheit des Charakters des Oberhaupts der Nation, nicht der allgemeinen Verpflichtung zur Verteidigung des Vaterlandes.«

Das gegenwärtige Oberhaupt neigt nicht zu Extremen, ist zu Extravaganzen nicht imstande. Allgemeine Wehrpflicht und preußisches Volksheer bleiben auf dem Eis der Staatsraison. Sie hat mit napoleonischen Eingriffen und friderizianischen Einsprüchen zu rechnen.

Auf dem friderizianischen Ast, der abgesägt werden soll, ist der preußische Staat plaziert. So empfinden es Altpreußen, Generäle, Gutsherren, Minister. Eine friderizianische Fronde bildet sich gegen die Reformer, die Landfremden, Ungedienten, Arrivierten, die das große Wort führen und das Heft in die Hand nehmen wollen.

Konterkariert wird vor allem die Reform, die sich mit dem Preußischen an sich befaßt: dem Militär. Die Aussicht auf ein Volksheer läßt eine Adelsdämmerung befürchten, erweckt Staatsuntergangsstimmung. Die allgemeine, auch auf den Adel ausgedehnte Konskription, diese Ausgeburt der Egalität, »würde die völlige Vernichtung des Adels herbeiführen«, heißt es verschwommen in einer Immediateingabe der Grafen Dohna, Dönhoff und Konsorten. Deutlicher, logischer argumentiert Generalmajor Hans David Ludwig von Yorck. Er stammt aus kassubischem Kleinadel; seine Mutter wie seine Frau kommen aus kleinbürgerlichen Verhältnissen; er ist mittellos. Friedrich der Große verstieß den Leutnant aus der preußischen Armee; er verdingte sich als Fremdenlegionär bei der holländisch-ostindischen Handelskompanie. Dies alles scheint er nun kompensieren zu wollen: Er gibt sich als Oberfeudalist, Erzfriderizianer und Superpreuße, stets Haltung zeigend und auf Reputation bedacht, redlich, ehrgeizig, kühn, aber auch – wie Clausewitz bemerkt – »finster, gallsüchtig und versteckt«, ein unangenehmer Vorgesetzter und noch unangenehmerer Untergebener. Die Aufhebung des Adelsprivilegs für Offiziersstellen erniedrige den Offiziersstand zum Erwerbszweig, zum »Versorgungsstand«, wettert Yorck; sein Ehrenkodex und Ordenscharakter werde verschwinden, das Band zwischen Königtum und Adel gelockert, die tragenden Säulen Preußens untergraben.

»Wenn Eure Königliche Hoheit mir und meinen Kindern ihr Recht nehmen, worauf beruhen denn die Ihrigen?«, erklärt Yorck dem Prinzen Wilhelm, einem Fürsprecher der Reform. Er spottet über Gneisenaus »demokratische Vorliebe«, die unter jedem Bauernkittel ein Talent wittere und, »weil Papst Sixtus V. in seiner Jugend ein Schweinehirt gewesen, um jedes derartige Subjekt sorgsam bemüht sei, aus Furcht, daß irgendein göttlicher Sauhirt unbeachtet verkommen könne«. Bomben und Granaten läßt er auf Stein herabhageln. Auf den Westler:

»Der Mann ist zu unserm Unglück in England gewesen und hat von dort seine Staatsweisheit hergeholt.« Auf den Bauernbefreier und Gesellschaftsreformer: »Wird der Gewürzkrämer oder der Schneider, der das Gut erwirbt, oder der Spekulant, der auf seinen Profit gedacht hat und schon auf Wiederveräußerung sinnt, wird er auch im Unglück seinem Monarchen ›zu Dienst sein mit Gut und Blut?‹ Wird der neue Herr seine Bauern, die ihn wohl mit Ziegengemecker an der Ehrenpforte empfangen, mit sich in der Treue festhalten, wie der alte Erbbesitzer tat, der in seinem Dorf über die Gemüter mit Liebe und Anhänglichkeit herrschte?«

Schon sieht der Altpreuße sein schönes Land durch Spekulanten und »Plusmacher« verwüstet: Abgeholzte Wälder, Weizenfelder, über die der Wind den Sand wehen wird. Er hat eine romantische Ader, dieser nachjenensische Friderizianer; er will dem Adel Besitz und Privileg unter einem ideellen Überbau erhalten. Überkommene Standesinteressen werden mit den Rudimenten einer konservativen Ideologie verbrämt. Eine altständische Partei formiert sich gegen Napoleon und Stein; sie will die altpreußische Ordnung, wie sie ihr in der Rückschau erscheint, restaurieren. Ihr Haupt wird Friedrich August Ludwig von der Marwitz, ein Kurmärker, durch dessen Gemüt immer noch Fridericus Rex reitet, wie er es als achtjähriger Junge erlebt hat: auf weißem Pferde, in blauem Rock und gelber Weste und dem dreieckigen Hut, von Berlinern mit entblößten Häuptern begrüßt; denn »jedermann sah die Früchte seiner Arbeiten, nah und fern, rund um sich her, und wenn man auf ihn blickte, so regten sich Ehrfurcht, Bewunderung, Stolz, Vertrauen, kurz, alle edleren Gefühle des Menschen«.

Der Staat erscheint als »moralischer Körper«; das erhaltende Element ist die Gesinnung, nicht das Einkommen. Im Grundsätzlichen berührt sich Marwitz mit Stein, ohne es zu wollen. Für einen Aussätzigen hält er den Reformminister: »Stein fing ... die Revolutionierung des Vaterlandes an, den Krieg der Besitzlosen gegen das Eigentum, der Industrie gegen den Ackerbau, des Beweglichen gegen das Stabile, des krassen Materialismus gegen die von Gott eingeführte Ordnung, des (eingebildeten) Nutzens gegen das Recht, des Augenblicks gegen die Vergangenheit und Zukunft.« Sein Verdikt gilt dem Oktoberedikt, der Freiheit in Besitz und Gebrauch des Grundeigentums, der Befreiung der Bauern aus der Gutsuntertänigkeit, »worüber die Ideologen und Philosophanten von der Garonne bis zum Njemen ein Loblied anstimmten und den Minister Stein verherrlichten – gleich als ob bis dahin irgendwo in unserem Lande Sklaverei oder Leibeigenschaft existiert hätten«.

Die Standeskameraden und Gesinnungsgenossen wälzen dem Reformminister Steine in den Weg. Gutsherren, Inhaber der örtlichen Polizeigewalt, halten das Oktoberedikt zurück. Zehn Monate nach seinem Erlaß moniert Stein, es sei weder in das Litauische und Polnische übersetzt, noch von den Kanzeln verlesen, mithin für einen großen Teil der ost- und westpreußischen Landbewohner nur unvollständig oder gar nicht publiziert worden. In Schlesien kommt es zu Krawallen, die er auf die ungenügende Unterrichtung der Bauern und eine einseitige Auslegung durch Gutsbesitzer zurückführt; es werden weiterhin Zwangsdienste verlangt, doch keine Gegenleistungen mehr gegeben. Der Landschaftsdirektor von Crauß widerspricht: Die Unruhen resultierten aus dem »Wahn der Untertanen«, nun frei von allen Verpflichtungen zu sein. Das Komitee der ostpreußischen Stände muckt gegen die verbliebenen Bauernschutz-Bestimmungen auf. Der Feldmarschall von Kalckreuth erhebt Einspruch gegen eine Heranziehung des Privatbesitzes von Militärpersonen zur Einkommensteuer.

In der Junkergasse von Königberg tagt der Perponchersche Klub, die Opposition gegen die Reform. »Lieber drei Schlachten von Auerstädt als ein Oktoberedikt«, kann man hören. Der König ist ganz Ohr. Das altpreußische Trommelfell ist empfänglich für solche Töne. Im Grund will auch Friedrich Wilhelm den Adel nicht schwächen und die Bauern nicht stärken; von den Bürgern hält er nicht viel mehr als sein letzter Garnisonskommandant. Ein Volksheer erscheint ihm so indiskutabel wie eine Nationalrepräsentation. Die Reformer sind ihm suspekt, der Reformminister bleibt ihm unsympathisch, ja unheimlich.

Seit Mitte Januar 1808 residiert der König wieder in Königsberg, im Schloß. Hier fühlt er sich weniger deplaziert als in jenem Bürgerhaus in Memel, beinahe geborgen in dieser altpreußischen Arche. Die Nordseite stammt noch aus der Zeit des Deutschen Ordens; das Standbild Friedrichs I. steht da, des ersten Königs von Preußen, der sich in der Schloßkirche die Krone aufsetzte. Die Bürgerhäuser davor, schmalbrüstig und eng aneinandergedrängt, scheinen ihr Wohl und Wehe nach wie vor von der festen Burg des Königstums zu erwarten, wie es sich gehört. Die Hofhaltung ist selbst für den knauserigen Friedrich Wilhelm zu bescheiden: Er muß Geld borgen, Geschenke von Mennoniten annehmen. Der Monarch bleibt geachtet und geehrt. An seinem 38. Geburtstag geben die Minister ein Souper im Krügerschen Garten, auf dem Schloßteich schwimmen Boote in einem Meer von Lichtern und Musik; eine venezianische Nacht gaukelt sich Königsberg vor, das von entlassenen Offizieren, Arbeitslosen und Bettlern wimmelt und nur noch drei Diplomaten zählt, den holländischen Gesandten, den österreichischen Geschäftsträger und einen französischen Konsul.

Stein denkt an letzte Dinge. »Ich wünsche sehr, daß der Platz zum Grabmal meiner Eltern hübsch bepflanzt und vorgerichtet würde. Meine Absicht ist, mich neben meiner Mutter begraben zu lassen« – unter Zypressen und babylonischen Weiden. Das ist seine Art von Heimweh. Die Familie hat er in Nassau zurückgelassen. Wenn es seine Zeit erlaubt – und das ist nicht allzu oft – schreibt er nach Hause. Der Frau schickt er eine Schachtel mit Bernstein. Der Tochter Henriette gibt er Erziehungsregeln: Sie solle sich zu beherrschen lernen – »und sich nicht ihren Empfindungen zu überlassen, da wahrscheinlich in ihren zukünftigen Verhältnissen mehr ihre Kraft und Mut als ihre Gefühle werden in Anspruch genommen werden«.

Die Selbstbeherrschung, eine von ihm stets gewollte, doch nie gekonnte Kunst, ist Zerreißproben ausgesetzt. Die Gicht plagt ihn wieder; er konsultiert den Hofarzt Hufeland. Die Quertreibereien gegen den Reformer und die Reform quälen ihn; Freund Reden rät, er solle sich nicht beirren lassen, aber auch nicht mit dem Kopf durch die Wand wollen. Prinzessin Wilhelm warnt: »Man weiß, daß Sie lebhaft sind und will Sie reizen.« Er selber redet sich zu: »In allen meinen Dienst- und Lebensverhältnissen bin ich ruhig meinen Weg fortgeschritten, ohne viel Notiz von der Meinung anderer Leute über mein Tun und Lassen zu nehmen, indem ich entweder gar nicht handelte oder absichtslos – und auch bisweilen inkonsequent.«

Äußere Widrigkeiten und innere Unstimmigkeiten erschweren jeden Schritt. Er stolpert über Hindernisse, die er sich selber in den Weg legt. »Glauben Sie denn, ich weiß nicht, daß ich übereilt und heftig bin! Aber wenn ich das ablegen könnte, wäre ich ein altes Weib.« Das bekommt Scharnhorst zu hören, der vor den Böswilligen warnt, die Stein als Berserker hinstellen. Wohlmeinende erinnert er mitunter an Don Quichote.

Aus seiner Haut kann und will er nicht heraus. Er bleibt ein Aristokrat, der Reichsfreiherr, der von hohem Bergfried auf Bauern, Bürger und Krautjunker herabschaut. Ein Patriarch, der Gutsherr, der das Parieren belohnt und das Aufmucken bestraft. Ein Autokrat, der Minister, der seinen Willen als oberstes Gesetz diktiert. Ein halber Friderizianer, der preußische Beamte, der bei seinem offiziellen Besuch im besetzten Berlin die vom französischen Stadtkommandanten angebotene Stellung eines Ehrenpostens der Bürgergarde ablehnt, »da die Bürgergarde schon einen sehr beschwerlichen Dienst hat, übrigens aber es in dem preußischen Staat nicht gebräuchlich ist, dergleichen Auszeichnungen Zivil-Autoritäten zu erteilen«.

Ein Staatsbesessener ist Stein, freilich auch ein Staatsverbesserer. Aus der Schule der Mitverwaltung sollen Staatsbürger hervorgehen, die selber vollkommener geworden sind und das Ganze vollkommener machen, Preußen, die freiwillig denken, arbeiten und marschieren, das Wohl des Staates im Sinn und den Fortschritt der Menschheit im Auge. Allein dieser Glaube kann den friderizianischen Berg nicht versetzen. Dazu bedürfte es mehr als idealistischer Beschwörungen und pädagogischer Versuche. Doch Stein ist kein Radikaler. Er geht den für ihn persönlich einzig gangbaren und in Preußen allein möglichen Weg, den schmalen und halsbrecherischen Reformpfad zwischen Restauration und Revolution. Er verliert sich zwischen den Fronten, im Niemandsland.

»Sehr übel ist es, daß wir in einer Übergangszeit, in einem Mittelalter leben, und daß wir weder das Alte kräftig verfechten, noch das Neue richtig und kräftig auffassen.« Mitunter erkennt er, daß der Platz des »juste milieu« zwischen den Stühlen ist. Manchmal blickt er in die eigene Kluft zwischen Wollen und Können, Vorstellung und Vermögen, Planen und Ausführen, Nassauer Denkschrift und Königsberger Tatsachen. Immer sieht er die äußeren Widrigkeiten: die zerzauste, doch intakt gebliebene autoritäre Herrschaftsform und feudale Gesellschaftsstruktur. Und er bekommt den napoleonischen Gegenwind zu spüren.

Der Sturz

Kontributionen sind für Napoleon die Fortsetzung des Krieges mit anderen Methoden. »Ich habe den Preußen viel zu viel Übles angetan, als daß ich hoffen dürfte, sie würden es vergessen. Ich darf ihnen nicht die Mittel lassen, sich wieder eine Armee zu beschaffen.« Wenn es nach ihm gegangen wäre, hätte er Tabula rasa gemacht, den preußischen Staat völlig beseitigt. Daran hatte ihn der Zar gehindert, weniger um der blauen Augen Friedrich Wilhelms willen, als in der Einsicht, daß die russisch-französische Zweisamkeit sich leichter ertragen ließe, wenn zwischen die beiden Großen ein Puffer eingeschoben wäre. Als Glacis seines Reiches betrachtet Napoleon den Gebietslappen, der von Preußen übriggeblieben ist. Er stellt Kontributionsforderungen – in Höhe von 154 Millionen Francs –, die unerfüllbar sind, weil er eine Handhabe braucht, das Land so lange besetzt zu halten, wie er es für erforderlich hält.

Eine solche bodenlose Raffiniertheit ist für Stein nicht zu durchschauen. Er hält den Franzosen so viel ökonomische Vernunft zugute, daß sie die Kuh, von der sie Milch haben wollen, nicht an Auszehrung eingehen lassen werden. Mit einem Fuß steht Preußen bereits im Staatsbankrott. Ihn abzuwenden, hält der leitende Minister für seine dringendste Aufgabe. Innere Reformen, eine Vereinfachung der Verwaltung und eine Vermehrung der Einkünfte sind nur Tropfen auf den heißen Stein. Eine fühlbare Erleichterung könnte die Ermäßigung der Kontributionen bringen. Zumindest der Abzug der Besatzungstruppen, die auf Kosten der Besetzten leben. Stein glaubt, die Franzosen dazu bewegen zu können, wenn er auf ihre Forderungen eingeht, wenigstens den Anschein erweckt, sie erfüllen zu wollen. Er beginnt als Erfüllungspolitiker.

Den ersten Zug macht er am 6. Oktober 1807: Er wolle die französischen Ansprüche anerkennen, wenn das besetzte Gebiet geräumt werde, die Verwaltung wieder in preußische Hände käme. »Das wichtigste ist jetzt, die Franzosen aus dem

Lande herauszubekommen«, erklärt er Freunden. Beim Feind bemüht er sich um tragbare Zahlungsbedingungen. Je mehr er auf Widerstand stößt, desto nachgiebiger wird er. Stein läßt zu, daß die Freie Stadt Danzig um westpreußische, das Herzogtum Warschau um schlesische Gebiete vergrößert werden. Er genehmigt die Erweiterung der zwischen Sachsen und Warschau durch preußisches Gebiet führenden Militärstraße zu einer Post- und Handelsroute. Er verbietet die Königsberger Zeitschrift *Vesta*, die Max von Schenkendorf herausgibt, an der Fichte mitarbeitet – zur Beschwichtigung der Franzosen.

Und er schickt den Prinzen Wilhelm als Antichambreur nach Paris. Der Bruder Friedrich Wilhelms III. erscheint ihm für diese Mission geeignet: »Er ist scharfsinnig, voll des besten Willens und liebenswürdig.« Ein Mitglied des Königlichen Hauses glaubt er als Ultima ratio seiner Erfüllungspolitik einsetzen zu müssen, als Überbringer einer hochbrisanten Offerte: Ermäßigte Napoleon die Kontributionsforderung, räumte er die besetzten Gebiete – böte ihm Stein ein Bündnis, ein Hilfscorps von 30 000 bis 40 000 Mann; der militärischen Ertüchtigung – meint er – würde das nur nützen. Als letzter Trumpf sei das Aufnahmegesuch Preußens in den Rheinbund zu unterbreiten.

Die zerbrochene Machtstellung Preußens könnte nur mit Hilfe Frankreichs repariert, der Besiegte allein durch den Sieger wieder aufgerichtet werden; Voraussetzung dafür sei, das Vertrauen Napoleons zu gewinnen. Diese Richtlinie gibt Stein dem Prinzen Wilhelm mit. Stets hat er den Basler Friedensschluß von 1795 als Sündenfall gebrandmarkt; nun empfiehlt er, die Dienste, die ein neutrales Preußen dem revolutionären Frankreich geleistet habe, gebührend herauszustreichen. Immer ist er stolz auf die eigenständigen Wurzeln seiner Reformideen gewesen; jetzt rät er, das anlaufende Reformwerk in Preußen als Kopie des napoleonischen Vorbildes hinzustellen. Dem bislang verteufelten Korsen Bonaparte beziehungsweise der verachteten Kreolin Josephine könne die Patenschaft für das Kind angetragen werden, mit dem Königin Luise schwanger geht. Eine eheliche Verbindung zwischen den Hohenzollern und den Napoleoniden sähe er indessen ungern. Steins Realpolitik hat ihre Grenzen.

Sie sind weit genug ausgedehnt, weiter jedenfalls, als es seine patriotische Sittlichkeit erlaubt, doch nicht weit genug, um in die Gefilde der großen Diplomatie zu reichen. Die eigentlichen Absichten Napoleons bleiben ihm verborgen und damit die Einsicht in die Aussichtslosigkeit seines Annäherungsversuchs. Täglich sehe man der Nachricht von einem Abschluß der ganzen Angelegenheit in Paris entgegen, äußert er am 8. Januar 1808. Am selben Tag holt sich der Prinz einen Korb; der Riese lehnt das Bündnisangebot des Zwergen ab und bittet zur Kasse. Napoleon bleibt ungerührt, als sich der Prinz als Geisel anbietet. Er schätzt den Wert eines Hohenzollern nicht so hoch ein wie Stein, der selbst in der Abfuhr noch einen Hoffnungsfunken glimmen sieht: »Napoleons Achtung für den Charakter eines jungen Fürsten, der sich für sein Vaterland aufopfert, wird steigen; es ist unmöglich, daß eine so edle Handlung nicht diese Wirkung habe, und insofern werden für das Ganze wohltätige Folgen daraus entstehen.« Alexander von Humboldt, der mit von der Partie ist, hält sich an die Fakten, berichtet dem Minister: Auch der Hinweis auf die Reformen in Preußen habe nichts genützt; der Kaiser wolle alles in der Schwebe halten.

Beim Schmied Napoleon konnte Wilhelm nichts ausrichten, nun versucht es Stein beim Schmiedle Daru. In der Nacht vom 4. zum 5. März trifft er im französisch besetzten Berlin ein. Den Unmut, in der eigenen Hauptstadt betteln zu müssen, schluckt er hinunter. In diplomatischer Haltung übersteht er die Geburtstagsfeier der Kaiserin Josephine, ein Tedeum, ein Souper, einen Ball. Daru, Napoleons General-Intendant, riecht nicht nach Gaul und Lederfett; er hat den Horaz übersetzt, dichtet selber. Prosaisch bleiben seine Kontributionsforderungen. Immerhin kommt schon nach zwei Konferenzen ein Kompromiß zustande: Ein Drittel der ursprünglichen Summe von 154 Millionen Francs wird durch die von den Franzosen inzwischen aus dem Land gezogenen Einkünfte als getilgt angesehen; es wären noch 101 Millionen zu zahlen, je zur Hälfte in Pfandbriefen und Wechseln. Drei Oderfestungen sollen besetzt bleiben, ansonsten das okkupierte Preußen 30 Tage nach Unterzeichnung der Konvention geräumt werden.

Ende April sei man die Franzosen los, schreibt Stein seiner Frau am 9. März, am Tage der Übereinkunft in Berlin. »Wir sind hier mit Herrn Daru fertig, aber nicht mit dem Kaiser

Napoleon«, äußert sein Mitarbeiter Stägemann. Das Warten auf das Jawort aus Paris beginnt. Inzwischen sucht der Minister das Geld zusammenzukratzen. Die Beamtengehälter werden gekürzt, in steiler Progression von vier Prozent bei 300 Talern bis 50 Prozent bei 8900 Talern; Stein hat schon kurz nach Amtsantritt seine Bezüge auf die Hälfte reduziert. Das goldene Tafelservice Friedrichs des Großen und die Kronjuwelen – mit Ausnahme des Schmucks der Königin – sollen verkauft werden, die Stände der Provinzen und die Kaufleute werden um Kredite angegangen. Auf die königlichen Domainen gibt man Pfandbriefe aus.

Alle mögliche Vorsicht sei angebracht, »aber auch, da wo es nötig ist, alles Nachgeben, um nicht der Sache zu schaden«. Das ist die Devise des Erfüllungspolitikers, mit der er ein Entgegenkommen Napoleons einzutauschen hofft. Er zieht eine Verfügung gegen den Wucher mit Tresorscheinen zurück, weil die Franzosen dies für einen Eingriff in die Verwaltung der besetzten Gebiete halten. Er läßt den Zensurstift an Fichtes *Reden an die deutsche Nation* ansetzen. Er entläßt den Geheimrat Sack als Vorsitzenden der Friedensvollziehungs-Kommission, weil er den Unwillen der Franzosen erregt hat; die kurmärkischen Stände waren von ihm in ihrer Widerspenstigkeit gegen Finanzforderungen zur Errichtung eines Truppenlagers bestärkt worden. Und er belehrt die Zweifelnden: »Das ewige Schwanken zwischen Furcht und Hoffnung kann ich nicht billigen – ich glaube, a) daß unsere Lage gegen Napoleon im allgemeinen sich gebessert hat, b) daß man uns nicht vernichten will, c) daß wir das Problem der Zahlung der Kontribution lösen können.«

Das ABC des Umgangs mit Napoleon ist ihm nicht geläufig. Der Sieger hat mehr Zeit als der Besiegte; der Kaiser sieht keinen Anlaß, einen Kompromiß zu bestätigen, der auf seine Kosten geht; der Routinier scheint den Amateur auf die Folter spannen, noch mehr Zugeständnisse erpressen zu wollen. Stein hält es lange aus, den ganzen März, den ganzen April, weit in den Mai hinein. So lange wartet er in Berlin auf eine positive Antwort aus Paris. Er langweilt sich in der Stadt, in der er kaum noch Gleichgestellte findet; jeden Abend verbringt er bei seiner kränkelnden Schwester, der Gräfin Werthern. Er hört nur Klagen, sieht verarmte Familien, Beamte ohne Beschäftigung, Pensionäre ohne Pension; schon wird das Brot knapp, werden Bäckern die Fenster eingeschmissen. Preußische Münzen fallen täglich im Kurs; die Gefahr des Staatsbankrotts steigt. Aus Königsberg wird ihm von Mäusen berichtet, die in der vom Gärtner verlassenen Reformpflanzung wühlen, und von Freunden, die den Zustand seines Rückgrats für bedenklich finden. Seine Gesundheit läßt zu wünschen übrig; er muß Stärkungsmittel nehmen, »denn sonst fühle ich eine ungewohnte Abspannung und Hang zum Schlafen«.

Die Nerven werden strapaziert, beginnen zu vibrieren. Er hat auf die Karte der Erfüllungspolitik gesetzt, weil er die Franzosen schnellstens aus dem Lande bringen möchte – die Voraussetzung für die staatliche Unabhängigkeit, eine finanzielle Gesundung, die Ausdehnung der Reorganisation auf die gesamte Monarchie. Nun scheint diese Karte nicht zu stechen, er nichts zu bekommen, nur zahlen zu müssen. Das Schicksal des preußischen Staates wie die Glaubwürdigkeit des leitenden Ministers stehen auf dem Spiel. Und die Reformen. Die außenpolitische Entwicklung, die militärische Niederlage haben die Ansätze einer Neugestaltung ermöglicht. Würde nun das Scheitern der Außenpolitik des Reformministers das innenpolitische Vorhaben in Frage stellen?

Stein reagiert wie gewohnt. Sich aufbäumend: »Wenn wir aufgelöst, zerstäubt würden, so muß man sich doch den kleinmütigen und unmütigen Gefühlen nicht überlassen.« Resignierend an der Kandare des Schicksals: »Es ist niederschlagend, ohnerachtet der unglücklichen Zeitumstände noch so viele Schwäche und kleinliche Leidenschaft in Tätigkeit zu sehen; es vermehrt meine Abneigung gegen das Geschäftsleben, das seinen ganzen Reiz verloren, indem sein Zweck nicht mehr ist Entwicklung der Kräfte einer selbständigen Nation, sondern Befolgung der Willkür und des zerstörenden Willens eines Weltbeherrschers.« Wie fast immer sucht er die Schuld überall anders, nur nicht bei sich selber.

Der König enthebt ihn des Eingeständnisses, daß sein außenpolitischer Ausflug erfolglos geblieben, seine Berliner Mission gescheitert ist. Er ruft ihn am 15. Mai zurück. Stein deponiert sein Testament beim Kammergericht und macht sich auf die Reise. Am 31. Mai ist er wieder in Königsberg.

Die Konvention zwischen Stein und Daru liegt unerledigt in Bayonne, wo Napoleon ein Exempel über den Umgang mit Schwachen und Vertrauensseligen statuiert. Er greift in den spanischen Thronkonflikt zwischen Karl IV. und Ferdinand VII. ein, lockt Vater und Sohn auf französischen Boden, nach Bayonne, nötigt beide zur Abdankung, nimmt sie gefangen. Zum König von Spanien ernennt er seinen Bruder Joseph. Französische Truppen stehen bereits im Land.

Europas Monarchen sind entsetzt; sie sehen ihre Throne wakkeln, sich selber fallen: in die napoleonische Finsternis. Die europäischen Völker, die dem französischen Imperialismus bereits ausgeliefert oder von ihm bedroht sind, horchen auf. Denn die Spanier nehmen diesen Willkürakt nicht hin. Am 22. Mai erheben sich die Madrileños. Goya hat ihren Kampf gegen die Mamelucken gemalt, eine Kubanerin ihn beschrieben: »Augenblicklich stand Madrid im Feuer. Flintenschüsse, entsetzliches Geschrei, Gebrüll, Geheul, Gefluch und Gejammer drangen gleichzeitig in unsere Ohren. Unter Trommelgewirbel und Schüssegeknall warf sich das Volk, schnaubend vor Rachewut, blindlings auf die französischen Soldaten, ohne ihre Zahl zu berücksichtigen.« Goya malt auch den zweiten Akt: Die Massenerschießungen nach der Niederwerfung des Aufstandes, die Gesten der Todesverachtung und die Gebärden der Verzweiflung, die Blutlachen, die Leichenberge, die Nacht, die über Madrid hereinbricht.

Es ist nicht der letzte Akt. Der Aufruhr hat sich wie ein Steppenbrand über Spanien ausgebreitet. »Das ist ein Feuer wie das von 1789«, bedeutet König Joseph dem Kaiser. Der Testamentsvollstrecker der Französischen Revolution, der vorgibt, den Europäern »Freiheit, Gleichheit und Brüderlichkeit« zu bringen, stößt zum ersten Mal auf ein Volk, das für diese Errungenschaften den Preis der Unterwerfung nicht zahlen will. Der Erbe der »Levée en masse«, der Feldherr der französischen Nationalarmee hat zum ersten Mal nicht ein Söldnerheer, sondern ein Volk in Waffen gegen sich. »Jedes Haus ist eine Festung und ein Spanier steht für alle und alle für einen«, warnt Joseph den Bruder: »Euer Ruhm wird in Spanien Schiffbruch erleiden.«

London ergreift den spanischen Hebel, mit dem es das kontinentale Imperium aus den Angeln zu heben gedenkt. Oppositionssprecher Brinsley Sheridan erklärt: »Wenn bislang Bonapartes Siegeslaufbahn eine so rasche gewesen, so war der Grund dieser, daß er mit Fürsten ohne Würde, mit Ministern ohne Weisheit, mit Völkern ohne Vaterlandsliebe kämpfte. Er mußte erst erfahren, was es heißt, ein Volk zu bekriegen, welches einmütig gegen ihn ist. Nun ist die Zeit da, kühn für Europas Freiheit in die Schranken zu treten.« Die Regierung Seiner Majestät entsendet ein britisches Hilfsheer auf die iberische Halbinsel. Auch Wien empfängt die spanischen Signale, beginnt zur Revanche für Austerlitz zu rüsten.

Königsberg hört die spanische Botschaft, ohne so recht an sie zu glauben. Der König hat keine Antenne für Volksbewegungen, und wenn er sie hätte, würde er mit einem Schock reagieren. Der leitende Minister hat die Hoffnung auf ein Arrangement mit Napoleon immer noch nicht aufgegeben; vielleicht erwartet er, daß die französischen Schwierigkeiten in Spanien die Lage Preußens erleichtern könnten. Hellhörig sind die Militärs. Scharnhorst meint, man solle Napoleon das preußische Bündnisangebot wie eine Pistole auf die Brust setzen; zögere er dann immer noch oder lehne er ab, müßte der nationale Widerstand organisiert werden. Gneisenau, vom spanischen Beispiel entflammt, will von einer preußisch-französischen Allianz nichts mehr wissen: »Einmal in der Höhle des Zyklopen, können wir bloß auf den Vorzug rechnen, zuletzt verzehrt zu werden.«

Aus Spanien werden Erfolge der Aufständischen gemeldet. Am 28. Juli kapitulieren bei Bailén 8000 Franzosen. Am 30. Juli tadelt Stein die Breslauer Stände, weil sie dem Monarchen auf französisch zum Geburtstag gratuliert haben: »Seine Majestät erwarten, daß Deutsche an ihren König deutsch schreiben.« Drei Tage vorher hat er selber seinem König französisch geschrieben – einen Immediatbericht, der allerdings die Wende von der Erfüllungspolitik zum nationalen Widerstand andeutet: Nun sei der Punkt erreicht, da die achtzigjährige Rivalität zwischen Preußen und Österreich aufhören müsse; die Eintracht der beiden Mächte sei die Voraussetzung für eine Wiedergewinnung der Unabhängigkeit Deutschlands.

Noch bewegt sich Stein in den vorgezeichneten Bahnen der

Kabinettspolitik, der alten Diplomatie. Wien hat vorgefühlt, ob im Falle eines österreichisch-französischen Konfliktes die schlesischen Festungen Napoleon überlassen würden. Königsberg läßt die Frage offen, übersieht den österreichischen Bündniswink, bekundet jedoch Sympathie »für die gute Sache«. Und übermittelt Napoleon ein neues, ein letztes Allianzangebot. Stein hat dabei Hintergedanken: »Die so erlangte mehrere Freiheit würde man benützen, seine Unabhängigkeit wiederherzustellen. Überläßt man auch ein Truppenkorps, so kann man es doch so einleiten, daß es zur bestimmten Zeit mit Österreich sich vereinige und gegen den allgemeinen Feind wirke.«

Nur eine Scheinallianz hat Stein nun im Sinn; unter diesem Deckmantel soll mit Österreich und England verhandelt, der gemeinsame Kampf gegen Napoleon vorbereitet – und am Tage X die Tarnung abgeworfen werden. »Soll es dem Kaiser Napoleon allein erlaubt sein, an die Stelle des Rechts Willkür, der Wahrheit Lüge zu setzen?« Vertragsbruch als kalkuliertes Mittel der Diplomatie – aus dem Moralisten scheint ein Machiavellist geworden zu sein, aus dem innenpolitischen Überwinder des Friderizianismus ein außenpolitischer Nachahmer, aus dem Gegner Napoleons sein Gegenbild. »Das verhüte Gott«, werfen Freunde und Mitarbeiter ein: »Der Bruch eines in der Meinung, ihn zu brechen, geschlossenen Vertrages ist ein Flecken auf unserer Seele, den nichts zu löschen, eine Vergiftung der Quellen unseres Handelns, die nichts tilgen kann. Mit welchem Vertrauen doch kann man alsdann wohl zum Volke sprechen und es aufbieten zum Verfechten einer Unredlichkeit, die es weit von sich stoßen wird?«

Dem Moralisten wird die Unsittlichkeit, dem Utilitaristen die Zwecklosigkeit seines Vorhabens vorgehalten. Stein, der Volkserzieher, müßte sich vorkommen wie ein Lehrer, der von seinen Schülern bei einer Zuwiderhandlung gegen die gelehrte Ethik ertappt wird. Er mag sich eher für einen Bamberger Reiter halten, den die Pflicht in das bisher stets gemiedene Moor der Außenpolitik getrieben hat, in dem er nun Schritt für Schritt versinkt. Seine Anpassungsdiplomatie ist gescheitert, eine Widerstandsdiplomatie scheint nur um den Preis des Prinzipienverrats möglich zu sein.

So bleibt für ihn nur die Flucht nach vorne – in die Volkserhebung, in den Befreiungskampf. »Hat man die feste Überzeugung, daß Unruhe, Ehrgeiz und Herrschsucht Napoleon immer weiter treiben werden, so muß man nichts von Verträgen, sondern alles von der höchsten Anstrengung der Kraft erwarten.« Fremde Beispiele werden beschworen: »Was Volksbewaffnung in Verbindung mit stehenden Truppen vermag, wenn beide, Nation und Soldat, von einem gemeinschaftlichen Geist beseelt sind, sieht man in Spanien und sah man in der Vendée.« Diese Beispiele könnten auch in Preußen zünden: »Die Anhänglichkeit an das Regentenhaus, Verfassung und die Erbitterung gegen einen übermütigen räuberischen Feind ist in den preußischen Provinzen groß und wird sich mit Kraft und, gut geleitet, mit Erfolg äußern.« Die Volksaufklärung habe der Volkserhebung vorauszugehen; man müsse die Nation »mit dem Gedanken der Selbsthilfe, der Aufopferung des Lebens und des Eigentums, das ohnehin bald ein Mittel und ein Raub der herrschenden Nation wird, vertraut erhalten, man muß gewisse Ideen über die Art, wie eine Insurrektion zu erregen und zu leiten, verbreiten und beleben.«

Er tönt wieder, der Steinsche Heroismus, wie eine Kirchenglocke, die zur Siegesfeier oder zum Begräbnis ruft: »Denn man muß die Möglichkeit des Mißlingens fest im Auge halten und wohl erwägen, daß die Macht, die man angreift, groß und der Geist, der sie leitet, kräftig ist, daß der Kampf begonnen wird weniger in Hinsicht auf Wahrscheinlichkeit des Erfolgs als auf die Gewißheit, daß ohnehin eine Auflösung nicht zu vermeiden und daß es pflichtmäßiger gehandelt ist gegen die Zeitgenossen und die Nachkommen und ruhmvoller für den König und seine Nation, mit den Waffen in der Hand unterzuliegen, als sich geduldig in Fesseln zu schlagen oder gefangen halten zu lassen.«

Spanische Unbedingtheit klingt in Preußen an, aber die Preußen sind nicht unbedingt Spanier. Im französisch besetzten Madrid wagt die Bevölkerung den Straßenkampf, im französisch besetzten Berlin hält Fichte seine *Reden an die deutsche Nation*, ruft vom Katheder zum »Kampf der Grundsätze, der Sitten, des Charakters« auf: »Nicht die Gewalt der Arme noch die Tüchtigkeit der Waffen, sondern die Kraft des Gemüts ist es, welche Siege erkämpft.« Ganz Spanien ist ein Kriegstheater, in Preußen wird Schillers *Wilhelm Tell* aufgeführt, ertönt von der Bühne Werner Stauffachers Monolog:

»Nein, eine Grenze hat Tyrannenmacht.
Wenn der Gedrückte nirgends Recht kann finden,
wenn unerträglich wird die Last – greift er
hinauf getrosten Mutes in den Himmel
und holt herunter seine ew'gen Rechte,
die droben hangen unveräußerlich
und unzerbrechlich wie die Sterne selbst ...«

In Spanien entstehen allerorten Junten, die den Befreiungskampf leiten. In Preußen wird der »Tugendbund« gegründet, ein »sittlich-wissenschaftlicher Verein« zur patriotischen Gesinnungspflege. Seine Mitglieder sind Beamte, Offiziere und Lehrer, vornehmlich in Ostpreußen und Schlesien; sie bespitzeln sich gegenseitig, wachen gemeinsam über die Einhaltung der in die 385 Paragraphen der Statuten gegossenen Grundsätze der privaten wie öffentlichen Sittlichkeit. »Sind auch die Kräfte von Ew. Königl. Majestät Volk erschöpft, ist sein alter Ruhm verdunkelt, sind auch unsere Hilfsquellen versiegt und abgeleitet: uns bleibt die Tugend«, eröffnen sie Friedrich Wilhelm III. Er genehmigt Zweck und Verfassung der Gesellschaft, unter dem Vorbehalt, daß sie sich innerhalb der Grenzen der Landesgesetze bewege und sich jeglicher »Einmischung in Politik und Staatsverwaltung« enthalte; ein Verzeichnis der Mitglieder sei vierteljährlich einzureichen.

Im Unterschied zu Spanien ist in Preußen der König noch da. Vor das Handeln ist die Denkschrift gesetzt, die Eingabe an den Monarchen. Er sieht sich mit Papier eingedeckt. Gneisenau fordert die allgemeine Mobilmachung: »Jede Mannsperson von 17 Jahren an wird bewaffnet, durch eine Nationalkokarde als Soldat bezeichnet und durch eine Nummer unterschieden.« Einen nationalen Ausnahmezustand: Landeshauptleute mit diktatorischen Vollmachten sollen eingesetzt werden. Den totalen Volkskrieg: Ganz Preußen ein Kriegsschauplatz, jede Hütte eine Burg, jeder Bewohner ein Guerillero. Und die Schilderhebung der Nation: Eine freie Verfassung für Preußen, Absetzung unpatriotischer Potentaten und ihre Ersetzung durch vom Volk gewählte Fürsten; »nur diejenigen deutschen Völker, welche mit uns unter gemeinschaftlichen Gesetzen leben wollen, werden in unsern Bund aufgenommen«. Scharnhorst dagegen empfiehlt eine behutsame Vorbereitung der Insurrektion, unter dem Mantel der Geheimhaltung, in königlich-preußischer Zucht und Ordnung. Der Aufstand im besetzten Gebiet soll erst ausbrechen, wenn Österreich und Preußen gemeinsam in den Krieg gegen Frankreich ziehen. Für ihn ist das Ziel nicht ein nationaler Bund unter Preußens Führung: »Es kommt jetzt bloß auf die Erhaltung der beiderseitigen Staaten und der regierenden Dynastien an.«

Stein billigt Scharnhorsts Plan einer Kriegskoalition zwischen Preußen und Österreich. Und setzt hinzu: »Der Krieg muß geführt werden zur Befreiung von Deutschland durch Deutsche. Auf den Fahnen des Landsturms muß dieses ausgedrückt sein, und führt als ein Provinzialabzeichen jede Provinz ihr Wappen oder ihren Namen auf der Fahne. Man sollte nur eine Kokarde haben, die Farben der Hauptnationen in Deutschland, der Österreicher und Preußen, nämlich Schwarz, Weiß und Gelb.«

Dem patriotischen Hausschatz des Reichsfreiherrn entstammt die Forderung nach einem Zusammenwirken der beiden deutschen Großmächte. Und der historischen Erfahrungssammlung des Kritikers des Basler Friedens: »Deutschland war kräftig genug, sich selbst gegen Frankreich zu verteidigen, und nur seine eigene Uneinigkeit ist die Ursache seines Falles und seiner Sklaverei.« Der jüngsten Vergangenheit entnimmt er die Lehre, daß auf Rußland kein Verlaß sei, Deutschland also nur durch Deutschland, durch Österreich plus Preußen gerettet werden könne. Das Ziel ist seit langem vorgezeichnet: die Wiederherstellung des vornapoleonischen Staatensystems und damit die Wiederherstellung des von Napoleon zerstörten Reichsverbandes: »Deutschland hat sein und Europas Glück veranlaßt, es erkämpfe also wieder seine und Europas Freiheit; es gebe sich alsdann aber eine Verfassung, die Kraft, Einheit, Gesetzlichkeit und Unabhängigkeit vom französischen Einfluß wiederherstelle.«

Originell ist die schwarz-weiß-gelbe Kokarde, die er den Kriegern an den Hut stecken will – als Zeichen deutscher Einigkeit. Sie ist jedoch ein Symbol der deutschen Zweipoligkeit, ein Kompromiß zwischen den Staatsfarben der »Hauptnationen in

Deutschland«. Sie sollen die Hauptglieder auch des erneuerten Reiches sein, so wie der Staat Preußen in Provinzen gegliedert sein soll. Die »nation une et indivisible« steht nicht auf dem Notenblatt Steins, der nun in die Tasten der Nationalorgel greift, mit ihrem Brausen seine Erfüllungspolitik übertönen, eine Befreiungspolitik intonieren, einen donnernden Chorgesang gegen Napoleon anstimmen will.

»Zu den Fahnen der deutschen Freiheit« ruft der preußische Staatsmann, doch ein Nationalrevolutionär ist er nicht. Der spanische Funke hat auch ihn entzündet. Der Widerstandswille lodert auf, es prasseln aufwieglerische Phrasen wie diese: Es sei notwendig, »den Geist der Völker in Aufregung und Gärung zu versetzen«. Das Feuer möchte er freilich unter Kontrolle halten, vor allem zum Garen seines antinapoleonischen Gerichts benützen. Auch Stein fordert eine Volksbewaffnung, die Volksbewegung – als Mittel zum Zweck der Befreiung, und nicht, wie Gneisenau, als Katalysator eines Nationalstaates nach der Formel der Französischen Revolution. Andererseits will er mehr als Scharnhorst, nicht nur die Erhaltung Preußens und seiner Dynastie. Er möchte den Feind vertreiben, die Unabhängigkeit zurückgewinnen – als Voraussetzung eines nationalen Zusammenwirkens von Österreich und Preußen, als Vorbedingung einer Fortentwicklung der inneren Reformen. Der Untertan, der für das Vaterland streite, solle Bürgerrechte bekommen wie ein folgsamer Schüler ein Fleißbillet: »Er setzt sein Eigentum und sein Leben auf das Spiel, und er erhält hierdurch einen größeren Anspruch auf Aufmerksamkeit und Achtung der Regenten als der große Haufen gemeiner, sinnlicher und träger Egoisten, die unbedingte Hingebung und Aufopferung jedes Gefühls von Ehre und Edelmut empfehlen, damit nur ein elendes, genießendes Leben gefristet werde.«

In der Mitte steht er auch im preußisch-patriotischen Triumvirat, das für einen baldigen, vom Volke getragenen Befreiungskrieg plädiert. Der König hört auf keinen. Er hat kein Musikgehör für den gedämpften Trommelwirbel Scharnhorsts, für die Trompetenstöße Steins, schon gar nicht für das Clairon-Geschmetter Gneisenaus. Er sieht alle drei von der preußischen Staatsraison hinwegmarschieren, in Richtung einer Aufhebung des deutschen Dualismus, einer Anerkennung der Volkssouveränität, der nationalen Revolution und des gesellschaftlichen Umsturzes. Prosaisch, wie er ist, kann er der patriotischen Poesie nichts abgewinnen. Pragmatisch, wie er sein muß, weiß er, daß er auf den Zaren von Rußland noch nicht und auf den Kaiser von Österreich nicht mehr bauen kann. Mit einer stehenden Armee von 50 000 Mann ist gegen Napoleons überlegene Streitkräfte nichts auszurichten. Und eine Bewaffnung des Volkes verwirft der König aus militärischen wie staatspolitischen Motiven.

Preußen ist für einen Befreiungskampf nicht gerüstet. Wer den Kopf über dem nationalen Nebel hat, mit den Füßen auf friderizianischem Boden bleibt, ist sich dessen bewußt. Ein Volksaufstand würde eine Gegenaktion der Franzosen auslösen, das Besatzungsregime verhärten, die Existenz Restpreußens gefährden, meint Karl Friedrich Leopold von Gerlach: »Und selbst ohne Rücksicht hierauf würde uns die Ausführung dieses Planes durch den Umsturz aller bürgerlichen Ordnungen in die Übel stürzen, in die Frankreich durch die Revolution geraten ist.« Preußen sei nicht Spanien, ein Volkskrieg weder möglich noch wünschenswert, erklärt Hans David Ludwig von Yorck: Stein irre sich »in dem Charakter des preußischen Bauern, wenn er glaubt, daß dieser irgendetwas tun werde, ohne den Befehl seines Königs und ohne große Bataillone, die ihm beweisen, daß es damit ernst ist; da schließt er sich an und schlägt auch wohl auf seine Einquartierung los; doch die Franzosen haben Argusaugen. Zu einer Sizilianischen Vesper oder zu einem Krieg auf die Vendéeweise ist der Deutsche eben nicht geeignet. Wie wäre auch in unserem flachen Lande so etwas möglich. In der Lage, in der wir uns befinden, ist ruhiges Abwarten der politischen Verhältnisse das Klügste und Sicherste, den Feind aber auf eigene Gefahr herausfordern wahrer Unsinn.«

Dies alles müßte eigentlich auch der leitende Minister einsehen. Doch der Gaul ist wieder einmal mit ihm durchgegangen, zieht ihn vom Extrem der Erfüllungspolitik zum Extrem der Befreiungspredigt, reißt ihn über die Ansätze der Evolution, die Möglichkeiten seiner Reformpolitik hinweg. Treibt ihn – wie Yorck befürchtet hat – bis zu dem Punkt, an dem er die Person des Königs kompromittiert. Und bis zu dem Moment – wie es der Altpreuße erhofft hat –, in dem er als Staatsminister untragbar wird.

Am 21. September 1808, in aller Herrgottsfrühe, wird Friedrich Wilhelm aus dem Schlaf gerissen. Er hätte ihn dringend benötigt. Eben war der Zar aus Königsberg abgereist; anstrengende Zeremonien, angespannte Gespräche lagen hinter dem König, und die Enttäuschung: Alexander ließ sich nicht vor den tief im Dreck steckenden Karren Preußens spannen. Er galoppierte nach Erfurt weiter, zu Napoleon, um mit ihm die Welt zu teilen.

Eine Schreckensnachricht, eben mit dem Kurier eingetroffen, glaubt man dem König keinen Augenblick vorenthalten zu dürfen. Prinz Wilhelm berichtet aus Paris, er habe am 8. September den preußisch-französischen Vertrag unterzeichnet. Seine Hauptpunkte: Festsetzung der Kontribution auf 140 Millionen Francs, Räumung Preußens innerhalb von vierzig Tagen, Besetzung der drei Oderfestungen Stettin, Küstrin und Glogau mit 10 000 Franzosen bis zur vollständigen Zahlung, Beschneidung der preußischen Heeresstärke auf 42 000 Mann, wovon 16 000 an der Seite Frankreichs marschieren müßten, wenn es zum Krieg mit Österreich käme. Napoleon hat Konzessionen Darus an Stein zurückgenommen, die Forderungen heraufgeschraubt, ein Ultimatum gestellt. Die Frist – zwei mal 24 Stunden – war so kurz bemessen, daß Prinz Wilhelm in Königsberg nicht rückfragen konnte.

Die Unterschrift wurde erpreßt. Der französische Außenminister Champagny holt im entscheidenden Moment einen Brief aus seinem Portefeuille: Ein Schreiben Steins aus Königsberg unter dem Datum des 15. August an den Fürsten Wittgenstein in Doberan in Mecklenburg. Dieser mit allen Wassern des Ancien régime gewaschene Höfling sollte seine Verbindungen und seine Erfahrungen in außergewöhnlichen Geldgeschäften als Anleihemakler für den preußischen Fiskus einsetzen. Und als konspirativer Zwischenhändler agieren. Zu seiner Instruktion glaubte ihm der Staatsminister reinen Wein einschenken zu müssen: »Die Erbitterung nimmt in Deutschland täglich zu, und es ist ratsam, sie zu nähren und unter dem Volk zu verbreiten. Ich wünschte sehr, daß die Beziehungen und Verbindungen in Hessen und Westfalen erhalten würden und daß man sich auf gewisse Fälle vorbereite, auch eine fortdauernde Verbindung mit energischen, gut gesinnten Männern erhalte und diese wieder mit anderen in Berührung setzte.« Die Ereignisse in Spanien machten einen tiefen Eindruck, und es werde sehr nützlich sein, sie nach Möglichkeit und auf eine vorsichtige Art bekanntzumachen, »denn sie zeigen, wie weit List und Herrschucht es treiben können und was andererseits eine Nation vermag, die Kraft und Mut besitzt«.

Dieses eher propagandistische als konspirative Schriftstück sollte ein Kurier, der Assessor Koppe, dem Adressaten überbringen. Er fuhr mit Extrapost durch das französisch besetzte Preußen, passierte Berlin, wurde bei Tegel von zwei Gendarmen arretiert und nach Spandau gebracht; die Papiere, die er mit sich führte, wurden von den Franzosen beschlagnahmt. »Gott gebe nur, daß keine Briefe von Wichtigkeit in fremde Hände gekommen, die Folgen haben können«, schrieb Hofpostmeister Breese in seinem Bericht.

Steins Brief hatte Folgen. Mit spitzen Fingern legte ihn Außenminister Champagny dem Prinzen Wilhelm vor: Degoutierend, wie sich eine so hochgestellte Persönlichkeit im Ton vergreife! Schockierend, wie der leitende Minister Preußens bisher seine wahren Absichten camoufliert, die französische Regierung getäuscht habe! Alarmierend, wie er nicht nur die Bevölkerung Preußens, sondern auch Westfalens und Hessens – zweier mit Frankreich verbündeter Staaten – insurgieren wollte! Prinz Wilhelm, ein Kavalier, kam sich vor wie ein Duellant, dem der eigene Sekundant die Waffe aus der Hand geschlagen hat. Er konnte es zwar nicht für billig, mußte es aber für einigermaßen rechtens halten, wenn nun Napoleon die Bedingungen verschärfte, größere Sicherheiten verlangte.

Am Tage der Unterzeichnung des Pariser Vertrags, am 8. September, veröffentlichte der *Moniteur*, das Amtsblatt des Kaiserreichs, den Brief Steins an Wittgenstein. Ad usum delphini, unter Auslassung allzu aufwieglerischer Passagen, und mit einer Anmerkung für Friedrich Wilhelm III.: »Man kann den König von Preußen nur beklagen, daß er solche ebenso ungeschickte wie verderbte Minister hat.«

Im Morgengrauen des 21. September muß der Monarch zwei Hiobsbotschaften lesen, den Pariser Vertrag und den Artikel im *Moniteur*. »Alles ist verloren«, sagt Außenminister Graf von der Goltz, als er die königlichen Gemächer verläßt. Friedrich

Wilhelm hadert mit seinem Schicksal, das ihm Napoleon und einen Stein beschert hat. Der mühsam genug hinuntergeschluckte Unwille gegen den Minister kommt wieder hoch. Die Schranzen freuen sich, daß Stein in der selbst gegrabenen Grube sitzt. In den Vorzimmern wird getratscht, der Minister habe den ominösen Brief nach einer Mittagstafel geschrieben, bei der dem Weine tüchtig zugesprochen worden sei. Agnes von Gerlach resümiert: »Alle vernünftigen Leute sind außer sich über den Herrn vom Stein.«

Selbstkritik ist auch jetzt nicht Steins Sache. Er schwärzt den Adressaten Wittgenstein an, der sich vor Preußen wie Franzosen reinzuwaschen sucht, bezeichnet ihn als »Höfling sans humeur et sans honneur« – und belastet sich dadurch nur selber; denn einem solchen Geschöpf hätte er keine Staatsgeheimnisse anvertrauen dürfen. Er zeiht den Kurier Koppe der Unvorsichtigkeit, verdächtigt sogar dessen Frau, einen französischen Spion auf die Spur gesetzt zu haben – und bagatellisiert seinen Kardinalfehler, den Brief unchiffriert durch die feindlichen Stellungen geschickt zu haben.

Immerhin: Er sieht ein, daß der König kompromittiert, der Staat geschädigt und er selber angeschlagen worden ist. Noch am 21. September bittet er um seine Entlassung. Friedrich Wilhelm ringt sich einen halben Entschluß ab: Stein soll vorerst bleiben, darf aber Napoleon nicht unter die Augen treten; nach Erfurt muß Graf Goltz, nach dessen Rückkehr habe er die auswärtigen Geschäfte abzugeben. Man müsse stündlich bereit sein, »die Pflichten, die man gegen sein unglückliches Vaterland hat, zu erfüllen und mit der guten Sache zu fallen, wenn es die Vorsehung beschlossen hat«, schreibt er der Gräfin Wallmoden. In die *Königsberger Zeitung* läßt er einen Artikel einrücken; die Reformziele sind darin deutlich abgesteckt, und zwischen den Zeilen ist zu lesen, daß sie nur mit dem Reformminister erreicht werden können. Den Grafen Götzen in Schlesien ermuntert er, die Geheimverhandlungen über ein Kriegsbündnis mit Österreich und die Vorbereitungen eines Volksaufstandes weiterzutreiben. Den Zaren bittet er, ein gutes Wort für Preußen beim Kaiser der Franzosen einzulegen.

Den Abgang will er hinausschieben, die Frist nutzen, seine Rolle ausspielen – ein Nebenakteur, der den Hauptdarsteller erscheinen sieht: Napoleon I., der in Erfurt europäische Fürsten als Staffage für seinen glänzendsten Auftritt benützt.

»Ihr werdet vor einem Parterre von Königen spielen«, sagte der Kaiser dem Schauspieler Talma und schickte ihn mit seiner Pariser Truppe zum Fürstentag nach Erfurt. Die Theaterstücke seien sorgfältig ausgesucht worden, berichtet Talleyrand: »Alle waren nach der Absicht Napoleons darauf berechnet, dem deutschen Publikum große Helden vorzuführen, die gewaltige, ruhmvolle Taten verrichtet und sich durch Tapferkeit und hohe Geistesgaben über die gewöhnlichen Menschen erhoben hatten.« Anspielungen auf Napoleon finden sich darin, »auf den Imperator selbst, der auf der Weltbühne als Sieger und Gewaltherrscher mit seinen Legionen einherschritt, wie hier auf der Theaterbühne die Künstler mit ihren pathetischen Phrasen und tönenden Versen.«

In Racines *Iphigenie* skandiert Talma – auf Befehl des Kaisers – laut und deutlich die Verse: »Die Ehre spricht, und sie ist mein Orakel; Herr, in der Götter Hand liegt unser Leben, doch unser Ruhm in unsrer eigenen Hand. Weshalb soll ihr Orakelspruch uns quälen? Unsterblich sein wie sie, sei unser Streben: Dem Schicksal folgend, laßt dahin uns eilen, wo uns ein hohes Ziel entgegenwinkt!« Voltaires *Mahomet* wird aufgeführt, worin es heißt: »Doch Geister gibts, begünstiget vom Himmel, die durch sich selbst sind, alles sind, und nichts dem Ahnherrn schuldig, nichts der Welt.« Worin Omar sich als Gesandten eines großen Mannes bezeichnet, den der Sieg gekrönt habe: »Man nennt ihn Überwinder, Held, Eroberer, doch heute will er Friedensstifter heißen!«

»Alle Welt hörte die Schauspieler, aber alle Welt schaute auf ihn«, berichtet Napoleons Exaußenminister Charles Maurice de Talleyrand, der das Spiel durchschaut hat und auf Anzeichen einer Wendung lauscht. In Erfurt vernimmt er begeisterten Beifall. Vier Könige und 34 Fürsten und Prinzen aus Deutschland huldigen dem kleinen Korsen in der grünen Uniform mit den Epauletten eines Obersten und der dreigroschenstückgroßen Kokarde am Hut – dem Kaiser der Franzosen.

Der Zar umarmt ihn, nachdem Philoklet in Voltaires *Oedipe*

ausgerufen hat: »Die Freundschaft eines großen Mannes ist eine Wohltat der Götter!« Alexander I., der das Band der Ehrenlegion angelegt hat, muß sich dabei etwas herabbeugen, der stattliche Russe zum untersetzten Franzosen, der Sproß eines alten Herrscherhauses zum Emporkömmling. »Die Zeit wird kommen, wo ich für die Rolle, die ich jetzt hier in Erfurt spiele, mich entschädigen werde«, vertraut er seinem Onkel, dem König von Württemberg, an. Es wurmt ihn, daß Napoleon in seiner Gegenwart französische Soldaten ausgezeichnet hat, die bei Friedland sein russisches Heer besiegten. Doch er mimt den »erhabenen Verbündeten«, genau wie Napoleon, der seinem Bruder Jérôme offenbart: »Dieser Phrasenmacher von Zar langweilt mich.«

Sie brauchen einander, die beiden Imperatoren, jetzt und in nächster Zukunft. Der Frieden von Tilsit hat beiden Vorteile gebracht, sein Resultat wird nun bestätigt: die Teilung Europas zwischen dem »Kaiser des Okzidents« und dem »Kaiser des Orients« in Interessenssphären der beiden Imperien – und die gemeinsame Frontstellung gegen Großbritannien durch den Beitritt Rußlands zur Kontinentalsperre. Restpreußen blieb erhalten, Polen geteilt, wie es Alexander wünschte; Napoleon erhielt freie Hand auf der Iberischen Halbinsel. Nun braucht er freien Rücken bei der Niederwerfung des spanischen Aufstandes. Rußland soll sich dafür an den Flanken vergrößern dürfen, um Finnland, was im Krieg gegen Schweden gelingt, um die Donaufürstentümer, was im Krieg gegen die Türken mißlingt. Für Preußen fallen Brosamen von der Tafel: Auf Fürsprache Alexanders setzt Napoleon die Kontribution von 140 auf 120 Millionen Francs herab und räumt Zahlungserleichterungen ein.

Das hat Stein kaum erwartet. Was er selber nicht erreichen konnte, hat er schon gar nicht dem Unterhändler Goltz zugetraut. Dem Zaren mißtraut er nach wie vor: »Die Zusammenkunft des Kaisers Alexander mit dem Kaiser Napoleon in Erfurt trübt die Aussichten nur noch mehr – was kann aus dem Zusammentreffen eines vom Handeln abgeschreckten, lenksamen weichen Charakters mit einem felsenfesten, rastlosen und ruchlosen Manne entstehen als blindes Hingeben des ersteren in den verruchten Willen des letzteren.« Stein unterschätzt das politische Wesen des Zaren, dieser rotblonden Molluske, die Napoleon nicht zu fassen bekommt. Er verkennt die Interessen beider Reiche, die den Franzosen dazu bewegen, das in der russischen Sphäre liegende Preußen zu schonen, und den Russen veranlassen, dieses Preußen zu kalmieren, ihm eine Verständigung mit Frankreich zu empfehlen, um der Konsolidierung des in Erfurt bestätigten Systems von Tilsit willen. Stein will es sprengen, im Verein mit Österreich, und übersieht dabei, daß der dritte Kaiser Europas, der Habsburger Franz I., in Erfurt nicht gefragt ist, dem auf ein Duett reduzierten Mächtechor nur zuhören kann, ihm noch Beifall spenden muß in einem Schreiben an Napoleon: »Ich beeile mich, die Gelegenheit zu ergreifen, um Ihnen, mein Herr Bruder, den Ausdruck meiner hohen Achtung und Freundschaft zu erneuern und Ihnen die Versicherung der Unveränderlichkeit dieser Gesinnung darzubringen.«

Das außenpolitische Kräftespiel kann Stein nicht verstehen, die diplomatischen Methoden will er nicht billigen. Er sieht den französischen Generalissimus und seinen russischen Adjutanten, wie sie die Front der strammstehenden Fürsten abschreiten, die Hilfstruppen mustern, das »Vivat« der Hilfsvölker entgegennehmen. Er sieht Könige und Großherzöge von Napoleons Gnaden, die Rheinbundsattrappen, die ihrem Protektor die Stiefel küssen. Stein verachtet als durchtriebene Bosheit, was Talleyrand als übertriebenen Opportunismus kritisiert: »In Erfurt habe ich gesehen, daß nicht allein die blöde Menge dem Gewaltigen schmeichelte und vor ihm im Staube kroch, sondern daß auch die Fürsten, die noch auf ihrem Thron saßen, aber in steter Gefahr schwebten, durch ihren sogenannten Protektor gestürzt zu werden, aus Angst sich zu der elendesten Schmeichelei und Augendienerei erniedrigten.«

Erfurt ist illuminiert. Die Häuser der Freimaurerloge und des Landrates exzellieren mit ebenso aufwendigen wie submissen Ehrenbezeigungen, Lampen, Schilden, Kränzen, einem »N« aus Brillantfeuer. Die Hofrätin Weisenborn, bei der Marschall Oudinot im Quartier liegt, präsentiert »eine ungeheuer große schwarze flammende Haubitzgranate, wie sie eben voneinander zu sprengen im Begriff ist«. Ein pensionierter Offizier begnügt sich mit der Inschrift: »Aus Mangel an Geld schenken wir Napoleon unsere Herzen.« Ein Kaufmann hat geschrieben: »Durch sein Schaffen gibt Napoleon den Völkern Ruhe.« Ein blinder pensionierter Postsekretär läßt verkünden:

»O hätt' ich nur das große Glück,
Zu sehn den Held Napoleon!
So trüg ich gerne mein Geschick
Der Blindheit und der Pension.«

Deutsche Verseschmiede feiern Napoleon – und der größte deutsche Dichter. Am 2. Oktober, vormittags 11.00 Uhr, wird Goethe zur Audienz vorgelassen. Napoleon ist noch beim Frühstück, ißt und trinkt, hastig wie immer, bespricht mit Daru Kontributions-Angelegenheiten. Der sechzigjährige Dichter bleibt in schicklicher Entfernung stehen, wird schließlich herangewunken und mit der ersten Bemerkung gewonnen: »Vous êtes un homme!« Der Kaiser findet die Mischung der Motive des gekränkten Ehrgeizes mit denen der Liebesleidenschaft im *Werther* für »nicht naturgemäß«; Goethe unterwirft sich diesem Urteil, bittet um mildernde Umstände: Dem Dichter solle ein Kunstgriff verziehen werden. »Der Kaiser schien damit zufrieden, kehrte zum Drama zurück und machte sehr bedeutende Bemerkungen, wie einer, der die tragische Bühne mit der größten Aufmerksamkeit gleich einem Kriminalrichter betrachtet und dabei das Abweichen des französischen Theaters von Natur und Wahrheit sehr tief empfunden hatte«, berichtet Goethe. Von den klassischen Schicksalsstücken hält Napoleon nichts. Was wollte man jetzt mit solchem Schicksal? »Die Politik ist das Schicksal!« Sogleich liefert er einen Beweis seiner Feststellung: Er läßt den Dichter stehen, bespricht mit Daru weiter Kontributions-Angelegenheiten. Schließlich richtet er an Goethe noch einige Routinefragen, wie sie jeder leutselige Serenissimus zu stellen pflegt: Verheiratet? Kinder? Wie stehts in Weimar? »Später nahm ich Gelegenheit, bei dem Kammerherrn durch eine Gebärde anzufragen, ob ich mich beurlauben könne, die er bejahend erwiderte, und ich dann ohne weiteres meinen Abschied nahm.«

»Ich will gerne gestehen, daß mir in meinem Leben nichts Höheres und Erfreulicheres begegnen konnte als vor dem französischen Kaiser, und zwar auf eine solche Weise, zu stehen«, schreibt Goethe seinem Verleger Cotta. Überdies erhält er die

Ehrenlegion. »Ohne das Legionskreuz geht Goethe niemals aus, und von dem, durch den er es hat, pflegt er immer ›mein Kaiser‹ zu sagen«, berichtet Wilhelm von Humboldt.

Das kann Stein weder verzeihen noch verstehen – daß es viele und nicht geringe Deutsche gibt, die Napoleon achten und verehren. Der Philosoph Hegel hält ihn für die Weltseele zu Pferde; vor der Schlacht bei Jena wünschte er den Franzosen Glück, danach stellte er fest, immer trage der Geist über die Klügelei den Sieg davon. Der ehemalige Reichserzkanzler und nunmehrige Fürstprimas des Rheinbundes, Karl Theodor von Dalberg, sieht im neuen Frankenkaiser den Nachfolger der Karolinger, erhofft eine Erneuerung des Westreiches, »so wie es war unter Karl dem Großen, zusammengesetzt aus Italien, Frankreich und Deutschland«. Der Historiker Niklas Vogt denkt an einen europäischen Völkerbund unter der Schirmherrschaft Napoleons – ohne Feudalmonarchie, Religionsstreit und Staatenzwist.

»Die Anhänger Napoleons, die Freunde der Ruhe und des Genusses, erwarten von der Universalmonarchie, deren Stiftung sie durch ihn hoffen, ewigen Frieden und eine ruhige Entwicklung der menschlichen Kräfte.« Das sei ein Irrtum, meint Stein. »Der Zustand der Ruhe ist der Entwicklung des menschlichen Geschlechtes nachteilig.« Wer rastet, der rostet. »Die Kräfte der Menschen werden nicht mehr gereizt durch das Streben nach Nationalehre, nach Selbständigkeit durch ihren Kampf, im Krieg, in Unterhandlungen, durch das Reiben der Meinungen.« Ein Massengrab der Freiheit sieht er im französischen Reich, »wo man die Freiheit des Denkens, des Handelns, des Redens verliert«.

Die Liberté habe Napoleon verraten – zugunsten einer Egalité, die alle gleicherweise dem Einen unterwirft, und einer Fraternité, die nur den als Bruder gelten läßt, der Ihn als Vater anerkennt. Steins Verdikt gegen den Staatsmann wie Privatmann Napoleon ist so festgefügt, daß kein Ansatz für eine Beurteilung sine ira et studio bleibt. Gneisenaus in Haß umkippende Bewunderung vermag er nicht zu begreifen; Blücher trägt er die Bemerkung nach, dieser Korse sei ein großer Mann, der Frieden wolle.

»Halali« blasen will Napoleon in Erfurt, im Kreise seiner Gehilfen und Bewunderer, das zur Strecke gebrachte Preußen demütigen. Der Jagdherr veranstaltet eine Hasenhetze auf dem Schlachtfeld von Jena. Wo der Kaiser in der Nacht vor der Entscheidung biwakierte, ist ein Tempel errichtet. Die Hasen werden wie damals die preußischen Grenadiere getrieben und abgeknallt. Napoleon strahlt. Prinz Wilhelm von Preußen ist mit von der Partie, macht gute Miene zum bösen Spiel, – und rettet dem Kaiser vielleicht das Leben. Im Gehölz lauern zwei Männer, zum Attentat auf den Triumphator entschlossen. Sie wagen nicht zu schießen, als sie an seiner Seite den preußischen Prinzen erblicken.

La Mort de César wird an diesem Abend nur im Weimarer Theater gespielt. Indes, die Peripetie des Schicksalsdramas das der neue Caesar vorführt, ist erreicht. Erfurt markiert den Gipfelpunkt: Alles liegt ihm zu Füßen, die Erhebungen der Erhobenen, die Hügel der Geschlagenen, die Ebenen der Ergebenheit, ein Meer von Bewunderung. Doch zugleich ist er am Wendepunkt angekommen, schon hat der Umschwung begonnen: Zum ersten Mal braucht der Kaiser einen Bundesgenossen, muß er bezaubern und bestricken – und kann doch den Zaren nicht an sich fesseln. Wie es weitergehen wird, sieht Napoleon nicht, nur daß es weitergehen muß: »Die Ereignisse drängen und mein Schicksal muß sich erfüllen.«

JULIUS Caesar – sagt Napoleon Bonaparte in Weimar zu Wieland – wäre ohne Frage der größte Mann der Geschichte, wenn er nicht einen unverzeihlichen Fehler gemacht hätte: »Er kannte die Menschen genau, die ihn auf die Seite schaffen wollten, und so hätte er sie beiseiteschaffen müssen.« Ihm soll das nicht passieren. Nur notdürftig in diplomatische Etikette verpackt, fordert er in Erfurt von Goltz die Entfernung des Ministers Stein. Auf ihn zielt ein Geheimartikel des Pariser Vertrags: Alle preußischen Beamten seien zu entlassen, die aus einer der abgetretenen Provinzen stammten; für einen Westfalen halten die Franzosen den Reichsfreiherrn. Der Kaiser drängt und der Zar – der auf der Rückreise in Königsberg Station macht – rät: Der zürnende Zeus müsse durch ein Opfer besänftigt werden.

Die Messer sind schon gewetzt. Reaktionäre wollen den innenpolitischen Reformer schlachten, Routiniers den außenpolitischen Dilettanten. Voß, nun Vorsitzender der Friedensvollziehungskommission in Berlin, vermeint den Frieden nicht vollziehen zu können, solange Stein zum Krieg treibt. Ein Volksaufstand, »findet er ohne des Monarchen ausdrücklichen Willen statt, so ist es ein Majestätsverbrechen, für welches keine Bestrafung zu hart ist«, befindet Flügeladjutant von Jagow. Die Kabale zischelt und die Vernunft meldet sich zu Wort. Altenstein, ein Reformer, gibt zu bedenken: Nur Geduld und Beharrlichkeit führen zum Ziel, nicht»eine Politik der Verzweiflung und der genialischen Ungeduld«, wie sie Stein betreibe. »Das Gefühl und die Grundsätze sind zu sehr im Streit bei ihm; er ist nicht kalt genug, nicht konsequent genug, er hat zu wenig Ausdauer.« Und Großkophta Hardenberg läßt sich vernehmen: Dieser Stein sei das Hindernis für einen Modus vivendi mit Frankreich.

Gegen seine Feinde kann er sich nicht mehr schützen, und seine Freunde schaden ihm eher. Graf Dohna-Wundlaken sammelt Unterschriften für eine Petition, den Minister im Amt zu belassen. Das zeigen ostpreußische Adelige dem König an: die Verbreitung des Wahns »bei der nicht hinlänglich unterrichteten Menge«, ihr käme es zu, »sich auf die erste Aufforderung irgendeines Menschen in die Wahl der ersten Staatsbeamten zu mischen«; wohin das führe, zeige das Schreckbeispiel der Französischen Revolution. Johann Wilhelm Süvern, Philologe an der Königsberger Universität und Hilfsarbeiter im preußischen Ministerium, besteigt den Pegasus, um eine Feder für Stein zu brechen. In der *Königsberger Zeitung* erscheint sein Gedicht mit der Überschrift »An den, dem es gilt«:

»Fest, Edler, steh! Ein Fels, an dem in grausen Wettern
Des Sturmes Grimm vertobt, der Wogen Drang sich bricht.
Empörtes Element umschlag ihn rings – zerschmettern,
Verrücken mag es ihn, den Ur-Granit-Stein nicht!

Bleib unser Hort! Geführt von Dir, mit Dir verbündet,
Hofft noch der Biedermann, hegt unverzagten Mut!
Und unerschüttert steht, unwandelbar gegründet
Der Bau, der fest auf Dir, dem starken Grundstein, ruht!

Wer Dich besitzt ist reich, ist sicher in Gefahren,
Ein Schatz von Geist und Kraft, vereint in Dir, ist sein.
O mög er sorgsam Dich, dem Volk zum Heil, bewahren,
Dich, seines Diadems kostbarsten Edelstein.«

Ur-Granit-Stein, Grundstein, Edelstein – »eine ziemlich flache Allegorie auf meinen Namen« erblickt Stein darin. Der König stößt sich an dieser Komparation. Schon der Positiv paßt ihm nicht; der »rocher« der Monarchie hat der Monarch zu sein und sonst niemand. Der Komparativ entspricht nicht seinen Vorstellungen; das preußische Haus will er auf anderen Fundamenten ruhen sehen. Der Superlativ ist eine Impertinenz, ein unerhörter Versuch, die einsamen Beschlüsse des Königs zu beeinflussen – eine Frucht des von Stein gesäten Geistes.

Ohne den leitenden Minister zu befragen, ratifiziert Friedrich Wilhelm den Pariser Vertrag. Stein kann nur nachklappen: Die französischen Forderungen seien weder finanziell noch politisch zu befriedigen; versuche man es, entfremde man das Volk seiner Regierung; in jedem Falle sei es notwendig, Reichsstände einzuberufen, »die Nation mit der Lage der Verhältnisse gegen Frankreich bekanntzumachen; will man den Vertrag erfüllen, so nimmt man das Eigentum, will man ihn brechen, ihre Person, ihr Gut und Blut in Anspruch«. Ceterum censeo: Vorbereitung des Volkskrieges, Annäherung an Österreich, »um beim Ausbruch eines Krieges die französischen Ketten zu brechen«.

Seine Tage als Minister sind gezählt, jede Stunde muß er ausnützen, in der Wahl seiner Mittel kann er nicht zimperlich sein. Er sucht sich vorzumachen, er könne das Volk noch zu Verzweiflungsschritten hinreißen. Dem Grafen Götzen sucht er einzureden, der König billige die Vorbereitung der Insurrektion in Schlesien. Der Minister ohne Macht ermächtigt den Grafen, mit Erzherzog Ferdinand von Österreich zu verhandeln, auch über den Ankauf von Gewehren. Seine Wünsche stellt er als Wirklichkeit hin: Jedem Hausbesitzer werde man Waffen geben, 40 000 Gewehre aus England seien zu erwarten, auf einen Wink des Königs erhöbe sich ganz Norddeutschland, Preußen würde kämpfen, sobald Österreich losschlage. Götzen fragt nach: Gelte das auch jetzt noch, nach der Ratifizierung des Pariser Vertrags? Stein antwortet: Weitermachen!

Tatsächlich will der König endlich Frieden mit Frankreich haben, den Untertanen keine Waffen geben. Und die Reformen nicht übertreiben. Er vollzieht nicht den Entwurf einer »Proklamation an sämtliche Bewohner des preußischen Staates«. Darin will der Noch-Minister das Geleistete festhalten und das zu Leistende festsetzen: Die Bauern sollen »sicheres Eigentum« erhalten, die Staatsbürger in einer erweiterten und vervollkommneten ständischen Verfassung mitwirken dürfen. Vor dem Gewitter will er noch möglichst viel von seiner Reformernte in die Scheuer bringen. Einiges gelingt: Der Zunftzwang für Bäcker, Schlächter und Höker wird aufgehoben, die Städteordnung vollendet und vollzogen, die Verordnung über die veränderte Verfassung der obersten Staatsbehörden erlassen. Um noch mehr einzubringen, erklärt er sich bereit, den Kutschbock zu räumen, aus dem Hintergrund die Zügel zu führen, als Geheimer Staatsrat etwa.

Auch diese Opferbereitschaft vermag das vorgezeichnete Schicksal nicht abzuwenden. Am 11. November trifft sich das Königspaar mit Hardenberg – heimlich, auf freiem Feld bei Königsberg. Das Dreigestirn beschließt Steins Entlassung – der König, dem der Zauberlehrling nicht geheuer ist, die Königin, deren Zuneigung für den ziemlich unritterlichen Ritter in Abneigung umgeschlagen ist, der Staatsmann, der Preußen im außenpolitischen Windschatten innenpolitisch konsolidieren will. Am 24. November 1808 erhält Stein per Kabinettsordre die erbetene Entlassung, mit dem wohlwollenden Zusatz: »Ich werde an Eurem Wohlergehen stets aufrichtigen Anteil nehmen, und um Euch für die mannigfaltigen Ausgaben, die Folgen Eures Wiedereintrittes in Meinen Dienst waren, einigermaßen zu entschädigen, habe ich dem Finanzminister, Freiherrn von Altenstein, den Befehl erteilt, Euch Eure bisherige Besoldung nach den bestehenden Etats und Regulativs auf ein Jahr vom 1. Dezember dieses Jahres an bezahlen zu lassen.«

Die preußische Staatsraison hat ihn geschaßt, vereint mit den Interessen der Feudalpartei und den Intrigen der Hofclique. Königin Luise offenbart dem französischen Konsul, sie habe Steins Entlassung durchgesetzt, und bittet ihn, dies nach Paris zu melden. General Yorck triumphiert: »Ein unsinniger Kopf ist schon zertreten; das andere Natterngeschmeiß wird sich in seinem eigenen Gift selbst auflösen.« Etliche Freunde trösten ihn, Prinzessin Wilhelm etwa, die sich brieflich ausweint, oder Sack, der sich der Hoffnung hingibt, Stein werde weiterhin mitmischen können. Kriegsrat Scheffner ersucht den König, die Bitternis des Entlassenen mit dem »Schwarzen Adler« zu versüßen. Er bekommt einen Anpfiff, der Ex-Minister keinen Orden.

Stein hinterläßt sein »Politisches Testament«, ein Rundschreiben an die Mitglieder des General-Departements, die ihm bisher geholfen haben und nun sein Werk fortsetzen sollen. Was war anvisiert? »Es kam darauf an, die Disharmonie, die im Volke stattfindet, aufzuheben, den Kampf der Stände unter sich, der uns unglücklich machte, zu vernichten, gesetzlich die Möglichkeit aufzustellen, daß jeder im Volke seine Kräfte frei in moralischer Richtung entwickeln könne, und auf solche Weise das Volk zu nötigen, König und Vaterland dergestalt zu lieben, daß es Gut und Leben ihnen gern zum Opfer bringe.« Was ist erreicht? »Der letzte Rest der Sklaverei, die Erbuntertänigkeit ist vernichtet, und der unerschütterliche Pfeiler jedes Throns, der Wille freier Menschen, ist gegründet.« Das sei das Wichtigste: das Oktoberedikt, »das erste Fundamentalgesetz unseres Staates, unsere Habeas-Corpus-Akte«, und die Städteordnung, eine Magna Charta kommunaler Freiheit.

Vieles gibt es noch zu tun: Aufhebung der Patrimonialgerichtsbarkeit und des Gesindedienstzwangs. Hebung des Bauernstandes, Abbau von Adelsprivilegien, Ausgleich der Standesgegensätze, Bildung einer allgemeinen Volksvertretung: »Jeder aktive Staatsbürger, er besitze hundert Hufen oder eine, er treibe Landwirtschaft oder Fabrikation oder Handel, er habe ein bürgerliches Gewerbe oder sei durch geistige Bande an den Staat geknüpft, habe ein Recht zur Repräsentation.« Das Reformwerk müsse gekrönt werden durch eine Neubelebung des religiösen Sinnes, »durch Entfernung unwürdiger Geistlicher«, Förderung der geistlichen Unterrichtsanstalten und »Vorsorge für anständige Feierlichkeit des äußeren Gottesdienstes«.

Der Staat bleibt das Alpha und Omega, der Minister sein Hoherpriester. »Heilig war mir und bleibe uns das Recht und die unumschränkte Gewalt unseres Königs!« Achtundzwanzig Jahre stand der nun Einundfünfzigjährige im »Dienste des

Staats, für den ich lebe und für den ich leben werde«. Immer hatte er sich strebend bemüht, diesen Staat zu verbessern, mit gouvernementalen Mitteln, zu gouvernementalen Zwecken, im Sinne eines aufgeklärten Absolutismus, im Gegenzug zur revolutionären Forderung »Freiheit, Gleichheit und Brüderlichkeit«; »Gott, König und Vaterland« war seine Devise stets geblieben. Diese seine Staatsgesinnung war nicht das geringste Hindernis auf der Strecke der Reform. Schwer zu überwinden blieben die friderizianischen Barrieren, das Etatistische, Militaristische, Feudalistische. Zu kurz bemessen war die Frist des Reformministers – nach einem Jahr schon wurde er aus dem Sattel gehoben.

So sind nur Etappenziele erreicht worden, Fragmente zustandegekommen, deren Ergänzung und Zusammenfügung fraglich bleibt, die in sich selber fragwürdig sind. Eine halbe Sache ist die Bauernbefreiung ohne Eigentum für jeden freien Bauern. Von einer Selbstverwaltung der Städte kann keine Rede sein, solange der Staat dazwischenfunken kann. Der Adelige bleibt privilegiert, der Bürgerliche wird geachtet, doch kaum geehrt, der Bauer ist als Arbeitstier und Rekrut begehrt. Die Militärreform steckt in den friderizianischen Stiefeln; der Soldat gilt als der erste Mann im Staate – in einem Land, das einen Befreiungskrieg vorbereitet, mehr als je zuvor. Und ist ein idealistischer Höhenflug zu erhoffen, wenn man das Individuum an seinen materiellen Interessen packt? Der Gemeinsinn zu stärken, indem man die Eigeninitiative fördert? Ein neuer Nationalgeist zu erwarten, wenn man die alte Staatsgesinnung betont? Diese Fragen muß Stein selber nicht beantworten; er kehrt nie wieder in den preußischen Dienst, an eine Schaltstelle der Reformpolitik zurück.

»In der Verwaltung des Innern setzte ich mein Ziel«, steht im »Politischen Testament«. Doch sein Schicksal wurde die Außenpolitik. Äußerer Druck erzwang die Reformfortschritte; nur in diesem Restpreußen, das alle Kräfte zur Sicherung seiner Existenz anspannen mußte, war Steins Wirken möglich. Es war gefährdet, als der Feind erkannte, daß die innere Erneuerung als Voraussetzung einer äußeren Restauration betrieben wurde. Es wurde unmöglich, als Stein, auf das von ihm weder geschätzte noch beherrschte Feld der Außenpolitik gedrängt, zur

Unzeit und mit untauglichen Mitteln gegen den richtigen Gegner zu agitieren begann. Nachdem Napoleon an ihm Anstoß genommen hatte, war für Stein kein Platz mehr in diesem Preußen, das ihn innenpolitisch kaum ertrug, für das er außenpolitisch nicht mehr tragbar erschien.

Napoleon müßte eigentlich zufrieden sein. Aber er ist nicht mehr auf der Höhe, wie Talleyrand bemerkt hat, der seine Verbrechen billigte, aber seine Fehler nicht verzeihen kann. Dem Gestürzten schickt er die Ächtung nach: »Erstens: Le nommé Stein, welcher Unruhen in Deutschland zu erregen sucht, ist zum Feinde Frankreichs und des Rheinbundes erklärt. Zweitens: Die Güter, welche der besagte Stein, sei es in Frankreich, sei es in den Ländern des Rheinbundes, besitzt, werden beschlagnahmt. Der besagte Stein wird überall, wo er durch Unsere oder Unserer Verbündeten Truppen ergriffen werden kann, verhaftet werden.« Der Armeebefehl ist am 16. Dezember 1808 in Madrid erlassen. In Königsberg empfindet Gneisenau Genugtuung: »Aller edlen Herzen sind durch Ihre Proskription noch fester an Sie geschlossen. Napoleon hätte für Ihre erweiterte Celebrität nichts Zweckmäßigeres tun können. Sie gehörten ehedem nur unserm Staate an, nun der ganzen zivilisierten Welt.«

In dem Moment, da Stein zum zweiten Mal und für immer von der preußischen Staatsbühne abtreten muß, flicht ihm Napoleon den Märtyrerkranz, erhebt ihn zur Ehre des Nationalaltars, erklärt ihn zum Schutzpatron des europäischen Widerstandes gegen den französischen Imperialismus. Mit dieser Aureole wird der Gescheiterte und Geächtete in die Weltgeschichte auffahren – nach dem Fegefeuer der Verbannung.

In der »Goldenen Sonne« zu Berlin steigt Stein am 13. Dezember 1808 ab. Hinter sich hat er die Abschiedsszenen in Königsberg, Händedrücke und Schienbeintritte, Krokodilstränen und Schlangenbisse. Vor ihm scheint eine zwar glanzlose, doch keineswegs düstere Zukunft zu liegen. »Ich fühle mich sehr glücklich, durch einen Windstoß gezwungen worden zu sein, einen Nothafen zu suchen.« Im Schoße der Familie ist er wieder gelandet, nach fünfzehnmonatiger Trennung. Henriette ist nun

Zwölf, Therese Fünf, die Freifrau zufrieden, wieder in Berlin und bei ihrem Mann zu sein. Nach Nassau will man nicht zurück; der Winter soll in Breslau verbracht werden; »für den Sommer habe ich bei der gegenwärtigen Lage der Dinge keine Pläne gemacht, übrigens bieten die schlesischen Gebirge und Freunde hinlängliche Gelegenheit an zu einem angenehmen Sommeraufenthalt und zum Anblick schöner Natur-Szenen«.

Von seiner Ächtung weiß er noch nichts. Ein Idyll scheint zu winken: der Patriarch im Kreise der Seinen, mit der Erhebung der Gemüter, der Erziehung der Kinder beschäftigt, fernab den Ränken der großen Welt, weg vom Sumpf, in dem eine Regierung ohne ihn versinken wird, nach ihm die Sintflut, in der die vielen Ungerechten mit den wenigen, »die sich rein und treu bewiesen«, untergehen werden. »All dieses und eine dunkle Ahndung, daß alle Bemühungen und Anstrengungen vergeblich sind, flößen mir einen nicht auszudrückenden Ekel gegen Geschäfte ein, und eine auf diese sich beziehende Unterredung treibt mich aus der Stube« – hinaus in Gottes freie Natur, in die Arme der Freunde, in einen zwar verfrühten, aber verdienten Ruhestand.

In dieses Wunschheim schlägt am 5. Januar 1809 der Blitz. Der holländische Gesandte von Goldberg macht Stein mit dem Ächtungsdekret bekannt, das Napoleon im Vormonat im fernen Spanien erlassen hat. Er handelt im Auftrag des französischen Gesandten Saint-Marsan, der wissen läßt, er habe Befehl, die Beziehungen mit Preußen abzubrechen, wenn er den Geächteten noch in Berlin anträfe; er würde jedoch, falls der Baron sofort abreise, annehmen, dieser sei bereits abwesend. Auf der Stelle schreibt Stein einen Bericht an den König, weist alle Anschuldigungen zurück und beschuldigt alle anderen, erbittet die Protektion des ehemaligen Dienstherrn für die Aufhebung des Sequesters seiner Güter, ersucht um Intervention beim Kaiser von Rußland, der für ihn ein Wort beim Kaiser der Franzosen einlegen soll.

Hals über Kopf, ohne die Seinen, verläßt er Berlin. Fluchtziel ist Österreich, das nächstgelegene Land, in das Napoleons Arm nicht reicht. Am 7. Januar gelangt er nach Sagan in Niederschlesien, todmüde, frierend, verängstigt; denn Glogau, eine Festung mit französischer Garnison, ist nicht weit. Nur wenige

Stunden wagt er zu schlafen, dann hastet er weiter. Am nächsten Abend erreicht er Bunzlau, läßt seinen Wagen stehen, fährt in einem Schlitten bis Löwenberg, gönnt sich etwas Ruhe, bricht eine Stunde nach Mitternacht schon wieder auf. »Die Nacht war sehr schön, die Witterung milde, der Himmel bald bewölkt, bald erleuchtet, die Natur still und feierlich und die zahlreichen Wohnungen der Menschen, durch die man reiste, ruhig, und eine solche Nacht und solche Umgebungen geben der Seele eine Stimmung, die alles Menschliche, und sei es noch so kolossal scheinend, auf seinen wahren Wert zu bringen bereit ist. Mir fiel es ein, daß wir die Schleiermachersche Neujahrspredigt den ersten Tag dieses Jahres gemeinschaftlich lasen, über das, was der Mensch zu fürchten habe und was nicht zu fürchten sei.«

Diesen Zuspruch schickte er am 9. Januar seiner Frau, aus Buchwald, dem Schloß des Freundes Reden, wo der Flüchtling ausruht und sich das weitere überlegt. Wohin soll er sich wenden? Wovon kann er leben? Was wird aus der Familie? »Eine Frage lege ich Dir vor, und die mußt Du Dir selbst beantworten, sie geht zunächst Dich und die Kinder an. Es ist unstreitig, daß das herumziehende Leben, welches ich führen muß, Deiner Gesundheit und den Fortschritten der Kinder nachteilig ist.« Seine Frau hat sich bereits entschieden: Sie will das Los ihres Mannes teilen, mit den Kindern sobald wie möglich nachkommen.

Glück hat er im Unglück. Eine Mittdreißigerin nun ist seine Frau, die reservierte Hannoveranerin; die lange Trennung hat ihre Eigenheiten noch verstärkt. In der Not erweisen sie sich als positive Eigenschaften. Der Schicksalsschlag wirft sie nicht um. Nüchtern beurteilt sie die Lage, besorgt ihrem Mann einen österreichischen Paß, teilt ihm in schlichter Selbstverständlichkeit mit, daß ihr Platz nun an seiner Seite sei, bereitet umsichtig ihre Abreise vor. Stein scheint ihr das alles gar nicht zuzutrauen; er gibt pedantische Anweisungen, kümmert sich um Reiseroute und Reisekasse, mitzunehmende Domestiken und liegenzulassende Papiere. Und bleibt pathetisch, in den Trostsprüchen für seine Frau, in den Abschiedsworten an die Seelenfreundin Prinzessin Wilhelm von Preußen: »In wenigen Stunden verlasse ich ein Land, dessen Dienst ich dreißig Jahre meines Lebens widmete, und worin ich nun meinen Untergang finde. Besitzungen die seit 675 Jahren in meiner Familie sind, verschwinden, Verbindungen jeder Art, die in jedes Verhältnis meines Lebens eingreifen, werden vernichtet, und ich bin aus meinem Vaterlande verbannt, ohne jetzt auch für mich und die Meinigen eines Zufluchtsortes gewiß zu sein.«

Als »Herr von Voigt« stiehlt sich der gestürzte Staatsminister, geächtete Freiherr und sequestrierte Gutsbesitzer über das schlesische Gebirge nach Böhmen. Es folgt ihm sein Haushofmeister Lemberg, an dem er noch eben gezweifelt hat. Es begleitet ihn Graf Karl von Geßler, ein Freund Redens, den er jetzt schätzt: »Er zerstreut und erhält mich aufrecht und verhindert, mich hundert trüben Ideen zu überlassen«, und den er bald abqualifizieren wird: »Geßler mißfiel sich hier, dies machte ihn hypochondrisch, übellaunig, und ich gestehe, daß mir seine Entfernung wohltätig wurde.«

Am 16. Januar ist Stein in Prag. Die »Goldene Stadt« erscheint als ideales Refugium. Eingebettet in sanfte Hügel liegen Kirchen und Klöster, Adelspaläste und Bürgerhäuser, nach oben weisende Türme, und Brücken, die Verbindungen in der Horizontalen herstellen – eine heile Welt. Die Gotik des Veitsdomes und der Renaissancestolz des Hradschins demonstrieren alte Kaiserherrlichkeit, unter Barockkuppeln ist das Ancien régime bewahrt. Die Bewohner findet Stein »gutmütig, gefällig – sie haben nicht den Wolfsblick der Brandenburger oder Kurmärker«. Es gibt Magnaten, gebildete Gesprächspartner, Salons, wo man sich sammeln und zerstreuen kann,reiche Bibliotheken und renommierte Schulen. Dabei »ist hier alles bedeutend wohlfeiler als in Berlin«. Und die Moldau fließt nach Norden, Deutschland ist nicht weit. Genügend Gründe für den Emigranten, sein Zelt hier aufzuschlagen.

Mancher Österreicher sähe ihn lieber dort, wo der Pfeffer wächst. Polizeivizepräsident Hager von Altensteig hält Stein für einen »aufgeklärten Neuerer« mit »antifeudalen Grundsätzen«, einen Freimaurer und Jakobiner, der Unruhe in Preußen gestiftet hat, von dem nun Österreich Unruhe droht. Minister Johann Philipp Graf von Stadion, auch er ein Reformer, plädiert für den Flüchtling. Er habe »sich nirgends durch Reformations- und Umwälzungsgeist, sondern durch wahre Anhänglichkeit an seine Pflicht, an die Erhaltung der bestehenden Ordnung, durch warmes Attachement an seinen Hof und sein Vaterland (Deutschland) ausgezeichnet, und wenn er bei seiner damaligen Anstellung in Königsberg an großen Reformen und Änderungen der inneren Administration gearbeitet hat, wenn er darin (was in seinem Charakter liegt) mit zu viel Hitze vor sich gegangen ist, so war es nicht Neuerungssucht, sondern die ihm einleuchtende Notwendigkeit, bei dem jetzigen Verfall des preußischen Staates die äußerste Ökonomie zu bezwecken«.

Kaiser Franz gewährt dem preußischen Exminister Asyl, aber nicht in Prag, wo schon zu viele Franzosengegner geistern, sondern in Brünn, das abgelegener ist und dabei doch so nah, daß man ihn, wenn er gebraucht würde, schnell zur Hand hätte. Und mit der Auflage, daß sich der Baron Stein »bescheiden zu betragen habe, indem Ich von ihm sonst, sich aus meinen Erbstaaten zu entfernen, fordern würde«. Selbstverständlich ist er geheimpolizeilich zu überwachen; seine Schritte werden beobachtet, seine Post wird geöffnet und abgeschrieben. Die Berichte sind dem Kaiser höchstpersönlich vorzulegen.

»Wahrscheinlich wird der für mich bestimmte Brief auf den österreichischen Posten eröffnet, und muß man sich daher etwas verdeckter und zweideutiger Phrasen bedienen, die der mit der Sache bekannte Leser schon zu erraten imstande ist«, schreibt Stein an Gneisenau. Er hat kaum anderes erwartet, ihm bleibt nichts anderes übrig, als sich zu arrangieren. Er zieht nach Brünn, dem Hauptort Mährens, dessen verwinkelte Altstadt in einen Befestigungsring eingezwängt ist, über dem die Festung Spielberg wacht, Zitadelle und Staatsgefängnis. Er findet eine möblierte Wohnung, gleichgestellten Umgang, hübsche Spazierwege, ein passables Theater. Am 1. März trifft endlich die Familie ein, nach beschwerlicher, nicht ungefährlicher Reise. Die Gesundheit der Gemahlin ist angegriffen, die Töchterlein lassen die Flügel hängen – in einem nicht unkomfortablen, doch inkonvenablen Käfig sind die Steins wiedervereint.

Standesgemäßen Trost spendet die Erinnerung an den Urgroßvater Ludwig vom Stein, der während des Dreißigjährigen Krieges von Haus und Hof verjagt wurde, zwölf lange Jahre mit den Seinen in der Fremde umherziehen mußte. »Hat dieser Mann standhaft für seine religiösen Meinungen gelitten, warum soll ich nicht dieselbe treue Anhänglichkeit an die Meinigen beweisen?« Der Ahnherr nahm den Eselsklöppel von der Nassauer Tür und deponierte ihn in einem Kloster, als Pfand seines fortwährenden Eigentums. Schließlich konnte er ihn wieder an seinem Hause anbringen. Wird dies auch dem Nachfahren gelingen? Steins Gutsverwalter, in der Familiengeschichte firm, hat bei der Sequestrierung ebenfalls den Eselsklöppel abgenommen und verwahrt. Das Familiengut an der Lahn steht unter herzoglich-nassauischer Zwangsverwaltung, das Gut Birnbaum, nun im Herzogtum Warschau gelegen, ist von den königlich-sächsischen Behörden eingezogen. Wird er seine Besitzungen zurückerhalten? Alle Hebel setzt er in Bewegung, jeden, den er für hilfreich hält, sucht er einzuspannen, den König von Preußen, den Kaiser von Rußland, die österreichischen Autoritäten, den Fürstprimas des Rheinbundes, – alle sollen bei Napoleon, dem Erzfeind, vermitteln. Inzwischen zehrt er von seinem Bargeld, verkauft sein Silber, wartet auf die Pension aus Preußen.

Das Beispiel des Vorfahren richtet ihn auf, die Erinnerung an die französischen Emigranten drückt ihn nieder. Er erlebte sie in Westfalen, die Comtes und Marquis, die ihre Köpfe vor der Guillotine gerettet hatten und im Exil ihre Hoffnungen auf Restitution von Eigentum und Einfluß verloren. Er denkt daran, daß »der verständige Teil« der Emigration, »da er sah, daß man seiner nicht bedurfte, sich gänzlich zurückzog, weil das unberufene Treiben im entgegengesetzten Sinn zwecklos ist und herabsetzt«. Steht ihm ähnliches bevor? Man hat ihm Asyl gegeben, einen Wohnort angewiesen, »man äußerte aber auch nie die leiseste Absicht, weder durch Unterredungen noch durch Schriftwechsel, noch durch irgendeine denkbare Art, mit mir in Verbindung zu treten oder etwas anderes für mich tun zu wollen, als mir den Gebrauch des Feuers und Wassers zu erlauben«.

Die Österreicher wollen von ihm nichts wissen, die Preußen scheinen ihn vergessen zu haben. »Sie gehören nun der Geschichte an«, erklärt Gneisenau durchaus wohlwollend; der Emigrant muß es anders empfinden. Er blickt zurück im Zorn:

»Ein charakteristischer Zug des Sklavensinns, der in Deutschland herrschte, war das tiefe Stillschweigen, das die zahllose Menge der der Darstellung und Beurteilung des Zustandes der öffentlichen Angelegenheiten sich widmenden Schriftsteller beobachtete, als man einen öffentlichen Beamten (Staatsmann) eines bedeutenden Staats, der hier die Achtung und das Zutrauen einer großen Partei genoß und kräftig in die inneren Verhältnisse desselben eingriff, ächtete und ihm sein Eigentum entzog, ohne ihn eines bestimmten Vergehens verwiesen zu haben, ohne ihm richterliches Gehör zu verschaffen.«

Der Verfolgte und Totgeschwiegene schwankt zwischen Ergebung und Aufbäumen. Zwischen dem Rate Redens, er solle seine »erhitzte Imagination« und »aufgereizten Gefühle« zügeln, nur noch für seine Familie sorgen, seinen persönlichen Interessen leben – und den Sporenstößen des von Preußen nach Österreich übergewechselten Friedrich Gentz, der ihm die Diktatur »über alles, was zur Rettung von Deutschland unternommen werden müßte«, zusprechen möchte. »Ich bin weit entfernt, eine fernere Wirksamkeit zu suchen«, erklärt Stein mit der Resignation eines Ovids, der an die Küste des Schwarzen Meeres verbannt ist. Um gleich darauf wie Herostrat vor dem Anzünden des Artemistempels in Ephesus auszurufen: »Nach meinen Gefühlen mag ich lieber die Fackel in das ruinöse Gebäude hereinschleudern und dann dahin streben, daß aus der Asche ein neues emporsteige, als in einer Sklavenstellung zu sehen, wie Übermut und Willkür das Reich der Lüge und Knechtschaft verbreitet und befestigt!«

Den Ring des Prinzen Louis Ferdinand schickt ihm Prinzessin Luise Radziwill. Der Hohenzoller war die Hoffnung der Preußen gewesen; 1806 warf er sich den Franzosen entgegen, fiel beim ersten Gefecht. Trägt nun Stein die Insignien eines Erzpatrioten, hofft man auf ihn als Rächer und Retter, hält man ihn für den Messias der Befreiung? Ein tapferes, verwegenes Herz wie Louis Ferdinand zeigt er jedenfalls: »Wer Gott vertraut, brav um sich haut, dem muß es stets gelingen!«

Nicht zuletzt setzt er auf Österreich, das zum Krieg gegen den Erzfeind rüstet. Preußische und protestantische Vorurteile hat er bisher gegen das Habsburgerreich gepflegt, nun entdeckt er es als gesamtdeutscher Patriot. Respekt nötigt ihm Franz I. ab, der Austerlitz nicht verwinden kann, während Friedrich Wilhelm III. sich anscheinend mit Jena abgefunden hat. Mit Sympathie begutachtet er die inneren Reformen, die den Kaiserstaat zum Kampf gegen den äußeren Feind befähigen sollen. Ähnliche Ziele hat er in Preußen angestrebt, verwandte Züge erkennt er im Reformminister Österreichs. Johann Philipp Graf von Stadion ist aus altem Reichsadel, aus Schwaben stammend, in Kurmainz aufgewachsen, ein Verehrer Englands in der Burke'schen Selbstdarstellung, ein Hasser Napoleons. Wie Stein muß Stadion auf dem schmalen Grat zwischen Reaktion und Revolution voranschreiten, beflügelt von einem neuen idealistischen Patriotismus, in der Balance gehalten vom alten aufgeklärten Absolutismus.

Gemeinsinn und Nationalgeist erwecken – das will auch Stadion. In erster Linie für militärische Zwecke, wie die preußischen Reformer. Eine Landwehr entsteht. Anti-französische Propaganda wird innerhalb und außerhalb Österreichs betrieben; die Federn leihen Friedrich Schlegel, Adam Müller und Heinrich von Kleist. Die romantischen Patrioten reißen ihre Auftraggeber mit: Nur ungenügend vorbereitet, wagt Österreich den Waffengang mit Frankreich, den Kampf um die Existenzsicherung des Kaiserstaates und für seine Wiederbeteiligung am europäischen Mächtespiel – allein, ohne Alliierte, in der vagen Hoffnung auf die Bundesgenossenschaft Preußens und eine nationale Erhebung in Norddeutschland. Erzherzog Karl, dem Friedrich von Stadion, der Bruder des Reformministers, und Friedrich Schlegel souffliieren, appelliert an die österreichischen Soldaten: »Die Freiheit Europas hat sich unter Eure Fahnen geflüchtet; Eure Siege werden ihre Fesseln lösen und Eure deutschen Brüder, jetzt noch in feindlichen Reihen, harren auf ihre Erlösung.« Die deutschen Brüder ermuntert das von Friedrich Gentz entworfene Kriegsmanifest: »Nehmt die Hilfe an, die wir Euch bieten! Wirkt mit zu Eurer Rettung!«

Die österreichischen Kriegsvorbereitungen vernahm Stein wie ein Opernliebhaber das Stimmen der Instrumente. Ungeduldig: »Allerdings ist es sehr übel, daß man dem Flug des Adlers mit der Langsamkeit einer Schnecke begegnet.« Vertrauensselig: »Die Feldflaschen sind gestern an die hiesige marschfertige Garnison ausgeteilt.« Erwartungsvoll: »In Wien sind fast alle jungen Leute von Stand mit der Landwehr und den Freibataillonen marschiert ... Ich glaube an Hingebung der Untertanen im österreichischen Staat.« Eine geglückte Aufführung erhoffend, eine mögliche Enttäuschung einkalkulierend: »Jetzt wird der fünfte Akt gespielt des großen Trauerspiels, dessen Entwicklung entweder Befestigung des Reichs der Knechtschaft und Lüge ist, oder Wiederherstellung einer verständigen gesetzlichen Ordnung.«

Anfang April 1809 erklärt Österreich den Krieg an Frankreich, setzt seine Linientruppen in Richtung Italien, Polen und Bayern in Marsch, eröffnet die Partie nach den Spielregeln des Kabinettskriegs, – mit gewohnter Zauderei, ohne Plan, unter Verzettelung der Kräfte, ohne fähigen Feldherrn. Zugleich geschieht Ungewohntes in diesen Breiten: In Tirol erhebt sich das Volk. Nach Austerlitz ist das österreichische Alpenland dem rheinbündischen Bayern zugeschlagen worden. Seine Bewohner haben das nicht verwunden, zumal die bayerischen Stammesbrüder französischer als die Franzosen sind, Minister Montgelas sich aufgeklärter aufführt als der Lehrherr Napoleon. Die Tiroler hängen an ihrer katholischen Kirche, ihrer landständischen Verfassung, am Kaiser in Wien, dem Schutzpatron ihres guten Rechts und ihrer alten Freiheit. Was Romantiker sentimalisch erstreben, ist in Tirol naive Wirklichkeit. Schillers *Wilhelm Tell* wird auf der Tiroler Bauernbühne aufgeführt, mit dem Sandwirt vom Passeier Tal, Andreas Hofer, in der Titelrolle. In wenigen Tagen ist Innsbruck genommen, das Land befreit.

Das ist für Stein erhebend, und jenes: Die Tiroler – sozusagen die süddeutschen Brüder seiner Westfalen – haben eine »Revolution« im wahrsten Sinne des Wortes, in seinem Sinne gemacht, mit der Zwingherrschaft die Zwangsideologie zurückgerollt, das Herkommen freigelegt, eine Fortentwicklung ermöglicht. Funken der Tiroler Freiheitsfeuer haben in Deutschland gezündet: Im ehemaligen Deutschordensgebiet an der Tauber erheben sich Bauern gegen das rheinbündische Württemberg. Gegen »König Lustigk«, Napoleons Bruder und Statthalter im Königreich Westfalen, steht Oberst Dörnberg auf.

Der preußische Major von Schill will ihm zu Hilfe kommen; mit fünfhundert Husaren verläßt er eigenmächtig seine Berliner Garnison, reitet gegen Frankreich und für ein neues Deutschland, läßt Preußen hinter sich. Graf Götzen erwägt einen Handstreich gegen die französische Besatzung der Festung Glogau. Ein Volkskrieg à la Spanien ist anvisiert, der Kabinettskrieg Österreichs gegen Frankreich angelaufen.

»Da bin ich wie der Blitz«, sagt Napoleon in Donauwörth. Von Spanien ist er nach Bayern geeilt, fährt zwischen die Österreicher, Schlachtendonner gibt es bei Regensburg, das Grollen verläuft donauabwärts. Zunächst beobachtet Stein den Kriegsverlauf wie ein Astronom die Bahn der Sterne. Je weiter Napoleon in Österreich vorrückt, je näher er dem Asyl des Verbannten kommt, desto düsterer werden seine Ausblicke. »Noch sind wir hier und durch große Streitkräfte geschützt«, beruhigt er sich Anfang Mai. Was aber, wenn Österreich besiegt würde? »Sollten die großen und edlen Zwecke, die man hier mit so außerordentlicher Anstrengung zu erringen strebt, nicht errungen werden, so gestehe ich, bleibt nichts mehr zu erwarten übrig, und mein ganzes Leben wird in einem trüben Hinbrüten über Vergangenheit und Gegenwart und in Verrichtung der animalischen Funktionen bestehen.« Vor einer Gefahr an Leib und Leben warnen die österreichischen Behörden den von Napoleon Geächteten. »Wenn Er hier mich erreichen sollte«, redet sich Stein ein, würde ihm wohl nichts geschehen, »denn ich glaube, sein Hauptwerk war, mich zu entfernen und andere zu schrecken«. Dann wieder beschleicht ihn die Angst, denkt er an Flucht, wünscht er sich russische Pässe.

Am 12. Mai ist Wien wieder eine französisch besetzte Stadt. Bei Aspern muß Napoleon allerdings seine erste Niederlage in offener Feldschlacht einstecken, doch am 6. Juli wetzt er bei Wagram die Scharte aus. Nach Aspern drängt Stein – in Briefen an Götzen – auf energische Rüstungen in Preußen, zur Kriegserklärung an Frankreich, zur Aufreizung der Deutschen gegen die Franzosen. Die »Erpressungen und Räubereien« der Besatzungsbehörden sollten durch Flugschriften bekanntgemacht, »in jedem Dorf durch Prozessionen, Predigten, Scheibenschießen, in jeder Schule durch gymnastische Übungen« der Haß gegen »die verruchte Nation«, ein Volkskrieg »ad modum der Spanier, der Österreicher« entfacht werden. Doch Preußen denkt nicht daran, an der Seite des Intimfeindes gegen den Erzfeind zu marschieren. Der Aufstand Dörnbergs ist niedergeschlagen. Steins Schwester Marianne, Dechantin von Wallenstein, wurde arretiert, weil eine Stiftsdame eine Fahne für die Rebellen gestickt hatte. Schill ist in Stralsund gefallen.

Nach Wagram retiriert Stein von Brünn nach Troppau. Kaiser Franz bittet um Waffenstillstand, läßt die Tiroler im Stich. Sie kämpfen allein weiter, für »Gott, Religion und Vaterland«. Der französische Marschall Lefebvre, mit seiner Armee zum Rückzug gezwungen, ruft aus: »Verflucht dieses Land! Nicht einmal in Spanien habe ich so etwas gefunden.« Stein setzt auf die Tiroler und die Spanier, hält es für »unmöglich, daß bei der Mannigfaltigkeit der Sprachen, Sitten, der Verschiedenheit des Interesses die Nationen von dem Willen und nach den Ansichten eines Menschen« auf die Dauer regiert werden könnten. Er glaubt an die Insel der Unabhängigkeit: »Solange England nicht fällt, so bleibt immer ein Zufluchtsort für alle Menschen, die Freiheit lieben.« Und er hofft auf die maritime Gegenmacht des kontinentalen Imperiums, erwartet die Landung eines englischen Heeres in Norddeutschland.

Das Nichtanderskönnen ist sein Charakter, das Stehenbleibenwollen seine Tugend; nach unmöglichen Mitteln zur unpassenden Zeit zu greifen, ist sein Fehler. Ein eher symbolisches als tatkräftiges Landungsmanöver der Briten stockt in Vlissingen; die Österreicher müssen auf das Friedensdiktat Napoleons eingehen; die Preußen haben ihre Unwilligkeit zum Krieg, die Norddeutschen ihre Unfähigkeit zum Volksaufstand bewiesen; das letzte Aufgebot der Tiroler wird zerrieben – das alles ficht Stein nicht an, reizt ihn zu vermehrter schriftlicher Aktivität, zu hochfliegenden und wirklichkeitsfernen Plänen für einen Volkskrieg in Deutschland.

Seine Vorstellungen entwickelt er Gentz, dem Mittelsmann zur österreichischen Regierung, und dem Prinzen Wilhelm von Oranien, einem Schwager des Königs von Preußen, den er an die Spitze der Volksbewegung setzen möchte. Den Anstoß würde die Landung eines englischen Heeres in Norddeutschland geben. Es müßte auf eine nach allen Regeln und mit allen Mitteln der Agitation angefeuerte Bevölkerung treffen. Ihr sei

»eine allgemeine Bewaffnung und die Vernichtung der Franzosen, sie erscheinen einzeln oder in Massen, zur Pflicht gemacht.« Eine nationale Instanz für das Deutschland zwischen Elbe und Main soll gebildet werden, »zur Leitung der öffentlichen Meinung«, Aufstellung und Führung der Streitkräfte, provisorischen Verwaltung der befreiten Gebiete, »als Aufsichtsanstalt gegen Egoisten, Furchtsame und Verräter«. Auf den Mittelstand und auf die Bauern sei Verlaß; die oberen Schichten wollten nur ruhigen Genuß; »am gemeinsten denken die öffentlichen Beamten«; man werde sie sieben müssen. »Alle kleinen Fürsten haben aus Egoismus und Gefühl der Schwäche denselben Geist, ihnen kommt es nur an auf Erhaltung ihres winzigen Daseins, gleichgültig gegen das Schicksal des Vaterlands; sie wird man daher alle entweder vorläufig entfernen oder an einem sicheren Ort sammeln und unter Aufsicht nehmen müssen.«

An die Spitze der Nationalinstanz gehöre ein treuer und reiner deutscher Fürst, der »namens des Beschützers Deutschlands, des Kaisers Franz, mit möglichster Schonung Preußens und seiner Anhänger« seines Amtes walte. Als Hausmeier empfiehlt sich Stein. Er kennt die norddeutschen Gegenden, habe dort Verwaltungserfahrungen gesammelt, bringe den erforderlichen Reformwillen mit; denn der Befreiung habe die Reedukation und Reorganisation auf dem Fuße zu folgen. Das Ziel sei mehr Freiheit und Einigkeit in Deutschland – die Bildung eines »Deutschen Bundes« aus den befreiten Gebieten Hessen, Hannover, Braunschweig und Fulda, mit einer nach Steinschen Ideen entwickelten Verfassung: in jeder Gemeinde ein Gemeinderat, in jedem Regierungsbezirk ein Zentralausschuß; denn: »Einer solchen Aufregung aller National-Kräfte hat man den guten Erfolg der amerikanischen Revolution, den Widerstand, welchen Frankreich der ersten Koalition leistete, die Siege der Tiroler zuzuschreiben.« Für das Volksheer fordert er die Wahl der Offiziere, Gottesdienst und Religiosität, Fahnen, die auf der einen Seite »die Namen der Befreier der Nation« – von Hermann dem Cherusker bis Wilhelm von Oranien –, auf der anderen »den Hut der Freiheit über zerbrochenen Fesseln« zeigen. Denn die vornehmste Aufgabe dieses »Deutschen Bundes« sei die »Wiederherstellung der deutschen Unabhängigkeit«, die »Zerstörung des Rheinbundes«, der »Kampf gegen den Feind der Menschheit und der Deutschheit«.

Ein Emigrant hat gesprochen, der nur noch am Sandkasten spielen kann, ein Exminister, der amtierend die Kunst des Möglichen kaum beherrschte und sich nun nicht mehr zu beherrschen braucht, ein von Napoleon Geächteter, der den Teufel mit Beelzebub austreiben will, ein Wahlpreuße, der an seinem Staat zu verzweifeln beginnt, in nationaldeutschen Hoffnungen seine Zuflucht sucht, ein entlassener Staatsdiener und sequestrierter Gutsherr, der sich als Umstürzler wiederfindet, ein Konservativer, der keinen Weg mehr zurück sieht: »Denn überhaupt ist jetzt nicht mehr die Rede vom Erhalten, sondern vom ehrenvollen Fallen.«

Ins Zeughaus der Revolution hat Stein gegriffen, sich mit ihren konventionellen Armierungen versehen und ihre modernsten Waffen vorweggenommen. Eine Art Wohlfahrtsausschuß schwebt ihm vor, eine »Levée en masse«, eine deutsche Jakobinermütze; mitunter scheint er sich als deutscher Robespierre zu fühlen, wie dieser ein Puritaner im lichtblauen Frack, dazu entschlossen, für den hohen Zweck alle Mittel zu heiligen, doch er nur zum Verströmen von Tinte, nicht von Blut bereit. Manches klingt in der Theorie an, was später voll- und mißtönende Praxis werden wird: ein Volksgerichtshof für Volksfeinde, ein Konzentrationslager für Volksschädlinge, der totale Volkskrieg. Aus seiner legitimistischen Haut kann der als Revolutionär kostümierte Stein freilich nicht heraus: Wenn das Handeln des Volkes legal sein solle, müsse es von der Obrigkeit legalisiert werden. Das sei die Aufgabe der vorgesehenen Nationalbehörde: die Maßnahmen für den Volkskrieg in Übereinstimmung zu bringen »mit der Verfassung und dem Gefühl der Deutschen für Gesetzlichkeit und Rechtlichkeit«.

Der Befreiungskrieg soll auch ein Einigungskrieg sein. An das »ganze Deutschland« denkt Stein allerdings nicht. Im Grunde ist er so wenig Nationalist wie Revolutionär. Sein »Deutscher Bund« würde lediglich das jetzt unter Fremdherrschaft stehende Nordwestdeutschland umfassen, die befreiten Gebiete aufnehmen, gereinigt vom Unwesen des Rheinbundes. Von den süddeutschen Rheinbundstaaten ist noch keine Rede. Preußen bleibt als selbständige Größe erhalten, Österreich ebenfalls; der Habsburgerkaiser ist jedoch als Träger der Reichstradition zum Schirmherr des Steinschen Bundes auserkoren. Und das Land zwischen Elbe und Main, wo Germanisches gehütet wird und alte Kaiserpfalzen stehen, ist als Keimzelle eines neuen Nationalgeistes vorgesehen, als Urkanton eines »Dritten Deutschlands«. Die »Trias-Idee« ist angesprochen, die der Reichsfreiherr später weiter entwickeln wird.

Niemand hört auf ihn. Die Österreicher schließen Frieden mit Napoleon, die Engländer blasen das Landungsunternehmen an der Scheldemündung ab. Stein kehrt nach Brünn zurück, igelt sich ein, übt Rundumkritik. Gegen Napoleon, »das große Krokodil, blutdürstig und raubgierig«. Gegen Alexander von Rußland, »der wie der Schakal die Knochen der vom königlichen Tier erwürgten Leichen abnagt«. Gegen die Österreicher, die zu Kreuze gekrochen sind. Gegen die Engländer, ihren »Mangel an Sachkenntnis und den Leichtsinn, womit man Unternehmungspläne ausgewählt«. Gegen das saft- und kraftlose Preußen: »Es wird unbedauert und ohne Nachruhm untergehen, und man wird es für ein Glück halten, daß eine Macht, die durch ihren Ehrgeiz anfangs Europa erschüttert, nachher durch ihr tripotieren beunruhigt, die keine Pflicht weder gegen sich noch gegen den europäischen Staatenbund erfüllt hat, zu sein aufhöre.«

Mit dem preußischen Staat sei es wie mit einem Todkranken; man wundere sich jedesmal, wenn man höre, daß er noch lebe. Der Emigrant hört oft und viel von Preußen. Freunde halten ihn auf dem laufenden, berichten von kleineren Fortschritten und größeren Rückschritten, lassen ihn wissen, wie sehr er ihnen fehle. Skanderbegs Säbel sei ohne den hiebkräftigen Arm liegengeblieben, schreibt der Kriegsrat Scheffner, der sich bildhaft auszudrücken beliebt: »Ew. Exz. haben die Schachtel mit dem zur Staatskur notwendig gewordenen Opium offen stehenlassen, kunstverständige Ärzte würden die Dose treffen, die vorm Einschlafen sichert und das Wildwerden hindert.«

Zum Gähnen reizt ihn das Ministerium des Grafen Alexander Dohna und des Freiherrn Karl von Altenstein. Zunächst haben sie das Geld für die Kontributionen aufzutreiben; die Einführung einer schon von Stein geplanten allgemeinen Einkommensteuer scheitert an den Feudalklippen, die dem Exminister sattsam bekannt sein müßten. Nichtsdestoweniger bricht er über seinen Nachfolgern den Stab: »Der gutmütige, mit Ideen überladene und beklommene Dohna, der breite, selbstzufriedene, seine Partie nicht kennende Altenstein standen da und leisteten nichts und werden in Ewigkeit nichts leisten.«

Seit Juni 1810 steht wieder ein Staatsmann am Ruder: Hardenberg, aus der Versenkung geholt, vom König von Preußen zum Staatskanzler mit außerordentlichen Vollmachten ernannt, vom Kaiser der Franzosen geduldet. Freunde signalisieren Positives. Sack: »H. v. Hdbg. ist kräftig und tätig.« Kunth: »Mehreres ist zu erwarten.« Reden: »Der gepflanzte Baum wird gedeihen, selbst in der Abwesenheit des edlen Pflanzers.« Stein gratuliert dem Nachfolger am 7. Juli; er setzt auf ihn allgemeine Hoffnungen und besondere Erwartungen; die ihm in diesem Jahr genehmigte Pension von fünftausend Talern will er kapitalisieren lassen, zum Ankauf einer preußischen Domaine verwenden. Mit Vorschußlorbeeren für den Staatskanzler geizt er nicht.

Nur die politische Affinität, nicht die persönliche Antipathie zählt in diesem Augenblick. Die Erinnerung an gemeinsame Kämpfe und parallele Vorhaben ist lebendig; daß Hardenberg an seinem Stuhl mitgesägt hat, ahnt er kaum. Er ist Feuer und Flamme, als er, der Kaltgestellte, vom Staatskanzler um eine Begutachtung des neuen Finanzplanes gebeten wird. Stein billigt vieles und kritisiert einiges. Er warnt vor einer Einziehung der geistlichen Güter in Schlesien, vermißt eine allgemeine Einführung der Einkommenssteuer, befürwortet das ungeteilte Eigentumsrecht für die Bauern, empfiehlt die Aufhebung bisheriger Beschränkungen für bestimmte Gewerbe, ist mit der Ausgabe von Papiergeld einverstanden, will eine gewiße Inflation in Kauf nehmen.

»Habt Ihr andere Mittel bei Krebs und Brand als Schnitt, Schierling und Höllenstein«, fragt er Schön, der sich mit Hardenberg überwirft. Niebuhr, der ebenfalls den Finanzplan ablehnt, deswegen aus der Staatsverwaltung ausscheidet, wird von Stein als »honnête criminel« tituliert. Beamte, die nicht parieren, gehörten entlassen, verhaftet, verbannt »nach kleinen

Orten, wo der Sträfling isoliert wird, unter Aufsicht lebt«. Die Adelsopposition sei mit Skorpionen zu züchtigen, rät er Hardenberg. »Auf die Opinion ist im Preußischen wenig Rücksicht zu nehmen, hier herrscht ein tief eingewurzelter Egoismus, halbe Bildung, Ungebundenheit, vereinigt mit der nordischen Gemütlosigkeit und Roheit – diese verwilderte öffentliche Meinung muß durch ernsthafte Mittel berichtigt und nicht durch Schonung und Nachgiebigkeit in ihren Verwirrungen bestärkt werden.« Napoleons Machtraison verteufelt, Richelieus Staatsraison verherrlicht er; die Erschießung des Herzogs von Enghien durch Bonaparte verurteilt, den preußischen Staatskanzler vergattert er: »Man hänge den Minister, der von Länderzession spricht, und handle kräftig, mutig, unerschütterlich gegen das Geschrei der Intriganten, die herrschen wollen, der Egoisten, die nicht zahlen wollen, der Schafsköpfe, die ihre Stellen nicht verlieren wollen.«

Den Steinschen Brustton schätzt Hardenberg nicht, wohl aber die Erfahrung des Reformministers. Er geht so weit, den Geächteten persönlich aufzusuchen, in aller Heimlichkeit versteht sich. Am 14. September 1810 treffen sich Hardenberg und Stein in Hermsdorf an der schlesisch-böhmischen Grenze. Der Exminister hat sich gründlich vorbereitet, bringt Papiere mit, redet wie ein Buch; er kostet es aus, gefragt zu sein, konsultiert zu werden, einen Augenblick lang wieder mitsprechen zu dürfen. Der Staatskanzler, ein Menschenkenner und vollendeter Diplomat, gibt sich als Newcomer, der sich beim Elder Statesman vorstellt. Seinen Ministerialbürokraten, die immer noch auf Stein schwören, kann er nun mit dem Segen des großen Reformers gegenübertreten. Und dieser nimmt die – freilich nicht allzu lange anhaltende – Überzeugung mit, daß sein Reformwerk in den besten Händen sei.

Hardenberg setzt fort, was er begonnen hat – nicht zu anderen Zielen, wie es Stein später empfinden sollte, doch mit anderer Betonung, mit eher wirtschaftsliberalen, mehr bürokratischen, fast napoleonischen Akzenten. Der Staatsrat wird nur ein Beratungsorgan; nicht kollegialisch – wie Stein es gewollt hat – entscheidet der Ministerkonseil; Chef der Regierung ist der Staatskanzler, die Spitze einer bürokratischen Hierarchie. An das napoleonische Präfektensystem erinnert der Plan, an

Stelle des Landrates, des Repräsentanten des eingesessenen Adels, einen vom König ernannten Kreisdirektor, einen Staatsbürokraten, zu setzen. Nach französischem Muster werden die Juden vollberechtigte Staatsbürger. Betonter als Stein sucht Hardenberg die Prinzipien der rechtlichen Gleichheit und der freien Konkurrenz zu verwirklichen. Nach den politischen fallen nun die wirtschaftlichen Zunftschranken, die Gewerbefreiheit wird eingeführt. Nach wirtschaftsliberalen Grundsätzen »reguliert« man auch die bäuerlichen Verhältnisse: Die Bauern werden Eigentümer, müssen aber die Gutsherren durch Teile ihres Landes entschädigen; der von Stein geforderte Bauernschutz entfällt. Zuletzt und am besten lachen die Gutsbesitzer; ihre Liegenschaften werden durch die Ablösung arrondiert, können durch unbeschränkten Zukauf vergrößert werden.

Aus dem ehrlichen brandenburgischen Preußen solle ein neumodischer Judenstaat gemacht werden, behauptet indessen die Feudalpartei. Als Hardenberg eine Notabelnversammlung beruft, von der Regierung ausgewählt und zur Zustimmung für neue Steuern ausersehen, verweist die brandenburgische Adelsopposition auf das alte Recht der Stände. Ihre Häupter, Marwitz und Finckenstein, werden auf Festung gesetzt. Das sei »eine wohlverdiente Züchtigung plumper Ausbrüche des dünkelvollen Egoismus«, lobt Stein. Doch ihm mißfällt, daß Hardenberg den starken Mann spielt und zugleich der Feudalpartei nachgibt: Es gibt keine allgemeine Einkommensteuer, keine Grundsteuer und keine »Nationalrepräsentation«. Der Staatskanzler will einen preußischen »Nationalismus« einführen; integrierend soll eine Volksvertretung wirken. Die »konsultative Repräsentation« müsse jedoch »unmittelbar von der Regierung allein ausgehen, sie muß wie eine gute Gabe von oben herab kommen«. Hardenberg verweigert die gute Gabe, als er einsieht, daß eine solche Volksvertretung der Adelsopposition einen Resonanzboden verschaffen würde.

Die Hundepeitsche empfiehlt Stein für den Umgang mit Feudalisten. Mit knallenden, klatschenden Worten steht er dem Staatskanzler zur Seite. Der Exminister, der selber an dieser »Opinion« gescheitert ist, beginnt es freilich dem Nachfolger zu verargen, daß dieser sie nicht bezwingt. Zunächst kritisiert er Einzelformen der Hardenbergschen Reorganisation, zunehmend attackiert er die Substanz. Die Gesellschaft entfeudalisieren, den Staat rationalisieren, Preußen nationalisieren – das will auch er. Aber die Verbindung von Volk und Staat, die ihm vorschwebt, soll mehr organisch und weniger mechanisch sein, mehr spontan und weniger bürokratisch, mehr von sittlichen Impulsen geschaffen und weniger von rationalen Überlegungen diktiert. Schließlich stellt er fest: »Hätten die Menschen, die jetzt an der Spitze der preußischen Verwaltung stehen, mit Mut und Geist größere Ansichten gefaßt, so würden sie der Verfassung solche Einrichtungen gegeben haben, wodurch der Nation Gemeingeist und Kraftgefühl erregt und unterhalten werden, statt daß jetzt die aufgereizten Kräfte sich in Ausbrüchen von Unwillen oder in einem trüben Hinbrüten aufzehren.«

Weniger scharfsichtig verfolgt er die Heeresreform; sie berührt ihn weniger, sie scheint folgerichtiger zu verlaufen. Scharnhorst, nun Leiter des allgemeinen Kriegsdepartements, führt das Krümpersystem ein: Da Napoleon die preußische Heeresstärke auf 42 000 Mann beschränkt und die Errichtung einer Landwehr verbietet, werden die Liniensoldaten nach kurzer, intensiver Ausbildung beurlaubt, an ihrer Stelle neue Rekruten gedrillt, – das Reservoir der Landesverteidiger schwillt stetig an. Das ist ein Schritt zum Ziel der allgemeinen Wehrpflicht, die unter den gegebenen Umständen nicht eingeführt werden kann, die der Emigrant indessen energisch fordert: Denn sie ermögliche es, »einen hochherzigen, kriegerischen National-Charakter zu bilden, langwierige entfernte Eroberungskriege zu führen und einen Nationalkrieg einem übermächtigen feindlichen Anfall entgegenzusetzen«.

Neufränkisches und Altpreußisches hemmen auch die Reorganisation des Heeres. Die religiöse, sittliche und geistige Erneuerung kann ungehindert passieren. Napoleon zählt in erster Linie die Divisionen, und die Friderizianer halten es mit Friedrich dem Großen: »Weil ein Kerl, welcher nicht Gott fürchtet, auch schwerlich seinem Herrn treu dienen und seinen Vorgesetzten rechten Gehorsam leisten wird, also sollen die Offiziere den Soldaten wohl einschärfen, eines christlichen und ehrbaren Wandels sich zu befleißigen.« Die Reform der Erziehung und Bildung – nach dem Motto, daß »der Staat durch geistige Kräfte ersetzen soll, was er an materiellen verloren hat« – ist ebenso sinnvoll wie zweckmäßig. Verbesserte Volksschulen liefern bessere Soldaten, Bauern und Handwerker. Das neuhumanistische Gymnasium vermittelt idealistische Maximen wie praktische Verhaltensregeln. Das Griechische erhebt in ein Reich des Schönen, Wahren und Guten, hoch über die schnöde Wirklichkeit. Das Lateinische lehrt mit der geistigen Disziplin die Hingabe des einzelnen an den Staat, das »dulce et decorum est pro patria mori«. Die 1810 gegründete Berliner Universität gewährt die Freiheit des Forschens, Lehrens und Lernens in einem Preußen, in dem die Freiheit des Staatsbürgers akademisch bleibt.

Ein Gelehrter tauge nichts im praktischen Leben, schreibt Stein an Wilhelm von Humboldt, dem er erst allmählich zugesteht, ein Ausnahmefall zu sein. 1808 setzte er ihn an die Spitze der Kultus- und Unterrichtsverwaltung. Nicht ohne Bedenken. Der Edelmann, der Privatschüler gewesen war, der Geist, Muße und Vermögen hinreichend besaß, um als Privatgelehrter mit ästhetischen, anthropologischen, philologischen und philosophischen Studien zu exzellieren, hatte bis dahin noch nie eine Schule betreten. Er sei »zwar ein sehr wissenschaftlicher, aber kein sehr religiöser Mann«, meinte Stein und richtete vorsichtshalber eine besondere Unterabteilung für Kultus-Angelegenheiten ein, die er einem frommen Manne anvertraute; das Schulwesen wollte er auch weiterhin unter kirchlicher Aufsicht wissen.

Der Bürokrat, der seine schönsten Jahre am Schreibpult verbracht hatte, mochte ein Gran Neid über eine Existenz empfinden, die in ambulanter Ungezwungenheit ihren Liebhabereien frönte – im Paris von 1789, im Weimar Schillers und Goethes, als Studiosus des Baskischen in Spanien und als preußischer Vertreter im päpstlichen Rom, in der Stadt Ciceros und Thorwaldsens. Der Etatist konnte Humboldts *Ideen zu einem Versuch, die Grenzen der Wirksamkeit des Staates zu bestimmen* nicht verwinden, das Postulat: Die einzige Aufgabe des »Nachtwächterstaates« sei die Sicherung der individuellen Freiheit. Der Patriot mußte an der Tauglichkeit des Weltbürgers für die Nationalerziehung zweifeln, mochte nur zögernd zum Leiter der Unterrichtsverwaltung einen Weltfremden bestellen, der die »öffentliche, d. i. die vom Staat angeordnete und geleitete Erziehung« verworfen und erklärt hatte, die durch Bildung zu gewinnende Tugend ergebe sich nur unabhängig von staatlicher Autorität und staatlichem Zwang.

Die Not Preußens machte Humboldt staatstugendhaft. Das Schlußzeugnis, das Stein dem Reorganisator des preußischen Bildungswesens ausstellt, ist befriedigend bis gut. Vom Individuum zum Staat verläuft der Weg des preußischen Ministers des Kultus und des öffentlichen Unterrichts – der Weg des leitenden Staatsministers a. D. führt vom Staat zum Individuum. In der Mitte bleiben beide stehen.

Im ersten Jahr der Verbannung brannten die frischen Wunden, schmerzte die Enttäuschung über den Fehlschlag des Krieges von 1809. Kaum minder schwer zu ertragen waren die Ruhe und die Ordnung im zweiten Jahr, »wo man zu seinen gewöhnlichen Geschäften und Lebensweisen zurückkehrte und auf das Wiederaufbauen und Wiederherstellen des Zerstörten, auf das Anknüpfen einer neuen gesellschaftlichen Existenz, auf die Sorge für die aufblühende Generation Bedacht nehmen konnte«. So werde auch, schreibt er an der Schwelle zum Jahre 1811, das dritte Jahr verlebt werden können, in der Hoffnung auf »einen milden, erträglichen Zustand der Dinge«.

Seit Juni 1810 sind die Steins in Prag – wenigstens das ist endlich erreicht. Man wohnt standesgemäß, zunächst im Gräflich Deymschen Haus, dann im Fürstenbergschen Palais; 1811 wird das Schloß Troja bezogen. Man ist unter Seinesgleichen, bekommt Besuch aus Berlin, beispielsweise Wilhelm von Humboldt. Stein korrespondiert mit gleichgesinnten Freunden und gleichgestimmten Freundinnen, den Prinzessinnen Luise Radziwill und Wilhelm von Preußen, die er nun »Vittoria Colonna« nennt, mit der Gräfin Sophie Brühl und der Gräfin Ludowika Lanskoronska, einer Polin, die sein guter Stern in den aufgeregten Troppauer Tagen gewesen ist. Der österreichischen Regierung gibt er finanzpolitische Ratschläge; seine eigenen Finanzverhältnisse machen ihm Sorge. Hardenberg verschafft hunderttausend Taler in Effekten. Um eine Freigabe der nassauischen und polnischen Güter bemüht er sich vergebens.

Auch ein Bittgesuch seiner Frau an Napoleon – in Geldsachen verkehrt er mit dem Krokodil – verfängt nicht.

Freien Zugang zur Bibliothek gestattet ihm der Oberstburggraf von Böhmen, Graf Wallis. Das kommt der Erziehung der Töchter zugute, für die er sich verantwortlich hält und Zeit hat. Täglich verwendet er ein paar Stunden darauf, »die Wißbegierde der Ältesten zu befriedigen, die bewegliche Einbildungskraft der Jüngeren zu beschäftigen und zu fixieren«. Als Hilfsmittel verwendet er die Historie. »Der Einfluß der Geschichte ist wohltätig für ein junges Gemüt, wenn sie gründlich, treu, einfältig studiert wird und man nicht auf der Bahn metaphysischer Schwätzer und politischer Sophisten daherwandelt.« Keine der vorhandenen Fibeln genügt ihm, er muß selber welche erstellen, eine »Geschichte des Zeitraums von 1789-1799« und eine »Französische Geschichte« – weniger gründlich als grundsatztreu, in etwas einseitiger pädagogischer Absicht: Abschreckend wirken soll die Französische Revolution im besonderen und die französische Nation – »halb Tiger, halb Affe« – im allgemeinen.

Mit Fenélon vergleicht er sich, dem Verfasser des Traktats *Sur l'éducation des filles*, wie des moralisierenden Fürstenspiegels *Télémaque* – ein Kritiker des Absolutismus, ein Verbannter auch er. Seine Kinder möchte er durch Geschichtsstudium vor dem »Versinken in das Gemeine« bewahren, er selber will sich durch Geschichtsbetrachtung über die Niedergeschlagenheit erheben, die Gegenposition erkennen, den eigenen Standpunkt fixieren. Er will nicht verstehen und schon gar nicht verzeihen, sondern anprangern und verdammen. Die Weltgeschichte ist für ihn das Weltgericht. Angeklagt ist die französische Nation, die den europäischen Staatenbund, den preußischen Staat und den Baron Stein ins Unglück gestürzt hat. Als Zeugen werden vornehmlich Schriftsteller zitiert, die den Ankläger bestärken, Gegner der Französischen Revolution wie Molleville und Girtanner, Marmontel und Meilhan, Calonne und Lacretelle, und natürlich Edmund Burke. Das Urteil steht von vornherein fest: Von den Merowingern über die Marquise de Pompadour bis zu den Jakobinern und Bonapartisten zieht sich der rote Faden moralischer Verderbtheit und politischer Verderbnis. Ergo: Gott strafe Frankreich!

Als Historiker ist Stein Staatsanwalt und Richter in einer Person; auf den Verteidiger wird verzichtet. Der Geächtete rechnet historiographisch mit dem Todfeind ab, nimmt Rache mit der Feder, der einzigen Waffe, die ihm verblieben ist. Die Revanche mit Kanonen vergißt er nicht; die Beschäftigung mit der Geschichte ist als Propädeutik für den Befreiungskampf gedacht. Selbst vom Gegner kann man dabei lernen, so aus Beauchamps *Histoire de la Vendée:* »Hier zeigt sich auf eine glänzende Art, was Geist, Tüchtigkeit und Unerschrockenheit der Anführer oder religiöser und politischer Enthusiasmus, äußere, vorteilhafte Umstände, kräftige und einsichtsvolle Leitung vermögen.« Auch Fehler im eigenen Lager sind anzuschwärzen: Die Zwietracht der Deutschen, die sie der Niedertracht der Franzosen auslieferte; die Uneinigkeit der alten Mächte, die Napoleon zum Sieg verhalf; die preußische Staatsmaschine, die im Rückwärtsgang von Niederlage zu Niederlage lief und die nun endlich überholt werden müsse, nach den Steinschen Plänen, damit es wieder vorwärts und aufwärts gehe!

Für Demosthenes hält er sich mitunter, der eine Philippika nach der anderen gegen das neue Mazedonien schleudert. Öfter freilich für Boethius, der die alte Ordnung, die antike Welt im Barbarensturm untergehen sieht, einiges in der Arche seiner Schriften zu bergen sucht, vom Ostgoten Theoderich verfolgt wird, Trost in der Philosophie sucht. In seinen historischen Kompilationen wie auf den losen Blättern, auf denen er aphoristische »Betrachtungen und Bemerkungen über mancherlei Gegenstände« notiert, sucht er die Spreu vom Weizen zu scheiden.

Die Auswüchse der Aufklärung werden verworfen, die Relativierung der Werte, der Zweifel an Gott, die Geringschätzung der Religion, die Vernunftkühle und Herzenskälte. Der aufgeklärte Bürokrat von ehedem spottet: »Mit der konzentrierten Wärme des ganzen Generaldirektoriums hätte man nicht einen Teekessel zum Sieden gebracht.« Der aufgeklärte Volksfreund klagt jetzt: »Wir sind für das Volk zu gut, es hat statt des Herzens ein Stückchen schlechten Gehirns.« Der enttäuschte Fortschrittsgläubige seufzt: »Alles, was um uns vorgeht, muß uns täglich mehr überzeugen von dem Leeren und Unzureichenden alles menschlichen Wissens; auch war dies Gefühl und innige

Bescheidenheit zu allen Zeiten den vorzüglichen Männern eigen, nur den neueren wurde es durch Stolz und die Anmaßungen der Sophisten des 18. Jahrhunderts verdrängt, die ihre Afterweisheit anstelle der Grundsätze und Einrichtungen zu setzen bemüht waren, auf die unsere Vorfahren ihr zeitliches und ihr ewiges Wohl gegründet hatten; sie zerstörten beides, und ihren unglücklichen Zeitgenossen blieb nur Reue und Unvermögen, es wieder zu errichten.«

Was bleibt, ist ein schlichter, griffiger, handfester Glauben, ein strenger Moralkodex, der Montesquieusche Maßstab in politicis. In den schlaffen Segeln seiner aufgeklärten Gesinnung verfängt sich etwas vom neuen Geist des Idealismus, der Romantik, bläht sie auf, nicht allzu sehr. Das »metaphysische Wortgeklingel« mag er nicht hören, der »kategorische Imperativ« tönt verwandt. Ein Mittelalterschwärmer ist er nicht, an Friedrich Schlegels Vorlesungen schätzt er indessen »die richtige Würdigung des Zustandes unserer Vorfahren«. Zum Mystiker hat er nicht das Zeug, doch sein religiöser Sinn erbaut sich an Chateaubriands *Genie du christianisme:* »Er stellt mit Beredtsamkeit und tiefem, innigem Gefühl die Leerheit des menschlichen Wissens, die Vortrefflichkeit des Christentums, seiner Lehren, Gebräuche und kirchlichen Einrichtungen dar.«

Stein zitiert Herder: »Das verschwammte Herz eines Kosmopoliten ist eine Hütte für niemand«, und: »Der Kosmopolit ist unter den Staatsbürgern, was der Polyhistor unter den Gelehrten, der eine gehört allen Staaten zu und tut für keinen nichts, der letzte treibt alle Wissenschaften und leistet in keiner nichts.« In Österreich entdeckt der Emigrant Gesamtdeutsches, ohne seine preußische Wahlheimat aus den Augen zu verlieren; für seinen Staat und damit für die deutsche Nation sehnt er sich zu wirken. Doch er muß »die Stiege des Fremden« weiter besteigen, die »Wohnung der Kindheit« meiden – mit dem Heimweh wächst die Meinung, daß nur das eigene Vaterland die einzig erstrebenswerte Behausung sei.

»Der Patriot trauert.« Preußen weicht unter Hardenberg vom Steinschen Reformkurs ab, segelt außenpolitisch im Fahrwasser Frankreichs. Der König – seit Ende 1809 wieder in Berlin – sei nur noch ein Stempel für französische Dekrete, grollt Gneisenau; Stein bedauert ihn, daß er in einem Zeitalter leben müsse,

»wo nur eins nottut, um sich zu erhalten, ein überwiegendes Feldherrentalent, verbunden mit rücksichtslosem Egoismus, der alles beugt, niedertritt, um auf Leichnamen zu thronen«. Am Grabe seiner Frau trauert Friedrich Wilhelm – die Königin ist 1810 verstorben –; der letzte Rückenwirbel scheint nun in ihm zerbrochen zu sein. Preußische Offiziere nehmen den Abschied, kämpfen in Spanien gegen den Korsen; Gneisenau, aus Rücksicht auf Napoleon verabschiedet, geht nach Österreich, Rußland und England, läßt die Prophezeiung zurück: »Mit Schande werden wir untergehen, denn wir dürfen uns nicht verhehlen, die Nation ist so schlecht als ihr Regiment.« Stein pflichtet ihm bei: »Hätte die Nation nur die geringste Energie, so wären wir nie so tief gesunken.« Kann man aber von den »dickköpfigen, trübseligen kurmärkischen Landgäulen« anderes erwarten?

Von den Süddeutschen, den Rheinländern, den Westfalen hält er zwar mehr. Aber sie sind in den Rheinbund gepreßt, an Frankreich angekettet – und scheinen sich dabei gar nicht so unwohl zu fühlen. Das österreichische Strohfeuer ist so schnell erloschen wie es angezündet war; Kaiser Franz tritt dreieinhalb Millionen Menschen ab, und seine eigene Tochter; 1810 vermählt sich der korsische Korporal mit der Erzherzogin Marie Louise. Holland und die deutsche Nordseeküste werden Frankreich einverleibt. Direkt oder indirekt ist der Großteil des Kontinents Napoleon I. unterworfen.

Bonaparte. Steins Gedanken umkreisen ihn wie aufgeschreckte Fledermäuse, wie Schicksalsraben oder wie zum Herabstoßen bereite Adler. Manchmal übermannt den Emigranten die Angst, er könnte Napoleon ausgeliefert werden. Dann wieder will er sich freiwillig stellen, auf die Großmut des Kaisers spekulierend. In optimistischen Momenten wähnt er sich vom Diktator vergessen, wenn ihn die Wut überkommt, ächtet er, der Geächtete, Napoleon in contumaciam: »Der, der jedes Gesetz beleidigt, verliert den Schutz des Gesetzes, er tritt in den Zustand der Acht.« Oder er will wie Sankt Georg den Drachen töten, im dry run zunächst; er schärft seine Waffen in Denkschriften, stärkt sich im Gebet, sucht den Gegner durch Verteufelung zu schwächen. Der Geschichte entnimmt er die Hoffnung, daß sich die Menschen nicht ewig drangsalieren lassen:

Er glaubt an den Selbstbehauptungswillen der europäischen Staaten; er erwartet, daß die Völker Europas die nationale Unabhängigkeit, die ihnen die französische Revolutionspropaganda versprach und Napoleon nahm, zurückfordern werden. »Ich halte diesen Abschnitt nicht für das Ende, sondern nur für einen Ruhepunkt – da ein lebhaftes Gefühl von Rache, Unwillen usw. herrscht und kocht und sich bei den Völkern äußert.«

Napoleon wird nicht ewig leben, doch vielleicht lange genug, um ihn zur Verzweiflung zu treiben. Die Emigration gleicht einer Gummizelle: Er rennt gegen die Wände, prallt zurück, wird niedergeschlagen, apathisch, hofft nur noch, »daß sich diese Vegetation bald endigen möge, da ich des Lebens herzlich müde bin«. Dann wieder sucht er sich mit herzhaften Federstreichen Luft zu schaffen: »Wäre ich doch jünger, so ginge ich nach Cadix und sucht einem halben Dutzend Franzosen die Hälse abzuschneiden, um mich nur mit mir und dem Schicksal zu versöhnen.« Oder er denkt daran, die Zelle zu wechseln; er besorgt sich einen englischen Paß auf den Namen Karl Frücht, erkundigt sich über die Möglichkeiten eines Asyls in Großbritannien. Will gar nach Amerika: »Es wäre, um Ruhe und Unabhängigkeit zu genießen, am besten, sich in Amerika anzusiedeln, in Kentucky oder Tennessee, ein herrliches Klima und Boden, schöne Ströme fände man da, und Ruhe und Sicherheit auf ein Jahrhundert!«

Einen Stein vom »Stein«, der Stammburg in Nassau, schickt ihm Prinzessin Wilhelm, und das erinnert ihn daran, daß sein Platz in Deutschland und Europa ist. Er korrespondiert mit seiner Schwester Marianne, kümmert sich um Einzelheiten der Verwaltung, als ob ihm sein Stammgut noch gehörte, freut sich über die gute Weinernte 1811, obschon er seinen eigenen Tropfen nicht probieren kann; er bittet um Lüftung der Möbel, Bücher und Wäsche, als ob er sie morgen wieder benützen könnte – inzwischen sollten keine Bäume geschlagen werden: »Der Wald muß von 1820 bis 23 an einen guten Ertrag ausmachen.« Memoiren verfaßt er nicht, wohl aber ein Aide-mémoire nach dem anderen, damit er den Kampf gegen Napoleon nicht vergißt und andere daran erinnert bleiben.

Das Jahr 1812 – das vierte Jahr der Verbannung – beginnt

mit Schnee auf dem Hradschin, Eis auf der Moldau – und einem Silberstreifen am politischen Horizont. Die französisch-russische Zweisamkeit zerfällt. Dem Zaren wird Frankreich zu mächtig, die Kontinentalsperre zu lästig; der Kaiser der Franzosen will Rußland in seinem Kontinentalsystem behalten, wenn nicht willig, dann mit Gewalt. Die beiden Giganten rüsten zum Krieg. Werden Österreich und Preußen die Gunst der Stunde nutzen? »Es ist alles kampfbereit, Majestät, schlagen Sie zu«, drängt Scharnhorst seinen König. Doch Berlin schließt wie Wien ein Bündnis mit Paris, stellt ein Hilfscorps von 20 000 Mann für die gegen Rußland zusammengezogene »Grande armée«.

Zum zweiten Mal habe nun Preußen »die Sache der Ehre und der Freiheit« verraten, kommentiert Stein. Und sich selber das Grab geschaufelt. Auch sein Asylland enttäuscht ihn; er sieht Österreich und sich gefährdet. In Prag kann er nicht bleiben, nach Berlin kann er nicht zurück, alle Hoffnung auf eine Befreiung durch Preußen und Österreich läßt er fahren: »Man kann nun in Deutschland nichts mehr von einer Impulsion von oben erwarten, denn überall sitzt Erbärmlichkeit auf den Thronen.« Sein Platz müßte nun in England oder in Rußland sein, an der Seite des alten oder des neuen Feindes Napoleons. Auch er will mobilmachen, wünscht »auf irgendeine Art wieder in Tätigkeit gesetzt zu werden – aber auf welche, werden mich E. Exz. fragen – und hierauf bin ich nicht imstande, befriedigend zu antworten«, schreibt er am 19. April 1812 dem Reichsgrafen Münster aus Hannover, der in London die antinapoleonische Fahne in der Antichambre entrollt. »Ich verlange nichts als Reisekosten und Diäten, ist der Krieg zu Ende, so kehre ich wieder hierher zurück.«

Die Schicksalswende ist bereits brieflich unterwegs: die Einladung des Zaren Alexander an Stein, sich in Rußland in die Phalanx gegen Napoleon einzureihen.

Zweikampf mit Napoleon

Es sei der fünfte Akt, die Lösung des Knotens, prophezeit Napoleon, als er sich zum Krieg gegen Rußland entschlossen hat. Nach Petersburg schickt er eine letzte Mahnung: Der Zar solle der Bruderküsse in Tilsit und Erfurt gedenken, die Kontinentalsperre gegen England nicht aufweichen, das unter französischem Protektorat stehende Großherzogtum Warschau respektieren. Alexander I. vergießt Tränen vor dem Botschafter Napoleons und läßt den Kaiser wissen, er könne erst weiterreden, wenn die Franzosen Preußen geräumt hätten.

Dieses Ultimatum stellt der Zar am 8. April 1812. Am selben Tag schreibt er dem von Napoleon geächteten preußischen Staatsminister a. D. Stein: »Die entscheidenden Umstände des Augenblicks müssen alle Gutgesinnten, alle Freunde der Menschheit und der liberalen Ideen vereinigen. Es geht darum, sie zu bewahren vor der Barbarei und der Knechtschaft, die sich breitmachen, sie zu verschlingen. Napoleon will die Knechtung Europas vollenden, und um dies zu erreichen, muß er Rußland niederwerfen ... Dieser Krieg wird vermutlich der letzte sein. Er wird über die Rettung oder über den Untergang Europas entscheiden. Die Freunde der Tugend und alle Wesen, die von den Gefühlen der Unabhängigkeit und der Liebe zur Menschheit beseelt werden, sind alle an einem Erfolg dieses Ringens interessiert. Sie, Herr Baron, der Sie sich so glänzend unter ihnen ausgezeichnet haben, Sie können nur ein Gefühl hegen: zum Erfolg der Anstrengungen beizutragen, zu denen man sich jetzt im Norden anschickt, um über Napoleons rücksichtslosen Despotismus zu triumphieren.« Der Zar läßt Stein die Wahl: Er möge seine Ideen schriftlich oder mündlich beisteuern; für einen Paß nach Rußland sei gesorgt, im russischen Hauptquartier erwarteten ihn offene Arme.

Die Post nach Prag dauert lange; Stein erhält die Einladung am 19. Mai – zur selben Zeit, da Napoleon in Dresden seine Vasallen mustert. Alle stehen stramm: Der Kaiser von Österreich, der Schwiegerpapa, der sich im Glanze der Kaiserin der Franzosen, seiner Tochter Marie Louise, sonnt. Der König von Preußen, der »dickköpfige Drillmeister«, der zwischen den Offizieren der kaiserlichen Suite hin- und hergestoßen wird. Der König von Sachsen, ein Gastgeber, der in seinem Hause nichts zu melden hat. Die übrigen Rheinbundfürsten, die im Vorzimmer warten müssen, wenn ihr Protektor bei Tische sitzt. Alle haben sie ihm Heerfolge zu leisten, die Besiegten von Jena und Wagram, die Gezwungenen und die Halbfreiwilligen, die Hingezogenen und die Hingesunkenen. Einer Völkerwanderung gleicht der Marsch der »Grande armée« in Richtung Rußland: Franzosen, Deutsche, Polen, Italiener, Schweizer, Holländer, Spanier und Portugiesen – insgesamt 450 000 Mann, ein Heer, wie es die Welt noch nicht gesehen hat.

Kann diese Dampfwalze aufgehalten werden? Die Frage bohrt in Stein; die Antwort liegt in der Zukunft verschlossen, Rückschlüsse erlaubt die Erfahrung. Zweimal wurden die Russen von Napoleon geschlagen, 1805 bei Austerlitz und 1807 bei Friedland. Das ist die vorherrschende Meinung: Napoleon, die Feldherrnqualität und die Truppenquantität auf seiner Seite, werde die Russen bis an den Dnjepr zurückdrängen, sie bei Smolensk schlagen, den Frieden diktieren. Allein Alexander gibt sich siegessicher; er zeigt Napoleons Gesandten Narbonne eine Landkarte von Rußland und erklärt: »Ich weiß, daß Ihr Kaiser ein großer Feldherr ist, aber ich habe für mich Zeit und Raum.«

Alexander I. Zwielichtig erscheint er in Steins Erinnerung. 1805 – als der Finanzminister Preußen als Kriegskameraden Österreichs und Rußlands haben wollte – schwärmte er vom Zaren: »Man weiß, es ist lange und allgemein bekannt, daß dieser Monarch in seiner inneren Verwaltung nicht blendenden Glanz, sondern die Begründung echter Kultur durch Unterricht und Sittlichkeit, und daß er in Europa nicht Vergrößerungen, welcher er nicht bedarf, sondern die Erhaltung eines in Freiheit und Würde blühenden Staatenbundes bezweckt.« 1808 – als Napoleons Tilsiter Komplize dem leitenden Staatsminister Preußens eine höfliche kalte Schulter zeigte – wetterte Stein: »Die Schlacht bei Austerlitz und Friedland zerstreute den Nebel von Humanität, Liberalität usw., womit Alexander umgeben war.» Unmittelbar vor dem Erfurter Kaisertreffen hörte man wieder anderes; der Minister, der bereits über dem Abgund der Entlassung hing, griff – in einer Unterredung in Königsberg – nach der Hand des Zaren, beschwor die Notwendigkeit eines Zusammenstehens Rußlands, Preußens und Österreichs gegen Frankreich – vergebens. 1810 – als Rußland preußischen Patrioten bereits als Widerstandsnest erschien – meinte der Emigrant in Österreich: »Was will Gneisenau in Petersburg, was erwartet er sich von dem Weibischen, Feigen und Unsittlichen – der wie der Schakal die Knochen der vom königlichen Tiger erwürgten Leichen abnagt.«

Nun gebärdet sich der Schakal wie ein Löwe, schlägt nach Napoleon und schmeichelt Stein. Soll er Alexanders Aufforderung folgen? Sie tönt wie das Echo der eigenen Aufrufe, liest sich wie eine Kopie seiner Denkschriften, unterstreicht sein Ceterum censeo: das unsittliche Reich französischer Nation müsse zerstört werden! Er mag sich vormachen, der Funke, den er 1808 bei der Königsberger Unterredung geschlagen hat, habe nun endlich gezündet. Zumindest ist die Einladung des Zaren als ein Akt der späten, aber nicht zu späten Anerkennung seiner Argumente zu werten, als Berufung des Rufers in der Wüste in ein Befehlszentrum der Weltpolitik. Kann aber ein schwankendes Rohr wie Alexander festen Halt bieten? Ist der »Empereur et Autocrate de toutes les Russies«, wie der offizielle Titel des Zaren in der lingua franca der Diplomatie lautet, überhaupt der richtige Gralshüter der »liberalen Ideen«, ein heiliger Georg gegen den Drachen der »Barbarei und der Knechtschaft«? Ihm die Führung im Kampfe gegen Napoleon anzuvertrauen, hieße das nicht, den Teufel gegen Belzebub aufzubieten?

Andererseits: Rußland ist die einzige kontinentale Macht, die dem Korsen Pari bieten kann. Der Zar scheint entschlossen zu sein, den Krieg bis zum letzten Blutstropfen seiner Untertanen zu führen. Die letzte Chance ist dieser Kampf – für Europa und für den Baron vom Stein. Eine Niederlage Napoleons bedeutete den Anfang vom Ende des französischen Despotismus. Ein Sieg Napoleons würde die Knechtschaft Europas besiegeln – und das Schicksal des Emigranten. Nirgendwo wäre er dann mehr sicher; der Arm des Triumphators würde ihn im letzten Winkel des Kontinents erreichen.

Fazit: »Waren die Bedenklichkeiten gegen den Erfolg dieses Krieges und das Wagnis groß, einen Zustand der Ruhe und Sicherheit, den ich mit den Meinigen im Österreichischen genoß, mit einem schwankenden, unberechenbaren, eine düstere Zukunft anbietenden zu vertauschen, so war doch die Sache, die es galt, zu heilig; ich war durch mein vorhergegangenes Leben, durch meine Gesinnungen zu fest daran gekettet, um einen Augenblick zu wanken, und ich sprach in der Antwort an den Kaiser meinen Entschluß, nach dem russischen Hauptquartier abzugehen, aus.« So qualifiziert Stein seinen Entschluß, freilich später, als er durch den Erfolg gerechtfertigt worden war. Tatsächlich ist er ihm schwer genug gefallen. Für das Antwortschreiben ließ er sich vier Tage Zeit – lange genug für einen Mann blitzschneller Entscheidungen. Wenn man der – gewöhnlich gut unterrichteten – österreichischen Polizei glauben darf, dann hat er sich seiner Frau erst am Tage der Abreise nach Rußland – am 27. Mai – eröffnet, »welche darüber sehr bestürzt wurde und nur durch anhaltende Vorstellungen ihres Gatten zur Fassung gebracht werden konnte; seinen Kindern ist jedoch auf sein Geheiß vor der Hand nichts bekanntzumachen«.

Auffahrend und launisch zu sein, »das, meine liebe Therese, ist Dein großer Fehler, Du mußt ihn bekämpfen; ich habe ihn auch und suche ihn zu unterdrücken«, schreibt Stein am 4. Juni aus Lemberg seiner jüngeren, neunjährigen Tochter. Allein hat er die Reise ins Ungewisse angetreten, unter Zurücklassung allgemeiner Ermahnungen für die Familie und detaillierter Anweisungen für die Verwaltung seines Vermögens. Die Österreicher sind froh, daß sie ihn loswerden; der Paß ist bloß für die Hinreise gültig. Über Brody, Radziwiloff, Dubno und Slonim gelangt er – krank von Aufregung und Strapazen – am 12. Juni nach Wilna, ins Hauptquartier des Zaren.

Wilna – Barockkirchen, die Sankt-Stanislaus-Kathedrale mit dem Grabe des heiligen Kasimir, eine katholische Stadt, die alte Metropole Litauens. Seit dem Spätmittelalter war sie eine Grenzfestung des polnischen Reiches gewesen, ein westlicher Vorposten gegen die Moskowiter; seit der polnischen Teilung von 1795 ist Wilna russisch. Nun gilt diese Stadt den Moskowitern als nationales Bollwerk gegen den westlichen Eindringling, den politischen Flüchtlingen aus Westeuropa als Ausfallstellung der Freiheit gegen die napoleonische Diktatur.

Als präsumptiver Befreier des Kontinents erscheint der Verteidiger des »heiligen Rußlands«. Die erste Audienz gibt Stein den Eindruck, der Zar sei zum Äußersten entschlossen. Dieser Mann von 35 Jahren, schlank, rotblond, kurzsichtig, schwerhörig, mit einem glatten Gesicht, das die Empfindungen seiner Gesprächspartner widerspiegelt, knabenhafte Begeisterung, femininen Weltschmerz, männliche Entschiedenheit. Stein fühlt sich verstanden, revidiert sein Urteil, lobt: »Der Hauptzug in seinem Charakter ist Gutmütigkeit, Freundlichkeit und ein Wunsch, die Menschen zu beglücken und zu veredeln.«

Ernst Moritz Arndt, der etwas später den Zaren kennenlernt, glaubt in ein Antlitz zu blicken, das »ein gewisses Etwas hatte, was man in weiblichen Gesichtern buhlerische Eitelkeit nennt«. Der Monarch hat keine legitimen Kinder, und der Hofklatsch raunt, die unehelichen seien nicht von ihm; er bilde sich da, wie in vielen anderen Dingen, auch mehr ein, als er könne. Dies bleibt Stein nicht verborgen: Dem Zaren fehle die Geisteskraft, »um mit Beharrlichkeit die Wahrheit zu erforschen, die Festigkeit, um trotz aller Hindernisse das Beschlossene durchzuführen, den Willen der Anderswollenden zu beugen«. Dem Drein- und Durchfahrer Stein paßt nicht, daß Alexander seine Ziele nicht direkt, von vorne, mit offenem Visier, sondern oft hintenherum, mit listigen und tückischen Winkelzügen zu erreichen sucht. Der von der Wichtigkeit eines jeglichen Ministeramtes eingenommene Exminister findet es ebenso unzweckmäßig wie unstatthaft, daß der Zar keinem Minister traut, keinerlei Verantwortung delegiert, alles in seiner Hand behalten will. Der Gegner des Absolutismus, der in Preußen gegen das Kabinettsregime focht, müßte eigentlich Sturm laufen gegen die russische Autokratie; der Reformer sollte das zaristische System für mindestens so untragbar halten wie das friderizianische.

Doch ein Kaiser und Selbstherrscher aller Reußen, der gegen den Kaiser der Franzosen antritt, verdient Schonung; sein hoher Gönner hat Anspruch auf Verstehen und Verzeihen: »Der Druck im väterlichen Haus, die List und Absichtlichkeit seiner Umgebungen, die Täuschungen, die er in der Freundschaft gefunden, militärische Unfälle haben ihn mißtrauisch gemacht – ein großer Teil der Illusionen, womit er als Jüngling in die Welt trat, sind verschwunden; er verschließt sich immer mehr in sich selbst, er sucht immer mehr alles selbst zu tun, überladet sich, verliert sich in das einzelne.«

Dem Zaren ist Stein recht, wie er ist und weil er so ist. Er will alle von Napoleon Geschädigten und Geächteten um sich versammeln, eine moralische Fremdenlegion, zur psychologischen Kriegsführung. Was ihn bei der Königsberger Begegnung mit dem preußischen Minister erstaunte und erschreckte – der Haß gegen den Korsen, der Appell zum europäischen Krieg, der Aufruf zum Volksaufstand – das kommt ihm nun gelegen. Daß er mit Stein den richtigen Griff getan hat, bestätigt ihm Napoleon, der Alexanders Parlamentär Balaschoff anfährt: Schäme sich der Zar denn gar nicht, derartige Subjekte an seiner Tafel, in seinem Kabinett zu dulden? Wie könnte der Zar sich einbilden, daß dieser Stein – ein schlechter Mensch, ein Revolutionär– dem Kaiser von Rußland ergeben wäre?

In den russischen Staatsdienst wird der preußische Exminister nicht übernommen. Das deckt sich mit den Absichten Steins: Er will für preußische und deutsche Angelegenheiten wirken, ohne seinen Landsleuten als Renegat und den Russen als Konvertit verdächtig zu sein. Noch gibt es kein offizielles Ressort für das, was die österreichische Geheimpolizei bereits in Stein gesehen hat: den »russischen Minister der Aufklärung«. Inoffiziell braucht der Zar so etwas: einen Aufklärer des deutschen Volkes im allgemeinen und der deutschen Soldaten der »Grande armée« im besonderen über das Schlechte in Napoleon und das Gute in Alexander. Stein, von Bonaparte als Märtyrer für Freiheit und Vaterland glorifiziert, ist dem Zaren das Geld wert, das er selbstverständlich kostet. Er benützt ihn zur Agitation im feindlichen Heer und zur Diversion in dessen Rücken. Er braucht ihn als Symbol des Widerstandes, Motor des Abfalls, Katalysator der Emigration, als Chefpropagandisten eines »Deutschen Komitees« und Feldprediger der »Deutschen Legion«, einer aus Überläufern zu bildenden Hilfstruppe der Russen.

Stein kennt die ihm zugedachte Rolle, und er ist gekommen, sie zu spielen. Schon in Prag konspirierte er mit dem russischen

Hauptagenten Justus Gruner, dem früheren Chef der preußischen Staatspolizei, der an einem Volksaufstand in Norddeutschland häkelt. Vor der Abreise steckten die beiden Verschwörer »täglich bis beinahe Mitternacht zusammen«, wie die allzeit wache österreichische Polizei bemerkte; am 27. Mai habe Gruner dem Baron vom Stein ein Aktenbündel übergeben »und hierauf nach einer ziemlich langen Unterredung Abschied von ihm genommen, bei welchem beide tief gerührt waren«. Am selben Tag notierte Gruner die Zustimmung Steins zu seinen Vorschlägen: »Banden würden nützlich sein: in den preußischen Wäldern, im Spessart und in der Gegend von Eisenach« – zur Beobachtung und Störung der rückwärtigen Verbindungen der Franzosen.

Sechs Tage nach seiner Ankunft in Wilna, am 18. Juni, unterbreitet Stein dem Zaren ein Aktionsprogramm. Leseratten wie die Deutschen könnten literarisch aufgewiegelt werden, durch patriotische Schriften wie Arndts *Geist der Zeit*, durch eine Untergrundzeitung. Agenten – Offiziere, Tiroler Volkshelden, griechisch-orthodoxe Mönche – sollten »die Verführung und Auflösung« der nichtfranzösischen Truppenteile Napoleons betreiben, vornehmlich der Westfalen, Tiroler und Südslawen. Am 27. Juni offeriert er einen Plan zur Erhebung Norddeutschlands unter dem Schutz einer englisch-schwedischen Landungsarmee. Und er beginnt seine Mittelsmänner in London, Münster und Gneisenau, brieflich zu bestürmen, sie sollten die etwas steif gewordenen Briten zum Eingreifen bewegen.

Es ist höchste Zeit. Am 23. Juni setzte die Angriffsspitze der »Grande armée« bei Kowno über den Njemen, am 26. Juni verließ Stein Hals über Kopf Wilna, wo polnische Studenten sich gegen die Russen erhoben hatten. Zwei Tage später ist Napoleon in der Stadt, und er dringt weiter vor. Stein retiriert mit dem Hauptquartier des Zaren von Ort zu Ort, konzipiert einen Aufruf an die deutschen Hilfstruppen Bonapartes, beschwört sie, ihren Fahneneid zu brechen, »sich unter den Fahnen des Vaterlandes und der Ehre zu sammeln« und unter russischem Oberbefehl für die Befreiung Deutschlands zu kämpfen.

Die Verleitung zum Eidbruch berührt das mimosenhafte Gewissen des Freiherrn nicht. Er sieht das Recht auf der Seite des Angegriffenen, die Moral da, »wo sich die Ehre und die Unabhängigkeit findet«. Empfindlich trifft ihn ein Befehl des Zaren, der ihm die Grenzen seiner Möglichkeiten klarmacht. Alexander will aus der Proklamation den Steinschen Passus gestrichen haben: »... Verrieten gleich viele Euerer Fürsten die Sache des Vaterlandes, statt für sie zu bluten und zu fallen, ließen sich gleich viele Eueres Adels und Euerer Staatsbeamten zu Werkzeugen seines Unterganges brauchen, statt dem ehrenvollen Beruf zu gehorchen, seine Verteidiger zu werden ...« Der Zar will Wind säen, aber keinen Sturm ernten, der die Fürsten – wo und welche auch immer – von ihren Thronen fegen könnte. Ihm sekundiert ein deutscher Verwandter, Prinz August von Oldenburg, dessen Haus von Napoleon depossediert wurde: Nicht die »Nation« soll aufgestachelt werden, sondern die jeweilige Untertanenschaft der einzelnen Fürsten; die Souveräne sind die geborenen Führer der Befreiung.

Die vertriebenen Fürsten also, wie der Herzog Peter von Oldenburg, dieser Storch, der Vergangenem nachklappert! Die Rheinbundfürsten, die sich um die Plätze im Hintern des Korsen balgen! Der »sogenannte König von Preußen«, der nach oben buckelt und nach unten tritt! Der Reichsritter möchte am liebsten zum Zweihänder greifen, begnügt sich – den Umständen entsprechend – mit dem Florett. »Eine Unternehmung, welche die größte Einheit und Kraft erfordert, würde denn damit begonnen, daß wir ihre Ausführung einer hannoverschen Regierung anvertrauten, deren Haupt in London wohnt, einer hessischen Regierung, deren Haupt ein unfähiger, kleinlicher, habsüchtiger Greis ist, einer Regierung von Fulda, deren Fürst seine eigene Meinung haben würde, einer braunschweigischen Regierung, deren Fürst schwer zu leiten ist, einer oldenburgischen Regierung, welche bestimmt wegen ihrer Weisheit und Sittlichkeit völliges Zutrauen verdient, aber schwerlich hinreichende Kraft und Zwang haben möchte, um ihre Kollegen und deren Kabinette, Minister, Generale, Kammerdiener und Mätressen ... auf demselben Wege vorwärtszubringen.«

Dem Ausfall folgt die Verteidigung. Er sei kein Tugendbündler, kein Verschwörer, kein Revolutionär. Er wolle die deutschen Fürsten nicht abhalftern, sondern sie vor den Wagen der deutschen Nation spannen. Das ist sein Programm: »Rußland und seine Verbündeten senden ein Landungsheer an die deutschen Küsten, sie laden die deutsche Bevölkerung ein, das französische Joch abzuwerfen. Der Anführer der Expedition bildet einen Zentralausschuß für die deutschen Gebiete, die er in den Wirkungskreis seines Heeres einbezieht.« Und: »Man jakobinisiert nicht die besetzten Lande, aber man organisiert die bewaffnete Masse, und man tut alles mit Einheit, Kraft und mit der einzigen Absicht auf das Glück und die Freiheit der deutschen Nation, der die Fürsten so gut als die letzten ihrer Untertanen das Opfer ihres Vorteils zu bringen verpflichtet sind, da sie niemals Souveräne, sondern Glieder und Untertanen des Kaisers und Reichs gewesen sind und die durch den Rheinbund ihnen gegebene Souveränität nichts als eine Usurpation ist.«

Zukunftsmusik also, mit voller Besetzung des reichsritterlichen Denkens und Wollens, kein Avanciermarsch freilich in einem Augenblick, da die russische Armee in vollem Rückzug ist.

In Moskau schöpft Stein Atem und neue Hoffnung. Er ist dem Zaren gefolgt, der seine glücklose Armee verlassen hat, in der heiligen Reichshauptstadt Rückhalt und Zuversicht sucht. Der Russe findet Weihrauch und Kirchengesang, Untertanen, die vor ihm niederknien, sich von ihm segnen lassen, ein erbötiges Volk, das noch in der Nacht vor dem Kreml hin- und herwogt »wie das Meer in einer Sommernacht«. Der Deutsche ist tief beeindruckt. Vom religiösen und nationalen Fanatismus, vom Haß gegen den fremden Eroberer und der Verehrung des angestammten Herrschers, von der Opferwilligkeit aller Klassen, vor allem des Adels, der dem Zaren gelobt, er werde eine Landwehr aufstellen, einkleiden und ausrüsten.

Stein bestaunt Moskau: die Zwiebelkuppeln des orthodoxen Roms, die Zinnen der Kremlmauer, Riesenglocken und Riesenkanonen, Paläste und Holzhäuser, Gärten und Landsitze, belebte Straßen und zum Bersten volle Kaufläden, die west-östliche Melange der Architektur und des Lebensstils. Doch diese Eindrücke löschen die Erinnerung nicht aus, profilieren sie eher. Er fühlt sich isoliert in der Menge, ein Einzelgänger in der großen Stadt; das Heimweh hat ihn eingeholt. Er beginnt Vergleiche zu ziehen, in die Bewunderung des Neuen mischt sich die Kritik des Fremdartigen: Die Luft sei zu Hause milder, der Wald schöner, der Menschenschlag gutmütiger – welch ein Unterschied zu den Moskowitern, die etwas vom Hochmut der Mongolen, Turkmenen und Kalmücken hätten; man lerne sie ohne Vergnügen kennen und verlasse sie ohne Bedauern.

Nach Petersburg, der westlichen Hauptstadt Rußlands, macht sich Stein auf den Weg. Das Reisen ist dortzulande kein Vergnügen. Er erinnert sich an das Göttinger Reisekolleg von Professor Schlözer: »Die hundert deutschen Meilen von Moskau nach Petersburg macht man in dreimal 24 Stunden.« Er braucht länger, vom 2. bis zum 9. August. Der Postillon wirft den Wagen um, das Bein des Dieners Marx gerät darunter; »er schrie gefährlich, wir glaubten, der Fuß wäre entzwei, es war aber nur der große Zeh, der etwas gelitten hat – den Postillon zauste ich zur Strafe am Bart, die Leute tragen alle Bärte, und sagte ihm Durak, das heißt du Esel.« Das Töchterlein Therese erhält einen Bericht über schlechte und bessere Reiseerfahrungen: Das russische Volk sei »gutmütig, dienstfertig, reinlich, tapfer« – jedoch: »Sie betrügen gern im Handel, man muß ihnen immer nur die Hälfte bieten.«

In Petersburg steigt Stein im Gasthof Demuth ab. Eine andere Stimmung als in Moskau findet er vor, »schlecht, egoistisch, besorgt für Selbsterhaltung; es zeigte sich Unwillen über den Regenten, Tadelsucht und eine geheime Neigung zum Frieden«. Alexander, der Kreuzzugsprediger, wird kühl empfangen, mit Sympathie der zurückgetretene Generalstabschef der russischen Westarmee, der Korse Paulucci, der alles verloren sieht – »voilà un empire perdu«. Das Petersburger Publikum ist anders als das Moskauer: Höflinge, Beamte, Kaufleute, Gewerbetreibende, ein Mischmasch aus Fremden und Einheimischen – »Eitelkeit, Ehrgeiz, Gewinnsucht sind die Hauptelemente seines Charakters, nicht frommer, treuer Bürgersinn«.

Sankt Petersburg – die Stadt hat weniger mit dem »heiligen Rußland« gemein als mit Peter dem Großen, der seine Residenzstadt auf Sumpfboden baute, die Newa zwischen Granitwänden kanalisierte und sein Reich westlichen Einflüssen öffnete. Europäisch gibt sich diese russische Stadt, eine östliche

Kopie von Paris, Versailles, Turin und Potsdam in einem: regelmäßiger Grundriß, Quais und Avenuen, Prospekte genannt; das Winterpalais, das Marmorpalais, die Eremitage – Schlösser in französisch-italienischer Manier; der in holländischem Geschmack angelegte kaiserliche Sommergarten; Regierungsgebäude in preußischem Kasernenstil; die Kasansche Kathedrale, eine mißglückte Nachbildung der Peterskirche in Rom; Adelspaläste und Findelhäuser, der Kaufhof, in dem westeuropäische Luxusartikel zu haben sind, und der Markt, auf dem Missetäter mit der Knute bestraft werden.

Der Franzose Falconet schuf das Denkmal Peters des Großen. Der Zar ist zu Pferde, sprengt einen Granitfelsen von fünfeinhalb Metern Höhe hinan – als sollte angedeutet werden, daß er über einen gewaltigen Berg kommen wollte, die in Jahrhunderten aufgetürmte russische Tradition. »Hat Rußland wohlgetan, das Eindringen fremder Sitten zu begünstigen?«, fragt sich Stein. Er lobt die Rezeption von Substantiellem, tadelt die Imitation von Formellem, des französischen Kleiderschnitts, der französischen Küche, des Versailler Protokolls, des Pariser Salontons. Mit der »Grande armée« sollte alles Gallische aus Rußland vertrieben werden. »Erstens: Man könnte die sehr zweckmäßige und bequeme Nationalkleidung, den Kaftan, wieder einführen. Zweitens: Der Hof müßte sich einen großen Teil des Jahres in Moskau aufhalten. Drittens: Der Umgang der Einländer mit den fremden Gesandten müßte erschwert werden.«

Mit dem Fremden aus Deutschland verkehrt die Petersburger Gesellschaft wie mit Ihresgleichen. Vierspännig fährt er vor, an den Stadtpalästen und Landsitzen der Aristokratie, nicht ohne die daraus entstehenden Unkosten zu beklagen. Gastfrei wird er überall bewirtet, er diniert und soupiert, moniert die leichte Konversation, das schwere Essen und die späten Essenszeiten, mokiert sich über die in den Vorhallen schnarchenden Kutscher, goutiert die Tafelmusik bei Narischkins, kritisiert die Gepflogenheit der Orloffs, an ihren Tisch Kinder der verschiedensten Gesellschaftsschichten und Völkerstämme Rußlands zu ziehen: Wie wollte man edle, selbständige Männer bilden bei solchem wüsten Durcheinander, wo sich das von Kind auf bunt durcheinandertreibt, wo die Geschlechter bis zum Jünglingsalter so gemischt werden? Wie könnte da das Gefühl von Zucht, Ordnung und Sitte je entwickelt und rein erhalten werden? Er ist aufgebracht über den Aufwand, den das Petersburger Leben erfordert: In den großen Häusern stünden fünfzehn bis sechzehn Kammerdiener und Lakaien in den Vorzimmern, vier bis fünf Köche plus Hilfspersonal würden beschäftigt; es gebe Damen, die zwischen zehn und zwanzig Shawls besäßen, die tausend bis viertausend Rubel kosteten, zehn Rubel zu einem Dukaten gerechnet.

Den Generalstab der Gesellschaft nennt er die gehobene Petersburger Damenwelt, deren Freundschaft Unterstützung für Vorhaben und Schutz vor Zungenschlägen gewähre. Ein Salonstratege hat dies zu beachten, für den Verehrer edler Damen ist es keine unangenehme Pflicht. Da ist Antoinette, Gemahlin des Herzogs Alexander von Württemberg, der als russischer General an der Front steht. Bei ihr spielt er den antinapoleonischen Salonlöwen, der gegen die Franzosen faucht, vor den Russen schnurrt und mitunter patriotische Lieder singt. Da ist die Gräfin Orloff, geborene Soltikoff: geistreich, ein bißchen unausgeglichen, eine verläßliche Freundin, nicht hübsch, beinahe häßlich, doch von einer Häßlichkeit, die nicht mißfalle – so schildert er sie seiner Frau, in einem der Briefe, für die er immer wieder Zeit findet. Positiver zeichnet sie Arndt: »Eine lebendigste, reizende, durch und durch geistreiche Frau, zugleich von der allerliebenswürdigsten Einfachheit und einer natürlichsten Natürlichkeit, wie Gott der Herr einzelne seiner Lieblingskreaturen zur Freude der Menschen zu machen pflegt.« Nicht ungefährlich für Stein: »Sie schoß aus ihren Augen, welche wirklich blaue Thusnelda-Augen (eine russische Seltenheit) waren, mutige und gefährliche Strahlen und verstand auf die liebenswürdigste Weise mit unserm edlen Ritter zu spielen.« Stein revanchiert sich mit einer Bemerkung, die er für ein Kompliment hält: Es sei schade, daß ein solches Weib in Rußland leben und sterben müsse.

Madame de Staël kommt nach Petersburg, mit zwei ständigen Begleitern, August Wilhelm Schlegel und dem Husarenleutnant Rocca. Stein mißfällt dieses und jenes: »Ihr Gesicht hat nicht den Ausdruck einer Matrone, den Ausdruck von Reinheit, Sittlichkeit und weiblicher Würde; es ist selbst etwas Gemeines im Munde und etwas sehr Leidenschaftliches im Auge.« Doch die Welschschweizerin, die Schriftstellerin, die Romantikerin, die Fürsprecherin nationaler Besonderheiten, die Erzfeindin Bonapartes schlägt ihn alsbald in Bann. Bei Orloffs liest sie ein Kapitel ihres von Napoleon unterdrückten Buches *De l'Allemagne vor* – über den Enthusiasmus, die Begeisterungsfähigkeit der Deutschen, den »Gott in uns« dieses Volkes. »Es hat mich stark bewegt durch die Tiefe und den Adel der Gefühle und die Ergebenheit der Gedanken, welche sie mit einer zum Herzen dringenden Beredtsamkeit ausspricht«, schreibt er seiner Frau. Für sie läßt er das Kapitel abschreiben. »Ich bin gewiß, Du wirst davon gerührt und erhoben werden.« Zu seinem Bedauern reist Madame de Staël nach Stockholm weiter. Er behält ihr Bild, das er später in seinem Nassauer Zimmer anbringen wird. Sie wird in ihren Exilmemoiren Stein als einen antiken Charakter bezeichnen, der in der Hoffnung lebte, sein Vaterland befreit zu sehen.

Stein ist ein Mann von 55 Jahren. Seine Haare werden grau, er geht etwas vornübergebeugt, seine Schritte sind von Podagra gehemmt, mitunter befällt ihn Herbststimmung: »Das Leben hat seine Illusionen und seine Farben verloren; alles verkündet, daß man sich von ihm trennen und auf die Trennung vorbereiten muß.« Dann wieder kommen Frühlingsstürme auf. »Das war das Besondere bei dem edlen Ritter, daß sich auch bei der heftigsten Seelenbewegung auf seinem Gesichte gleichsam zwei verschiedene Menschen abspiegelten. Seine Stirn, meistens auch sein Blick, wurden von dem Nebelgewölk des Verdrusses oder vollends von den düstern Donnerwolken des Zorns selten überzogen, dort leuchtete fast immer der klare, heitre Olymp eines herrschenden, bewußten Geistes; unten aber, um Wangen, Mund und Kinn, zuckten die heftigen, empörten Triebe, die wohl an einen Löwengrimm mahnen konnten ... Er war durch Gott ein Mensch des Sturmwindes, der rein fegen und niederstürzen sollte, aber Gott der Herr hatte in den treuen, tapfern, frommen Mann auch lieblichen Sonnenschein und fruchtbaren Regen für die Welt und für sein Volk gelegt.« So sieht ihn – in der Erinnerung – Arndt, der in Petersburg sein Eckermann ist und später sein Plutarch wird.

Ernst Moritz Arndt. Einen Mann wie ihn braucht Stein in

dieser Stunde. Einen Deutschen, der die Scharte, auf der noch immer schwedischen Insel Rügen geboren zu sein, mit geschärftem Vaterlandsgefühl auszuwetzen sucht. Einen Frommen, der nach einem Backenstreich nicht auch noch die andere Wange hinhält, der einem Gott gehorcht, der Eisen wachsen ließ, dem »alten deutschen Gott«, einem christlich verbrämten Wotan. Arndt ist ein Erzfeind Napoleons, der den Haß gegen den Korsen wie gegen die Franzosen als »die Religion des deutschen Volkes« predigt. Ein Verfolgter, der nicht ruhen und rasten kann, bis der Verfolger am Boden liegt. Ein romantischer Patriot, der Deutschland – das Land gemeinsamer Sprache, Geschichte und Kultur – nicht nur befreit, sondern frei und einig sehen will, als Volks- und Nationalstaat. Ein Schriftsteller und Publizist, der all das in Worte fassen kann, die Freunde mitreißen und Gegner fortspülen.

Im Grunde mag er sie nicht, die Tintensäufer und Federhelden, die Literaten, schon gar nicht die Romantiker, die ihr Herz zwischen den Lücken ihres Verstandes zur Schau stellen. Stein muß sich immer noch einen Stoß geben, wenn er – der Standesherr, Gutsbesitzer, Staatsminister a. D. – in der Not demokratische Fliegen schlucken, mit nationalrevolutionären Wölfen heulen muß. In Denkschriften mit Geheimvermerk mag das hingehen, macht er es direkt; für das Publikum zieht er ein Sprachrohr vor. Er beruft den Professor Arndt – »als geistreicher, freimütiger politischer Schriftsteller bekannt« – nach Petersburg, besorgt ihm »für die Redaktion mehrerer zur Verbreitung in Deutschland dereinst bestimmter Schriften eine Pension vom Deutschen Komitee«. Bereits im November 1812 erscheint ein »Soldatenkatechismus«, zur Unterrichtung deutscher Soldaten in Napoleons Armee über ihre verdammte Pflicht und Schuldigkeit: die Seite wechseln, ein neues Kapitel beginnen, über dem »Freiheit und Vaterland« steht.

Ansonsten wird der Professor unter seinem Niveau eingesetzt, als Sekretär Steins, der eine ausgedehnte Korrespondenz zu konzipieren und zu chiffrieren hat. Er gibt sich zufrieden, weil er sich einer Mission verschrieben hat: Sein und Wollen seines Herrn der Mit- und Nachwelt zu verkünden – Stein ist groß und Arndt ist sein Prophet. Ein Mann, »gewaltig, gebietend und schnelle« trete an zum Duell mit Napoleon, »strenge fürchterlich kühn die Kräfte der Welt an, kämpfe mit gleichen Waffen, und der Teufel wird durch die Hölle besiegt werden«. Das erhofft sich Arndt von Stein. Zunächst hält er ihn für einen »noch sehr in der Luft oder vielmehr in dem Lichte des Gedankens schwebenden deutschen Diktator.« Doch bald stellt er fest: »Mein Verhältnis zu Stein hat sich so gefunden, und ich benütze es bloß als Firma, einige Ideen auszubreiten. Er ist fast immer gütig gegen mich, nie oder selten zutraulich, was er überhaupt wenig sein kann; dazu gehört doch die Geburt. Er könnte viel mehr, wenn er militärische Ansichten hätte und wenn seine Hitze überhaupt ein Ganzes in Übersicht begreifen und festhalten könnte. Das kann er aber nicht und hat er nicht.«

Einen »Nummer-Eins-Mann« lernt Arndt kennen, der aber nicht der erste sein darf und deshalb einer Diva zu ähneln beginnt, die wie ein Starlett behandelt wird. Seine Stimme hat in Petersburg höchstens moralisches, kaum politisches Gewicht. Dem Zaren kann er Denkschriften unterbreiten und – wenn er zu Audienzen vorgelassen wird, was nicht allzu oft geschieht – ins Gewissen reden. Das mangelnde Echo quittiert er in Steinscher Handschrift: Man dürfe von diesem Regime »keine weisen, großen, uneigennützigen Pläne im Glück, keine unerschütterliche Festigkeit im Unglück erwarten«. Er stößt sich am Staatskanzler Romanzoff, der die schönen Tage von Tilsit und Erfurt nicht vergessen kann. Routiniert in Kontroversen mit unliebsamen Kabinettsmitgliedern, beginnt Stein mündlich und schriftlich gegen ihn zu agitieren, gegen diesen Päderasten, die »vieille Marquise du Marais«, diesen Diplomaten, der immer mehr zu erraten, zu ahnen gebe, als er äußere, und seine Partner unbefriedigt, schwankend, unbehaglich lasse. Mit dem Vormarsch Napoleons wächst indessen die russische Friedenspartei, zu deren Häuptern – außer dem Staatskanzler – Großfürst Konstantin, Kriegsminister Araktschejeff und Polizeiminister Balaschoff gehören, die Quadriga, die einem Schandfrieden entgegenfahren will.

Ein Unding mit drei Köpfen ist das »Deutsche Komitee«. Das Prädikat »Kopf« gebühre eigentlich nur ihm und seinem Freund Graf Kotschubeij, einem russischen Exminister; den Prinzen Georg von Oldenburg nennt er einen »selbstzufriedenen gutmütigen Pinsel, der für sein Haus und nicht für Deutschland bedacht ist«, und dessen Vater Herzog Peter von Oldenburg – der nach dem Tode Georgs dem Komitee vorsitzt – hält er für einen höchst starrsinnigen, einseitigen, kleinlichen und beschränkten Vertreter seines Standes. Die Antipathie beruht auf Gegenseitigkeit: Den Fürsten widersteht das Revoluzzertum des Freiherrn und des »literarischen Mitläufers« Arndt. Die Kraftprobe läßt nicht lange auf sich warten. Der Herzog sitzt am längeren Hebel, Stein will den Krempel hinwerfen, zur schwedischen Armee abgehen. Der Zar beschwichtigt, gestattet ihm, seinen Geschäftsbereich ohne Einschaltung des Präsidenten zu führen, – die Wirksamkeit des Komitees bleibt dabei auf der Strecke.

Auch die »Deutsche Legion« kommt nicht voran. Es gibt zuwenig Überläufer – ein deutscher Soldat bricht seinen Fahneneid nicht, den er einem Fürsten von Gottes Gnaden geschworen hat. Kommandeure in petto gibt es genug, emigrierte preußische Offiziere und zugelaufene Söldner, die sich in Petersburger Vorzimmern bekriegen. Mit den deutschen Gefangenen, die Stein zu rekrutieren hofft, machen die Russen ebenso kurzen Prozeß wie mit den französischen. So gehen von einem Transport von 566 Deutschen 400 zugrunde. Der russischen Militärbehörde ist die »Deutsche Legion« ohnehin ein Dorn im Auge. Am 25. September schreibt Stein an Münster: England solle die »Deutsche Legion« besolden und übernehmen, überhaupt die deutschen Angelegenheiten in die Hand nehmen; denn auf Rußland sei kein Verlaß.

Rußland – wie es bei Stein im Kurs steht, läßt sich an den Kriegsberichten wie an Börsenzetteln ablesen. Den Brief an Münster schrieb er angesichts der niederschmetternden Erkenntnis, daß die Schlacht bei Borodino nicht, wie es das russische Bulletin zunächst hinstellte, eine Niederlage, sondern ein Sieg Napoleons gewesen ist. Im Hochgefühl eines vermeintlichen Triumphes hatte er am 18. September zwei Papiere vorgelegt, in denen seine Hoffnungen gipfelten – einen Plan für die deutsche Erhebung und eine Denkschrift über Deutschlands künftige Verfassung. Und in denen seine Erwartungen auf Rußlands Geburtshilfe für ein freies Deutschland kulminierten. Umso tiefer ist der Sturz in die Wirklichkeit. Die Russen haben Moskau geräumt. Am 14. September, 2.00 Uhr nachmittags, steht Napoleon auf dem Poklonberg und ruft aus: »Là voilà donc enfin cette fameuse ville!« Die heilige Reichshauptstadt, die vor ihm liegt wie ein zum Pflücken reifer Apfel.

England – Steins stets gelobtes Land, erscheint wieder einmal als letzte Hoffnung. Die britischen Vertreter in Petersburg, Münster und Gneisenau in London beschwört er, Britannia solle einen Gustav-Adolf-Ritt nach Deutschland unternehmen, gegen den Cäsaropapismus Napoleons und für die Confession der Freiheit. Doch die Insulaner sind mit freiheitlicher Nabelbeschau beschäftigt. Das Parlament wird aufgelöst, der Wahlkampf nimmt alles und jeden in Beschlag. Währenddessen sitzt Napoleon im Kreml und träumt von der Weltherrschaft.

»Es kann sein, daß wir nach Orel oder gar nach Orenburg die Fahrt werden antreten müssen. Ich habe schon zwei, drei Mal mein Gepäck verloren; was tut's? Sterben müssen wir ja doch einmal!« Das sagt Stein zu Arndt, und er hält eine fröhliche Mittagstafel, stößt unaufhörlich auf Spanien und England an. Er ist wieder einmal an einem Tiefpunkt angelangt, von dem es nur noch nach oben gehen kann.

»Napoleon ist ein reißender Strom, den wir noch nicht bändigen konnten. Moskau ist der Schwamm, der ihn aufsaugen wird.« Das prophezeite Marschall Kutusoff, der russische Oberbefehlshaber, einen Tag vor der Besetzung der Stadt. Die Voraussage erweist sich in der Substanz als richtig und in der Formulierung als falsch: Moskau ist der Feuerofen, in dem Napoleon verheizt wird. Kaum sind die Franzosen einmarschiert, beginnt die heilige Reichshauptstadt zu brennen, angezündet vom russischen Gouverneur Rostoptschin.

Moskau brennt, der Haß der Russen lodert, Hoffnung ist in Stein entfacht. »Alles dürfen wir von der großen Energie der Nation und der Tapferkeit des Heeres erwarten, und alle Wahrscheinlichkeit des Untergangs des bluttriefenden Ungeheuers ist da.« Die »Grande armée« ist auf 90 000 Mann zusammengeschmolzen, Munition und Lebensmittel werden knapp, die Brandruine eignet sich nicht als Winterquartier. Napoleon bietet einen Waffenstillstand an, vergebens. Tag und Nacht denkt er nun an den Schwedenkönig Karl XII., der sich hundert Jahre vorher in Rußland totgelaufen hat. Am 18. Oktober tritt er den Rückzug an, verfolgt von der russischen Hauptarmee, umschwärmt von Kosaken. Anfang November holt ihn der Winter ein, die Kälte, der Schnee, der Hunger. In Petersburg sitzt Stein im geheizten Zimmer, hört vom Dahinschmelzen der französischen »Bande« und hofft auf einen Frühling für Europa, Deutschland und die Familie Stein.

»Ich zweifle nicht, Dich unter glücklichsten Umständen wiederzusehen«, schreibt er seiner Frau nach Prag. »Jetzt ist es Zeit, daß sich Deutschland erhebe, daß es Freiheit und Ehre wiedererringe«, schreibt er an Schön nach Gumbinnen. »Wolle Gott, daß alles sich vereinige, um über das unreine Tier herzufallen, das die Ruhe Europas stört«, schreibt er an Münster nach London. Doch die Rechnung ist nicht ohne den Wirt zu machen, den Zaren, der sich klarwerden muß, ob er lediglich als »Retter seines Reiches« oder vielmehr als »Wohltäter und Pazifikator Europas« in die Geschichte eingehen möchte.

Das ist die entscheidende Frage: Wird der Zar sich damit begnügen, die »Grande armée« zerrieben, den Feind aus Rußland vertrieben zu haben? Oder wird er über die Westgrenze seines Reiches vorstoßen, den russischen Verteidigungskrieg als europäischen Befreiungskrieg fortführen? Mit der Säuberung Rußlands vom »ausländischen Ungeziefer« sei das Kriegsziel erreicht, erklärt die eine Partei in Petersburg und verweist auf die Notwendigkeit einer Regeneration des ausgebluteten Landes wie der zusammengeschmolzenen Armee. Die andere Partei meint, die Gelegenheit sei günstig, tüchtig in den polnischen Apfel hineinzubeißen; der Zar hat die Weichselgrenze im Auge. Stein will ihn noch weiter locken, an die Elbe, an den Rhein, im Dienste der Befreiung Europas und der Neuordnung Deutschlands.

Der Freiherr nimmt kein Blatt vor den Mund, in seiner Denkschrift vom 17. November. Der Zar solle den Staatskanzler Romanzoff entfernen, diesen Bremsklotz, und seinen Generälen befehlen, »daß es sein Wille ist, seine Heere in das Herz Deutschlands zu führen; er wird Österreich und Preußen sein Bündnis anbieten, und es wird mit Feuer und Dankbarkeit angenommen werden; er wird darauf bestehen, daß England in dem Lande zwischen Elbe, Yssel und Rhein ein Heer bilde, welches zur Ausführung dieser Pläne beitrage, und er wird gemeinschaftlich mit dieser Macht eine politische Ordnung in Deutschland herstellen, welche der Nation ihre Unabhängigkeit wiedergibt und sie instandsetzt, Frankreich zu widerstehen und Europa vor den ungestümen und unbedachten Franzosen zu sichern«. Wie Marquis Posa vor Philipp tritt der Freiherr vom Stein vor Alexander und fordert: »Sie werden, Sire, sich an die Spitze der Mächte Europas setzen. Sie haben die erhabene Rolle des Wohltäters und Restaurators zu spielen!«

Der Zar stellt Romanzoff kalt, begibt sich zur Armee, befiehlt die Offensive. Seine Suada habe ihn hingerissen, seine Argumentation in der Denkschrift vom 17. November überzeugt, die magnetische Kraft seiner Persönlichkeit in der Unterredung vom Ende des Monats mitgezogen – glaubt Stein, und nimmt sich wichtiger, als er ist. Die antinapoleonische Saite in Alexander braucht nicht mehr zum Klingen gebracht zu werden; bereits nach der Besetzung Moskaus hat er getönt: »Napoleon oder ich! Ich oder er! Wir können nicht mehr nebeneinander regieren!« Als heiliger Georg im Kampf mit dem Drachen sähe er sich nicht nur gern an östlichen Ikonostasen, sondern auch in westlichen Herrgottswinkeln verewigt. Die Lorbeeren eines Befreiers Europas würde er begierig entgegennehmen – und die Beute einheimsen. Alexanders Segel sind für alle Ideen aufgespannt, die seine Interessen fördern, das Schiff der russischen Macht weiter gen Westen treiben, auf dem Kurs, den Peter der Große vorgezeichnet, Katharinas Hofpoet Derschawin besungen hat: »Vorwärts, o Rußland, und die ganze Welt ist dein!«

»Mächtig ist der Gott der Russen« – dieses Sprichwort zitiert Stein, als das russische Strafgericht mit Macht über die »Grande armée« hereinbricht, als »unsere Heere« – die russischen Heere – von Sieg zu Sieg marschieren, von Moskau über die Beresina bis vor die Tore Preußens. Alexander ist für ihn prima vista der mutmaßliche Befreier Europas, nicht der tatsächliche Despot Rußlands, der eine freiheitliche Bewegung, eine Volkserhebung auch anderswo nicht goutieren kann. Stein denkt immer an den Zusammenbruch des französischen Imperiums, spricht weniger von einem daraus resultierenden Zuwachs des russischen Reiches. Er prangert den Machthunger seines Feindes an und scheint seinem Freund keine Machtgelüste zuzutrauen: »Rußland ist zu groß und gerecht, um sich vergrößern und das allgemeine Mißtrauen erregen zu wollen«, erklärt er dem Zaren.

Ein Naiver, der die russischen Realitäten verkennt? Ein Zauberlehrling, der den Besen wieder in die Ecke bannen will? Jedenfalls wendet sich Stein gegen die Petersburger Partei, die »Polen als ein mit Rußland uniertes, eine eigene Konstitution genießendes Reich« wiederherstellen möchte – zur höheren Ehre und größeren Macht des Zaren. Den Polen gönnte er eine freiheitliche und nationale Verfassung, auch eine Union mit Preußen, wenn er sich auch fragt: »Ist aber ein Volk, das aus Edelleuten, Juden und tiefgedrückten Leibeigenen besteht, zum Genuß einer vernünftigen Freiheit fähig, nachdem es durch eine zweihundertjährige Anarchie verbildet worden?« Wovor ihm graut, ist ein mit Rußland verbundenes Polen. Eine solche Aussicht würde nicht nur Preußen und Österreich von einer antinapoleonischen Koalition abschrecken. Dann reichte auch Rußland bis zur Weichsel und zur Oder, und das bedeutete, »daß die bedeutendsten Häfen und Flußmündungen des baltischen Meers in seinen Besitz kommen, daß von Polen aus Ungarn, Schlesien, Pommern umfaßt und das Herz von Deutschland bedroht wird«.

Dieses Schreckbild schickt er nach London, und erklärt dem Grafen Münster: »England allein, besonders wenn es von Österreich unterstützt sein wird, kann diesen wilden Plänen Grenzen setzen.« Die Kosaken werden zur Befreiung Europas von Napoleon gebraucht, aber die von Napoleon beschworene Alternative »Europa republikanisch oder kosakisch« will er nicht anerkennen. Er glaubt an einen dritten Weg: die Wiederherstellung des alten »europäischen Staatenbundes«, ein Neufunktionieren des Gleichgewichts der Mächte. Die Voraussetzung dafür ist für Stein die Neuordnung der deutschen Verhältnisse – durch die großen europäischen Staaten im Verein mit der deutschen Volksbewegung.

»Die Ruhe Europas erheischt, daß Deutschland so eingerichtet sei, daß es Frankreich widerstehen, seine Unabhängigkeit erhalten, England in seine Häfen zulassen und der Möglichkeit französischer Einfälle in Rußland zuvorkommen könne«, heißt es in der Denkschrift vom 18. September. Im Interesse ganz Europas läge also die Auflösung des Rheinbundes. Das ist das Ausrufungszeichen hinter allen Steinschen Verlautbarungen. Fragezeichen stehen hinter den Überlegungen, was an die Stelle des Rheinbundes treten sollte. Die Wiederherstellung der 1806 aufgehobenen Reichsverfassung? Das wäre nicht wünschenswert: »Diese Verfassung war nicht das Resultat der durch Erfahrung und Kenntnis des eigenen Interesses geleiteten Nation, sie entsprang aus den unreinen Quellen des Einflusses herrschsüchtiger Päpste, aus der Untreue aufrührerischer Großer, der Einwirkung fremder Mächte.« Nicht möglich ist die Verwirklichung des Steinschen Verfassungsideals: »Könnte ich aber einen Zustand wieder aus der Vergangenheit hervorrufen, so wäre es der unter unseren großen Kaisern des 10. bis 13. Jahrhunderts, welche die deutsche Verfassung durch ihren Wink zusammenhielten und fremden Nationen Schutz und Gesetze gaben.«

Was bleibt, ist das Puzzlespiel, aus den gegebenen deutschen Teilstaaten und im vorgegebenen Rahmen der europäischen Mächteverhältnisse ein neues Deutschland zusammenzusetzen. Man könnte es an der Mainlinie teilen, zwischen Österreich und Preußen, den beiden deutschen Großmächten, die in ihrer Hemisphäre liegenden Mittel- und Kleinstaaten ihnen einverleiben oder sie ihnen zumindest in der Form eines Bundesverhältnisses unterordnen. Das wäre eine dualistische Lösung. Auch ein Trialismus ist anvisiert: »In dieser Absicht kann man das Land zwischen der Oder, dem Ausfluß des Rheins, Maas und den Moselgebirgen zu einem einzigen kräftigen Staat erheben.« Dies bedeutete eine Eingliederung holländischer und belgischer Gebiete sowie die Ausgliederung der östlichen Teile Preußens und der Hauptländer des Habsburgerreiches, die freilich mit dem »Dritten Deutschland« in einer Föderation verbunden werden sollten.

Mit solchen Gedankenspielen stört er die Kreise aller. Des Zaren, dem er Abstinenz verschreibt; Polen, auf das er Appetit hat, das Herzogtum Warschau soll der König von Sachsen bekommen. Er stört das englische Interesse an einer kontinentalen »Balance of powers«: Stein fordert für ein starkes Deutschland eine vorgeschobene Westgrenze – »die Maas, Luxemburg, die Mosel, die Vogesen und die Schweiz«; immerhin bedenkt er – in der Denkschrift vom 1. November – Großbritannien mit Holland und einem Teil Dänemarks. Erführe Preußen von der Geschäftsführung in Anmaßung durch den Staatsminister a. D., müßte es diese zurückweisen, auch wenn seine Interessen dabei nicht zu kurz kommen. Österreich würde sich schönstens bedanken für seine Machterweiterung auf dem Papier, etwa durch die ihm zugedachten Schweizer, die Nachfahren Winkelrieds. Und alle Fürsten – ob sie bereits an der Seite Alexanders oder noch auf der Seite Napoleons stehen – könnten nur mit Entsetzen lesen, wie der Reichsritter – der über allem nicht seine Forderung auf Rückgabe der reichsritterschaftlichen Gebiete vergißt – mit den Rheinbundfürsten, »dem Lumpengesindel«, umzuspringen gedenkt: Bayern, Württemberg und Baden sollen, auf den Besitzstand von 1802 zurückgeschraubt, Vasallen Österreichs werden; der Rest soll als »Königreich Süddeutschland« in Wiener Obhut kommen. Analog dazu soll Preußen ein »Königreich Norddeutschland« bilden und ihm ebenso wie Hannover, Hessen, Braunschweig und Oldenburg seine Oberhoheit auferlegen.

Rußland und England, die Flügelmächte Europas, müßten auf ihren Schwingen Deutschland wieder emportragen, meint Stein. Seine Vorschläge zu einer europäischen Lösung der deutschen Frage sind an den Zaren in Petersburg gerichtet; Münster in London wird davon in Kenntnis gesetzt. Antinapoleonisch gestimmt ist Ernst Friedrich Herbert Reichsgraf zu Münster-Ledenburg, der hannoversche Minister der britischen Krone, dessen Geschäftsbereich in der Machtsphäre der Franzosen liegt. Wie Stein stammt er aus altem Reichsadel, ist geprägt von der englisch artikulierten Aufklärung, voller Erinnerungen an vorabsolutistische Freiheitsrechte. Ein Norddeutscher freilich: »Er ist einmal ein Westfale, und diese langsamen Plattdeutschen wägen alles zu sehr und wollen in dem eben gelegten Ei sogleich den Hahn mit den vollen Sporen sehen; auch hat er zuviel hannoversche Hofluft der Junkerei eingeatmet – aber er ist doch ein braver, zuverlässiger Mann.« Das sagt Stein zu Arndt, der die Korrespondenz zwischen Petersburg und London zu lesen bekommt, dem die menschlichen und politischen Unterschiede der beiden Feinde Napoleons nicht verborgen bleiben.

Münster, eher ein erfahrener Diplomat, gießt Wasser in den Steinschen Wein: England sei nicht ohne weiteres zum Eingreifen zu bewegen, eine Landung in Norddeutschland sei nicht so einfach, ein Volksaufstand sei höchstens unter starkem militärischem Schutz zu erwarten und zu verantworten. Auch Münster will Deutschland befreit, doch sein Hannover nicht Preußen unterworfen sehen. Stein erwidert: »Es ist mir leid, daß E. E. in mir den Preußen vermuten und in sich den Hannoveraner entdecken; ich habe nur ein Vaterland, das heißt Deutschland, und da ich nach alter Verfassung nur ihm und keinem besonderen Teil desselben angehöre, so bin ich auch nur ihm und nicht einem Teil desselben von ganzer Seele ergeben. Mir sind die Dynastien in diesem Augenblick der großen Entwicklung vollkommen gleichgültig, mein Wunsch ist, daß Deutschland groß und stark werde, um seine Selbständigkeit und Unabhängigkeit und Nationalität wieder zu erlangen und zu behaupten in seiner Lage zwischen Frankreich und Rußland – dieses ist das Interesse der Nation und ganz Europens; es kann auf dem Weg alter, zerfallener und verfaulter Formen nicht erhalten werden, das hieße eine militärische künstliche Grenze auf die Ruinen der alten Ritterburgen und der mit Mauern und Türmen befestigten Städte gründen wollen und alle Ideen Coehorns, Vaubans und Montalamberts zu verwerfen.«

Ein großes Wort, ein starkes Wort, der verbale Gipfel seines Patriotismus. Es wird später als Bekenntnis zur Einigung Deutschlands durch Preußen ausgelegt werden, obgleich der preußische Exminister im selben Brief vom 1. Dezember 1812 erklärt, wenn Österreich der Herr eines einigen Deutschlands werden könne, wolle er Preußen gerne zur Disposition stellen. »Ich kenne nur ein Vaterland« – dieses Wort wird noch später von den Adepten eines großdeutschen Einheitsreiches zitiert werden, obwohl der Reichsritter zunächst an seine »Libertät« denkt, seine Fehdeansage weniger den deutschen Gliedern als ihren derzeitigen Häuptern gilt, den vor Napoleon im Staube kriechenden Fürsten. Beides sei in den deutschen Angelegenheiten nicht zu trennen, meint Münster: Deutschland sei ohne Einzelstaaten und diese seien ohne ihre Dynastien nicht vorstellbar, die föderative Gliederung fördere Wissenschaft, Kunst und Wohlstand; eine Zusammenfassung der gegebenen Fülle – sei es nach diesem oder jenem Steinschen Rezept – würde alle europäischen Nachbarn auf den Plan rufen.

»Lassen Sie uns doch nicht nach dem greifen, was vielleicht theoretisch wünschenswert sein möchte, und dagegen das verlieren, was praktisch erreichbar ist.« Münsters Mahnung kommt nicht an. Stein will seinen Illusionen anhängen – den Idealvorstellungen über die Befreier wie die zu Befreienden. Er verkennt die Interessen der großen Mächte, unterschätzt die restaurativen Tendenzen, überschätzt die Möglichkeiten eines Volksaufstandes in deutschen Fürstenstaaten und die Durchschlagskraft eines gesamtdeutschen Patriotismus.

Die abstrakte deutsche Nation, auf die Stein setzt, gibt es in Wirklichkeit nicht. Doch es gibt Preußen, dessen König Friedrich Wilhelm III. aus Staatsraison zögert, die Front zu wechseln. Und dessen General Yorck die Staatsraison auf eigene Faust interpretiert, in Tauroggen mit den Russen verhandelt, das von ihm kommandierte preußische Hilfscorps von der »Grande armée« löst. Ein preußischer, nicht ein deutscher Rebell gibt den Anstoß zur Erhebung – nicht der preußische Exminister und deutsche Patriot Stein, der als russischer Bevollmächtigter in den befreiten Gebieten die Nation mobilisieren möchte.

Eintausendsechshundert Bewaffnete kehren über den Njemen zurück – ein kläglicher Rest der »Grande armée«. Mindestens dreihunderttausend Mann sind in Rußland geblieben, erfroren, verhungert, erschossen, erschlagen. Am 5. Dezember verläßt Napoleon bei Smorgonji den Leichenzug, im Schlitten, in Pelze vermummt, in Richtung Frankreich, wohin er ein Bulletin vorausgeschickt hat: »Das Wohlbefinden Seiner Majestät des Kaisers ist nie besser gewesen als gegenwärtig.«

Einen Monat später, am 5. Januar 1813, tritt Stein seine Schlittenfahrt an, von Petersburg in Richtung Deutschland. Er und Arndt, leidlich in Pelze gehüllt, mit zwei Dienern, zwei Feldjägern, einem Gepäckwagen. Die erste Station ist Pleskow, wo Graf Chasot, eine Hoffnung der »Deutschen Legion«, im

Sterben liegt. Ein trauriger Besuch, dann eine ärgerliche Überraschung: Aus dem Gepäckwagen ist Arndts Mantelsack gestohlen, mit Wäsche und Proviant, Tee, Mettwürsten und Chesterkäse. Ungemach bereitet einer der Diener, ein böhmischer Veteran, der zuviel säuft, eines Nachts auf dem Bock einschläft und beinahe erfriert; Stein und Arndt machen ihm Bewegung, bis er wieder gelenkig wird.

Erfrorene säumen genug den Weg, Soldaten der napoleonischen Armee. »Links und rechts lagen Leichen, Pferde, Trümmer von Kanonenlafetten, auch standen einzelne verlassene Wagen und Karren im Schnee festgefroren; Raben flogen und krächzten, und Wölfe heulten ein greuliches Konzert darüberher«, berichtet Arndt. Bauernschlitten kommen ihnen entgegen, auf denen kranke und marode Kriegsgefangene – Deutsche – zurückgeführt werden; die wenigen, die noch selber gehen können, werden von Kosaken mit Peitschenhieben angetrieben. Die Rekrutierung der »Deutschen Legion« hat sich Stein anders vorgestellt.

Mit Wilna gibt es ein grausiges Wiedersehen. Im Gasthof findet sich kaum etwas einem Bette Ähnliches. Der Schlitten steht im Hof – wie sich am Morgen herausstellt – auf einer von Dung und Stroh dürftig bedeckten nackten Leiche. 15 000 Kranke liegen noch in den Notlazaretten; täglich werden es weniger. Arndt sieht in einem Klosterhof einen Haufen gefrorener Leichen; die Krepierten werden schlichtweg aus den Fenstern geworfen. Stein bemerkt Züge von Gefangenen, zerlumpt, ausgemergelt, hohläugig, blau gefroren. »Diese Unglücklichen verbreiten die Pest, wohin sie kommen; man stößt sie zurück und mit Recht; die Einwohner betrachten sie mit Abscheu als die Schlachtopfer, die durch einen grausamen Tod das abscheuliche Verbrechen sühnen, Mitschuldige und Werkzeuge der Zerstörungswut Napoleons gewesen zu sein.«

Der patriotische Racheengel Stein verweist einen deutschen Gefangenen stellvertretend für viele in die Hölle. Ein französischer Kürassieroffizier spricht bei ihm vor – ein Deutscher aus Cleve, Sohn eines preußischen Kriegsrats, ein ehemaliger preußischer Offizier, der nach Jena verabschiedet worden war und dann in Spanien für die Franzosen kämpfte. Nun erbittet er für seine gefangenen Kameraden und für sich Verzeihung und

Barmherzigkeit, von der Exzellenz, die nach Rußland gekommen sei, um sich der unglücklichen Deutschen anzunehmen. Stein braust auf: Er sei nicht gekommen, Deutschen zu helfen, die einem Tyrannen dienten. »Gehen Sie! Die Wege der Menschen sind sehr verschieden, unsere Wege aber sind die verschiedensten; der meinige führt jetzt nach Deutschland, der Ihrige nach Sibirien.«

Als Vertreter der russischen Besatzungsmacht kommt der deutsche Patriot nach Preußen. Mit einer Vollmacht des Zaren, die er selber entworfen hat: Der Baron vom Stein, Ritter des Roten-Adler-Ordens, soll im okkupierten Ost- und Westpreußen militärische und finanzielle Hilfsquellen erschließen, sie auf die antinapoleonischen Mühlen leiten – de facto auf die russischen, die noch allein mahlen. Er muß für die russischen Truppen Lebensmittel und Transportgelegenheiten requirieren, das russische Papiergeld – auf den Rat des Finanzexperten Stein gedruckt – zwangsweise einführen, als zaristischer Zahlmeister für das Yorcksche Corps fungieren. Er soll dafür sorgen, daß sich die Bevölkerung möglichst rasch bewaffnet, teils als Landwehr, teils als Landsturm, nach den preußischen Plänen von 1808. Er darf alle Mittel anwenden, die er für notwendig hält, beispielsweise Beamte überwachen, absetzen und verhaften lassen. »Diese Mission wird in dem Augenblick beendet sein, da Wir ein definitives Abkommen mit dem Könige von Preußen getroffen haben; dann wird ihm die Verwaltung dieser Provinzen zurückgegeben und der Baron Stein zu Uns zurückkehren.«

Für einen nationalen Diktator auf Abruf hält sich der russische Militärverwaltungschef. Der König von Preußen – immer noch mit Napoleon liiert, den er nicht zu verlassen wagt und in diesem Augenblick wohl auch nicht verlassen kann – äußert Indignation. Hardenberg verpackt sie in diplomatisches Papier, läßt den Exminister Stein in einem fingierten, verschlüsselten Brief wissen: »Der Vater grüßt Dich und rechnet übrigens darauf, daß Du seine dortigen Geschäfte, die besonders in dem gegenwärtigen kritischen Zeitpunkte größte Aufmerksamkeit erheischen, mit Sorgfalt besorgen wirst.«

Für einen russischen Kommissar hält ihn sein alter Mitarbeiter Schön. Der Regierungspräsident von Gumbinnen heißt ihn willkommen, doch die Wiedersehensfreude ist getrübt. Dem königlich-preußischen Beamten kann es nicht schmecken, daß ihn Stein brieflich aufgefordert hat, die Besatzungstruppen ordentlich zu verpflegen und die Bevölkerung reglementswidrig zu bewaffnen. Die »Befreier« hausen in Ostpreußen wie in einem eroberten Land, ihre Befehlshaber benehmen sich, als sei es bereits eine russische Provinz. »Hier zu Lande haßt man die asiatische Apathie nicht weniger als die französische Despotie«, hat der Regierungspräsident dem General Paulucci ausrichten lassen und Stein ein Protestschreiben geschickt. Dieser tut alles, um Schöns Zweifel, ob er der richtige Mann am richtigen Platz sei, zu verstärken: Warum er die versprengten Franzosen nicht habe totschlagen lassen, fährt ihn Stein an. Nun sei es aber höchste Zeit, das Volk zu bewaffnen und mit den Russen über die Franzosen herzufallen. Das ginge nicht ohne den König von Preußen, erwidert Schön, nicht ohne Mitsprache der Bevölkerung und schon gar nicht in Abhängigkeit von Rußland. Es geht hart auf hart, endet mit einem Kompromiß: Nach Königsberg soll eine ständische Versammlung zur Beratung dieses Problems einberufen werden.

In Königsberg reibt sich Stein am preußischen Oberpräsidenten Auerswald. Noch am Tage seiner Ankunft – am 22. Januar – befiehlt er ihm unter Berufung auf die Vollmacht des Zaren die Ausschreibung eines Generallandtags mit der Tagesordnung: Errichtung eines Landsturms oder einer Landwehr. Auerswald gehorcht, mit königlich-preußischer Reservatio: Berlin teilt er mit, er stehe unter Zwang, die Landsleute läßt er wissen, es handele sich um keinen eigentlichen Landtag, sondern um eine Zusammenkunft von Landesdeputierten auf Wunsch des russischen Bevollmächtigten. Dann legt er sich zu Bett. Stein glaubt ihm seine Krankmeldung nicht und kommentiert: Diese alte Schlafmütze, ohne Mut und Feuer, wo doch jedes deutsche Herz brennen und jeder Nerv zucken müsse, als sei jede Fiber ein Schwert!

Der Reichsritter rasselt mit Yorck zusammen. Der General betreibt preußische Geschäftsführung ohne königlichen Auftrag, außerhalb der Legalität, doch in Übereinstimmung mit den Interessen Preußens, und er ist nicht gewillt, den Emissär eines fremden Souveräns, den selbsternannten Treuhänder einer nebulosen deutschen Nation, diesen »verbrannten Kopf« in Ostpreußen schalten und walten zu lassen. Yorck lehnt Steins Aufforderung, den Vorsitz der Ständeversammlung zu übernehmen, rundweg ab, aus Prinzip und weil ihm der Ton nicht gefällt: »... S. M. der Kaiser erwarten daher, daß E. E. diese Leitung übernehmen und die Verhandlungen zu einem erwünschten Resultat bringen werden.« Ein Schlagabtausch findet statt. Stein: Dann würde er mit russischer Autorität die Sache zu Ende bringen. Yorck bellt zurück, Stein faucht ihn an: Er werde russische Waffengewalt anwenden! Yorck: Nur zu! Dann werde er Generalmarsch schlagen lassen, und dann möge Stein zusehen, wo er mit seinen Russen bleibe!

Deutschlands Befreiung scheint mit einer Bürgerfehde zu beginnen, zwischen dem von Napoleon geächteten Exminister Stein und dem von seinem König abgesetzten General Yorck. Schön greift als Vermittler ein. Der Versammlung präsidiert Ahasverus von Brandt, Direktor des Komitees der ostpreußischen und litauischen Stände. Yorck tritt vor die Versammlung und ruft im Namen des Königs zur Bewaffnung des Landes auf – unter Voraussetzung der Billigung durch den König. Die Deputierten beschließen die Aushebung von 13 000 Mann Reserven, 20 000 Mann Landwehr und die Bildung eines Landsturms, sobald der Feind die Weichsel überschreite. Der Beschluß wird Friedrich Wilhelm III. vorgelegt: »Nur was unser allgeliebter Landesvater will, wollen wir, nur unter seiner erhabenen Leitung Preußens und Deutschlands Schmach rächen.«

Der Beauftragte des Zaren verläßt das königstreue Königsberg noch am 7. Februar, dem Tage der Verabschiedung des Landwehrgesetzes. Erst als die Entscheidung gefallen ist, wird der Versammlung die Vollmacht des russischen Kommissars verlesen. Entrüstung wird laut. Steins alter Mitstreiter Graf Alexander Dohna vermag sie zu dämpfen. Immerhin wird der Antrag zu Protokoll gegeben, man möge die Steinsche Vollmacht aus den Akten entfernen, da man allein unter Yorckscher Autorität und in königlich-preußischer Legalität getagt habe. Später wird Dohnas Plädoyer für Stein aus den Akten getilgt werden.

Gescheitert ist der Versuch, eine Volkserhebung durch das Charisma eines Erzpatrioten, mit russischer Nachhilfe und ohne Rücksicht auf den König von Preußen zustandezubringen.

Napoleonhaß lodert auch in Königsberg, aber er schlägt dem Demütiger Preußens, dem Vernichter des Wohlstandes, dem Aussauger des Landes entgegen. Und Alexander wird in diesen Haß eingeschlossen, der Russe, der noch das wenige nimmt, was der Franzose übrig gelassen hat, der Zar, der die Unabhängigkeit unter dem Vorwand der Befreiung bedroht. An Vaterlandsliebe gebricht es diesen Ostpreußen nicht, doch sie gilt ihrem Monarchen von Gottes Gnaden. Hierzulande steht das Volk nur auf, wenn es der König befiehlt.

Stein ist enttäuscht, nicht niedergeschlagen. Er zieht die Konsequenz aus dieser Erfahrung: Der nächste Schritt auf dem Wege der Befreiung muß der Abschluß einer Allianz zwischen dem Zaren von Rußland und dem König von Preußen sein. Die Zeichen stehen günstig. Hardenberg gibt einen verschlüsselten Hinweis: »Bei der Unsicherheit des Postablaufs benutze ich eilig diese Gelegenheit, Dich zu benachrichtigen, daß unser guter Vater im Begriff steht, dem Onkel die Ehestiftung durch eine sichere Gelegenheit zu senden, und da vorauszusehen ist, daß alle Punkte ihm recht sein werden, so wird die Verbindung unserer lieben Amalie bald und gewiß zustandekommen.«

Stein will die Eheschließung beschleunigen. Er reist zum Onkel, in das Hauptquartier des Zaren.

Mit Preußen sei zu rechnen, sobald die russische Armee an seine Tür poche, hat Stein dem Zaren versichert. Nun steht sie im östlichen Preußen und Friedrich Wilhelm hat noch immer nicht Farbe bekannt. Immerhin verlegt er sein Hofquartier von Potsdam nach Breslau, weiter weg von den Franzosen, die einen Teil seines Landes in der Hand haben, näher an den Russen, deren Marsch nach Westen er beargwöhnt. Sein liebster Platz wäre nach wie vor die diplomatische Schaukel: bewaffnete Neutralität, Friedensvermittlung. Aber eine solche Position wird zunehmend schwieriger. Hardenberg bereitet die Umkehrung der Bündnisse vor. Es gilt, das Ufer des Stärkeren zu erreichen. Und die patriotische Bewegung königlich-preußisch zu kanalisieren.

Letzteres paßt Stein nicht, ersteres geht ihm zu langsam. Die Russen sollten den preußischen Entscheidungsprozeß durch einen zügigen Vormarsch beschleunigen, drängt er den Zaren am 10. Februar. Und ihn – mit einer Eskorte von fünfzig Kosaken – zum König nach Breslau schicken, damit er ihm Füße mache. Alexander wartet lieber das Eintreffen des preußischen Unterhändlers ab. Karl Friedrich von dem Knesebeck ist ein Militär, der am »Vorwärts, marsch!« in das preußisch-französische Bündnis mitbeteiligt war und nun das »Kehrt, marsch!« in das preußisch-russische Bündnis vollziehen soll. Stein attestiert ihm »eine alle Geschäfte lähmende und verwirrende Zweifelsucht, Neigung zum Finassieren, die in Unklarheit ausartet«. Es sind die Interessen seines Königs, die Knesebeck mit dem diplomatischen Geschick eines preußischen Obersten verficht. Er besteht auf der Rückgabe aller ehemaligen polnischen Provinzen Preußens. Der Zar will auf seine polnischen Aspirationen nicht verzichten. Die Verhandlungen stocken.

Unter Umgehung des Sperrforts Knesebeck schickt Alexander seinen Staatsrat Anstett und seinen Berater Stein nach Breslau. Ziel dieser von Stein angeratenen Operation ist der Abschluß des Allianzvertrages direkt mit Staatskanzler Hardenberg. Die Zeit ist reif. Die Botschaft von Königsberg, die ostpreußische Landesbewaffnung ist mit Glauben und Hoffnung gehört worden. »Die Geister sind in Gärung«, berichtet der österreichische Gesandte, »General Scharnhorst übt unbegrenzten Einfluß. Die Militärs und die Häupter der Sekten haben sich unter der Maske des Patriotismus der Zügel der Regierung vollständig bemächtigt, der Kanzler wird vom Strome fortgerissen.« Am 3. Februar ist die Verordnung zur Bildung von freiwilligen Jägerdetachements erlassen worden, am 9. Februar das Edikt, das Befreiungen von der Wehrpflicht aufhebt. Am 12. Februar hat der König Yorck rehabilitiert. Am 27. Februar – zwei Tage nach der Ankunft Anstetts und Steins in Breslau – ist das russisch-preußische Kriegsbündnis unter Dach und Fach. Am Entwurf des Zaren wird kein Yota geändert: Preußen soll in seiner alten Machtstellung restauriert werden. Aber den Machtgewinn habe es nicht in Polen, der Einflußsphäre Rußlands, sondern in Norddeutschland zu suchen.

Der russische Bevollmächtigte ist Anstett, nicht Stein. Selbst wenn er an den Unterredungen hätte teilnehmen können, hätte er nicht das Sagen gehabt. Diese bittere Wahrheit wird verhüllt durch den Umstand, daß Stein schwerkrank in Breslau ankommt, sich sogleich zu Bett legen muß. Die alte Gicht hat ihn mit neuer Vehemenz gepackt; dazugekommen ist eine typhöse Infektion. Eine winzige, nicht ganz saubere Dachkammer im drittklassigen Gasthaus »Zum Zepter« ist seine Krankenstube, das einzige Quartier, das er in der überfüllten Stadt auftreiben konnte – er, der Kurier des Zaren! Alexander hat zwar ein Schreiben an Friedrich Wilhelm mitgegeben: »Der Freiherr vom Stein ist sicher einer der treuesten Untertanen Ew. Majestät. Er ist jetzt fast ein Jahr bei mir, und in dieser Zeit habe ich ihn nur höher achten gelernt. Er kennt alle meine Absichten und Wünsche wegen Deutschlands und wird Ihnen darüber genauen Bericht erstatten können.« Doch diese Empfehlung ist nur geeignet, dem König seinen nun in fremden Diensten stehenden »widerspenstigen Staatsdiener« noch mehr zu verleiden. Friedrich Wilhelm erkundigt sich nicht einmal nach dem Befinden des Kranken. Hardenberg läßt sich nicht blicken, der französische Gesandte St. Marsan ihn freilich observieren. Als Wittgenstein – der Staatspolizeichef – sich bei Stein melden läßt, fährt dieser den Boten an: Der Fürst möge kommen, aber er werde ihn die Treppe hinunterwerfen lassen! Nicht zurückweisen kann er Schreiben von Gläubigern, die ausstehende Zinsen für das Gut Birnbaum anmahnen.

Er hat Fieber und kocht vor Wut. Den Zaren beschwört er, zwischen die preußische Hofclique zu fahren. Arndt klagt er: »Es gibt des Erbärmlichschlechten und Verruchten noch viel!« Seiner Frau schreibt er: »Die Niedertracht der Menschen ekelt mich noch mehr als ihre Bosheit mich kränkt.« Der Brief vom 10. März erreicht die Freifrau nicht in Prag; als sie von der Erkrankung ihres Mannes hörte, ist sie mit den beiden Töchtern und einer Zofe per Eilpost nach Breslau gereist. Auch der Zar kommt dorthin, am 15. März. Stein erhält von den Preußen ein besseres Quartier und von Alexander eine Visite. Das hebt sein Ansehen, ändert aber nicht seine Position. An den Rand gedrängt, kann er das Geschehen nur beobachten, kommentieren, höchstens mit Denkschriften zu beeinflussen suchen.

Am 10. März stiftete Friedrich Wilhelm das »Eiserne Kreuz«, das jedem verliehen werden soll, General, Soldat oder Zivilist, der sich im Kampfe gegen Napoleon verdient machen würde –

um die Farben Schwarz und Weiß. Am 16. März erklärt Preußen den Krieg an Frankreich. Tags darauf erläßt der König das Landwehrgesetz – zur Mobilisierung der wehrfähigen Preußen, die nicht vom stehenden Heer oder von Sonderformationen erfaßt werden. Sein Kriegsheer ermahnt der Oberste Kriegsherr am selben Tag: »Des Einzelnen Ehrgeiz – er sei der Höchste oder der Geringste im Heere – verschwinde in dem Ganzen: Wer für das Vaterland fühlt, denkt nicht an sich« – der Einzelne ist nichts, das preußische Vaterland ist alles! Das Datum des 17. März 1813 trägt auch der Aufruf Friedrich Wilhelms »An mein Volk« – an »Brandenburger, Preußen, Schlesier, Pommern, Litauer«, Opfer zu bringen für den »angebornen König«, um der Ehre willen, »weil ehrlos der Preuße und der Deutsche nicht zu leben vermag«.

»Mit Gott für König und Vaterland« heißt die Kriegsparole. Kernstreitmacht ist das stehende Heer, dessen Quantität und Qualität Scharnhorst vermehrt hat. Zehntausende von Reservisten, kurzgedienten »Krümpern«, werden einberufen, bringen die Linie auf 80 000 Mann – keine Marionetten mehr, wie der britische Oberst Lowe bemerkt: »Das Heer ist viel besser als unter Friedrich, denn alle sind Eingeborene, beseelt von Hingabe und Vaterlandsliebe.« Ein Volksheer ist es freilich nicht. Das erwarten die Militärreformer von der Landwehr, dem militärischen Aufgebot des Volkes, 120 000 bewaffnete Preußen vom 17. bis 40. Lebensjahr, vom König gerufen, von den Ständen als Repräsentanten des Volkes errichtet, von ernannten wie gewählten Offizieren befehligt, dazu bestimmt, an der Seite der Linientruppe »für die Sicherheit des Thrones, für die Unabhängigkeit der Nation, für die heiligsten Güter des Lebens zu kämpfen«.

Als letztes Aufgebot ist der Landsturm vorgesehen, zu einem »Kampf der Notwehr, der alle Mittel heiligt«, wie es im Edikt vom 21. April heißt. Alle physischen und moralischen Kräfte der Gesamtnation wollen Scharnhorst und Gneisenau beanspruchen, für den totalen Volkskrieg, den Arndt beschwört: »Wo der Feind ein- und andringt, da sammeln sich die Männer, fallen auf ihn, umrennen ihn, schneiden ihn ab, überfallen seine Zufuhren und Rekruten, erschlagen seine Kuriere, Boten, Kundschafter und Späher, kurz tun ihm allen Schaden und

Abbruch ... Dieser Landsturm ... gebraucht alles, was Waffen heißt, und wodurch man Überzieher und Bedränger ausrotten kann: Büchsen, Flinten, Speere, Keulen, Sensen usw.«

Jeder Nerv gespannt, jede Kraft in Tätigkeit gesetzt, das ganze Volk gegen den Erzfeind mobilisiert – was Stein seit Jahren gepredigt hat, scheint nun befolgt zu werden. »Das Volk steht auf, der Sturm bricht los« – hat nicht er den Wind gesät, der Förderer der Militär-Reorganisation, der preußische Reformminister, der Nationalerzieher, den der Gedanke leitete, »einen sittlichen, religiösen, vaterländischen Geist in der Nation zu heben, ihr wieder Mut, Selbstvertrauen, Bereitwilligkeit zu jedem Opfer für Unabhängigkeit von Fremden und für Nationalehre einzuflößen und die erste, günstige Gelegenheit zu ergreifen, den blutigen, wagnisvollen Kampf für beides zu beginnen«.

Einem Lehrer gleicht Stein, der an seinen Schülern gezweifelt hat, an ihnen verzweifelt ist, und nun festzustellen glaubt, daß der Funke doch gezündet hat. Den Enthusiasmus der Deutschen, den er als literarische Entdeckung der Madame de Staël nicht genug preisen konnte, erfährt er nun in Wirklichkeit: die Begeisterung des Breslauer Professors Henrich Steffens etwa, der seine Hörer fragt: »Wollt ihr mit mir in den Krieg ziehen?«, und die Begeisterung der Studenten, die ihm antworten: »Krieg, Krieg, für Freiheit und Vaterland!« Der Kreuzzugsritter Stein erlebt eine Kampfeslust, die von Geistlichen gesegnet wird, von Friedrich Schleiermacher etwa: »Auch wir, die Verteidiger des Friedens, haben, wenn auch nicht alle zum Schwert, doch zu der scharfen Waffe des Wortes gegriffen und an heiliger Stätte zum Kriege, zum Kampf auf Leben und Tod aufgerufen.« Der Moralist Stein vernimmt und begrüßt nationalen Narzißmus, Fremdenhaß und Rachsucht, beispielsweise Ernst Moritz Arndts Verse:

»O Deutschland, heiliges Vaterland!
O deutsche Lieb und Treue!
Du hohes Land! Du schönes Land!
Dir schwören wir aufs neue:
Dem Buben und dem Knecht die Acht!
Der füttre Krähn und Raben!
So ziehn wir aus zur Hermannsschlacht
Und wollen Rache haben.«

Beispiele von Opfersinn gibt es genug, um Lesebücher damit zu füllen: Auf den »Altar des Vaterlandes« legt der Schneidermeister Hans Hofmann in Breslau als erster hundert Taler, die Gemeinde Marienburg das Silbergerät ihrer Kirche, der Bauer Johannes Hintze in Deutsch-Borgh das erste Pferd, das Ehepaar Rollin in Stettin die Trauringe, Ferdinande von Schmettau ihr Goldhaar, ein Westfale 50 Säbelklingen: »Laßt euch von ihnen freie Bahn nach dem Rhein machen!« Jeder Preuße sollte eine schwarzweiße Nationalkokarde tragen, als Spendenquittung und Bekenntniszeichen. »Es ist nur ein Wille, nur ein Wunsch in der Nation. König und Volk, Staat und Vaterland sind hier in innigster Gemeinschaft verbunden«, konstatiert Theodor Körner, der Sohn des Schiller-Herausgebers, der Dichter, ein Sachse, der in das Lützowsche Freicorps eintritt, das als Vorhut der Insurrektion in den Rheinbundstaaten gebildet wird.

»Der König rief, und alle alle kamen.« Die Brücke zwischen Bürger und Staat scheint geschlagen, ein Hauptziel der Steinschen Reformen erreicht zu sein: das Eintreten des Einzelnen für die Gemeinschaft, aus freiem Willen und in tätigem Gemeinsinn. Doch Schein und Sein decken sich nicht. Es sind weniger die von Stein befreiten Bauern, die sich freiwillig melden, als Handwerker, die von Hardenbergs Gewerbefreiheit angetan sind. Und Studenten, die mehr an die abstrakte Kulturnation des deutschen Idealismus denken, als an den konkreten Staat des aufgeklärten Etatismus. Überdies hilft der König der »Freiwilligkeit« nach, nicht mehr mit dem friderizianischen Krückstock, doch mit der landesväterlichen Mahnung, daß ein Jüngling zwischen 17 und 24 Jahren, der sich nicht freiwillig stelle, niemals zu »irgendeiner Stelle, einer Würde, einer Auszeichnung« kommen könne. Dem kategorischen Imperativ will der Kantianer Clausewitz mit kategorischen Mitteln Geltung verschaffen: Die Regierung solle »alle Mittel des Zwangs energisch anwenden, um das Volk zu seiner heiligsten Pflicht anzuhalten. Es gibt einen Zwang und selbst einen furchtbaren Zwang, der keine Tyrannei ist«.

Gemeinsinn aus eigenem Antrieb und aus freien Stücken ist nicht überall anzutreffen. Es gibt »Eigentümer«, die so handeln, wie es Stein von ihnen erwartet – Gutsbesitzer, die persönliche und materielle Opfer bringen, Kreis- und Provinzialstände, die sich die Ausrüstung der Landwehr etwas kosten lassen. Doch es gibt Drückeberger, weniger beim Adel, dem Ersten Stand des Staates, als unter den Bürgern, die durch die Selbstverwaltung zur gemeinnützigen Selbsttätigkeit erzogen werden sollten. Die Königsberger Bürgerschaft sträubt sich zunächst – unter Hinweis auf die Verhältnisse der Gewerbetreibenden – gegen eine Ausführung der Landwehreinrichtungen; die Stadtverordnetenversammlungen in Berlin, Potsdam, Brandenburg und Breslau halten wenig von der allgemeinen Wehrpflicht.

Der Eigennutz, den Stein vor den Staats-Omnibus spannen wollte, erweist sich mitunter als störrisches Tier, im allgemeinen als tüchtiges Zugpferd. Keiner will im Dreck steckenbleiben, in den Krieg und Franzosenherrschaft geführt haben. Bereits 1811 warnte König Jérôme von Westfalen seinen Bruder, den Kaiser, daß die deutsche Seele kochte, »nicht allein aus Haß gegen die Franzosen und aus Ingrimm über die Fremdherrschaft, sondern auch und noch mehr, weil die Überladung mit Steuern, Kriegskontributionen, Quartierlasten und Plackereien aller Art, verbunden mit dem Ruin des Handels und Verkehrs, die Bevölkerungen, denen man alles genommen hat, in eine Verzweiflung hineintreibt, welche zu befürchten ist«. Nun macht sich die Verzweiflung Luft, gegen Jérôme und Napoleon.

Nutznießer ist das intakt gebliebene monarchische Regime und das modifizierte friderizianische System. »Pour le roi de Prusse«, den Hauptgeschädigten der Franzosenzeit, den vornehmsten Leidtragenden des nationalen Unglücks, erhebt sich das Volk – in alter Anhänglichkeit an die Dynastie und in neuer Staatsgesinnung, einer Frucht der Reformzeit. Doch am schwarzweißen Bande bleiben das Warum, das Wie und das Wozu. Die Triebfeder ist die Wut gegen die Fremdherrschaft. Die Volkserhebung vollzieht sich in königlich-preußischer Legalität, nicht in deutsch-nationaler Spontaneität. Das Ziel ist die Wiedergewinnung und Neubestätigung der preußischen Machtstellung in Deutschland und Europa.

Von einem demokratischen Preis für die Volkserhebung ist keine Rede. Der König gibt kein Verfassungsversprechen, die Untertanen verlangen es nicht von ihm. Freiheit ist Anno 1813 kein Pro, sondern ein Kontra. Es geht um Preußens Unabhängigkeit, seine Befreiung von französischem Zwang – nicht um die Freiheit der Preußen und schon gar nicht um eine deutsche Einheit in freier Selbstbestimmung. Davon wird auch gesprochen, aber nicht in Preußens Namen. Dichter, »den goldenen Blütenstaub des fröhlichen Maientags der Hoffnung auf den Stirnen«, singen davon, daß auf den Frühling der Befreiung vom napoleonischen Eis das sommerliche Reifen und die herbstliche Ernte folgen werden – ein freiheitliches und einheitliches Deutschland. »Man immer munter druff losgesungen! Das bringt etwas Feuer unter die Leute«, meint Blücher. Für die preußischen Befehlshaber haben die patriotischen Weisen die Funktion von Marschliedern, nicht von politischen Programmen.

In dieser Stunde hört Stein keine Dissonanzen. Er vernimmt nur antinapoleonisches Donnergrollen und patriotisches Frühlingsrauschen. Er preist den Kampfgeist des preußischen Volkes und findet sogar ein gutes Haar an Friedrich Wilhelm III. Und er vergißt sein Kriegsziel nicht: die Neugestaltung des befreiten Deutschlands.

»Kaiser von Deutschland« lautet sein Spitzname im russisch-preußischen Hauptquartier. Kaum genesen, ist er nach Kalisch geeilt. Friedrich Wilhelms Aufruf an sein Volk reicht ihm nicht aus; an alle Völker Deutschlands müßte appelliert werden, sich gegen Napoleon zu erheben, und an alle deutschen Fürsten, sich von ihm loszusagen. Die Unfolgsamen sollten ihre Throne verlieren, die Folgsamen ihre ganze oder teilweise Souveränität auf dem Altar eines geeinten Deutschlands opfern dürfen.

Auf Anregung Steins und im Namen der Verbündeten erläßt der russische Oberbefehlshaber Kutusoff am 25. März in Kalisch eine »Proklamation an die Deutschen«. Sie kündet »Fürsten und Völkern Deutschlands die Rückkehr der Freiheit und Unabhängigkeit an«; Zar und Preußenkönig kämen lediglich in der Absicht, »ihnen diese entwendeten, aber unveräußerlichen Stammgüter der Völker wieder erringen zu helfen, und der Wiedergeburt eines ehrwürdigen Reiches mächtigen Schutz und dauernde Gewähr zu leisten«. Der Rheinbund müsse verschwinden, an die Stelle des französischen solle aber nicht etwa ein russisches Protektorat treten: Der Zar wolle nichts weiteres, »als eine schützende Hand über ein Werk zu halten, dessen Gestaltung ganz allein den Fürsten und Völkern Deutschlands anheimgestellt bleiben soll. Je schärfer in seinen Grundzügen und Umrissen dies Werk heraustreten wird aus dem ureigenen Geiste des deutschen Volkes, desto verjüngter, lebenskräftiger und in Einheit gehaltener wird Deutschland wieder unter Europens Völkern erscheinen können«.

Das ist Steins Handschrift; als Federhalter diente sein früherer Reformgehilfe Rehdiger. In die Tinte ist freilich Wasser gegossen worden. Primär sind die Fürsten, nicht die Völker angesprochen, als Mitstreiter gegen Napoleon wie als Gestalter des künftigen Deutschlands. Dem Fürsten, der nicht mit Rußland und Preußen mitzöge, »der deutschen Sache abtrünnig sein und bleiben will«, wird zwar gedroht, er würde sich reif zeigen »der verdienten Vernichtung durch die Kraft der öffentlichen Meinung und durch die Macht gerechter Waffen«. Doch diese Drohung ist eine ungeladene Pistole: Von einem Ultimatum an die Rheinbundfürsten – wie es Stein forderte – ist nicht die Rede; Hardenberg und Nesselrode, die verbündeten Chefdiplomaten, übermitteln ihnen nicht das Manifest, wohl aber Beruhigungspillen für die Zukunft. Und die Andeutung einer neuen Verfassung Deutschlands »aus dem ureigenen Geiste des deutschen Volkes« ist eher ein propagandistisches Reizmittel für die Völker als ein verbindliches Rezept für die Fürsten, und schon gar nicht das Versprechen einer freiheitlichen Konstitution im Sinne der Steinschen Reformen.

Immerhin: Die »Wiedergeburt eines ehrwürdigen Reiches« ist anvisiert. Stein will Geburtshilfe leisten, gegebenenfalls mit Kaiserschnitt. Sein Instrumentarium soll der »Zentralverwaltungsrat« sein, den er dem Zaren vorschlägt – als Besatzungsbehörde eroberter rheinbündischer Gebiete, Beschaffungsstelle für Geld und Waffen, Rekrutierungsbüro zur Verstärkung der alliierten Streitkräfte, Vorkommando eines vereinigten Deutschlands – unter dem Befehl des Reichsfreiherrn vom Stein, des selbstberufenen Reichsverwesers.

Eine Zivilverwaltung für besetzte Gebiete, keine provisorische Nationalregierung wollen die Monarchen. Am 19. März kommt in Breslau eine russisch-preußische Konvention über die Errichtung eines Verwaltungsrates zustande; die Vorarbeiten leistete eine Kommission, der Nesselrode und Stein als russische, Hardenberg und Scharnhorst als preußische Vertreter angehörten. Als »unbeschränkt« werden die Kompetenzen des Verwaltungsrates bezeichnet; Stein, der als Delegierter Rußlands vorgesehen ist, kann damit zufrieden sein. Nicht lange. Eine überstaatliche Behörde mit unbegrenzten Vollmachten, ein Stein, der als nationaler Diktator zwischen deutsche Fürsten führe: der bloße Gedanke daran läßt Diplomaten und Bürokraten die Bremse anziehen. Am 4. April werden in Kalisch die Kompetenzen des »Verwaltungsrats der verbündeten Mächte für das nördliche Deutschland« gedrosselt: Er darf nicht befehlen, kann nur verhandeln, Vereinbarungen mit den einzelnen Regierungen treffen.

Steins Konzept ist versalzen. Daran kann auch das Zuckerstück nichts ändern, das Kutusoff in seiner Bekanntmachung verabreicht: »Zum einstweiligen Präsidenten desselben Rats haben Ihre Majestäten den Freiherrn Carl von Stein zu ernennen geruhet.« Mit bitterer Genugtuung liest er das Schreiben des Herzogs Karl von Mecklenburg-Strelitz, des Vaters der Königin Luise, der sich zur Unterstützung der deutschen Sache bereiterklärt und deren Vertreter eröffnet: »Deutschland hat Sie schon lange als einen seiner ersten Männer in jeder Hinsicht anerkannt. Wie könnte ich demnach anders als mit der gerührtesten und hoffnungsreichsten Freude Sie da sehen, wo ich Sie sehe!« Stein hört die Nachtigall trapsen, erhebt vom Herzog die Eintrittsgebühr in den deutschen Verein – finanzielle und militärische Forderungen – ohne Rabatt.

Bis zur Elbe ist Deutschland schon befreit. Am 9. April erscheint Stein in Dresden; der König von Sachsen ist geflohen, der Präsident des Verwaltungsrates kommt. Arndt meldet sich zur Stelle; er wohnt, wie es einem Patrioten und Dichter dazu geziemt, im Hause Körner, wo er sich freilich über den Besucher Goethe ärgert, der die Widernapoleonisten nicht ernst nimmt: »O ihr Guten, schüttelt immer an Euren Ketten, Ihr werdet sie nicht zerbrechen, der Mann ist Euch zu groß!« Stein nimmt verwandtschaftliche Rücksichten, logiert bei seiner Nichte, der Gräfin Luise Senfft von Pilsach – und fühlt sich im Quartier des Gegners. Ihr Mann, königlich-sächsischer Minister, Napoleonbewunderer der ersten und Rheinbündler der letzten Stunde, hat sich mit Friedrich August I. nach Bayern abgesetzt, redet seinem Monarchen die Annahme des königlich-preußischen Angebotes aus, der Koalition gegen Frankreich beizutreten. Stein wünscht ihn in die Hölle, und seine Nichte ins erste beste Spinnhaus. Eine eitle Närrin und hoffärtige Verschwenderin schimpft er sie, die es gewohnt gewesen ist, ihre Spitzenhemden allmonatlich nach Paris zum Waschen und Bügeln zu schicken.

Dieses Dresden ist überhaupt der Inbegriff all dessen, was es in diesem Kreuzzug für Reinheit und Einheit auszumerzen gilt. Ein barockes Babel, die Residenz von Potentaten wie August dem Starken und Schwächlingen wie Friedrich August, der – mit Napoleon im Parterre sitzend – schlüpfrige Schauspiele beklatscht und hinterher den Beichtvater holen läßt. Er mag Dresden nicht, die mächtig und prächtig gewordene deutsche Duodezherrlichkeit, und nicht die Sachsen, diese »weichen Wortkrämer«. Daß sie freiwillig sächsisches Gold gegen preußisches Eisen tauschen werden, kann er nicht erwarten. Er bekommt Loyalitätskundgebungen für das angestammte Herrscherhaus zu lesen, so das Schreiben eines Herrn von Zeschwitz: »So gewinnt man das Herz eines Volkes nicht, das seinen König, der es 45 Jahre lang beglückt, anbetet, das den letzten Blutstropfen ihm gern weiht. Mit den Fürsten vereint, wird man siegen; der Deutsche handelt nicht gegen seine deutschen Fürsten!«

Um Geld und Rekruten zu gewinnen, setzt der Präsident des Verwaltungsrates die Daumenschrauben an. Er befiehlt den Sachsen, nur noch dem Kaiser von Rußland und dem König von Preußen zu dienen und deren Statthalter Stein zu gehorchen. Er fordert außer beträchtlichen Naturalabgaben eine Kriegssteuer in Höhe von fünf Millionen Talern, davon 500 000 Taler zahlbar binnen zehn Tagen. Die noch vom sächsischen König eingesetzte Regierungskommission sträubt sich, sperrt sich, findet immer neue Ausflüchte. Stein würde am liebsten das »Eroberungsrecht« anwenden, das ganze Land sequestrieren. Er wird von Vorgesetzten, Mitarbeitern und Freunden zurückgehalten.

Scharnhorst rät, die Sachsen zu schonen, einmal der ungeklärten außenpolitischen und militärischen Lage wegen, zum anderen, weil man die Sachsen für den Kampf gegen Napoleon noch gebrauchen könne. Schön und Rehdiger, die preußischen Vertreter im Kollegialorgan Verwaltungsrat, sind von Hardenberg angewiesen, doucement zu verfahren. Seit Gumbinnen und Königsberg ist Stein auf Schön und Schön auf Stein nicht mehr gut zu sprechen; man murrt und knurrt sich an; der Klügere gibt nach und strebt nach Ostpreußen zurück. Rehdiger beschuldigt den Präsidenten, der eigentlich nur ein Primus inter pares ist, er lasse sich mehr von persönlichen Gefühlen als sachlichen Erwägungen leiten. Der hannoversche Gesandte von Ompteda meint, Stein zeige mehr Heftigkeit in seinen Äußerungen als Kraft und Energie im Handeln.

Arndt sieht seinen Reichsfreiherrn wieder öfters mit vor Zorn bleicher Nasenspitze, hört Ausdrücke wie Bücklingsmacher, Zuckler und Hosenpisser. Aber selbst ihm mag das nicht mehr so recht imponieren; mitunter glaubt er in dem gepanzerten Ritter einen schwadronierenden Husaren und in dem angelernten Demokraten einen eingefleischten Autokraten zu entdekken. Jedenfalls sieht er sich nach einem anderen Führer um, verfällt auf Gneisenau: Er solle den Feldherrenstab fordern und ihn »zum Oberauditeur oder zu etwas ähnlichem machen«.

Mehr eines Feldherren als eines Intendanten bedürfte die deutsche Sache in der Tat, und diese Einsicht macht Stein nicht umgänglicher. Die Frühjahrsoffensive gegen die Franzosen und ihre deutschen Verbündeten gerät ins Stocken. Die russischen Truppen, ohnehin nicht so stark, wie man zunächst dachte, führen den Krieg fern der Heimat mit halbem Herzen gegen die feindlichen Soldaten, mit voller Lust gegen die Zivilbevölkerung. Stein hört Klagen über zahllose »Ordnungswidrigkeiten«, und zahlreiche Sachsen beiderlei Geschlechts werden dem Marschall Ney glauben, was die Franzosen wollten: »die Zivilisation von Europa, die nicht den Kosaken preisgegeben werden soll«. Das preußische Heer muß sich erst warm marschieren. Die Landwehr ist eher eine martialische Hoffnung als eine militärische Größe: meist nur mit Piken und Lanzen bewaffnet, viele Landwehrmänner barfuß, manche mit Halsbinden aus alten Trauerkleidern.

Und Napoleon ist wieder einmal da wie der leibhaftige Dabeiseiuns. 120 000 Mann hat er zusammengetrommelt, stellt der geniale Feldherr 85 000 uneinheitlich geführten Mann der Koalitionsarmee entgegen. Am 2. Mai entbrennt bei Großgörschen, in der Nähe von Leipzig, die erste Schlacht. Die Franzosen haben die höheren Verluste, geschlagen sind die Verbündeten, Scharnhorst ist verwundet. Preußen und Russen treten den Rückzug an.

Die Sachsen wittern Morgenluft. Kurz vor der Dämmerung, am 6. Mai, sucht Stein die verweigerten Kontributionen noch einzutreiben, unter Nachhilfe der Kosaken. Am 7. Mai wird die obstinate sächsische Regierungskommission endgültig abgesetzt. Am 8. Mai soll eine neue, dem Verwaltungsrat unterstehende Behörde konstituiert werden. Doch schon am Vortage hat der Präsident Hals über Kopf Dresden verlassen. Wieder einmal muß er vor Napoleon zurückweichen, über Bischofswerda nach Bautzen. Dorthin stößt der Franzose nach, greift an und siegt. Preußen und Russen vollführen einen geordneten, wenn auch nicht planmäßigen Rückzug nach Schlesien.

Stein flüchtet zum zweiten Mal nach Böhmen, ohne Packwagen, doch nicht ohne Hoffnung: »Wir sehen einer besseren Zukunft entgegen durch Verstärkungen, Teilnahme Österreichs usw.«

In Prag sieht er die Familie wieder. Vergebens sucht er in Österreich den Geist von 1809. Der Kaiserstaat rüstet zwar, doch weder Regierung noch Bevölkerung sind begeistert. Im russisch-preußischen Hauptquartier von Reichenbach, wo er Anfang Juni eintrifft, findet er die Nachricht vom Waffenstillstand vor. Beide Parteien benötigen eine Verschnaufpause. Preußen und Russen, von den Franzosen geschlagen und zurückgeworfen, brauchen Verstärkung. Napoleon, dessen Avantgarde bereits Breslau erreicht hat, will sich nicht noch einmal im Osten totlaufen. Alle wollen die Frist nützen, Österreich auf ihre Seite zu ziehen.

Zunächst ist er zuversichtlich: Man könne rüsten, das Heer komplettieren, die Landwehr organisieren. Er neigt dazu, Friedrich Wilhelm einmal rechtzugeben: Der Waffenstillstand sei notwendig, »damit die Nationalkraft, die mein Volk bis jetzt so ruhmvoll gezeigt hat, sich völlig entwickeln könne«. Eher werde der nationale Schwung gehemmt, meinen Patrioten wie Barthold Georg Niebuhr, den Stein in Reichenbach trifft. Wilhelm von Humboldt, der auch zur Stelle ist, befürchtet, Preußen und Russen könnten sich in die Haare geraten. Gneisenau klagt, die Preußen seien Subjekte, ihr Land ein Ausbeutungsobjekt Rußlands. »Ein Krieg der Russen alliiert mit Franzosen gegen die Preußen wäre in der russischen Armee vom ersten bis zum letzten mit Jubel begrüßt worden«, erinnert sich der russische Feldzugsteilnehmer Friedrich von Schubert.

Eine andere Sorge beschleicht den russischen Bevollmächtigten Stein: Es könnte Frieden geben – zum Nutzen Napoleons und seiner Vasallen, zu Lasten der patriotischen Erwartungen. Österreich, von allen Seiten umworben, versucht es mit einer Vermittlung, was dem Charakter seiner Staatsmänner wie der Interessenlage des Landes entspricht. Als Friedenspreis möchte Kaiser Franz von seinem Schwiegersohn höchstens den Verzicht auf Warschau, Danzig, die Hansestädte und die illyrischen Provinzen verlangen. Stein greift wieder nach der Papierbremse: In seiner Denkschrift vom 10. Juni 1813 an den Zaren wendet er sich gegen die österreichischen Minimalforderungen, erinnert an seine Maximalwünsche – Auflösung des Rheinbunds, Wiederherstellung eines starken Preußens, unter Annexion von Teilen Sachsens, dieses Landes, das ihn in den letzten Wochen zur Weißglut gebracht hat.

Auf den Kutschbock wird er nicht gelassen. Nicht von den Russen, die ihn zunehmend als Mohren, der seine Schuldigkeit getan, behandeln, nicht von den Preußen, die einen russischen Vertreter ungern an der Spitze des deutschen Verwaltungsrates sehen, ohne ihn freilich in ihre Dienste nehmen zu wollen. Stein schreibt Denkschriften, und die große Politik nimmt ihren Lauf. England schließt Bündnis- und Subsidienverträge mit Rußland und Preußen, in denen die Souveränität und Integrität Hannovers bestätigt, sogar eine gewisse Arrondierung zugesagt wird. Österreich vereinbart mit Rußland und Preußen in Reichenbach, es werde in den Krieg gegen Napoleon eintreten, falls dieser seine Vermittlung ablehne. Österreich ist nicht von seinen laxen Friedensbedingungen abzubringen, Rußland und Preußen legen sich nicht ausdrücklich darauf fest, ein Kompromiß also, an dem sich Stein durch seine Vorhaltungen beteiligt glaubt. Das ist ein Grund für ihn, die unmittelbar Beteiligten zu loben. Die Gesinnungen des österreichischen Unterhändlers Metternich verdienten Vertrauen, schreibt er an Münster nach London, und dankt ihm »für die gutmütige Nachsicht, womit Sie meine Ausbrüche von Reizbarkeit und Ungeduld behandeln« – Steins Federstiche gegen den hannoverschen Minister der britischen Krone, der für eine weitgehende Vergrößerung Hannovers eingetreten ist.

Die Kompromißbereitschaft gegenüber Kompromißbereiten hält nicht lange vor. Hardenberg gehörten Korsettstäbe eingezogen, der englische Vertreter Lord Cathcart sei unfähig, Rußlands Chefdiplomat Nesselrode sei »ein gutmütiger, leerer Schwächling«, noch schwächer sei der Kaiser von Österreich: »Man zittert, wenn man bedenkt, welchen armen Leuten die Vorsehung die Interessen Europas anvertraut hat.« Sein rotes Tuch wird der österreichische Außenminister Metternich – »flach, unmoralisch und doppelsinnig«; er handle »entweder als ein Verräter, oder, was wahrscheinlicher ist, er besitzt nicht die Kraft und den auf persönliches Ansehen gegründeten Einfluß, um seinen Kaiser zu lenken und zu beherrschen«. Auf diesen Metternich sei die Äußerung des Mephistopheles im *Doktor Faust* anwendbar:

»Ein Kerl, der finassiert,
Ist wie ein Tier auf dürrer Heide
Von einem bösen Geist herumgeführt.
Und ringsumher liegt schöne grüne Weide.«

Klemens Wenzel Nepomuk Lothar Graf von Metternich. An seinem Herkommen fände Stein nichts auszusetzen: Wie er ist er Rheinländer, aus altem Reichsadel. Auch sein Vater stand in Diensten des Erzstifts Mainz, der Sohn studierte das Reichsrecht in Straßburg, ein Verehrer des alten Reiches und ein Verächter der Französischen Revolution auch er. Katholisch sind freilich die Metternichs, und Vater wie Sohn gingen nach Wien, nicht nach Berlin. So weit, so gut. Was ihm nicht nachgesehen werden kann, ist dieses: Metternich ist kein deutscher Ritter, der stets wider alles Böse blankgezogen hat, in ehernem Charakterpanzer und mit aufgepflanztem Prinzipienstander. Der eben

Vierzigjährige war schon vorher viel zu klug, um ein Held zu sein. Ein Höfling, routiniert in Takt und Taktik. Ein Kavalier des Ancien régime, der die Sansculotten weniger aus ethischen als ästhetischen Gründen verabscheut. Ein Schmetterling, der weiterhin an den Blüten des Rokoko nippen, die Sonnenwärme des Barock ad infinitum genießen will.

Ein Diplomat aus Neigung und Beruf ist Metternich. Mehr noch: ein Staatsmann, der die Interessen seines Landes kühl kalkuliert, vernünftig vertritt, mit allen möglichen Mitteln durchzusetzen sucht. Nach der österreichischen Niederlage von 1809 empfahl er eine »Anschmiegung an das triumphierende französische System«, durch die Hingabe einer Kaisertochter und die Stellung eines Hilfscorps für die »Grande armée«, freilich nicht ohne ein gewisses Augenzwinkern in Richtung Petersburg und Berlin. Nach der französischen Niederlage in Rußland ist Neutralität ratsam, nach der mißlungenen Frühjahrsoffensive der Russen und Preußen Finassieren geboten. Österreich ist nicht so schnell auf Kriegsfuß zu setzen; die Kassen sind leer, die Kräfte erschöpft. Eine Vermittlung verschafft Zeitgewinn, eröffnet zudem die Aussicht, daß man jenem den Zuschlag geben könnte, der am meisten böte. Der Kaiserstaat, des römischen Reichsmantels beraubt, in der Blöße einer Macht mittlerer Statur, wittert neue Würden, eine Rangerhöhung, Machtgewinn.

Metternich kostet die Schlüsselrolle aus, die ihm zugefallen ist; er spielt die Hauptfigur wie ein Komödiant, der Verlauf und Ende des Stücks nach eigenem Gusto bestimmen kann. In der neunstündigen Dresdner Unterredung verliert Napoleon die Geduld, wirft dem österreichischen Außenminister seinen Hut vor die Füße. Metternich hält mit dem Fehdehandschuh noch zurück, obwohl ihm klargeworden ist, daß er nur in Verbindung mit den alten Mächten und nicht mit Hilfe des Usurpators Österreich wiederherstellen und in das europäische Mächtespiel wieder einfügen kann. Er dehnt die Vermittlungsaktion aus, erreicht eine Verlängerung des Waffenstillstandes und die Einberufung eines Friedenskongresses nach Prag. Metternich strapaziert die Nerven von Feind und Freund.

Stein rechnet dem Zaren vor, Rußland und Preußen seien auch ohne Österreich stark genug. »Und an der Spitze eines so zahlreichen und so begeisterten Heeres schließt man verderbliche Waffenstillstände, läßt sich von einem eitlen, pfiffigen, leichtsinnigen, flachen Metternich dazu und zu Unterhandlungen verleiten, die entweder unnütz sind oder einen schändlichen oder verderblichen Frieden zur Folge haben«, klagt er Gneisenau. »Diesem sich zu widersetzen und laut die Schwachköpfe oder Schiefköpfe, die dazu raten, anzugreifen, ist die Pflicht jedes braven Mannes.«

Stein gleicht einem gefangenen Löwen, der im Käfig hin- und herläuft, sich selber nicht mehr beruhigen und den anderen nicht mehr imponieren kann. Er wohnt in Reichenbach beim protestantischen Oberpastor Tiede, sehr gut, genießt eine schöne Aussicht auf das Eulengebirge. Doch ihn verdrießt die Einsicht, daß er nur Zaungast bei den Haupt- und Staatsaktionen sein kann. Früh morgens wecken ihn lärmende Spatzen zum Leerlauf seines Tagewerks, zu den Papiergeschäften des Verwaltungsrats, den Federübungen seiner Denkschriften, fruchtlosen Debatten und platonischen Konspirationen, zu »diners sans fin«. Der Ärger schlägt sich auf den Magen; Stein ist auf Diät gesetzt, nimmt Kräuterbäder, trinkt Kudowaer Wasser.

»Menschen-Ekel und Tintenscheu« nehmen täglich zu. Er betrauert viel und beneidet ein wenig den toten Freund Scharnhorst, der in Prag seiner bei Großgörschen erlittenen Verwundung erlegen ist. Und er legt sich mit den verbliebenen Freunden in Reichenbach an. Mit Niebuhr treibt er es zum Bruch. Arndt brüllt er an, dann streichelt er ihm wieder die Wangen, küßt seine Stirn, und bekommt von ihm die doppelbödige Beurteilung: »Steins Ungestüm, zumal wenn er von seinen gichtischen und podagrischen Dornstacheln gestichelt war, zeigte sich jetzt selten hell und liebenswürdig, er brauste wirklich zuweilen wie ein Sturm auf, der alles niederwerfen wollte und der Besänftigung bedürfte, aber in der Mißstimmung vieler gegen ihn war noch etwas anderes. Stein war nicht allein ein lebhaftester, heftigster, zornigster Mann, sondern er hatte bei großer körperlicher Unscheinbarkeit doch, was die Salonsleute l'air d'un baron nennen.«

Ab und zu fährt er nach Gnadenfrei hinüber, besucht den herrnhutischen Gottesdienst, betet zu dem von Arndt beschworenen Gott, der Eisen wachsen ließ, keine Knechte will und endlich zur Hermannsschlacht blasen soll. Napoleon, der den Waffenstillstand die »größte Dummheit meines Lebens« nennen wird, erscheint diesmal als rettender Engel: Er nimmt die Friedensbedingungen nicht an, der Prager Kongreß platzt, Österreich erklärt den Krieg an Frankreich. Stein ist voller Glauben, Haß und Hoffnung: »Die Raserei Napoleons führt sein Verderben herbei; er ist verblendet durch Hochmut, Menschenverachtung, die Wut, sich am Rande des Abgrunds zu finden. Möchten wir ihn davon verschlungen sehen, zum Beispiel für künftige Geschlechter! Sein Fall wird eine wohltätige und weise Vorsehung rechtfertigen, deren Finger wir in allen Vorkommnissen unter unseren Augen erkennen müssen; denn sicherlich sind es nicht die Menschen und deren Weisheit, die sie herbeigeführt haben.«

Die Befreiung des Menschengeschlechtes »aus der abgeschmacktesten und erniedrigsten aller Tyranneien« – das sei die zum Greifen nahe Frucht dieses Kampfes. In diesem befreienden Moment spricht Stein von der Erlösung einer abstrakten Menschheit von einem konkreten Gewaltherrscher, nicht von einer Errettung der alten Staaten vor dem französischen Imperialismus, nicht von einem Freimachen der Individuen und der Einigung der Deutschen. In diesem Augenblick übersieht er die primären Interessen Rußlands, Preußens und Österreichs: Der Kabinettskrieg darf nicht zu einem Volkskrieg werden, der Befreiungskrieg nicht zu einem Freiheitskrieg, die Strafexpedition gegen den Korsen nicht zu einer Belohnungskampagne für Untertanen, die ihre verdammte Pflicht und Schuldigkeit zu tun haben: für ihre Monarchen von Gottes Gnaden zu kämpfen und zu sterben.

Lange genug hat er darauf gewartet: Die drei Adler stürzen sich auf Napoleon, beschwingt von einem neuen Patriotismus, mit geschärften Klauen und Schnäbeln. Am Siege der Koalition zweifelt er nicht; für ihn ist es ein gerechter, ein heiliger Krieg.

Die Verbündeten haben eine bessere Ausgangslage und die stärkeren Bataillone. Das »Divide et impera« des Empereurs funktioniert nicht mehr: Die vier Großmächte stehen geschlossen gegen ihn – Rußland, Preußen, Österreich und Großbritannien; im Norden flankiert Schweden, im Süden das befreite Spanien. Fünfhunderttausend Soldaten hat die Koalition auf die Beine gestellt, gegen 450 000 Mann, die Napoleon aus dem Boden gestampft hat. Sein Feldherrengenie ist ein Plus für die französische Seite, ein Minus der Verbündeten die uneinheitliche Führung, zusammengesetzt aus Militärs unterschiedlicher Qualität.

Der Österreicher Karl Philipp Fürst von Schwarzenberg, der die böhmische Armee befehligt, ist ein Zauderer, der schon allein mit dem Abwägen kaum fertig wird; die drei verbündeten Monarchen in seinem Hauptquartier sorgen dafür, daß sich die Entscheidungsprozesse noch länger hinausziehen. An der Spitze der Nordarmee steht der schwedische Kronprinz Bernadotte, ein französischer Exmarschall, der eine Konfrontation mit seinem früheren Oberbefehlshaber scheut. Die schlesische Armee kommandiert Gebhard Leberecht von Blücher, und damit ist Stein zufrieden. Der Siebzigjährige geriert sich wie ein Husarenleutnant, hat stets zum Aufsitzen gedrängt und will nun zwischen die Franzosen wie das heilige Donnerwetter fahren. Stein kennt ihn seit Münster; er hat immer seinen Wachtstubenton mißbilligt und sein antinapoleonisches Bramarbasieren geschätzt. Draufgängertum hält er für die erste Feldherrntugend in dieser Stunde. Die Zügel führt ohnehin Blüchers Generalstabschef Gneisenau, der einzige Stratege, der mit Napoleon Schach spielen kann.

»Wir haben einen großen Sieg vorgestern erfochten«, berichtet Gneisenau am 28. August an Stein. »Wir haben den Feind in eine Falle gelockt. Im Begriff, ihn anzugreifen, fanden wir ihn selbst im Marsch, um uns anzugreifen. Wir stellten die Armee hinter sanfte Anhöhen. Er wähnte die Preußen und die Russen unter Sacken bei Jauer. Wir zeigten ihm nur eine schwache Arrièregarde. Er wollte selbige überrennen. Schnell ließen wir die Preußen und die Russen unter Sacken hinter den Höhen hervorbrechen. Der unaufhörliche Regen hatte alles durchnäßt, der Sturm schlug uns ins Gesicht. Unaufhaltsam ging der Soldat mit geschlossenen Massen auf den Feind los. Nur kurze Zeit schwankte die Waage. Endlich stürzte unsere Infanterie den Feind den steilen Talrand der wütenden Neiße und der Katzbach, woran er mit seinem Rücken geklemmt war, hinunter.« Für diesen Sieg über Marschall Macdonald an der Katzbach bei Wahlstatt wird Blücher zum Fürsten von Wahlstatt ernannt. »Die Monarchen überhäufen mich mit Gnadenbeweisen und Orden«, schreibt er an Stein. »Ich wollte, sie dächten dran, daß ich arm bin und zwar durch die letzte Zeit gänzlich ruiniert worden.«

Nach dem förmlichen Bündnisschluß zwischen Rußland, Preußen und Österreich in Teplitz erhält auch Stein einen Gnadenbeweis – den russischen Andreas-Orden. »Für Treue und Glauben« steht auf dem silbernen Stern. »Sie wissen, der Sankt-Andreas-Orden ist der erste Orden in Rußland«, schreibt er an Rehdiger. »Zur Widerlegung verschiedener Gerüchte, die unter der Clique der Elenden in Berlin zirkulieren, bitte ich, dieses in der Berliner Zeitung und der Breslauer mit einigen Phrasen begleitet einrücken zu lassen.«

Er pendelt schon wieder zwischen Hochgemut und Tiefgedrückt. In »High spirits« – ein Begriff, der ihm geläufig, und ein Zustand, der ihm genehm ist – versetzen ihn die Nachrichten vom Kriegsschauplatz: Die Preußen siegen auch bei Großbeeren und bei Dennewitz, bewahren Berlin vor Wiedereinnahme und Plünderung. Bei Dresden kann sich zwar Napoleon noch einmal gegen Schwarzenberg Cunctator Luft machen; doch die französische Niederlage bei Kulm und Nollendorf durchkreuzt diesen Erfolg. Unaufhaltsam wird die Schlinge zugezogen. Yorcks bravouröser Elbeübergang bei Wartenburg schließt die Franzosen in Sachsen ein.

Die Stimmung sinkt allerdings, wenn er an seine persönliche Stellung, und noch tiefer, wenn er an die Zukunft Deutschlands denkt. Die Auflösung des Rheinbundes zeichnet sich ab und damit zumindest eine räumliche Kompetenzerweiterung für seine Behörde; schon hält er sich für den Platzhalter eines erneuerten Reiches. Dieses Fernziel visiert er Ende August in einer Verfassungsdenkschrift an: Wiederherstellung des Kaisertums, Neubildung des Reichstages und der Reichsgerichte, Einsetzung von Landständen in den Gliedbereichen – das ist nun rund und nett sein Programm, nachdem sich sein Plan einer »Teilung von Deutschland in zwei große Massen« als Makulatur erwiesen hat. Als Nahziel steckt er sich die Umgestaltung des Verwaltungsrates zur Modellwerkstätte dieses neuen Deutschlands.

»Die Allianz mit Österreich hat die Masse der Materie, nicht der Einsichten vermehrt« – diese seine Meinung sieht er in den Verhandlungen über die Neuorganisation des Verwaltungsrates bestätigt. Österreich hat ein Anrecht auf Beteiligung an der zivilen Besatzungsbehörde für gemeinsam befreite Gebiete, und es erhebt den Anspruch auf Einflußnahme im Sinne seiner Interessen. Metternich will die Aufgaben im allgemeinen und die Befugnisse des Präsidenten im besonderen beschränken. Schon im Streit zwischen Verwaltungsrat und Mecklenburg hat er für den legitimen Fürsten und gegen den »deutschen Jakobiner« Stein Partei ergriffen.

Auf Hardenberg kann er schon eher zählen, mehr noch auf Wilhelm von Humboldt, mit dem er sich in Reichenbach einigermaßen vertragen hat. Von ihm erhält er Beweise guten Willens und schlechte Nachrichten: Er, Humboldt, habe ein Papier fertiggestellt, in dem Stein als Chef eines neugestalteten Verwaltungsrates benannt sei, ein für die russischen, preußischen und österreichischen Autoritäten unterschriftsreifes Protokoll. Damit habe man zunächst hinter Metternich herlaufen müssen, dieser habe zugestimmt, doch darauf bestanden, das Ganze dem Zaren höchstpersönlich vorzulegen. Hardenberg »ließ sich gleich am folgenden Tag anmelden, wurde aber auf den überfolgenden beschieden, sprach dann weitläufig über viele Dinge, wovon mündlich, mit dem Kaiser und trug auch diese Sache vor. Der Kaiser genehmigte alles, verlangte dann die Papiere, um sein approuvé dabeizusetzen und sie zu behalten, es geschah. Seitdem arbeiten wir vergebens, sie zurückzubekommen«. Sie sind nie mehr gefunden worden.

Steins Pläne sind in die fein mahlenden Mühlen der großen Diplomatie geraten. Und in den Zerreißwolf der großen Politik. Am 8. Oktober schafft der Vertrag von Ried eine vollendete Grundtatsache in der deutschen Verfassungsfrage: Der König von Bayern von Napoleons Gnaden tritt aus dem Rheinbund aus und der Koalition bei; der Kaiser von Österreich garantiert ihm – im Namen der verbündeten Monarchen – die volle Souveränität und den territorialen Besitzstand. Ein Präzedenzfall für deutsche Fürsten, die rechtzeitig das Lager wechseln, ist gegeben. An ihrer Eigenstaatlichkeit wird nicht mehr zu rütteln sein; wenn überhaupt, dann kann ein künftiges Deutschland nur aus selbständigen Einzelstaaten bestehen. Stein, der wie ein Kaiseradler auf die Zaunkönige hinabstoßen will, ist außer sich. »Die Arrangements mit Bayern binden uns die Hände und schaden den allgemeinen Maßnahmen, die es zu ergreifen gilt«, hält er Hardenberg vor. Sein Protest gegen das »diplomatische Produkt« verhallt in den Kabinettssälen. Das weiß Stein nicht: In einem Geheimartikel des Bündnisvertrages von Teplitz ist zwar die Auflösung des Rheinbundes, aber auch die volle Unabhängigkeit der zwischen den in ihren Grenzen von 1805 restaurierten Großmächten Österreich und Preußen liegenden deutschen Staaten als Kriegsziel festgesetzt.

Er ist umso ungehaltener, als er keinen ausschlaggebenden militärischen Vorteil durch den Beitritt Bayerns zu erblicken vermag. Die Hauptverbündeten scheinen ganz allein und in allernächster Zeit mit dem Erzfeind fertigzuwerden. Konzentrisch marschieren die drei Heere auf Leipzig, wo Napoleon seine Truppen zusammenzieht. Aus Schloß Rothenhaus schreibt Stein am 12. Oktober seiner Frau: »Hier bin ich, ma chère amie, eine kleine Stunde von Komotau in Erwartung der Ereignisse, welche eintreten werden oder schon eingetreten sind, und die wir bald erfahren werden.« Er genießt die Ruhe vor dem Sturm, den Ausblick auf die Ebene von Saaz und das Erzgebirge, die Gesellschaft des Obersten Carlowitz, eines Mannes »von viel Vernunft, sehr unterrichtet und vollkommen wohlgesinnt – diese letzte Eigenschaft findet sich selten bei den Sachsen.« Er wartet darauf, daß es mit dem großen Franzosenkaiser dem kleinen Sachsenkönig an den Kragen gehen wird.

Vier Tage später entbrennt die Völkerschlacht bei Leipzig, sieben Tage später ist sie mit der Erstürmung der Stadt und der Gefangennahme des Königs von Sachsen beendet. Sein geschlagener Protektor kann sich den Rückzug freikämpfen; 30 000 seiner Soldaten bleiben als Schlachtopfer zurück. »Endlich, ma chère amie, wagt man sich dem Gefühl des Glücks hinzugeben. Napoleon ist geschlagen, in unordentlicher Flucht«, schreibt Stein seiner Frau am 21. Oktober aus Leipzig. »Da liegt also das mit Blut und Tränen so vieler Millionen gekittete, durch die tollste und verruchteste Tyrannei aufgerichtete ungeheure Gebäude am Boden; von einem Ende Deutschlands bis zum andern wagt man es auszurufen, daß Napoleon ein Bösewicht und der Feind des menschlichen Geschlechtes ist, daß die schändlichen Fesseln, in denen er unser Vaterland hält, zerbrochen, und die Schande, womit er uns bedeckte, in Strömen französischen Blutes abgewaschen ist.«

Mit dem Blut von Feind und Freund. »Zwischen vierzig- und fünfzigtausend Mann haben sicherlich die vier Tage bei Leipzig den verbündeten Armeen gekostet«, schätzt Gneisenau. Der Arzt Johann Christian Reil liefert auf Anforderung des Präsidenten des Verwaltungsrates einen Bericht über die Zustände in den Lazaretten: »Unter 20 000 Verwundeten hat auch nicht ein einziger ein Hemd, Bettuch, Decke, Strohsack oder Bettstelle erhalten. Nicht allen, aber doch einzelnen hätte man geben können. Keiner Nation ist ein Vorzug eingeräumt; alle sind gleich elend beraten, und dies ist das einzige, worüber die Soldaten sich nicht zu beklagen haben ... Viele sind noch gar nicht, andere werden nicht alle Tage verbunden. Die Binden sind zum Teil von grauer Leinwand, aus Dürrenberger Salzsäcken geschnitten, die die Haut mitnehmen, wo sie noch ganz ist ... An Wärtern fehlt es ganz. Verwundete, die nicht aufstehen können, müssen Kot und Urin unter sich gehen lassen und faulen in ihrem eigenen Unrat an ... Für die gangbaren sind zwar offene Bütten ausgesetzt, die aber nach allen Seiten überströmen, weil sie nicht ausgetragen werden. In der Petri-Kirche stand eine solche Bütte neben einer anderen ihr gleichen, die eben mit der Mittagssuppe hereingebracht war. Auf dem offenen Hofe der Bürgerschule fand ich einen Berg, der aus Kehricht und Leichen meiner Landsleute bestand, die nackend lagen und von Hunden und Raben angefressen wurden, als wenn sie Missetäter und Mordbuben gewesen wären.«

In diesem Leipzig findet Arndt seinen Minister wieder, »wohlauf und frisch und doppelt freudigen Mutes, in den abendlichen Teestunden immer eine heitere, fröhliche Gesellschaft um ihn« – darunter Reil, der Visitator der Lazarette. Dem Töchterlein Therese verspricht Stein, die Kriegslieder des königlich-preußischen Kammerkomponisten Himmel zu schikken, »und einen hübschen Plan der Schlacht«. Seiner Frau schreibt er, der Samen sei gestreut, »zu der schönen Ernte, die uns erwartet, und deren Ertrag wir mit Frömmigkeit, Dankbarkeit gegen die Vorsehung und Mäßigung jetzt genießen dürfen«.

Der Zweikampf mit Napoleon scheint entschieden zu sein. Stein steht auf dem Gipfel des Triumphes. Von da an geht es nur noch abwärts, in die Niederungen der Niederlagen, die ihm die eigentlichen Sieger bereiten werden.

Die Restauration

Die Restauration beginnt für ihn mit seiner Restaurierung als Gutsbesitzer. Blücher, auf dem Vormarsch zum Rhein, hat die von Napoleon verfügte Sequestration aufgehoben, eine »Sauvegarde« ins Nassauer Schloß gelegt. Der Klöppel mit dem Eselskopf – bei der Beschlagnahme vom Steinschen Rat abgenommen und verwahrt – ist wieder an der Haustüre angebracht. Der Herzog von Nassau beeilt sich, die angesammelten Einkünfte der zwangsverwalteten Güter auf Steins Konto bei Benjamin Metzler Sohn et Co., Bankiers in Frankfurt, zu überweisen. Beflissen offeriert man ihm Entschädigung für die durch die Bauernbefreiung entstandenen Einbußen; er wird mehr erhalten, als er ohne falsche Bescheidenheit gefordert hat.

Nach und nach werde alles wieder zu seinem natürlichen Zustand zurückkehren, schreibt er seiner Frau nach Prag. Der jüngeren Tochter malt er das Wiedersehen aus: »Ich hoffe, meine liebe, gute Therese, wir treffen uns in diesem Sommer in Nassau, und gehen zusammen wieder auf dem Stein spazieren, den wir in sechs Jahren nicht gesehen haben.« Seit dem 13. November 1813 ist er in Frankfurt, einen Katzensprung von Nassau entfernt; doch die Geschäfte des Zentralverwaltungsdepartements erlauben ihm keinen Abstecher. Er hofft, daß die Kosaken nicht allzu wild gehaust haben, und er vertraut seiner Schwester Marianne, die er als Verwalterin eingesetzt hat. »Verkaufe, so gut Du kannst, das Getreide«, schreibt er. »Wie siehts mit unseren Waldungen aus?«

Seine politischen Bäume sehen Schmeichler in den Himmel wachsen. »Seit Rudolph von Habsburg stand kein deutscher Edelmann wieder auf einem so großen, wichtigen Punkt für das gemeinsame deutsche Vaterland«, behauptet der Sachse Carlowitz. Bei Niklas Vogt, einer Koryphäe für Geschichte und Staatsrecht in Frankfurt, fragen Offiziere an, ob Stein nach den Reichsgesetzen zum deutschen Kaiser gewählt werden könne; der Professor antwortet mit einem uneingeschränkten Ja.

In Frankfurt ist der »Römer« zu besichtigen, in dem die Kurfürsten den deutschen Kaiser wählten, und der Dom, in dem der Gekürte gekrönt wurde. Der »heimliche Kaiser« Stein hat stets das »goldene Mainz« den dumpfen, engen Straßen der ehemaligen Reichsstadt vorgezogen; ein richtiger Ritter pflegt seine Abneigung gegenüber Pfeffersäcken und Geldverleihern. Nun haben die Alliierten die Hauptstadt des von Napoleon errichteten Großherzogtums Frankfurt besetzt – und sie dem von Stein geleiteten Zentralverwaltungsdepartement unterstellt. Sogleich geht er an die Restaurierung der städtischen Reichsfreiheit; die alte Verfassung soll der mögliche Hauptort eines neuen Reiches zurückerhalten.

Ein Programm für eine Renovatio imperii hat er bereits im August 1813 entworfen, in einer französisch geschriebenen Denkschrift für den russischen Kaiser und in einer deutsch gehaltenen Fassung für den preußischen Staatskanzler. Das 1806 sang- und klanglos untergegangene Reich wird in der Rückschau verklärt: »Die alte Verfassung Deutschlands versicherte jedem seiner Einwohner Sicherheit der Person und des Eigentums, in den größeren geschlossenen Ländern verbürgten beides Stände, Gerichtsverfassung, in den übrigen die Reichsgerichte, die Oberaufsicht des Kaisers.« Mit der alten Reichsverfassung seien »diese Schutzwehren« eingerissen worden: »15 000 000 Deutsche sind der Willkür von 36 kleinen Despoten preisgegeben« – und dadurch der sittlichen Verwahrlosung: »Der Deutsche wird also fortschreitend schlechter, kriechender, unedler werden.« Daher gelte es, mit der Reichsverfassung die deutsche Libertät wie die deutsche Moralität zu erneuern.

Das Warum und Weshalb ist klar, die Probleme beginnen beim Wie und Wozu. Nicht möglich erscheint die Wiederherstellung des hochmittelalterlichen Reiches, nicht wünschenswert die Teilung Mitteleuropas zwischen Österreich und Preußen, nicht annehmbar ihre Zusammenfassung unter einem Reichsoberhaupt für den einen oder den anderen ihrer Souveräne. Bliebe nur ein dritter Weg: Ein Dreibund zwischen Österreich, Preußen und den zu einem engeren Bund zusammengeschlossenen übrigen deutschen Ländern, unter der Oberhoheit des Habsburgers, dessen Doppeladler einen neuen Sinn bekäme: der eine Kopf wäre für Österreich, der andere für das »Dritte

Deutschland« zuständig, ein verkleinertes, aber vereinheitlichteres Reich. Es bekäme seinen Kaiser, ein eigenes diplomatisches Korps, Reichsfeldmarschall, Reichskanzler und Reichsfinanzminister, Reichstag und Reichsgericht. Es würde aus mehr, doch minder mächtigen Gliedern bestehen: »Die Souveränität oder die Despotie der 36 Häuptlinge« wäre zur »Landeshoheit« geschmälert, die Anzahl der Reichsstände durch die Restituierung der Mediatisierten vermehrt – also auch des Reichsfreiherrn vom Stein. Der brave Mann denkt an sich nicht zuerst, aber auch nicht zuletzt.

Den Saum dieses neuen Reiches scheint Stein bereits in Händen zu halten: den Zuständigkeitsbereich seines Zentralverwaltungsdepartements. Er umfaßt nun das Königreich Sachsen (dessen König preußischer Staatsgefangener ist), die von Napoleon geschaffenen Großherzogtümer Berg und Frankfurt (abzüglich der ehemals preußischen und kurhessischen Gebiete), Oranien-Fulda, die Landsplitter der westfälischen »Moorgrafen« sowie der Fürsten von Isenburg und von der Leyen.

Dieses »Reichsland« ist nicht groß, und beschränkt sind die Befugnisse des Reichsverwesers. Die Leipziger Konvention vom 21. Oktober 1813 hat ihn – mit dem Range eines Ministers – an die Spitze des nun neben Rußland und Preußen von Österreich, Großbritannien und Schweden getragenen Zentralverwaltungsdepartements gestellt, einer nicht mehr kollegialen, sondern hierarchischen Behörde zur Verwaltung der befreiten respektive eroberten Gebiete. Arbeit gibt es genug: Soldaten beibringen, Geld auftreiben, die Versorgung der gegen Frankreich aufmarschierenden vereinigten Armeen koordinieren. Stein tummelt sich wieder in seinem bürokratischen Element; er organisiert, regressiert, schikaniert, kümmert sich um Armierung, Monturen und eine fahrbare Feldküche – eine Art Zivilzeugmeister ist er. Politisch sitzt er auf dem Trockenen: Er wird kontrolliert, erhält Weisungen von einem von den fünf Verbündeten beschickten Ministerkonseil unter Vorsitz Hardenbergs.

Immerhin hat das Zentralverwaltungsdepartement einige Kompetenzen über seinen räumlichen Bereich hinaus, etwa die Organisation der vereinbarten Truppenkontingente der Mittel- und Kleinstaaten sowie des deutschen Lazarettwesens. Doch schon im eigenen »Reichsland« gibt es Ärger genug. Sächsische Beamte, mit denen er zusammenarbeiten muß, finden immer wieder eine Hintertüre. Seinem guten Beispiel, eintausend Gulden für die Landesbewaffnung zu spenden, folgt noch lange nicht jeder. Die kleinen westfälischen Fürsten, die wieder mit den Regierungshebeln spielen wollen, möchte er am liebsten arretieren und deportieren lassen. Herzogin Antoinette von Württemberg, eine seiner Petersburger Herzdamen, ermahnt ihn: »Hier sieht man Sie schon Länder verteilen, und ich hoffe, Sie lassen einem jeden das seinige.«

Antoinette ist die Tochter des Herzogs Franz von Sachsen-Coburg-Saalfeld. Ihm und seinesgleichen kann er ohnehin nicht auf den Pelz rücken. Die meisten deutschen Fürsten haben sich rechtzeitig unter die Fittiche der drei verbündeten Adler geflüchtet. Hannover, Braunschweig, Kurhessen und Oldenburg sind restituiert worden. Größere Rheinbundstaaten – wie Bayern und Württemberg – haben sich ihre Souveränität und ihren Gebietsbesitz vertraglich absichern lassen. Kleineren Rheinbundstaaten ist zwar in den »Frankfurter Akzessionsverträgen« auferlegt worden, sich allen bei einer künftigen Neuordnung Deutschlands notwendigen Machteinbußen und Gebietsabtretungen zu unterwerfen, doch dies ist – wie Stein feststellt – »eine sehr unbestimmte und schwankende Klausel«.

Am liebsten würde er alle Rheinbundfürsten sequestrieren, so wie einer davon ihn sequestrierte. Aber er kann nur Buch führen, ob sie ihren Verpflichtungen für die gemeinsamen Kriegsanstrengungen nachgekommen sind, offizielle Mahnungen schicken und sie inoffiziell mit immer neuen Invektiven belegen: Piraten, die ihren Seeräuberhauptmann verlassen hätten, »unter dessen Anführung man bisher nach Herzenslust geplündert, unterdrückt und sich gebrüstet hatte«; »Sultane und Wesire«, die den französischen Einfluß auf deutsche Angelegenheiten verewigen wollten; die »canaille princière, ebenso lächerlich wie verächtlich und verachtet«; die »princillions«, die weit besser behandelt würden als sie es verdient hätten; diese »Sintflut von Fürsten und Souverains«, die über Frankfurt ausgegossen ist, darunter der König von Württemberg, ein Monstrum, mißgestaltet, eingebildet, feige und liederlich, oder der Kurfürst von Hessen, der seine Fehler, seine Lächerlichkeit und seine Langeweile spazieren führt.

Ein kleiner Fürst – ein großer würdigt ihn ohnehin nicht –, der beim Leiter des Zentralverwaltungsdepartements vorspricht, kann lange im Vorzimmer die Fliegen zählen. Die Abneigung beruht auf Gegenseitigkeit, persönlich wie sachlich. Hofkavaliere, die wieder Perücken und Galanteriedegen des Ancien régimes hervorholen, mokieren sich über den Erzengel mit dem Flammenschwert, fürchten den jakobinischen Bürokraten, der ihre Kassen leeren und das Volk bewaffnen will. Metternich – der Sankt Florian aller Fürsten – gießt Hohn und Spott über die »fanatischen Freiwilligen, Literaten und Poeten« des Steinschen Lagers. Es ist ein bunt zusammengewürfelter Haufen, sein Mitarbeiterstab in der Zentrale, die Gouverneure und Gouvernementsräte in den ihr unterstehenden Ländern, die Agenten in den nun verbündeten Rheinbundstaaten. Gelernte Verwaltungsbeamte sind darunter, wie die Preußen Friese, Vincke, Gruner und Eichhorn. »Generalkommissar für die deutschen Bewaffnungsangelegenheiten« ist der schriftstellernde Oberstleutnant Rühle von Lilienstern. Ernst Moritz Arndt arbeitet mit, der Dichter Max von Schenkendorf, der österreichische Hauptmann Wilhelm Friedrich Meyern, ein Amateur der Poesie, und der Russe Nicolai Turgenieff, der als historisch-politischer Publizist glänzen wird. Stein bevorzugt den Grafen Solms-Laubach, einen gewesenen Standesherrn und ehemaligen Reichshofrat. Seinen Untergebenen Jahn, den Turnvater, diesen »fratzenhaften Kerl«, will er sich nicht einmal vorstellen lassen.

Die Steinsche Truppe führt Papierkrieg und betreibt patriotische Propaganda. Ein einiges und freies Deutschland schwebt ihr vor, ein neues Reich. Dem alten Reichsarsenal werden Vorschläge zur Volksbewaffnung entnommen: Der Landsturm soll in Landschaften und Gauen, in wiedererstandenen Reichskreisen organisiert werden, geführt von »Bannerherren«. Sie hätten – laut Stein – »bei der Neue der Einrichtungen, die hin und wider Mißverständnisse erregen könnte, den für die Verteidigung des Vaterlands und deutsche Verfassung aufgeregten Volksgeist in den Schranken guter Zucht und biederen Gehorsams, was ein nie vertilgter Charakter der Deutschen gewesen ist, zu bewahren«. Der Jakobinismus des Freiherrn hat seine Grenzen, weniger sein Reichspatriotismus. Er applaudiert der Arndtschen Flugschrift: *Der Rhein, Deutschlands Strom, aber nicht Deutschlands Grenze.* Und fordert, »Frankreich das Land zwischen Rhein und Schelde wieder zu entreißen, um hier einen neuen Zwischenstaat zu gründen, der Deutschlands Vormauer gegen seinen natürlichen Feind ist«.

Deutschland ist erst frei bis zum Rhein – am anderen Ufer stehen noch die Truppen Napoleons. Soll der Krieg linksrheinisch fortgeführt, nach Frankreich hineingetragen werden? Das ist die große Frage. Für Stein gibt es nur eine Antwort: Weitermarschieren, bis das bonapartistische Imperium in Scherben fällt. Doch sein Aktivismus ist wieder einmal auf die Folter gespannt, von diplomatischen Zeitschindern und Fürstenknechten.

Seit Anfang November 1813 beratschlagen in Frankfurt die verbündeten Monarchen, Minister und Generäle. Der Zar, der als Erster dagewesen ist, läßt sich nun Zeit, lorgnettiert alles, schwankt zwischen machtpolitischer Saturiertheit und ideologischem Welteroberungsdrang. Der Kaiser Franz bleibt am liebsten in seinem Palais, spielt alle Abende Violine, überläßt Metternich den österreichischen Part im politischen Konzert. Der Chefdiplomat will darin die Stimme eines starken Frankreichs unter allen Umständen erhalten, als Kontrapunkt zu den mächtig tönenden russischen Posaunen und preußischen Pauken. Dem König von Preußen reicht es sintemal und alldieweil; er will endlich seine Ruhe und seinen Frieden haben. Der Opfer sind genug (allein das Yorcksche Korps hat von 37 000 Mann 26 000 verloren), der Ruhm langt hin, das Kriegsziel ist erreicht: die Wiederherstellung der preußischen Monarchie.

Alle Monarchen befürchten, ein Angriff auf Frankreich würde eine französische Reaktion à la 1792 hervorrufen: nationalen Selbstbehauptungswillen, Levée en masse, Nationalkrieg – mit allen möglichen Rückwirkungen auf ihre eigenen Untertanen, die schon jetzt mehr als gut von Einheit und Freiheit hören. Die ehemaligen Rheinbundfürsten halten ohnehin nichts von einer Fortsetzung des Krieges, die sie nur Geld und Menschen kosten würde und ihre glücklich gerettete Souveränität erneut gefährden könnte. Es gibt sogar Deutsche, die schon im bisherigen Feldzug keinen Gewinn zu sehen vermögen, beispielsweise Goethe, der am 13. Dezember dem Herausgeber der Zeitschrift *Nemesis*, Heinrich Luden, erklärt: »Was ist denn errungen oder gewonnen worden? Sie sagen, die Freiheit; vielleicht aber würden wir es richtiger Befreiung nennen, nämlich Befreiung, nicht vom Joche der Fremden, sondern von einem fremden Joche. Es ist wahr: Franzosen sehe ich nicht mehr und nicht mehr Italiener, dafür aber sehe ich Kosaken, Baschkiren, Kroaten, Magyaren, Kassuben, Samländer, braune und andere Husaren. Wir haben uns seit einer langen Zeit gewöhnt, unsern Blick nur nach Westen zu richten und alle Gefahr von dorther zu erwarten; aber die Erde dehnt sich auch noch weithin nach Morgen aus.«

Die verbündeten Monarchen bieten Napoleon Friedensverhandlungen an – auf der Grundlage des Fortbestands der bonapartistischen Dynastie, im Rahmen der von Frankreich beanspruchten »natürlichen Grenzen«, den Pyrenäen, den Alpen und dem Rhein. Stein versteht die Welt nicht mehr: Der Großtyrann, in der Völkerschlacht besiegt, soll seinen usurpierten Thron und einen Teil seiner Kriegsbeute behalten! Nicht bestraft und noch belohnt werden! Instandgesetzt bleiben, Europa wiederum zu bekriegen, die Staaten zu zerstören und die Menschen zu verderben! Steins Rachedurst ist noch lange nicht gestillt, der Haß brennt weiter in ihm, verzehrt jede nüchterne Überlegung. Doch in der Flamme der Emotion ist ein Funken Raison: Napoleon, diese katilinarische Existenz, ist nicht für die Ordnung, die Ruhe, den Frieden geschaffen; ihn auf dem Thron zu behalten, würde dies alles erneut gefährden.

Was er beweisen wird. Der Kaiser der Franzosen geht auf die günstigen Bedingungen nicht ein, baut immer noch auf sein Feldherrenglück. Wie gut, daß die Koalition ihre Rüstungen nicht vernachlässigt hat – unter energischer Mitwirkung des Zentralverwaltungsdepartements! Nun will man den Rhein überschreiten, Napoleon auf französischem Boden zur Entscheidung zwingen. Stein atmet auf, um gleich wieder zu schnauben: Im Frankfurter Kriegsmanifest erklären die Verbündeten, sie führten Krieg gegen Napoleon, nicht gegen Frankreich, das groß, stark und glücklich bleiben müsse. Als ob es nicht gelte, mit dem napoleonischen Imperium die nationale Basis seiner Macht zu zerschlagen, mit dem Einen alle Franzosen zu züchtigen!

»Eine Koalition ist eine sehr schwerfällige Maschine, wer daran teilnimmt, braucht Geduld, Mut und völlige Selbstverleugnung«, meint Stein. Schwer beweglich ist sie jedoch, weil keiner sich selbst verleugnen will, der eine hüh, der andere hott sagt. Das zeigt sich schon bei der Besprechung des Feldzugsplans. Die Preußen möchten schnurstracks auf Paris losmarschieren, die Österreicher wollen einen Umweg über die Schweiz einschlagen, den Festungsgürtel an der französischen Nordostgrenze umgehen, ihrer italienischen Armee nahebleiben, auf dem Plateau von Langres innehalten, der Wasserscheide zwischen Atlantik und Mittelmeer – als ob sie, diese Zauderer aus Passion, ihre Unentschiedenheit sich von der Geographie bestätigen lassen wollten. Schließlich setzt sich Blücher mit 65 000 Mann in Richtung Lothringen und Schwarzenberg mit 200 000 Mann in Richtung Burgund in Bewegung – via Schweiz.

Die Schweizer Republik ist de jure neutral, de facto mit Frankreich verbündet. Metternich will geradewegs durch das Territorium der Schweiz marschieren und nebenbei das Patrizierregiment restaurieren. Der Zar, den sein Schweizer Erzieher Laharpe die Eidgenossenschaft schätzen lehrte, stellt sich quer. Er wird von Metternich mit diplomatischen Kunstgriffen hereingelegt, was er dem Mephistopheles nie verzeihen wird. Das nützt dem Doctor Faustus-Stein, der nun wieder Gehör bei Alexander findet, nicht allzuviel und nur auf dem rechten Ohr. So als er ihm meldet, die Österreicher konspirierten in Sachsen gegen den russischen Generalgouverneur und für die Wiedereinsetzung der dortigen Dynastie – in Sachsen, das der Russe dem Preußen zugedacht hat, um dafür ganz Polen einzusakken. Kein geneigtes Ohr findet Stein mit seiner Eingabe vom 30. Dezember: der Zar möge dem schädlichen Einfluß Metternichs in der deutschen Verfassungsfrage durch baldige Einberufung eines Ausschusses gutgesinnter Männer entgegenwirken; Majestät winken ab, das habe Zeit.

Am 21. Dezember – als die alliierten Truppen in die Schweiz einmarschieren – schreibt Stein seiner Frau, ob sie mit ihm nicht bald im Lande der Eidgenossen Urlaub machen wolle; am Bergsteigen hindere ihn das Podagra, er werde indessen »das Erreichbare genießen«. Als er im Januar nach Basel kommt, denkt er daran, in Bern eine Wohnung zu mieten, als Stützpunkt für Rundreisen in einem ersehnten, wenn auch nicht allzu erstrebenswerten Idyll: »Man muß suchen, seinen Gesichtskreis zu verengen, seinen Blick, der auf große Flächen umher sich zu bewegen gewohnt war, beschränken, wenn man den hiesigen Dingen ein Interesse abgewinnen will.«

In Freiburg im Breisgau verbringt er noch das Jahresende. Das ist seine Silvesterbetrachtung 1813: »In wenigen Stunden ist ein Jahr verflossen, das die größten Ereignisse der Weltgeschichte in sich faßte, das nach elf blutigen Schlachten Deutschland vom französischen Einfluß befreite, möge das folgende uns den Untergang des Tyrannen und das Wiederaufblühen eines glücklichen Vaterlandes herbeiführen und die Vorsehung so ihr Werk krönen.« Erbauung findet er im gotischen Münster, diesem stolzen Denkmal »des Kunstgeistes und der Frömmigkeit der Vorfahren«. Er hofft auf ihre Restaurierung im Dombau eines neuen Reiches.

Zunächst ist eine Besatzungsbehörde in Frankreich zu errichten. Die alliierten Truppen rücken rasch vor, hinterlassen ein zunehmendes Terrain für die Kriegsverwaltung. Sie wird dem Leiter des Zentralverwaltungsdepartements übertragen. Im wiedergewonnenen linksrheinischen Deutschland und im besetzten Frankreich entstehen Generaldepartements. Steuern werden erhoben, Lieferungen für die Truppe organisiert, Sicherheitsmaßnahmen ergriffen (»Geheime Polizei ist notwendig«), Kollaborateure gesucht: »In den deutschen Ländern müssen die Deutschgesinnten, in den französischen die der jetzigen französischen Regierung Ungeneigten auf alle Weise ausgezeichnet und in Tätigkeit gesetzt werden.«

»Ich richte jetzt Regierungen in Frankreich ein, trotz Napoleons, seines Achtbefehls, seiner Polizei und seiner Bajonette.« Das verschafft ihm Genugtuung, verleitet ihn aber nicht zur Unbilligkeit, obgleich die Zivilbevölkerung zunehmend passiven Widerstand leistet, sogar Partisanentätigkeit gemeldet wird. Exzesse alliierter Truppen kann er nicht verhindern, nur rügen. So schreibt er dem russischen General Barclay de Tolly, ihm sei angezeigt worden, daß Kosaken und Baschkiren »große Ausschreitungen begingen, sogar Kinder von zehn bis fünfzehn

Jahren gestohlen, und an vielen Punkten täglich 10- bis 12 000 Rationen gebrauchten«. Oder er beschwert sich beim deutschen Truppenführer Wilhelm Kurprinz von Hessen »über die in Hochdero Namen gemachten Requisitionen, über die Indisziplin Dero Truppen, über das Benehmen eines gewissen Kriegskommissars Zipp«.

Die eignen Leute ärgern ihm am meisten. Seine Generalgouverneure werden mißachtet – vom bayerischen Feldmarschall Wrede, der die von ihm besetzten Gebiete selber verwalten will, von Blüchers Generalkriegskommissar Ribbentrop, der eigenmächtig requiriert, von den Österreichern, die sich in seine Personalpolitik einmischen. Sand ist auch im Getriebe der deutschen Zentralverwaltung. Fürsten erfüllen ihr militärisches und finanzielles Soll nicht, die Landsturm-Organisation wird von den alten Gewalten blockiert. Eine Sisyphusarbeit hat man ihm gegeben, und er wird es langsam leid, den Stein immer wieder zurückrollen zu sehen und ihn immer wieder bergan rollen zu müssen. Er möchte die Verwaltung des preußischen wie des österreichischen Besatzungssektors abgeben, nur noch den russischen behalten. Freiwilliger Verzicht auf Tätigkeitsbereiche – das ist ein Novum, ein Zeichen beginnender Entsagung. »Wird Friede, so wünsche ich Ruhe, mit 56 Jahren und nach manchem überstandenen Druck ist dieser Wunsch gerecht und natürlich.«

Dieses Frankreich zermürbt ihn. Er folgt dem Hauptquartier über Montbéliard, Villersexel und Vesoul nach Langres. Die Gegend findet er trostlos, die Ortschaften dreckig, die Häuser voller Wanzen, schauderhaft die französischen Kamine, an denen man vorne beinahe verbrennt, hinten fast erfriert und stets dem Erstickungstode nahe ist. In Holzschuhen, häßlich, trübsinnig und wankelmütig findet er die Franzosen, die nun über Napoleon das »Crucifige« gesprochen haben und die Invasoren als Henkersknechte begrüßen. Über Chaumont gelangt er nach Troyes, einer großen Stadt, aber aus Holz gebaut, und voller Bettler.

Einen Bettelbrief erhält er aus Deutschland. Das schwarze Schaf der Familie gibt ein Lebenszeichen, sein lange verschollener jüngster Bruder Ludwig Gottfried, der ehedem in französischen Militärdiensten stand. Nun wendet er sich aus Bremen an den berühmt gewordenen Bruder, verarmt, auf einem Auge blind, um das Licht des anderen bangend – er bittet um Verzeihung und Barmherzigkeit. Für Stein ist dies zunächst ein Anlaß zu moralischer Betrachtung: »Welch ein Unterschied zwischen meiner Stellung und der dieses armen Blinden, zwischen der Geschichte meines und seines Lebens, und doch waren die Grundlagen unseres Daseins dieselben: Geburt, Vermögen, Erziehung. Unsere Lebensläufe begannen in derselben Richtung, und wie sehr sind sie auseinandergegangen! Und warum? Weil er starke Leidenschaften und lebhafte Einbildungskraft besaß, sein Charakter dagegen schwach war.« Und natürlich: »Weil man ihm den Tort angetan hat, ihn in eine korrumpierte Nation zu versetzen, in einen Dienst ohne Grundsätze, ohne Disziplin, ohne Anstand.«

Auch Gottfried haben also die Franzosen auf dem Gewissen. Büßen muß er selber. Zwar kümmert sich Stein um den verlorenen Bruder, aber ein Kalb schlachtet er ihm nicht. 22 Jahre des Unglücks hätten seine Fehler nicht ganz ausgerottet – Leichtsinn, Flachheit und Sinnlichkeit; »seine Familie wünscht daher, daß er sich des Gebrauchs seines wahren Namens enthalte und ferner von ihr entfernt bleibt«. Dies soll ihm ein Mittelsmann eröffnen, der beauftragt wird, in Gottfried wieder religiösen Sinn zu erwecken, mit ihm eine »moralische Kur« vorzunehmen. Er bekommt 500 Taler jährlich, doch unter der Bedingung, daß er sich weiterhin Salzer nenne und allen Erbansprüchen entsage.

Nicht vertuschen lassen sich die Unerfreulichkeiten in der alliierten Familie. Russen, Österreicher und Preußen bekriegen sich mit diplomatischen Winkelzügen, konspirativen Manövern, Breitseiten von Schriftstücken. Der Zar hält sich für Herz, Hirn und Arm der antinapoleonischen Koalition, will die süßesten Früchte des zum Greifen nahen Sieges einheimsen. Bonaparte soll abgesetzt, Bernadotte König von Frankreich werden, der napoleonische Exmarschall und Kronprinz von Schweden. Metternich ist alarmiert: Er sieht Mitteleuropa in die Zange genommen, von einem um Polen vergrößerten Rußland und einem von einem Günstling des Zaren regierten Frankreich. Der Österreicher streckt Friedensfühler aus, lockt Napoleon erneut mit der Erhaltung seiner Dynastie und den »natürlichen

Grenzen«. Preußen muß Farbe bekennen, Friedrich Wilhelm und Hardenberg suchen sich darum zu drücken, Blücher drängt vorwärts, will Napoleon »in seinem Nest« aufstöbern, Paris erobern und den Kaiser absetzen.

»Nous sommes en route pour Babylone«, meint Stein. Er will sich durch nichts aufhalten lassen. »Das Ungeheuer muß stürzen – alsdann wollen wir uns ein Vaterland wieder aufbauen«; in Paris »schließen wir eine deutsche Bundesakte, die Sicherheit des Eigentums und der Person verbürgt und eine politische Freiheit verschafft«. Mit allen Mitteln sucht er den Zaren in Trab zu halten. Er legt ihm die Briefe Gneisenaus vor, in denen Blüchers Generalstabschef das »Vorwärts nach Paris!« für Steinsche Ohren orchestriert: »Als Sie im vorigen Jahr den Rat gaben, den Krieg ohne Geld zu führen und über den Njemen zu gehen, da haben Sie ein großes Werk getan, das nun prachtvoll emporwächst. Lassen Sie uns nicht vor vollendetem Bau heimgehen.« Und diesen Part für Alexander variiert: »Warum sollte er nicht ein Ungeheuer vom Thron stoßen, das den seinigen umzustürzen vorhatte? Er ist es seiner Nation und der Geschichte schuldig, eine solche nationale Rache zu nehmen.«

Arm in Arm mit dem Korsen Pozzo di Borgo, der seine Intimfehde mit Bonaparte zu Ende bringen will, sucht er in Alexander den Willen zum Endsieg wachzuhalten. Nicht ohne Echo, wie seine Lobshymnen für den Zaren annehmen lassen, aber auch nicht ohne Sorge vor einem Mißlingen: »Möge es den Gemeinen und Niedrigen nicht gelingen, seinen Flug zu lähmen und zu verhindern, daß Europa nicht das Glück in seinem ganzen Umfange genieße, welches ihm die Vorsehung anbietet.« Die russischen Machtmotive durchschaut er nicht. Als er sich selber auf das Eis der Diplomatie wagt, bricht er ein. Er sucht den britischen Außenminister Castlereagh, der eben im Hauptquartier angekommen ist, von der österreichischen Friedenspartei fernzuhalten, zur russischen Kriegspartei herüberzuziehen – durch eine ungeschickt eingefädelte Intrige. Castlereaghs Bruder, Charles Stewart, den er zu kennen glaubt, flüstert er ein: Sollten die Briten mit Metternich sich einlassen, würden sie das Vertrauen des Zaren verlieren – dieses müßten sie sich aber erhalten, wenn sie des Zaren Pläne mit Bernadotte durchkreuzen wollten. Stewart gibt dies brühwarm an Metternich weiter, dieser an Alexander. Ergebnis: Castlereagh ist für Metternich gewonnen, der Zar über den Dilletanten Stein verstimmt.

Überdies ist sein Berater von Anfang an für eine Restauration der Bourbonen eingetreten – ohne Rücksicht auf russische Sonderwünsche, in Verkennung der Volksstimmung. Der Zivilverwaltungschef des besetzten Frankreichs erklärt dem Zaren, er spreche im Namen von 12 000 000 Franzosen, die ihr legitimes Herrscherhaus und ihr gehabtes Staats- und Gesellschaftssystem reklamieren könnten. Er ist ein Restaurateur aus Rechtsbewußtsein: »Ich hielt die Wiedereinsetzung der Bourbonen als eine Wirkung des ihnen angestammten und auf keine gültige Art verlorengegangenen Rechts auf den französischen Thron.« Aus sozialem Vorurteil: Eine Rückkehr zur alten Ordnung würde Ansprüche dämpfen und Leidenschaften beruhigen. Und aus einseitiger Geschichtsbetrachtung: Mit Ludwig XVI. sei ein König guillotiniert worden, der sich nicht – wie der Brite Jakob II. – gegen Freiheit und Religion verschworen, sondern ein Volksfreund, der das Beste gewollt und ein Optimum erreicht habe – und dafür von dieser sündhaftesten aller Nationen gestürzt worden sei.

Er zürnt den Revolutionären – und sieht die Realitäten nicht. Die meisten Franzosen haben zwar von Napoleon genug, ohne jedoch von den Bourbonen etwas wissen zu wollen. Er widerspricht sich selber: Einerseits fordert er für die Franzosen freie Meinungäußerung, andererseits befindet er, die Legitimität der bourbonischen Restauration könne von einer Äußerung der »volonté de la nation« nicht tangiert werden. Die Verbündeten halten eine Unterstützung der Bourbonen zumindest für verfrüht. Der Graf von Artois, Bruder des alten wie des vorgesehenen neuen Königs, wird aus dem Hauptquartier fortgeschickt. Er geht nach Nancy. Stein gibt seinem dortigen Generalgouverneur Alopaeus die Weisung: Er solle die bourbonischen Ansprüche unterstützen, einen entsprechenden Aufruf verbreiten, die weiße Kokarde aufstecken und bewaffnete Korps unter dem Lilienbanner sich bilden lassen, der königlichen Kriegskasse einen Vorschuß geben. Dem Grafen von Artois solle ausgerichtet werden, wie glücklich er sei, für seine Sache wirken zu können, die Sache des Rechts und der Ehre.

Das Blatt hat sich gewendet, für die Bourbonen. Bonaparte brachte es wiederum fertig, die Friedenspartei vor den Kopf zu stoßen, die Kriegspartei noch mehr anzustacheln, alle in Reih und Glied zu bringen. Anfang März war der Friedenskongreß von Chatillon festgefahren; am 9. März schworen die Verbündeten in Chaumont, sie wollten nicht ruhen und rasten, bis Paris erobert und der Tyrann gestürzt sei. Auch das Schlachtenglück hat Napoleon verlassen, er wird bei La Rothière, bei Laon und bei Arcis-sur-Aube geschlagen. Am 30. März 1814, fünf Uhr morgens, beginnt der Sturm auf Paris. Wenige Stunden später steht Blücher auf dem eroberten Montmartre und möchte lieber seine Geschütze als sein Fernrohr auf das vor ihm hingestreckte Babel richten. Doch die weiße Fahne ist gehißt.

Anderntags halten die Verbündeten ihren Einzug in Paris. Der seidenblaue Frühlingshimmel ist wie ein Festzelt darüber gespannt, die Gardekosaken sind rasiert, in der Mitte reitet Alexander I., zu seiner Rechten Friedrich Wilhelm III., zu seiner Linken Feldmarschall Schwarzenberg als Vertreter Franz I. Befrackte Franzosen mit weißen Armbinden lassen ihre Freunde, die Feinde, hochleben, Damen die Spitzentüchlein flattern. Der Zar, in roter Uniform, wirft ihnen Handküsse zu; viele seiner Offiziere haben bereits eine Schöne im Sattel. Das Fußvolk kampiert auf den Champs-Elysées, verheizt die Alleebäume, schläft sich erst einmal aus.

Stein weiß noch nichts von diesem Glück. Er ist in Dijon, wo es ihm einigermaßen gefällt: das milde Burgund, die schönen Häuser, das Appartement bei einer Madame de Longeas. Am 29. März, als die anrückenden Alliierten zuerst die Türme von Notre-Dame erblickten, erwartete er: »Gott wird unsere Sache segnen, da wir der Gerechtigkeit und der Sittlichkeit huldigen.« Am Tage, da Paris fällt, ist er mit Verwaltungskram beschäftigt. Am 2. April, als der französische Senat Napoleon entthront und Ludwig XVIII. als König ausruft, schreibt er nach Hause: »Ich hoffe, wir reisen bald nach Paris, um das letzte Ende dieses merkwürdigen Kampfes anzusehen.« Als er endlich die große Nachricht erhält, konstatiert er am 4. April: »Der Tyrann ist gestürzt, Europa befreit – dank der Vorsehung, des Kaisers Alexanders und der tapferen alliierten Armeen.«

Am 5. April vermeldet er seiner Frau: »Ich reise morgen nach Paris ... Was kann ich für uns und für die Kinder in Paris einkaufen?«

Paris, »den Sitz aller Scheußlichkeiten«, wollte er schon vor zwanzig Jahren vernichtet sehen – und bei diesem Schauspiel dabeisein. Um nichts zu versäumen, eilt er – von ein paar Kosaken bedeckt – dorthin, und muß mit ansehen, wie die Mörder Ludwigs XVI. und die Speichellecker Napoleons in strahlendem Bourbonen-Weiß dastehen, als Befreite, nicht als Bestrafte. Der Zar hat sie pardoniert, hofiert sie allenthalben, doch »diese unreine, unverschämte und unzüchtige französische Rasse mißbraucht schon seinen Großmut, sie will mit einem eisernen Zepter regiert werden – es ist ekelhaft zu sehen, nachdem sie sich mit Verbrechen bedeckt hat, spricht sie von ihrer Biederkeit, ihrer Güte, ihrer Großmut, als wäre es nicht sie, die Europa mit Blut und Trauer bedeckt, die in zwei Jahrhunderten drei Könige ermordet und die in allen Beziehungen die widerwärtigste Habgier gezeigt hat«.

Der Leiter des Zentralverwaltungsdepartements hat vorsorglich einen Plan für die »Militär- und Zivilverwaltung der Stadt Paris« entworfen. Er bleibt eine Federübung. Auf Kriegssteuern, wie sie die Franzosen den von ihnen eroberten Ländern auferlegten, verzichten die Alliierten. Die in ganz Europa zusammengeraubten Kunstschätze bleiben Paris größtenteils erhalten. Zurück gehen Bücher und Handschriften aus der Wiener Bibliothek und die vom Brandenburger Tor entführte Victoria. Es bleiben die Denkmäler der napoleonischen Siege, welche die Preußen in die Luft sprengen wollten – die Brücke von Jena, die Säule auf dem Vendôme-Platz. Ein Trost, daß der von Napoleon befohlene Triumphbogen auf dem Etoile erst wenige Meter aus dem Boden ragt, ein Torso geblieben ist, ein Mahnmal des zu Fall gebrachten Größenwahns.

»Die Stadt ist nicht schön, einzelne Gegenden sind es, aber der größte Teil besteht aus schmutzigen, engen, übelriechenden Straßen usw. Kurz, ich werde dem Himmel danken, chère amie, wenn ich nach Deutschland zurückkehren kann.« Dabei macht er seiner Frau nicht einmal etwas vor. Der Puritaner in Paris benimmt sich anders als der Schwerenöter Blücher, der an den Spieltischen des Palais Royal hockt, im Restaurant »Le Véry«

hemdsärmelig den Menus zuleibe rückt, bis zum Morgengrauen spielt, raucht und punschiert. Bei Stein ist keine Rede vom französischen Wein, von der französischen Küche und schon gar nicht von den Genüssen, die so manchen Offizier zu dem Vivat hinreißen: »Es leben die Pariser Zauberinnen!« Stein schickt Frau und Töchtern Kleiderstoffe und Hauben, eingewickelt in Verwünschungen gegen das Seine-Babel.

Seine Genüsse sind von anderer Art. »Den 10. April wurden auf dem Carrousel-Platz die Siege der Russen und Deutschen gefeiert, auf demselben Platz, wo Ludwigs XVI. Blut floß, mußten das verbrecherische Volk, der Senat, die Marschälle kniend Gott danken für den Sturz des Tyrannen, den Sieg, der die Bourbonen wiederherstellte.« Er erlebt den Einzug Ludwigs XVIII. in Zopfperücke und Podagra-Samtstiefeln, eigentlich eine Königskarikatur – doch Stein sieht in ihm die leibhaftige Wiedergutmachung. »Jetzt wagt man die Augen nach den Tuilerien zu lenken mit dem Zutrauen, welches der Aufenthalt eines gesetzmäßigen, sittlichen, menschlichen Königs einflößt, während man sie bisher nur mit Abscheu abwenden konnte von der Höhle dieses Menschenverzehrers, der sie bewohnte.« Hinter der Genugtuung steht freilich die Sorge: »Der Geist des Volkes ist unsittlich, aufrührerisch, ohne Konsequenz; die Elemente der Factionen bestehen, entwickeln sich, und es ist zu fürchten, daß nach der Entfernung der verbündeten Heere neue Bewegungen eintreten, die gewiß die Ruhe der Nachbarvölker stören werden.«

Napoleon – »welches Ungeheuer und welche Verächtlichkeit!« – ist von den Siegern wie ein unglücklicher Souverän und nicht wie ein zur Aburteilung anstehender Verbrecher behandelt worden. Er hat die Insel Elba als Fürstentum erhalten – bedenklich nahe an Frankreich und Italien, diesen unruhigen Ländern. Ludwig XVIII. bekommt einen Frieden, der den Befürworter der Restauration befriedigen müßte, doch den deutschen Patrioten aufregt. Frankreich erhält seine Grenzen vom 1. Januar 1792, behält das Elsaß, Landau, Saarlouis und Saarbrücken – während Deutschland, wie festgesetzt wird, eine Föderation unabhängiger Staaten werden soll, ein Sammelsurium von Fürsten und Fürstlein.

Der Stein rollt wieder einmal den Berg hinab; Sisyphus will

aufgeben, ersucht den Zaren, seinen Dienstgeber, sich zurückziehen zu dürfen. Das Zentralverwaltungsdepartement hat nichts mehr zu tun, der Krieg ist aus, in Deutschland gibt es nichts mehr auszuheben, in Frankreich nichts mehr aufzuerlegen. Stein zieht Bilanz: 165 384 Mann Linie und Landwehr wurden mobilisiert, 20 Millionen Gulden in Kreditpapieren bereitgestellt, gewaltige Heereslieferungen getätigt und beträchtliche Barmittel herbeigeschafft.

Was noch an Dienstpost bleibe, sei an ihn »nach Frankfurt a. M. poste restante zu adressieren«, teilt er am 23. Mai 1814 seinen Untergebenen mit. Am 3. Juni kann er endlich Paris verlassen, »avec plaisir«, wie er seine Frau wissen läßt. Schwester Marianne ist verständigt: Sie soll in Nassau die Matratzen aufzupfen lassen. Er will endlich in das Schloß seiner Väter zurück, seine Ruhe, seine Ordnung, seinen Frieden haben.

Zwei Kosaken, »aber nicht vom Don, sondern von der Lahn«, mit falschen Bärten und echten Lanzen versehene Nassauer, stehen an der Emser Landstraße. Gegen Mitternacht des 10. Juni 1814 geben sie das verabredete Zeichen: Er kommt! Die Glocken beginnen zu läuten, ein Feuerwerk wird abgebrannt, die Häuser sind illuminiert, Landsturmmänner bilden Spalier. Der Freiherr ist wieder daheim in Nassau.

Im Schloß empfangen ihn Mademoiselle Helwig, die Hausbediente, »steifer und ungeschickter denn je«, sowie Rentmeister Gosebruch und Frau, die recht dick geworden sind; der wakkere Diener Dressler ist über dem Warten verstorben. Der Garten ist vernachlässigt, schöne alte Bäume sind eingegangen. Das Haus muß renoviert werden; man braucht neue Böden, Fenster, Vorhänge, Tapeten. »Den Saal will ich möblieren, ich nehme ein Möbel von Orange Casimir, zwei Diwans und die Stühle, Trumeaux, Konsolen ... ein solch Möbel sah ich in Malmaison, es war sehr hübsch.« Ganz umsonst ist also der Aufenthalt im Schlangennest der Bonapartes nicht gewesen.

Fast sieben Jahre lang war er weg, sieben bewegte, aufregende Jahre, reich an Ruhm und mager an Gewinn. Der Maurermeister Philipp Balzer versucht einzelne Stationen nachzubilden, mit Steinen, Zweigen, Moosen und Blumen, auf dem

Weg von der Lahn zu den Ruinen der Stammburg, den Brand Moskaus, die Schlacht bei Leipzig undsofort, dazwischen Steins Namen und Wappen – eine Via triumphalis für den Reformer Preußens und den Befreier Europas in lokalpatriotischer Sicht und in einheimischem Format. Der Gefeierte scheint darin eher die Darstellung eines Kreuzwegs zu erblicken, jedenfalls möchte er sie beseitigen lassen, begnügt sich dann aber, »daß Wind und Wetter das Werk des alten Mannes langsamer zerstören dürften«.

Arndt beobachtet wieder die Wetterzeichen auf dem Antlitz des Reichsritters. Eintrübung und Wolken: »Die Kanzlei der Zentralverwaltung und ihre Geschäfte wurden geschlossen und abgeschlossen. Von dem freilich, was Stein mit dem Entwurf und Anfang dieser Zentralverwaltung gemeint hatte, war zwar leider wenig erreicht worden, aber doch war viel Gutes durch sie getan und gewirkt.« Die letzten Geschäfte wickelt Stein in Frankfurt ab, in einem Landhaus an der Straße nach Bornheim; er hat seine Kosaken-Leibwache fortgeschickt, die vier Rappen verkauft, dem Koch gekündigt. Zum Tee lädt er zuweilen Freunde ein; Arndt bemerkt Aufhellung und Sonnenblitze: »Es dämmerte nach einem fünf Jahrhunderte langen, traurig durchschnarchten, starren Schlaf bei den Deutschen allmählich der Morgentraum von der Wiederauferstehung eines deutschen Volkes und Reiches auf.«

Der »heimliche Kaiser« ist nicht so zuversichtlich wie sein Herold. Er offenbart Hufeland, dem Arzt: »Die Anordnung der deutschen Angelegenheiten ist nicht, wie Sie glauben, in meine Hände gelegt. Einigen Einfluß habe ich darauf, er muß aber täglich abnehmen, da alte Ansprüche und Anmaßungen jetzt, wo die Gefahr vorüber ist, wieder aufwachen und ins Leben treten.«

Zunächst wendet er sich wieder an den Zaren. Stein besucht ihn in Bruchsal, bringt ein Memorandum mit, eine Anklageschrift gegen die deutschen Fürsten: »Sie achten weder die Meinungen noch die Sitten noch die Gebräuche noch die heiligsten von ihnen selbst und von ihren Vorfahren eingegangenen Verpflichtungen; sie haben die intermediären Klassen zertreten, erniedrigt, beschimpft; sie überhäufen das Volk mit Abgaben und Fronen; sie verschonen nur diejenigen, welche ihren Leidenschaften schmeicheln, zum Beispiel in Darmstadt die Komödianten und Musikanten, in Stuttgart die Günstlinge und die Wildschweine.«

Seine liebsten Feinde nimmt Stein weidlich an, rasant wie eh und je. Aber jetzt will er eher ablenken von der Rückzugsbewegung, zu der die Realitäten den Reichsidealisten gezwungen haben. An der Fürstensouveränität ist nicht mehr zu rütteln, an der Tatsache nicht zu deuteln, daß ein deutsches Ganzes nur als mehr oder weniger lockeres Bündel von Einzelstaaten denkbar ist. Eine Renovatio imperii hat er anvisiert, weil er die Unabhängigkeit der Fürsten durch eine erneuerte Reichsgewalt von oben her eindrücken und die Staatsgewalt der Fürsten durch die Wiedereinführung von landständischen Verfassungen von unten her abbauen wollte. Das erste scheint nun kaum mehr möglich, umso mehr konzentriert er sich auf das zweite. Landesverfassungen müssen eingeführt werden – das ist nun sein Appell an den Zaren.

Der Fürstenstaat soll so etwas wie ein Reich en miniature werden: der Landesherr kontrolliert von den alten Landständen, die der Absolutismus beseitigt oder eingeschränkt hat, vornehmlich durch den durch die Fürstenrevolution wider das Reich mediatisierten Reichsadel, die Reichsritter inbegriffen.

Der Gegner der Restauration der Rheinbundstaaten hat selber Restauration im Sinn: Wiedergutmachung an den adeligen Opfern der Rheinbundzeit, Wiederherstellung ständischer Rechte und Freiheiten, Restituierung der Mediatisierten – wenn schon nicht in neuer Reichsunmittelbarkeit, dann wenigstens als »intermediäre Klasse« in den Einzelstaaten. Das ist ein Rückschritt von den Reichsplänen des nationalen Befreiungspredigers, ein Rückschritt von den staatspolitischen Prioritäten des preußischen Reformministers, ein Rückschritt von früheren konstitutionellen Ideen, wenn alles auch mit Idealvorstellungen vom englischen Ständewesen verbrämt bleibt. Seinem Ausgangspunkt ist Stein wieder nähergerückt: der Auffassung vom alten Reich als Rechtsgarant der alten Ständeordnung, als Privilegien-Bewahranstalt für den Adel. Im Grunde konzentriert er sich nun wieder auf das, worum es ihm im Kern stets gegangen ist: die Libertät der Freiherren.

Die Erbfeindschaft gegen die Französische Revolution, den

voluntaristischen Nationalbegriff, die individuelle Freiheit, die nach dem Gleichheitsprinzip umgewälzte Rechts- und Gesellschaftsordnung hat alle Entwicklungsstufen unverändert überdauert. »Werden Sie denn nicht den Code Napoléon vertreiben«, schreibt er am 7. Juli 1814 an Vincke, den preußischen Verwaltungschef in Westfalen; »er zerrüttet alle bürgerlichen Verhältnisse«. Er meint natürlich die feudalen Verhältnisse; denn der Code Civil ist ein bürgerliches Rechtssystem, die Kodifikation der vom »Dritten Stand« in der Französischen Revolution errungenen Rechtsgleichheit. Am 26. Juli schreibt er an Sack, der jenseits des Rheins amtiert: »Die Aufhebung der Zehnten am linken Rheinufer ohne Entschädigung gehört ebenfalls zu den groben Ungerechtigkeiten der französischen Regierung.« Den Natural-Zehnten könnte man nun nicht mehr einführen, doch die betroffenen Privatpersonen müßten von der neuen Regierung angemessen entschädigt werden.

Er hält nichts von der nationalen Brüderlichkeit à la Frankreich – und wenig von einer deutschen Volksgemeinschaft, wie sie Romantikern vorschwebt. Dem Turnvater Jahn etwa, der von einer Volksdemokratie aus reinblütigen Deutschen schwärmt. Ernst Moritz Arndt, dem die Beherrschung der deutschen Sprache als Legitimation gleichberechtigter Volksgenossenschaft zu genügen scheint. Max von Schenkendorf, aus dessen »Freiheit, die ich meine« der Marseillaise verwandte Töne herausgehört werden können. Joseph Görres, der Herausgeber des *Rheinischen Merkur*, in dessen Verfassungsbegeisterung etwas vom alten Jakobinismus knistert, der mitunter wie Florian Geyer gegen die Fürsten vom Leder zieht. An der Frankophobie und am Napoleonhaß dieser romantischen Patrioten erwärmt sich indessen Stein. Ihre in der Rückschau verklärte Vorstellung vom altdeutschen Ständewesen sucht er für seine Pläne nutzbar zu machen. Er inspiriert entsprechende Artikel im *Rheinischen Merkur*. Arndt animiert er zu der Flugschrift *Über künftige ständische Verfassungen.*

Ihre Einführung sei in den mittleren und kleineren deutschen Staaten »noch weit dringender als in den großen Monarchien, deren Ausdehnung allein und die freier ausgesprochene und bedeutendere öffentliche Meinung schon die Willkür und die Laune der Fürsten weniger verderblich für den einzelnen macht«. Das ist ein aus Steinschem Fürstenhaß entstandener Kurzschluß. Den reaktionären Großmächten Österreich und Preußen stünde eine Verfassung am ehesten an; sie denken aber nicht daran, nach der Beseitigung Napoleons noch weniger als vorher. Ehemalige Rheinbundstaaten sind indessen bereit, Konstitutionen einzuführen – weil sie eben von den Franzosen auf entsprechenden Kurs gebracht worden sind und sie nun der patriotischen Bewegung Wind aus den Segeln nehmen wollen.

Der Herzog von Nassau holt sich als Gutachter gar den Reichsfreiherrn, den er vor einem Jahrzehnt mediatisiert hat. Ungeschickt ist er jedenfalls nicht, dieser Fürst. Steins angestauter Groll gefährdet das Staatsschifflein nicht mehr, treibt es vielmehr voran. Und der Herzog erhält keine moderne Repräsentativverfassung, wie sie in der Konsequenz der rheinbündischen Ansatzpunkte gelegen hätte, sondern eine altständische Konstitution, nichts Revolutionäres, eher etwas Reaktionäres.

Die Richtlinien gibt Stein am 10. August 1814 in einem Schreiben an den nassauischen Staatsminister E. L. von Marschall: »Eine ständische Verfassung ist äußerst wünschenswert, sie sichert die bürgerliche und politische Freiheit, sie erzeugt Gemeingeist, und durch ihn erlangt der verständige und sittliche Fürst eine große Gewalt über die geistigen und körperlichen Kräfte des Volks. Das Haus Nassau-Saarbrücken wird ein schönes Beispiel geben dem ganzen deutschen Vaterland, wenn es eine Verfassung dem Herzogtum gibt, worin man das Alte berücksichtigt, das Neue benützt, um Willkür und Anarchie zu verbannen und Bürgerglück zu gründen.« Der Gutachter begrüßt in dem ihm vorgelegten Entwurf die vorgesehene Beteiligung der Stände am Besteuerungsrecht, moniert die fehlende Teilhabe an der Gesetzgebung. Dieser Anregung wird willfahren. Eine andere weist Marschall zurück und erweist sich dadurch fortschrittlicher als Stein: Bei der Beratung von Steuergesetzen solle nach Köpfen abgestimmt werden, nicht nach Häusern – der Herrenbank und der Deputiertenversammlung –, damit eine Übervorteilung des die Hauptlast der Besteuerung tragenden Mittelstandes verhindert werde. Der Minister ist auch gegen die von Stein gewünschte Zulassung der minderbegüterten Reichsritterschaft zur Herrenbank. Dennoch hält der Freiherr die Nassauische Verfassungsurkunde, die am 1./2. September 1814 verkündet wird, in etwa für das Musterexemplar einer Landesverfassung.

Sie für alle Fürstenstaaten nachahmenswert oder gar für verbindlich zu erklären, könnte nur eine gesamt-deutsche Verfassungsordnung. Auf sie muß Steins Augenmerk gerichtet bleiben – auf die neuerlichen Vorschläge Preußens für eine Bundesverfassung. Sie hängen niedriger als seine Reichspläne, viel weiter weg vom Ideal und etwas näher an der Wirklichkeit.

»Chez Stein à son jardin«, notiert Hardenberg am 15. Juli 1814 in sein Tagebuch, und zwei Tage später: »Conferenz mit Stein wegen des deutschen Bundes«. Aus dem Französischen ins Deutsche wechselt der preußische Staatskanzler, als ob er im Umgang mit dem Reichsfreiherrn sich zum deutschen Patrioten gewandelt hätte. Immerhin brachte er schon einen Verfassungsentwurf in 41 Artikeln mit, dessen Paragraph Eins lautet: »Alle Staaten Deutschlands werden sich durch einen feierlichen Vertrag, den jeder Teilhaber auf ewige Zeiten schließen und beschwören soll, in einem politischen Föderativkörper vereinigen, der den Namen Deutscher Bund führen soll und aus dem niemand heraustreten darf.«

»Verletzungen des Bundesvertrags werden mit der Acht bestraft«, fügt der Reichsritter hinzu. Hardenberg nimmt diesen und andere Zusätze entgegen, arbeitet seinen Entwurf um, legt ihn nochmals Stein vor, bringt ihn als offizielle Verfassungsvorlage Preußens zum Wiener Kongreß. Auch er kann und will sich den Bestimmungen des Pariser Vertrags und den Stimmungen der deutschen Patrioten nicht entziehen. Sein Duktus ist selbstverständlich schwarz und weiß: Preußens Souveränität und Großmachtstellung sollen so weit wie möglich ungeschoren bleiben. Immerhin ist er zu einer Mischform aus Staatenbund und Bundesstaat bereit, zu gewissen Beschränkungen der einzelstaatlichen Souveränität, zur Bundesgarantie von »persönlichen Rechten eines jeden Deutschen« und zu einem Bundesvertrag über das »Minimum der Rechte der Stände«; in jedem Staat sollen »nach den Lokalumständen« ständische Verfassungen eingeführt werden.

Steins Handschrift wird zunächst bei der Beschreibung der Zusammensetzung der Landstände deutlich: »Sie sollen bestehen aus den Familienhäuptern der mediatisierten vormaligen Reichsstände, des sonst unmittelbaren und übrigen Adels, als erblichen, und aus erwählten Ständen.« Und bei der Umschreibung der ständischen Rechte: »Ihre Befugnisse sollen vorzüglich sein: ein näher zu bestimmender Anteil an der Gesetzgebung, Verwilligung der Landesabgaben, Vertretung der Verfassung bei dem Landesherrn und bei dem Bunde.« Das Eigeninteresse des mediatisierten Standesherrn Stein und seines Adlatus Graf Solms-Laubach weitet sich zum Gemeininteresse bei der Formulierung der deutschen Bürgerrechte, die jedem Bundesuntertan garantiert werden sollen: »1. Die Freiheit, ungehindert und ohne eine Abgabe zu entrichten, in einen anderen zum Bunde gehörenden Staat auszuwandern oder in dessen Dienste zu treten. 2. Die Sicherheit, nicht über eine gewisse Zeit verhaftet werden zu können, ohne einem richterlichen Ausspruch nach den Gesetzen unterworfen zu werden. 3. Die Sicherheit des Eigentums (auch gegen Nachdruck). 4. Das Recht der Beschwerde vor dem ordentlichen Richter und in den dazu geeigneten Fällen bei dem Bunde. 5. Pressfreiheit nach zu bestimmenden Normen. 6. Das Recht, sich auf jeder deutschen Lehranstalt zu bilden.«

Nach dem »politischen Föderativkörper«, genannt »Deutscher Bund«, greift Stein, nachdem sich seine Reichspläne in Schall und Rauch aufgelöst haben. Wilhelm von Humboldt belehrte ihn in seiner Verfassungsdenkschrift vom Dezember 1813: »Die Nationen haben, wie die Individuen, ihre durch keine Politik abzuändernden Richtungen. Die Richtung Deutschlands ist, ein Staatenverein zu sein.« Der Preuße Humboldt kann sich ein Nationalbewußtsein nur als Summe der einzelstaatlichen Patriotismen vorstellen, eine deutsche Staatsordnung nur als Bund souveräner Staaten – unter Verzicht auf die Wiederherstellung des Kaisertums und Hinnahme des Dualismus zwischen Preußen und Österreich, der allerdings in einer »festen, durchgängigen, nie unterbrochenen Übereinstimmung und Freundschaft« überhöht werden müßte.

Stein antwortete Humboldt am 3. Januar 1814: »Die Bildung eines Staatenvereins in Deutschland ist nach der gegenwärtigen Lage der Sache leichter als die Wiederherstellung der ehemaligen Reichsverfassung mit einer vergrößerten Gewalt des Reichsoberhauptes, der Verein befriedigt mehr die Ansprüche der größeren deutschen Mächte, ... er stimmt ferner, wie es scheint, mit den Ansichten des Wiener Kabinetts überein, das abgeneigt sein soll, seinem Souverän zu der Wiederaufnahme der deutschen Kaiserkrone zu raten ... Dem Wunsch der Nation ist die Bildung einer sie gegen äußere Gewalt und inneren Druck schützenden kräftigen Verfassung am meisten angemessen; stehen seiner Erfüllung aber große Schwierigkeiten entgegen, die teils in dem Individuellen der handelnden Personen, teils in den Verhältnissen der verbündeten Staaten liegen, so muß man sich mit dem leichter Erreichbaren begnügen, und dieses ist eine Bundesverfassung.«

In die neuen Einsichten suchte er indessen alte Vorstellungen einzuschleusen. Der Staatenverein sollte nicht als »gegenseitiges Verteidigungsbündnis«, sondern als »unzertrennlicher Staatenbund« bezeichnet werden; man bedürfe »eines periodisch sich versammelnden Bundestags von Repräsentanten und eines fortdauernden Bundesausschusses« – das Zentripetale betonte er in seiner Antwort an Humboldt. In diese Richtung waren auch Steins Vorschläge vom März 1814 geschrieben: »Die allgemeinen Linien der Verfassung könnten sein: Ein Bund und eine Zentralmacht bei den Bundesdirektoren. Die Bundesdirektoren wären Österreich, Preußen, Bayern, Hannover ... Sie hätten das Recht des Krieges und des Friedens – Aufsicht auf Festungen, Militär, Landwehr – Wachen über innere Ruhe unter den Staaten, über Verfassung und Territorien. Bundestag aus Gesandten der Stände, aus den Deputierten der Standesherren und den vorhandenen oder zu bildenden Landständen.« Das ist ein Mischmasch aus Widersprüchlichem und Unausführbarem: Eine Mitwirkung einiger Mittlerer im Bundesdirektorium müßte auf den Widerstand der beiden Großen und der vielen Kleinen stoßen. Ein aus Staatsbevollmächtigten, Mediatisierten und Landtagsdeputierten zusammengewürfelter Bundestag wäre eine Sünde wider den Montesquieuschen Geist, ein Monstrum, von Stein nicht zuletzt deshalb konstruiert, weil er seine Standesgenossen standesgemäß unterbringen möchte. Im Ganzen enthielt dieser Plan mehr bundesstaatliche als staatenbündische Elemente – daraus konnte nichts werden.

Ein Kompromiß aus beidem ist nun Hardenbergs Entwurf, und Stein darf ihn noch nach seinem Gusto frisieren. »Man muß ausdrücklich bestimmen, daß die Souveränität in Deutschland keine unbegrenzte, sondern eine durch Gesetze beschränkte sei« – moniert der Freiherr, der die Souveränität der Einzelstaaten zur »Landeshoheit« degradieren möchte; Hardenberg formuliert schließlich: »Jeder jetzt im Besitz der Landeshoheit sich befindende Staat übt in seinen Grenzen die landeshoheitlichen Rechte aus, welche die Bundesakte nicht zum gemeinschaftlichen Besten ausnimmt oder beschränkt.« Stein, der die Bundesgewalt so aktionsfähig und traditionskonform wie möglich haben möchte, bemerkt zum preußischen Entwurf: »Der Bund muß aus einem Direktorium oder einem Ausschuß bestehen, der leitet und ausführt, und aus einer Bundesversammlung, die beratschlagt und beschließt ... Österreich erhält das Präsidium im Direktorium oder im Bundesausschuß ... Bei dem Bundestag führt Österreich das Präsidium«; Hardenberg wird in der Schlußfassung festsetzen: »Das Direktorium führen der Kaiser von Österreich, welcher den Vorsitz bei allen Bundesversammlungen hat, und der König von Preußen gemeinschaftlich.«

Der preußische Staatskanzler kann Österreich nicht so viel Einfluß einräumen wie der preußische Exminister. Der ist zwar auf sein ehemaliges Dienstland nun besser zu sprechen, aber er steht nicht auf preußischer, sondern auf deutscher Warte, sieht den Vorrang des Habsburgers, kann sich einen Vorzug der Hohenzollern nicht vorstellen. Was Hardenberg eine Zustimmung – auf dem Papier, wie er stets weiß – zu einem auf Protokoll und Prestige beschränkten Primat Österreichs und vor allem zu einer Beschränkung der einzelstaatlichen Souveränität erleichtert, ist dieses: Stein will lediglich das linkselbische Preußen und von Österreich nur Salzburg, Tirol, Vorarlberg und eventuell wiedergewonnene vorderösterreichische Gebiete in den deutschen Bund aufnehmen. Ostelbien, über das er sich genug geärgert hat, und die Masse Österreichs, die man kaum im neuen Geiste bewegen könnte, sollen draußen bleiben. Hardenberg beschreitet die goldene Brücke, nimmt einen entsprechenden Passus in die Endfassung auf, mit der Anmerkung: »Österreich und Preußen als Mächte schließen aber mit der Föderation ein unauflösliches Bündnis.«

Steins Trias-Idee ist wieder gehißt. Er gehe ins »Reich«, pflegte der preußische Beamte zu sagen, wenn er heim nach Nassau ging. Das »Dritte Deutschland« ist für ihn stets das Hausland des alten Reiches gewesen, dann die Organisationsmasse eines neuen Reiches und nun eines deutschen Bundes geworden. Bis zur Elbe und in die Alpen reichte das karolingische Imperium; Österreich und Preußen entstanden auf Kolonialboden, nahmen nichtdeutsche Völker in sich auf, wuchsen außerhalb und oft in Frontstellung zum engeren Reichsverband zu modernen Staaten und europäischen Großmächten heran. Diese Entwicklung sei bei jeder Neuordnung zu berücksichtigen: »Die deutschen Provinzen der österreichischen Monarchie und die deutschen Provinzen der preußischen auf dem rechten Elbufer machen unter sich seit einem Jahrhundert ein eng verbundenes, geschlossenes Ganzes aus, das nicht ohne große Nachteile in andere Formen eingepaßt werden kann.«

Im Interesse der beiden Mächte selber läge die Dreigliederung. Und im Interesse ganz Deutschlands; denn ein Dreibund vereinigte alle Deutschen, gäbe allen Sicherheit – ohne die Besonderheiten der einzelnen Glieder zu beeinträchtigen. Auch und nicht zuletzt die Interessen des gesamten Europas befriedigte eine trialistische Lösung der deutschen Frage: Österreich, Preußen und das »Dritte Deutschland« bildeten einen Schutzwall vor französischen Angriffen, wie sie in der Vergangenheit gang und gäbe waren, und vor russischen Aspirationen, wie sie in der Zukunft akut werden könnten – das Zentrum eines europäischen Sicherheitssystems, den Kern einer europäischen Friedensordnung, das Mittelglied des »europäischen Staatenbundes«, den Napoleon zerschlagen hat und den es nun zu restaurieren gilt.

Der »europäische Staatenbund« – seit langem klagt Stein über seine Zerstörung und beschwört seine Wiederherstellung. Seit dem 15. Jahrhundert entwickelte sich »der Europäische Staatenbund, dessen Grundlage Gleichgewicht der Macht und Erhaltung eines rechtmäßigen Besitzstandes war«. Die Französische Revolution habe »die Bande des Völkervereins« gelöst,

Preußen im Frieden von Basel die »ehrwürdigen Grundsätze, worauf das Gleichgewicht Europas beruhte«, aufgegeben, Napoleon schließlich »den Untergang des Europäischen Staatenbundes« vollendet – »dieser Vereinigung zahlreicher freier Staaten, deren auf Besitzstand und Verträge beruhende Rechte die Wachsamkeit aller stützte, und an dessen Stelle setzte er die drückende Übermacht Frankreichs, und die Vorschriften des Völkerrechts und des Herkommens verdrängten die Launen und der Dünkel des Eroberers«.

Das ist die Todsünde Napoleons wider Geschichte, Gesetze und Sitten Europas gewesen, alle Europäer haben dafür büßen müssen, und nun gelte es, den tätigen Vorsatz zu fassen, den »Europäischen Staatenbund« wiederherzustellen – und mit ihm und in ihm ein in seinen drei Hauptgliedern föderiertes Deutschland. Nie hat Stein einen »geschlossenen« Einheitsstaat anvisiert, nie eine nationalstaatliche Verfassung für Gesamtdeutschland entworfen. Er ist kein »Unitarist«, weder »Kleindeutscher« noch »Großdeutscher« im Sinne der nationalstaatlichen Bewegung, nicht in die Schablonen des späteren 19. Jahrhunderts zu pressen, kaum in die Vorstellungen seiner Zeitgenossen einzufügen. Er bleibt dem 18. Jahrhundert verhaftet, einer moralisch artikulierten Universalität, einem historisch begründeten und rational konstruierten Staatensystem, der modernisierten Friedensordnung des alten Reiches.

Deren Restauration ist nicht Aufgabe der Völker, sondern der Staaten – zum Wohle aller. »Die großen Mächte sind es, welche ihr sittliches und physisches Dasein aufs Spiel gesetzt, welche unermeßliche Anstrengungen gemacht, deren Völker Ströme Bluts vergossen haben ... Es ist daher den großen verbündeten Mächten durch ihre Ergebenheit an die gute Sache und den Sieg das Schiedsrichteramt überwiesen und das Recht des Ausspruchs über die großen Interessen, welche noch zu entscheiden bleiben; und von ihnen erwarten die Völker die Herstellung einer Ordnung der Dinge, welche ihre Leiden endige und ihnen Glück gewähre.«

Nicht alle sind zum großen Friedensschluß berufen. In deutschen »Verfassungs- und Gebietsfragen« sollen Österreich, Preußen und das britische Hannover federführend sein. Nicht mitzureden hätten die ehemaligen Rheinbundstaaten, deutsche

Fürsten, die Napoleon geholfen und von ihm profitiert haben. Ihr Gebiet würde er am liebsten als Konkursmasse betrachten, als immerwährenden Zentralverwaltungsbereich, als das von französischen Einflüssen gesäuberte und vom heimischen Despotismus befreite »Dritte Deutschland«. Das Antifranzösische und das Antifürstliche bleiben Grundmotive seines Patriotismus.

Für »undeutsch« hielte er es indessen nicht, wenn sein in die europäischen Zusammenhänge eingefügtes dreigliedriges Deutschland auch von nichtdeutschen Mächten – wie Rußland und Großbritannien – eingesegnet und garantiert werden würde. Das Ergebnis der entsprechenden Verfassungsberatungen »würde in letzter Stufe zu Kenntnis der verbündeten Höfe gebracht werden, damit sie diesen Erfolg nach den Grundsätzen des europäischen Gleichgewichts beurteilen«. Frankreich dürfe freilich nicht mitsprechen; gegen den zwar besiegten, aber weiterhin bedrohlichen Erzfeind soll ja das europäische Sicherheitssystem gerichtet sein – Bourbonen hin, Bourbonen her. Vor machtpolitischer Aggression wie ideologischer Expansion will Stein die restaurierte Gesetzlichkeit und Ordnung bewahrt wissen; sein biographisch verständliches Sicherheitsbedürfnis ist der Fixpunkt seiner beweglichen Verfassungsvorstellungen.

Er steht Metternich näher als er es wahrhaben möchte – dem österreichischen Dirigenten des Wiener Friedenskongresses. Als Berater Alexanders I. fährt Stein dorthin, des Kaisers von Rußland, den er stets »den Kaiser« nennt, weiterhin für den Restaurator Europas hält, und immer noch für den Protektor des nationalen Glücks in Deutschland.

WIEN beginnt sich mit Herbstfarben zu schmücken, als Stein am 15. September 1814 eintrifft. Kein europäischer Ort würde sich für das restaurative Vorhaben besser eignen als die Hauptstadt Österreichs. Allgegenwärtig ist noch das Ancien régime: unter der Kuppel der Karlskirche, in der kaiserlichen Hofburg, im Schloß Schönbrunn, dessen mariatheresiengelbe Fassade vollgesogen ist mit der Sonnenwärme der guten alten Zeit, genug, um alle daran zu wärmen. Die Wiener scheinen noch die Süße des Daseins zu genießen, welche die Gäste durch die Revolution verloren zu haben glauben, und das allein schon wäre ein hinreichender Grund, die Uhr allerorten zurückzustellen.

Stein erinnert sich kaum mehr an die Zeit, die er als junger Mann in Wien durchtanzte. Er hält sich an die Monumente des römisch-deutschen Kaisertums, läuft jeden Tag einmal um die Altstadt herum, auf der Bastei, die an die Belagerung durch die Türken erinnert und dem Wachstum der modernen Stadt im Wege steht. Wo das Mittelalter noch hautnahe Wirklichkeit ist, findet auch er es ungemütlich: Er klagt über die engen Gassen, in die keine Sonne käme, die Kellerluft in den Häusern, über seine zwar elegante, aber kleine und dumpfe Wohnung in der Unteren Breunerstraße Nr. 1196 – das Cabinet de toilette »ist so dunkel, daß man fast den ganzen Tag das Licht brennen lassen muß«. Wenn er ständig in Wien leben müßte, würde er es wie die meisten seiner Standesgenossen machen – in die grüneingebettenen, luftigen Vorstädte ziehen.

»Ich sehe die Wiener Welt nur wie in einem Guckkasten, da mir nichts daran liegt, von dem Strudel fortgerissen zu werden«, schreibt er seiner Frau, die nichts anderes erwartet, sich Gegenteiliges auch schönstens verbitten würde. Den Haupt- und Staatsaktionen kann er sich nicht entziehen. Am 25. September kommt sein Kaiser an, der Zar, bei Kaiserwetter natürlich. Am 2. Oktober ist Redoute in der Hofburg – 8000 Wachskerzen, 12 000 Gäste, Thronhimmel für die Monarchen und Buffets für alle. Am 18. Oktober wird der erste Jahrestag der Schlacht bei Leipzig im Prater gefeiert – die Souveräne zu Pferd, der Erzbischof am Altar, die Soldaten auf den Knien, eine militärische fête, »sehr glänzend, die Truppen schön, die Anordnung des Ganzen vortrefflich, der Eindruck, welchen das Ganze von dem Balkon des Lusthauses ab gesehen machte, groß und schön.« Am 21. Januar wird des Jahrestags der Guillotinierung Ludwigs XVI. gedacht – vormittags eine Totenmesse, abends ein Ball, auf dem Stein zwei Polonaisen tanzt, mit zwei Großherzoginnen. Das Ancien régime scheint wieder auferstanden zu sein. »Le congrès ne marche pas, il danse«, konstatiert der 80jährige Prince de Ligne, »der letzte der französischen Kavaliere«; er ist so charmant, während des Kongresses zu sterben – seine Totenfeier wird eines der schönsten Feste.

»Es ist jetzt die Zeit der Kleinheiten, der mediokren Menschen. Alles das kommt wieder hervor und nimmt seine alte Stelle ein«, kommentiert Stein. Sie schwimmen wieder obenauf, mit den alten Monarchen die arrivierten Fürsten, die Mittelmäßigen und die Kleinkarierten. Sie haben die Sintflut hinter sich, überdauert in der Arche des Ancien régime. Die Anwesenheitsliste des Wiener Kongresses ist mit dem »Gothaischen genealogischen Hofkalender« fast identisch. Zugegen sind die Kaiser von Rußland und Österreich, fünf Könige, zwei Erbprinzen, 215 Oberhäupter fürstlicher Häuser. Zugegen sind zwei Kaiserinnen – und viele Königinnen ohne Diadem, die ungekrönten Herrscherinnen des Kongresses: die Fürstin Bagration etwa, der ihr Beiname »schöner nackter Engel« genügt, oder die Tänzerin Bigottini, die im Paris der Revolution als »Göttin der Vernunft« posierte und nun im Wien der Restauration die Göttin der Unvernünftigen ist. »Babylonierinnen« nennt man solche Damen im Donaubabel, in dem jegliche Verwirrung herrscht – nur keine Sprachverwirrung; denn alle parlieren französisch, als ob es keinen Robespierre und keinen Bonaparte gegeben hätte.

Für äffisch, genußsüchtig und lasterhaft hat er sie stets gehalten, die Höflinge; je mehr er dem Wiener Ringelspiel zuschaut, desto mehr erfaßt ihn die schwindelerregende Erkenntnis, daß diese sauberen Kavaliere schon wieder fest im Sattel sitzen, immer wiederkommen werden, solange die Welt sich dreht. Selbst »seinen Kaiser« sieht er nun in anderem Licht. Die Weibergeschichten Alexanders, die herumgetratscht werden, nimmt er nicht allzu ernst; er meint die Schwäche seines Potentaten zu kennen. Nicht verzeihen will er ihm die Zurücksetzung der Kaiserin: »Unterdessen sollte er doch selbst einen höheren Wert setzen und betätigen auf so viele Zartheit, Mäßigung, Bildung, Würde, Resignation und Grazie.« Wo er doch so leutselig sein kann: »Er besuchte eines der Bierhäuser im Prater, unerkannt von den Gästen, ließ sich Bier und Tabak geben, bezahlte den gewöhnlichen Preis und entfernte sich unbemerkt.«

Mit dem Benehmen Friedrich Wilhelms III. müßte Stein eigentlich zufrieden sein, doch das Temperament eines Hackstocks ist für ihn noch kein Beweis einschlägiger Sittlichkeit. Dem Kaiser Franz von Österreich, einem eher gutmütigen Menschen, ist anzukreiden, daß er den Übermut Metternichs nicht dämpft. Dieser Faun, der den Damen Rouge auflegt und die Staatsmänner warten läßt! Dieser Aufgeblasene, der am Ballhausplatz seinen eigenen Hof hält, mit einer Brigade von Dienstboten und Beamten, einem Zuckerbäcker und drei Schreibtischen, zwischen denen er nur hin- und hergeht! Dieser Seichte, dem es an »Tiefe, an Kenntnissen, an Arbeitsamkeit, an Wahrhaftigkeit« fehlt! Dieser Intrigant, der Verwicklungen liebt, »weil sie ihn beschäftigen und es ihm an Kraft, Tiefe und Ernst fehlt zur Geschäftsbehandlung in großem und einfachem Stil«! Als ein welscher Zwillingsbruder des verwienerten Rheinfranken Metternich betritt Talleyrand die Szene, der Schwefelgelbe, der Bocksfuß, das Chamäleon, das vom priesterlichen Schwarz und dem bischöflichen Violett über das Blau-Weiß-Rot der Revolution und das napoleonische Bienengold bis zum Bourbonenweiß alle Farben durchgespielt hat – und sich nun als gleichberechtigter Verhandlungspartner der Siegermächte aufspielt.

»Diejenigen, welche alles aufs Spiel gesetzt haben, werden vergessen und vernachlässigt«, klagt Stein und tröstet sich: »Die ehrlichen Leute sind genug belohnt durch das Gefühl, ihre Pflicht erfüllt zu haben und durch den inneren Frieden, den sie genießen – der jenem elenden Haufen nicht zuteil wird.« Es ist ein unzulänglicher Trost für einen homo politicus, der nach Wien gekommen ist, um eine öffentliche Rolle zu spielen. Von der Unruhe der Zeit genug gebeutelt, will er den Frieden mitgestalten, die große Ruhe haben, »gegründet auf eine moralische und legale Ordnung der Dinge«. Doch seiner Wirksamkeit sind enge Grenzen gezogen.

Stein ist in der Liste der russischen Delegation aufgeführt, zwischen »Stackelberg, Graf, Minister« und »Stoffregen, von, Stabsarzt«. Er berät den Zaren ohne offizielles Dienstverhältnis, sitzt nicht als Vertreter eines Staates am Verhandlungstisch dieses Staatenkongresses, besitzt keinen protokollarischen Rang in dieser höfischen Gesellschaft, genießt ein persönliches Ansehen von beschränkter Quantität und unterschiedlicher Qualität. Vertrauen findet er bei Patrioten wie dem Turnvater Jahn, der mit rauschendem Bart, altdeutschem Rock und drekkigen Stiefeln in Wien einherwandert. Und Kameraderie bei Standesgenossen, die sich mit ihm restituieren lassen wollen. Er erfreut sich der Jovialität des Zaren und der Sympathie älterer Damen. Einige Preußen bringen ihm Respekt entgegen, viele Vertreter von Mittel- und Kleinstaaten eine aus Furcht und Überheblichkeit gemischte Verachtung.

Metternich kennt seinen Pappenheimer. Klugheit und Mäßigung – anerkannt staatsmännische Tugenden – seien seine Stärke nicht; sein Ton und seine Manieren widersprächen diplomatischer Usance. Selbst der ihm wohlgesonnene Weimarer Gesandte Ernst August von Gersdorff setzt hinter das Lob »des reinen Willens, der feurigen Kraft« des Freiherrn den Zweifel, ob es ihm gegeben sei, »zu einem möglichen Zweck mit Ausdauer die Mittel durchzusetzen«. Die österreichische Geheimpolizei, die ihn beschatten läßt, bekommt die konfidentielle Auskunft: »Freiherr vom Stein fehlt mehr in den Formen als in dem Wesen. Gewohnt, revolutionäre Grundsätze zu bekämpfen, ist derselbe von einem Extrem in das andere gefallen ... Gut in seinen Absichten und Zwecken, hart in den Mitteln, dahin zu gelangen, hat er den Verdacht des Jakobinismus auf sich geladen, während er doch nur eigentlich in den Formen gefehlt hat.«

Don Quichote reitet wieder – gegen das Diplomatengeschmeiß und die höfischen Windhunde. Dem Kronprinzen von Bayern – den er für einen Repräsentanten des »bösen Geistes von München« hält – streckt er die geballte Faust vor das Gesicht. Mit dem Zaren legt er sich an, weil dieser Eugène Beauharnais, dem verhaßten Napoleoniden, eine Entschädigung in Deutschland zukommen lassen will. Er überwirft sich mit Freunden, bringt Feinde nicht aus dem Sattel, provoziert sie zum Gegenstoß, gibt sich Blößen, muß mehr einstecken als er austeilen kann.

Das diplomatische Parkett ist nicht das Turnierfeld des Ritters. Er hat nichts, aber schon gar nichts von der Klugheit der Schlangen und der List der Tauben, und zumindest eine Eigenschaft des Adlers, mit dem ihn patriotische Schwärmer vergleichen, geht ihm ab: das Abwartenkönnen des richtigen Moments zum Zustoßen. An gutem Willen fehlt es ihm nicht. Er sucht sich einen Ariadne-Faden für das diplomatische Labyrinth zu knüpfen. Auf losen Briefbogen notiert er Gehörtes und Geschautes, führt ein Tagebuch, ein Logbuch, um sich über seinen jeweiligen Standpunkt klar zu werden und den Kurs der großen Politik einigermaßen verfolgen zu können.

Zunächst steuern sie gemeinsamen Kurs, die großen Mächte, die – zur Vermeidung von Rangstreitigkeiten – nach dem französischen Alphabet aufgeführt werden: Autriche, France, Grande-Bretagne, Prusse, Russie. Alle haben die Flaggen des monarchischen Prinzips und des Grundsatzes der Legitimität gehißt, bekennen sich zur Rechtmäßigkeit des alten Staatssystems und der alten Gesellschaftsordnung. Gemeinsam richten sie umgestürzte Throne wieder auf – nach Frankreich auch in Spanien, Portugal, Sardinien, in der Toskana; man restituiert auch den Kirchenstaat des geistlich wie weltlich absolut regierenden Papstes – nicht aber die Seerepubliken Venedig und Genua sowie die Generalstaaten der Niederlande (sie werden mit dem früher österreichischen Belgien zum Königreich der Niederlande vereint); als republikanischer Flecken im monarchischen Teppich wird eine re-aristokratisierte Schweizer Eidgenossenschaft geduldet. Die Kluft zwischen Monarchien von Gottes und Napoleons Gnaden wird in Kauf genommen; es bleiben die Könige von Bayern und Württemberg, sogar noch der napoleonische Marschall Murat als König von Neapel.

Mit der alten Staatenordnung wird das alte Gleichgewichtssystem rekonstruiert, von den Siegermächten Rußland, Österreich, Preußen und Großbritannien – und dem besiegten Frankreich, das als europäisches Schwergewicht einkalkuliert bleiben muß. Das restaurierte Österreich wird etwas verstärkt, durch Gebietsgewinn in Italien, ebenso das wiederhergestellte Preußen, durch Zugaben am Rhein und in Westfalen; es will aber noch mehr haben – vor allem Sachsen. Rußland möchte nicht leer ausgehen, sucht seine Belohnung in Polen. Österreich bleibt auf das friedenssichernde Gleichgewicht bedacht, will keinen der Teile so stark werden lassen, daß das Ganze aus dem Lot geriete. Großbritannien – nun wieder im Besitze Hannovers – bleibt an der »Balance of power« auf dem Kontinent interessiert.

Die unterschiedlichen Interessen der europäischen Mächte kollidieren in der polnisch-sächsischen Frage. Zu Beginn des Befreiungskrieges versprach Preußen dem verbündeten Rußland einen Großteil seines Gewinns aus den polnischen Teilungen; Rußland sagte Preußen dafür seine Unterstützung bei Gebietsentschädigungen in Norddeutschland zu. Zur Disposition steht Sachsen, das sich nicht rechtzeitig von Napoleon löste. Metternich stellt sich dem Vordringen Preußens in Sachsen und dem Vordringen Rußlands in Polen entgegen; der Andrang auf die Grenzen Österreichs wäre zu groß. Rückhalt findet er bei seinem britischen Kollegen Castlereagh, dem Rußland jetzt schon zu mächtig ist, und bei Talleyrand, der sich den Gefallen, den er einigen Siegern erweist, von allen mit der Gleichberechtigung des Besiegten aufwiegen läßt.

In das polnisch-sächsische Problem ist Stein als Mitglied der russischen Delegation wie als deutscher Patriot verwickelt. Am liebsten würde er mit Sachsen kurzen Prozeß machen, es in den preußischen Rachen werfen; »jede Verzögerung ist äußerst nachteilig, die ohnehin beweglichen, eitlen, leichtsinnigen Sachsen schwanken zwischen mannigfaltigen Meinungen, Erwartungen und Besorgnissen und äußeren Einwirkungen hin und her und erlangen immer mehrere Fertigkeit im Intrigieren, Kabalieren, entwöhnen sich immer mehr der Achtung für eine gesetzliche Obrigkeit und des Gehorsams gegen eine solche«. Sachsen gehöre für seinen Verrat bestraft, Preußen kraft Eroberungsrecht belohnt, – gewonnen hätte Deutschland.

Die polnische Seite der Medaille gefällt ihm weniger. Der Zar will die russische Grenze möglichst weit nach Westen vorschieben, ein Königreich Polen unter russischem Protektorat und mit einer gemäßigt-fortschrittlichen Konstitution errichten. Rußland habe zwar einen Anspruch auf ein Maul voll Polen, meint Stein, aber Preußen und Österreich könnten eine für sie nicht nachteilige Grenzziehung fordern. Die Sicherheit beider Staaten bedrohe der Expansionsdrang des Zaren: »Denn die Grenze ist angreifend gegen Österreich und Preußen und stört bei dem letzteren alle regelmäßige innere Verwaltung von Ost- und Westpreußen, da sie eine Menge wunderlicher einspringender Winkel in diese Provinzen macht und ihren Zusammenhang unterbricht.« Und eine vom Zaren gewährte polnische Verfassung würde nicht nur zu einer Union zwischen Rußland und Polen, zu einer Stärkung der russischen Macht führen, sondern auch »in den polnischen Landesteilen der Nachbarn eine beständige Gärung erhalten und eine lebhafte Neigung, sich mit dem größeren russischen Anteil bei der ersten günstigen Gelegenheit zu vereinigen, es sei nun, um die Vorteile seiner Verfassung zu genießen oder um gemeinschaftlich mit ihm die Selbständigkeit zu erringen«.

Stein durchschaut die Absicht seines Kaisers: Er will möglichst viele Polen schon jetzt an Rußland binden und die in Preußen und Österreich verbliebenen mit einem nationalen und liberalen Magnet anziehen. Das schreibt und sagt er auch dem Zaren, mit dem Ergebnis, daß er in Ungnade fällt. Damit wird er auch für Hardenberg uninteressant, der auf derselben Linie operiert und dem deshalb die Unterstützung des Zarenberaters nicht unwillkommen war; Preußen will ganz Sachsen und möglichst viel in Polen behalten. Alle Vermittlungsversuche, die Stein mit pro-preußischer, weil anti-sächsischer, und anti-russischer, weil pro-europäischer Tendenz unternimmt, Geplätscher eines Nichtbeamteten und Undiplomaten ohnehin, verlaufen im Sande. Preußen tritt – um wenigstens Sachsen zu bekommen – an die Seite Rußlands; dagegen formieren sich Österreich, England und Frankreich.

Die Friedensmacher denken an Krieg. Der Zar geht nicht mehr zum Ball bei Metternich. Kaiser Franz erklärt: »Der König von Sachsen muß sein Land wiederhaben, sonst schieße ich!« Stein zürnt: »Es sollte also Deutschland von neuem einem bürgerlichen und französischen Krieg preisgegeben werden wegen des Interesses eines Anhängers von Napoleon!« Und klagt: »Durch diese polnische Angelegenheit ist der Geschäftsgang auf dem Kongreß zerrüttet und gelähmt und der Samen der Eifersucht zwischen den Mächten ausgestreut worden, der seine verderblichen Folgen auf alle Verhältnisse ausbreitet, besonders zwischen Österreich, Preußen und Rußland eine Kälte verursacht, die ein nachdrückliches Eingreifen in die deutschen Angelegenheiten verhindert.«

Das aufziehende Unwetter scheint auch eine Lösung der deutschen Frage zu verhageln, weswegen er eigentlich nach Wien gekommen ist.

Von den »41 Artikeln«, dem von Hardenberg und Stein formulierten »Entwurf der Grundlagen der deutschen Bundesverfassung« ist ohnehin nicht viel übriggeblieben. Auf »12 Artikel« haben ihn Metternich und Hardenberg zusammengestrichen, immerhin in österreichisch-preußischer Zweisamkeit ein Papier geschaffen, über das sich reden läßt. Ein »Ewiger Bund« ist angesprochen, eine gewisse Beschränkung der »bisherigen Regierungsrechte« der Einzelstaaten, ein Bundesdirektorium (nun Österreich allein, aber mit beschränkten Befugnissen), eine Bundesexekutive (Österreich, Preußen, Bayern, Hannover und Württemberg), eine Bundeslegislative (die Fünf plus ein »Rat der Fürsten und Städte«), vom Bund garantierte landständische Institutionen und »Rechte aller Deutschen«. Zwei Steinsche Grundgedanken sind entfallen: die Trias-Idee – denn nun sollen Österreich und Preußen mit der Gesamtheit ihrer »teutschen Länder« dem Bund beitreten. Und den Mediatisierten, den nun landesuntertänigen ehemaligen Reichsständen, soll keine eigene Vertretung in einem Bundesorgan eingeräumt werden.

Dennoch verteidigt der ehemalige Reichsfreiherr die »12 Artikel« wie ein Feldherr, der eben eine Frontbegradigung vornehmen mußte und sich in der Auffangstellung schon wieder bedroht sieht. Die von Hannover – dem frischgebackenen Königreich – mitgetragene österreichisch-preußische Verfassungsvorlage wird von Bayern und Württemberg bekämpft. Sie sind in den verfassungsberatenden Fünfer-Ausschuß, das »Deutsche Comité«, aufgenommen worden und benutzen diese Vorzugsstellung allsogleich zur Sabotage. Keinen Fußbreit Boden und kein Partikel ihrer Souveränität wollen die von Napoleon geschaffenen Königreiche aufgeben. Fürst Wrede, der bayerische Feldherr, der bei Hanau nicht einmal den bei Leipzig geschlagenen Napoleon aufhalten konnte, will weiterhin auf eigene Faust Krieg führen dürfen. Württemberg notifiziert seinen Einspruch gegen die Absicht, »aus verschiedenen Völkerschaften, zum Beispiel Preußen und Bayern, sozusagen eine Nation schaffen zu wollen.«

Stein bläst zum Gegenangriff, auf die Rheinbündler im allgemeinen und die »undeutschen« Bayern im besonderen. »Überhaupt ist die gegenwärtige Größe von Bayern für Deutschland nachteilig. Es drückt auf alle seine Nachbarn, es strebt nach Vergrößerung, der Geist seiner Regierung ist durchaus verderbt, und man kann sich von seiner Treulosigkeit, seinem

Ehrgeiz und seinem Groll gegen Preußen und Österreich alles erwarten. Seine Beschränkung auf das Land zwischen Donau und Lech ist für die innere und äußere Ruhe Deutschlands wesentlich.« Vor aller Öffentlichkeit läßt er die Felonie der Süddeutschen brandmarken, in einem von ihm inspirierten Artikel des *Rheinischen Merkur*. Alexander I. übergibt er eine Denkschrift, faßt den Befreier am Portepée des Reichsversprechens von Kalisch, spornt den Russen an, Bayern und Württemberger zur deutschen Raison zu bringen, fordert den Großdespoten auf, seine Pflicht und Schuldigkeit gegenüber Europa zu tun: »Europa ist daran gelegen, daß ein Zustand der Gereiztheit der Völker, der Willkür der Fürsten aufhöre; er beeinträchtigt die innere und allgemeine Ruhe.« Der mediatisierte Reichsritter vergißt die Mahnung nicht, »daß ein alter und durch seine Waffentaten, seinen Einfluß in den Beratungen, seine Bedeutung in der Kirche hervorleuchtender Adel nicht ausgeliefert werden dürfe den Launen der Despoten, die durch eine jakobinische und mißgünstige Bürokratie gelenkt werden.«

Der Entwurf einer entsprechenden Note ist beigefügt. »Zu weitläufig und zu bitter« erscheint er dem Zaren. Auch an der zweiten, etwas entschärften Fassung, gibt es einiges auszusetzen. An die Steinsche Gedankenführung halten sich die russischen Noten, die schließlich Preußen und Österreich übermittelt werden. Metternich wehrt ab: Es laufe doch alles recht gut in den deutschen Angelegenheiten. Doch das wenige läuft ziemlich schlecht. Zwar können – unter Mit- und Nachhilfe Steins – die nicht im »Deutschen Comité« vertretenen Einzelstaaten, immerhin 29 von 35, auf die Beine gebracht werden, aber das ist ein eher retardierender Haufen, zu galvanisieren nur durch die Eifersucht gegen die bevorzugten Hannoveraner, Bayern und Württemberger. Gegen den Vorrang der Ausschußmitglieder und für die Gleichberechtigung aller, auch der winzigsten deutschen Staaten, plaidiert denn auch die »Note der Neunundzwanzig«. Immerhin artikuliert sie ständische Gesinnung, offeriert eine – vorerst zu nichts verpflichtende – Bereitschaft zu Souveränitätsbeschränkungen, und plaidiert für einen neuen Kaiser, einen neuen Garanten landesherrlicher Libertät.

Die »Note der Neunundzwanzig« trägt das Datum des 16.

November 1814. Am selben Tag entschläft das »Deutsche Comité« nach 13 ergebnislosen Sitzungen; die »12 Artikel« müssen endgültig abgeschrieben werden. Die polnisch-sächsische Krise hat Österreich und Preußen auseinandergebracht, das von Stein hochgeputschte Interesse Rußlands an den deutschen Angelegenheiten in sich zusammensinken lassen, Bayern und Württemberg Aufschub und Auftrieb gegeben. Nun läuft gar nichts mehr. In dieser verfahrenen Situation langt der Reichsritter nach dem Steigbügel der »Neunundzwanzig«, greift auf seine Ultima ratio zurück: die Forderung nach Kaiser und Reich.

Die alten Rechte des Reichsunmittelbaren will er nun ohne Umschweife wiederhaben. Am Entwurf einer Bundesakte durch Humboldt, der dem Stillstand mit Federbewegungen beizukommen sucht, hat er vor allem dieses auszusetzen: »Sie ist unstreitig das erste deutsche allgemeine Gesetz, welches sich auf Verfassung bezieht, worin die Reichsritterschaft mit vollkommenem Stillschweigen übergangen wird.« Stein reklamiert »mit gutem Fug und Recht a) erbliche Landstandschaft als ritterschaftliche Korporation ...; b) Autonomie in seinen Familienverhältnissen; c) privilegierten Gerichtsstand; d) Patrimonialgerichtsbarkeit; e) ermäßigte Abgabenbestimmung; f) Aufhebung des Lehnsverbands als eine geringe Entschädigung für die ungeheuren Lasten, so man dem Adel aufgebürdet, und die großen Vorrechte, so er verloren hat«.

Der Reichsfreiherr hat den preußischen Reformminister Stein überholt, der Hoheitsrechte des Adels wie die Patrimonialgerichtsbarkeit als feudalistische Anachronismen bekämpfte. Der Reichsritter, der einen neuen Kaiser als Schutzherrn seiner alten Privilegien will, setzt blindlings über zeitgemäße Ansatzpunkte und zeitbedingte Hindernisse einer Lösung der deutschen Frage hinweg, mit einem verwegenen Sprung – in der Hoffnung, das Traumziel eines neuen Reiches nicht zu verfehlen.

Als Nothelfer wird der Kaiser von Rußland angerufen, in der Denkschrift vom 17. Februar 1815. Das Bundesdirektorium aus Österreich, Preußen, Hannover, Bayern und Württemberg, wie es in den »12 Artikeln« vorgesehen ist, kann nicht zustandekommen, und wenn es zustandekäme, wäre es ein untaugliches Regime, ein System der Eifersucht, der Zwietracht, der

Schwäche. Ein einziges Oberhaupt, eine einheitliche Bundesgewalt sei vonnöten, ein Kaiser, und das könne nur der Habsburger sein. »Wenn man zugesteht, daß Österreich ein geringeres Interesse an Deutschland hat als Preußen, daß es sogar Bestandteile enthält, die eine Trennung wollen, wenn man dessenungeachtet glaubt, daß die Vereinigung Österreichs mit Deutschland für letzteres unerläßlich und für das politische Wohl Europas im ganzen nützlich ist, so kann man sich nicht weigern einzuräumen, daß ein verfassungsmäßiges Band geschaffen werden muß, welches Österreich wieder mit Deutschland vereinige und beide dadurch verbinde, daß jenem ein großer Einfluß, ein Übergewicht eingeräumt werde, welches ihr gegenseitiges Verhältnis auf Vorteil und Pflicht begründe.«

Weniger der reichsromantischen Rüstkammer als dem Instrumentarium eines aufgeklärten Utilitaristen ist die Begründung der Kaiserproklamation entnommen. Nicht als der von der Geschichte Geweihte soll der Habsburger wieder deutscher Kaiser werden, sondern als ein mutmaßlicher Dissident, der bei der deutschen Stange gehalten werden muß, durch Würde und Bürde – freilich mit beschränkten Kompetenzen: Sanktionierung der vom Bundestag beschlossenen Gesetze, aber keine eigenen Exekutivorgane; »oberste Richtergewalt«, beschränkt auf die Ernennung des Vorsitzenden des Bundesgerichts; Oberbefehl der Kriegsmacht, doch nur im Einvernehmen mit einem fürstlichen Dreierrat, in dem der König von Preußen einen Erbsitz hat.

Das wäre für einen Kaiser zu wenig – und zu viel für die deutschen Fürsten, vorab den Hohenzollern. Hardenberg protestiert gegen den »plan tout à fait inconséquent de Stein«; als preußischer Minister könne er unmöglich einen derartigen Machtzuwachs Österreichs hinnehmen. Humboldt verfaßt eine Widerlegung: Nur ein Staatenbund entspräche dem Geist der Nation wie der politischen Materie; nur die Einigkeit der beiden deutschen Großmächte in gleichgewichtiger Unabhängigkeit könne die Ruhe in Deutschland und den Frieden in Europa bewahren.

Metternich sagt weder nein noch ja. Wellington, bei dem Stein vorspricht, findet den Kaiserplan irreal. Repräsentanten deutscher Mittelstaaten bietet er eine Handhabe, seinen Verfasser als tumben Toren hinzustellen. Kleinstaatlern gruselt es vor einem Bundesgenossen, der ständig andere kaleidoskopische Figuren entwirft – wer weiß, ob sie bei der nächsten noch vorgesehen wären! Reichsromantiker beginnen zu ahnen, daß dieser Beamte gar kein Bruder in Barbarossa ist – dieser Konstrukteur, der an den Nutzen des Planens und an die Macht der Pläne glaubt, dieser Inflationist, der nun Verfassungsdenkschriften ausgibt wie seinerzeit Papiernoten. Für keinen der Ihren halten ihn die Staatsbürokraten, eher für einen Jakobiner in mittelalterlichem Heroldsrock; nicht das Pläneschmieden, Plänemodifizieren, Pläneverwerfen an sich kommt ihnen verwerflich vor, doch die bei Stein spezielle Diskrepanz zwischen ungeduldiger Geschäftigkeit und unverrückbaren Realitäten. Der Zar, der ganz gern im deutschen Spiel mitmischen möchte, wird es leid, von seinem Berater nur Nieten zugesteckt zu bekommen. Das Publikum des Wiener Welttheaters will nicht permanent den Marquis Posa sehen.

Zwischen alle Lager hat sich der patriotische Abundant und diplomatische Dilettant manövriert. Der »heimliche Kaiser« ist ein deutscher Johann ohne Land geworden. Nun will er heim auf das Fleckchen Erde, das ihm noch gehört, nach Nassau. »Aus dem Halbverhältnis, in dem ich stand, konnte nur Lebensverdruß entstehen; ich hatte Influenz ohne durchgreifende Leitung, und Influenz auf höchst unvollkommene Menschen, die als Werkzeuge zur Erreichung großer Zwecke sollten gebraucht werden. Zerstreuung, Mangel von Tiefe der einen, Stumpfheit und Kälte des Alters der anderen, Schwachsinn, Gemeinheit, Abhängigkeit von Metternich der dritten, Frivolität aller war Ursache, daß keine große, edle, wohltätige Idee im Zusammenhang und ganz in das Leben gebracht werden konnte.« Das ist seine persönliche Version des Scheiterns. Typisch ist auch seine Reaktion: »Aus diesen unglücklichen Verhältnissen herauszukommen, bedurfte es nur eines kräftigen Entschlusses, und es ist ratsamer, ihn bald zu nehmen, ehe die Erbärmlichkeit des Ganzen sich entwickelt hat, sich den Leiden des Zustandes zu entziehen und sich von der Verantwortlichkeit des Zustandes loszusagen.«

Doch wieder einmal bestimmt er seine Rolle ohne den großen Regisseur. Napoleon verläßt Elba, landet in Frankreich, steckt erneut seine Adler auf. Das ganze Theater scheint von vorne zu beginnen.

Bei Metternich ist es wieder einmal spät geworden, in der Nacht vom 6. auf den 7. März 1815. Erst nach Drei kommt er ins Bett. Gegen Sechs bringt der Kammerdiener eine Depesche. Metternich schaut nach dem Absender: »Vom k. k. Generalkonsulate in Genua«. Er legt die Post ungeöffnet auf den Nachttisch, kann nicht mehr einschlafen, öffnet gegen halb Acht das Couvert. Es enthält in sechs Zeilen die Anzeige, der englische Kommissär Campbell sei »soeben in dem Hafen erschienen, um sich zu erkundigen, ob sich Napoleon zu Genua nicht habe erblicken lassen, denn von der Insel Elba sei er verschwunden«.

Am 7. März ist Napoleon bereits in Grenoble, vom »Vive l'Empereur« begrüßt. Stein notiert in sein Wiener Tagebuch: »Die Nachricht von der Unternehmung Napoleons hatte allgemein Besorgnis verbreitet und die Parteien einander sehr genähert.« Tags darauf beantragt er die Ächtung des Friedensbrechers; sie erfolgt am 13. März. »Ein sonderbarer Wechsel der Dinge, er, der mich den 15. Dezember 1808 ächtete, wird gegenwärtig in einen ähnlichen und weit schlimmeren Rechtszustand durch einen Beschluß der großen europäischen Mächte gesetzt.« Am 18. März – in Paris packt Ludwig XVIII. seine Koffer – schreibt Stein seiner Frau: »Das jetzige Geschlecht scheint für immer der Ruhe und Stille entbehren zu sollen, die gestatten, sich den Beschäftigungen des Friedens hinzugeben. Ich hoffe, Ende des Monats abzureisen und Dich in Berlin zu treffen; ich halte meine Berufung zur Teilnahme an den öffentlichen Geschäften für beendigt ... Ich habe einiges Recht auf Ruhe, durch mein Alter, meine geschwächte Gesundheit, zehn Jahre eines sehr bewegten und mühseligen Lebens, worin die verschiedenen mir auferlegten Aufgaben von tausend Verdrießlichkeiten begleitet waren, in letzter Quelle herrührend von den unbestimmten, schwankenden Verhältnissen, worin ich mich befand.«

Die Ruhestörer, die Franzosen, die sich wiederum Napoleon zugewandt haben, werden abgekanzelt: »Die Umwälzung in Frankreich ist eine Folge der tiefen Verderbnis der Nation, die, von Rachsucht und Raubsucht geleitet, die Herrschaft eines Tyrannen der milden und gesetzlichen Regierung eines verständigen, frommen Königs vorzog, jenen überall mit Frohlocken aufnahm und sich freudig zum Eroberungs- und Plünderungskrieg vorbereitete. Sie vergaß den geistigen und physischen Druck, unter welchem sie gelebt hat, die Willkür, die über ihrem Leben und Eigentum schaltete, die Vernichtung des Handels, die Vergeudung des Lebens ihrer Kinder und wünschte nur, von neuem über die benachbarten Völker herzufallen und sie zu berauben und zu unterdrücken.« Den Alliierten, die den Frieden nicht zu sichern vermochten, werden die Leviten gelesen. Hat er ihnen nicht immer wieder gepredigt, sie müßten dem Raubvogel ein für allemal die Flügel stutzen und die Krallen schleifen? Er sprach in den Wind, Frankreich wurde nicht gestraft, noch belohnt, blieb ungeschmälert in seiner Macht, erhielt wieder einen wichtigen Part im europäischen Konzert. Und den Korsen setzte man nach Elba,nicht ins Bagno, sondern in ein Schloß – vor die Haustüre Frankreichs! Es kam, wie es kommen mußte: »Wir stehen nun abermals auf dem Rand des Abgrunds, den wir ausgefüllt zu haben glaubten, und ein neuer Kampf bereitet sich mit dem Prinzip des Bösen.«

Die Alliierten zeigen Reue, fassen den Vorsatz, Frankreich zu bekämpfen, Napoleon zu vernichten; am 25. März erneuern sie ihr Kriegsbündnis. Diesmal aber ohne ihn! Er will den Feldzug nicht mehr mitmachen, sich nicht noch einmal im eigenen Hauptquartier herumschubsen lassen. Nach Hause kann er indessen nicht. Obschon er dieses Wien bis oben hin satt hat, soll er noch den Monat Mai in dieser dumpfen Häuseransammlung, in den stickigen Vorzimmern verbringen. »Kaiser Alexander bestand darauf, daß ich noch hierbleibe bis zum Abschluß der deutschen Angelegenheiten.« Die polnisch-sächsische Krise ist inzwischen mit einem faulen Kompromiß bereinigt. Polen wird wiederum – zum vierten Mal – geteilt: Rußland bekommt den größten Teil des Herzogtums Warschau als ein mit der russischen Krone in Personalunion vereinigtes »Königreich Polen«; Preußen gibt den Anteil an der dritten polnischen Teilung ab, Österreich behält Galizien, alle drei protegieren den Freistaat Krakau. Auch Sachsen wird nach der diplomatischen Weisheit letztem Schluß geteilt: die nördliche Hälfte bekommt Preußen, die südliche wird dem König von Sachsen zurückgegeben. Eine derartige Methodik verspricht auch bei der Lösung der deutschen Verfassungsfrage nichts Gutes.

Immerhin wird sie wieder behandelt. Österreicher und Preußen setzen sich am 8. Mai zusammen; am 23. Mai ist eine gemeinsame Verfassungsvorlage fertig. Es sind nun »17 Artikel«, aber sie enthalten weniger als die früheren »12 Artikel«. Von einem Bundesdirektorium, geschweige denn von einem Bundesoberhaupt ist nicht mehr die Rede. Landständische Einrichtungen sind nur unbestimmt und unverbindlich angesprochen. Deswegen wendet sich Stein noch einmal an das russische Kabinett: »Die verschiedenen bisher diskutierten Pläne des deutschen Bundes enthielten den Vorschlag: Landstände zu errichten, zur Sicherung der Freiheit und des Eigentums, mit der Befugnis der Teilnahme an der Besteuerung und Gesetzgebung, und verbürgt durch den Bund ... Man hätte daher glauben sollen, er würde sich in dem eben gefundenen Übereinkommen zwischen Österreich und Preußen wiederfinden – aber man findet im zehnten Artikel nur den vagen Vorschlag: ›In allen deutschen Staaten soll eine landständische Verfassung bestehen‹, ohne daß etwas über ihre Befugnisse und über ihre Garantie festgesetzt ist, und man läßt auf diese Weise jeden Grundsatz fallen, auf welchen sich die politischen Einrichtungen der Nation stützen.«

Sätze, ins Wasser geschrieben. Der Zar geht am 26. Mai ab ins Hauptquartier, zusammen mit dem König von Preußen, gefolgt vom Kaiser von Österreich. In Wien bleiben die mittel- und kleinstaatlichen Federfuchser, die sich über das österreichisch-preußische Papier hermachen, um noch die letzten bündischen Institutionen zu zerfleddern. Dies will Stein nicht mehr mit ansehen. Krank vor Enttäuschung und Verbitterung verläßt er am 28. Mai den Konferenzort. Das Reiseziel ist nicht – wie zunächst vorgesehen – Berlin, der derzeitige Wohnsitz der Familie. Er geht schnurstracks nach Nassau; er muß seine Gesundheit pflegen, sofort die Bäder von Ems gebrauchen.

Am 20. Juni ist er in Heidelberg, im Hauptquartier der Verbündeten, schon wieder in Aktion. Er will die deutsche Bundesakte sehen, die am 8. Juni in Wien unterzeichnet worden ist. Man hat sich auf dem kleinsten gemeinsamen Nenner geeinigt:

einem Staatenbund aus souveränen Mitgliedern, mit dem Bundeszweck: »Erhaltung der äußeren und inneren Sicherheit Deutschlands, die Unabhängigkeit und Unverletzbarkeit der einzelnen deutschen Staaten.« Dieser »völkerrechtliche Verein« wird von den Großmächten garantiert; ein Bestandteil des europäischen Friedenssystems ist der »Deutsche Bund«. Zu seinen Mitgliedern (37 Fürsten und 4 Freie Städte) gehören der König von England als König von Hannover, der König von Dänemark als Herzog von Holstein und Lauenburg, der König der Niederlande als Großherzog von Luxemburg. Österreich und Preußen bringen in den Deutschen Bund nur die Gebietsteile ein, die zum alten Reich gehörten – das ist mehr, als in Steins Trias-Plan vorgesehen war, und weniger, als Reichsromantiker ersehnen. Die Gewichte der beiden deutschen Großmächte sind in einem »friedlichen Dualismus« ausgewogen; Österreich ist zwar Präsidialmacht, doch der österreichische Präsidialgesandte hat nur geschäftsführende Kompetenzen im Frankfurter Bundestag, dem einzigen Bundesorgan, einer Versammlung von ständigen Gesandten der Mitglieder – wie der Regensburger Reichstag. Modernere Verfassungseinrichtungen für die Einzelstaaten werden in Artikel 13 der Bundesakte anvisiert: »In allen Bundesstaaten wird eine landständische Verfassung stattfinden.«

Gegen diese deutsche Bundesakte protestiert Stein am 24. Juni in einer Denkschrift für den Zaren: »Jeder Mann, der sein Vaterland liebt und dessen Glück und Ruhm wünscht, ist berufen zu untersuchen, ob der Inhalt dieser Urkunde der Erwartung der Nation entspricht, der der Größe ihrer Anstrengungen, ihrer Leiden, der Tatkraft und Beschaffenheit des Geistes, der sie jene zu machen und diese zu ertragen instandsetzte? Ob sie in dieser Urkunde die Gewähr ihrer bürgerlichen und politischen Freiheit findet? Ob die dadurch geschaffenen Einrichtungen dem durch die verbündeten Herrscher in ihren Bekanntmachungen verkündeten Zweck des Krieges entsprechen?«

Fragen, die Stein mit Nein beantwortet. »An die Stelle des alten Deutschen Reiches mit einem Haupte, gesetzgebender Versammlung, Gerichtshöfen, einer inneren Einrichtung, die ein Ganzes bildete« (ein reichlich geschöntes Bild im Rückspiegel!) – sei nun ein Deutscher Bund gesetzt, »ohne Haupt, ohne Gerichtshöfe, schwach verbunden für die gemeinsame Verteidigung.« Der Bundestag sei durch das Gebot der Einstimmigkeit bei wichtigen Beschlüssen gelähmt; die Einzelstaaten könnten zuviel Außenpolitik betreiben und seien im Innern zu wenig zur Gewährleistung individueller und ständischer Rechte angehalten. So vermisse er »die Habeas corpus, die Abschaffung der Leibeigenschaft«. Fazit: »Von einer so fehlerhaften Verfassung läßt sich nur ein sehr schwacher Einfluß auf das öffentliche Glück Deutschlands erwarten.«

Noch einmal, zum letzten Mal und schlußendlich vergebens sucht der Freiherr den autokratischen Herrscher aller Reußen als Garanten deutscher Freiheit und nationalen Glücksbringer in Anspruch zu nehmen. Auf Sand gebaut ist seine Hoffnung, der König von Preußen – der sich angesichts der neuen napoleonischen Gefahr zu einem Verfassungsversprechen hinreißen ließ – werde mit gutem Beispiel vorangehen. Was er erwartet, trifft nicht zu, und was er befürchtet, tritt nicht ein: »Der Deutsche wird also sein Blut vergießen für seinem Lande fremde Streitigkeiten, wenn sich sein Fürst mit Frankreich oder England gegen eine andere Macht verbündet – er wird sogar verpflichtet sein, seinen Landsmann zu bekämpfen, wenn dessen Fürst sich mit dem Gegner verbunden hat.«

Der Ankläger der Bundesakte wird einen langen Lebensabend in Frieden verbringen – in der durch den Wiener Kongreß geschaffenen deutschen und europäischen Friedensordnung.

Der letzte Friedensstörer wird eben von den Wiener Signatarmächten überwältigt. Gneisenau unterrichtet Stein über den Sieg der Alliierten am 18. Juni 1815 bei Belle-Alliance und Waterloo: »Eine so entscheidende Schlacht hat es nie gegeben, hunderttausend Tote und Verwundete von beiden Seiten; die französische Armee aufgelöst, zerstreut, vernichtet, mit nur noch 27 Stück Geschütz, Bonaparte geflohen, ohne Hut, ohne Degen aus seinem Wagen sich rettend, Hut, Degen, Kleidungsstücke, Diamanten, alles in unsern Händen.« Blücher schreibt: »Ich hoffe, mein verehrter Freund, Sie sind von mich zufrieden.« Der »Marschall Vorwärts« fügt hinzu: »Machen Sie, daß Alexander mich ein kleines Eigentum in der Nähe von Birnbaum gibt, so sind wir Nachbarn, ich will meine letzten Jahre in Ruhe aufs Land verleben.« Auch sein Generalstabschef Gneisenau denkt an das Nachher: Ihm gebühre »ein Beuteanteil aus dem eroberten Gemeingut«, läßt er Stein wissen; sein Auge sei auf den Johannisberg im Rheingau gefallen, ehedem Fuldaischer Kirchenbesitz, dann von Napoleon dem Marschall Kellermann geschenkt, nun zur Disposition.

Nach dem Johannisberger – dem berühmtesten Wein in weiter Runde – hatte auch Stein gelüstet. Doch die Trauben waren zu sauer. Zwar hieß es seinerzeit in Paris, man wolle seinem Wunsch willfahren, aber Hardenberg verkuhwedelte die Sache, überließ den Johannisberg Österreich. Schließlich bekam ihn Metternich – dieser Schampusschlamper, für den ein guter deutscher Tropfen viel zu schade ist!

Den Rhein fährt Stein im Juli entlang. »Deutschlands hochschlagende Pulsader«, wie Görres zu schreiben beliebt, oder »Deutschlands Strom, aber nicht Deutschlands Grenze«, wie Arndt präzisiert. Oder wie der blutjunge Baron Stein geschwärmt hat: das Reich des Bacchus, der Weingutsbesitzern wie ihm das Gold in die Kasse fließen läßt und in den Adern aller Weintrinker »die Wärme eines milderen Klimas als des sarmatischen unserer Breiten«. Inzwischen ist er mehr von Görres und Arndt angerührt. »Wir bedürfen allerdings der alten deutschen Grenze, der Rhein muß zwischen unseren Ufern fließen, wenn er wohltätig für uns sein soll«, meinte er im Wonnemond des Jahres 1813; im Sommer 1815 hält er die Zeit für reif zur Ernte: Das Elsaß samt Festungen müßte wieder deutsch werden, um Deutschland vor französischen Angriffen zu sichern.

Goethe, sein Reisegefährte, hat anderes im Sinn. Er kurte in Wiesbaden, kam zu geologischen Studien nach Nassau, stieg im »Löwen« ab, wurde von Stein ins Schloß komplimentiert und eingeladen, ihn nach Köln zu begleiten. Goethe zögerte; denn dieser Stein, der wie ein Felsbrocken bergab kollert, ist nicht sein Fall. Doch der Baron läßt kurzerhand anspannen, den Geheimrat in den Wagen setzen und abfahren.

»Ich kann mir denken, wie die beiden Reisegefährten jeden Zusammenstoß vermieden; es war gewiß die äsopische Reise des steinernen und des irdenen Topfes«, bemerkt Arndt, der beide in Köln sieht – den deutschen Patrioten und den Kultureuropäer. Es gibt keine Zusammenstöße. Goethe ist auf distanzierende Formen bedacht, und Stein noch so höflich oder schon so resigniert, daß er dem Olympier nicht zu nahetritt. »Nur nichts Politisches! Das mag er nicht; wir können ihn da freilich nicht loben, aber er ist doch zu groß«, wird Arndt von seinem Reichsfreiherrn beschwichtigt. »So gingen sie auch in Köln nebeneinander hin mit einem zarten noli me tangere. Nimmer habe ich Steins Rede in Gesellschaft stiller tönen gehört.«

Der Kölner Dom, die Türme erst auf halber Höhe, das ganze unvollendet – Stein erscheint er als Sinnbild des liegengebliebenen Reichsbaus. Goethe fasziniert das gotische Wunderwerk. Das Ergebnis dieser Reise, den Aufsatz »Über Kunst und Altertum in den Rhein- und Maingegenden«, schickt er Stein, sowie eine Brille für artistische und mineralogische Beobachtungen, samt seinem verbindlichsten Dank: »Ich finde mir eine neue Ansicht des Lebens und der Erkenntnis eröffnet, indem ich durch Dero Vertrauen hellere Blicke in die uns umgebende moralische und politische Welt richten sowie eine freiere Übersicht über Fluß und Gegend gewinnen konnte.«

Stein ist bereits auf dem Wege nach Paris, seiner letzten Reise in die große politische Welt. Noch einmal scheint er gebraucht zu werden, von den zum zweiten Mal über Napoleon Sieger gebliebenen Alliierten, die sich schon wieder in den Haaren liegen. Hardenberg lockte als erster: »Ich bitte Sie, liebste Exzellenz, kommen Sie jetzt so schleunig als möglich hierher. Sie sind uns durchaus nötig.« Der Grieche Capodistrias, Steins Vertrauensmann im russischen Kabinett, ließ sich vernehmen: »Wie gewöhnlich fürchte ich, daß wir eine schlechte diplomatische Wirtschaft machen werden. Die Ursache ist ganz einfach – die Diplomaten sind nicht die beste Gattung Menschen. Sind Sie noch entschlossen, uns unserem traurigen Lose zu überlassen?«

Ein raffinierter Diplomat ist er jedenfalls, dieser Capodistrias; einem solchen Nackengriff vermag sich Stein nicht zu entziehen. Capodistrias wie Hardenberg möchten Stein auf ihrer Seite haben, ihn zum Weichklopfer der anderen Seite verwenden – in einem Interessenkonflikt zwischen Rußland und Preußen, den beiden Mächten, die eben noch in Wien ein Herz und eine Seele waren. Preußen will diesmal einen härteren Frieden für Frankreich, Sicherheitsgarantien für Deutschland, eine an die Vogesen und nach Lothringen vorgeschobene Militärgrenze. Österreich kann das nicht gut konterkarieren. England hinwiederum will, der »Balance of power« wegen, Frankreich nicht allzusehr schwächen. Ihm sekundiert Rußland, das sich freiere Hand im Osten verspricht, wenn die europäischen Mittelmächte mit Frankreich beschäftigt blieben. Ein Renversement des alliances scheint sich anzubahnen.

Am 14. August 1815 ist Stein in Paris. Der Zar umarmt ihn und stößt nach den Preußen: Sie entweihten die edle Sache durch Rachsucht, vergäßen dabei, daß man es nicht mehr mit Napoleon, sondern wieder mit den Bourbonen zu tun habe, deren Thron derjenige gefährde, wer die Franzosen durch Gebietsforderungen provoziere. Stein erwidert: Auch er mißbillige die Ausschreitungen preußischer Truppen und werde dieserhalb den Brüdern ins Gewissen reden. Dessenungeachtet bräuchten sie eine Verteidigungsgrenze, »eine Linie von der Obermaas, an der Saar und in den Vogesen«. Es sei die Pflicht der Bundesgenossen, die Niederlande und Deutschland gegen französische Angriffe zu sichern. Der Zar kontert: Die Elsässer wollten ja gar nicht zu Deutschland, das wisse man, und er glaube: »Beobachtung des strengen Rechtes sei eine bessere Bürgschaft für Erhaltung der Staaten als Festungen.«

Stein ist es gewohnt, daß Alexander seine machtpolitischen Absichten mit moralischen Sentenzen zu verschleiern beliebt; nun ist Weihrauch dazugekommen: »Bei dem Kaiser nahm sein Hang zum Mystizismus immer zu, er besuchte eine diesem ergebene Frau von Krüdener, die in unmittelbarer Verbindung mit der Gottheit zu stehen glaubte.« Stein läßt sich nicht benebeln. Am 18. August schickt er dem Zaren eine Denkschrift – mit der Forderung nach französischen Gebietsabtretungen: die Maasfestungen an die Niederlande, Teile des Unterelsaß (mit der Festung Straßburg) und Lothringens an Deutschland. Postscriptum: Es sei zu wünschen, »daß Rußland und England nicht glauben, es sei ihr Vorteil, Deutschland beständig in einem Zustande von Aufregung und Leiden zu belassen«.

Er gibt seine Grundposition nicht auf, doch der von Rußland wie von Preußen als Vermittler Bemühte zeigt Verständnis für jede Seite, fordert Entgegenkommen von allen, entwikkelt in der Maklerrolle, die ihm Einfluß bringt und daher Nachgiebigkeit erlaubt, beinahe salomonische Eigenschaften. In dieser Frage ist sein Blick keineswegs reichsromantisch getrübt: Er will Teile des Elsaß und Lothringens nicht aus nationalpolitischen, sondern aus sicherheitspolitischen Gründen wiederhaben. Das Ergebnis ist ein Kompromißvorschlag: Rußland soll die von ihm gewünschte zeitweilige Besetzung Frankreichs haben (um den Bourbonenthron zu präservieren und in Westeuropa präsent zu bleiben) – aber nur eines Teilgebietes, des Festungsstreifens. Preußen und Deutschland sollen ihre militärisch notwendigen Grenzkorrekturen bekommen – aber nur in beschränktem Umfang.

Salomon in Paris wird genauso enttäuscht wie der Reichsprophet Daniel in Wien. Die streitenden Parteien suchen und finden ihren Ausgleich ohne den Schiedsrichter – und weit unter dessen sicherheitspolitischen Minimalforderungen. »Bei dieser Lage der Dinge war wenig mehr zu erwarten von Erhaltung einer guten Grenze für Deutschland, ich reiste also den 10. September ab.« Der Zweite Friede von Paris – am 20. November endlich unterzeichnet – mutet Frankreich lediglich die Abtretung von ein paar Festungen und Randgebieten zu. Das Königreich der Niederlande erhält Philippeville, Marienbourg und Bouillon, Preußen wird mit Saarlouis und Saarbrücken abgespeist, Bayern bekommt Landau. Nord- und Nordostfrankreich bleiben bis zu fünf Jahren von alliierten Truppen besetzt. Die Zeche Bonapartes – der nun auf der fernen Insel Sankt Helena isoliert wird – hat der Bourbone zu begleichen: 700 Millionen Franken Kriegsentschädigung.

Stein schenkt sich einen Kommentar. Er ist es leid, gegen den Lauf der Weltpolitik anzuschreiben. Schon viel zu viel hat er sich wieder echauffiert, noch einmal sich aus seinem Refugium herauslocken lassen – in das Schlangennest der Diplomaten, die Löwengrube der Monarchen, in den Feuerofen der Machtinteressen. Nun will er ein für allemal ausspannen, und er tut es ohne das gewohnte Aufbäumen, wie einer, der dankbar und zufrieden ist, die Endstation erreicht zu haben.

Weder preußischer noch österreichischer Bundestagsgesandter will er werden. Die Metternichsche Offerte ist ohnedies nicht ernst gemeint. Das Hardenbergsche Angebot hatte er im Sommer, vor der herbstlichen Enttäuschung, noch positiv erwogen. Die Bedingungen, die er stellte, lassen freilich vermuten, daß er eine Ablehnung herausfordern wollte: »A) Daß es mir nach meinem Ermessen, ohne besonderes Urlaubsgesuch, freistehe, so oft ich glaube, daß die Geschäfte es zulassen, mich zu entfernen; b) daß der zweite Gesandte ein Mann sei, auf den ich Vertrauen setze und für den ich Achtung habe.« Dafür würde er auf jegliches Gehalt verzichten. Er kennt die preußischen Verhältnisse viel zu gut, um nicht zu wissen, daß Sankt Bürokratius einer solchen Bitte kaum entsprechen könnte.

Nach der gescheiterten Pariser Mission will er überhaupt nichts mehr von einem solchen Amte wissen. Der Deutsche Bund sei »eine so fehlerhafte politische Anstalt«, daß jeder »Freund des Vaterlandes« in der Bundesversammlung deplaziert wäre, erklärt er dem Herzog Leopold von Anhalt-Dessau. Seiner Schwester Marianne eröffnet er den tieferen Grund: »Weil ich nach einem 32jährigen Geschäftsleben Ruhe und Unabhängigkeit zu genießen wünsche und weil ich mir wenig Gutes von der ganzen Sache erwarte, das wenige Gute aber auch durch andere Personen, welche ich namhaft gemacht habe, bewirkt werden kann.« In seinen »Lebenserinnerungen« wird er noch einen weiteren Grund andeuten: Er wollte nicht von Hardenberg abhängig werden, dem Unlauteren und Unzuverlässigen, »der soeben eine ihm von mir übertragene Angelegenheit, die er mit den größten Versicherungen von Bereitwilligkeit übernommen hatte, in Wien und Paris aus Eifersucht oder Leichtsinn, auf jeden Fall mit großer Falschheit gänzlich hintansetzte«. Stein wird es Hardenberg nie verzeihen, daß ihm der Johannisberg durch die Lappen gegangen ist.

Hardenberg selber ist ganz schön dotiert worden. Er erhielt das Fürstendiplom und die Güter Quilitz, Rosenthal und Lietzen. Stein muß bitten und betteln, daß man seinen in der Provinz Posen gelegenen Besitz Birnbaum gegen ein Gut in der Provinz Westfalen umtauschen möge. Immerhin erhält er den Schwarzen-Adler-Orden, das höchste Ehrenzeichen, das der preußische König zu verleihen hat, und das bezeichnendste: »Suum cuique« heißt die Devise – Stein hat nun, was er verdient.

Im neugotischen Turm

Er baut sich sein eigenes Denkmal, den neugotischen Turm in Nassau. »Nicht uns, Herr, nicht uns, sondern Deinem Namen allein gebührt die Ehre«, steht über dem Haupteingang. Ihn flankieren vier Heiligenfiguren, Adalbert, Leopold, Alexander Newsky und Georg, die Schutzpatrone Preußens, Österreichs, Rußlands und Englands, die himmlischen Mitstreiter im Befreiungskrieg. Woran er sich selber hielt, ist im ersten Stock, seinem Arbeitszimmer, zu sehen: die Reformatoren Luther und Melanchthon, die Compatrioten Scharnhorst, Gneisenau, Blücher und der Herzog Friedrich Wilhelm von Braunschweig. Im Obergeschoß befinden sich die Marmorbüsten der verbündeten Monarchen, Friedrich Wilhelms III., Alexanders I. und Franz' I., Werke des Hofbildhauers Christian Daniel Rauch. Ein »Eisernes Kreuz« ist mit dem Wahlspruch von 1813 versehen: »Mit Gott für König und Vaterland.« Zwei allegorische Gemälde verherrlichen den Sieg des Guten über das Böse.

»Ich finde dieses schöne Zimmer im Turm ein Meisterstück«, schwärmt Luise von Loew. »Von dem Gewölbe herab blicken die hohen Gestalten, die vaterländischen Gestalten herab und erfüllen das Gemüt mit ernsten Empfindungen über die vergangenen Zeiten und über jene Zukunft, wo die meisten derer, die Großes bewirkten, schon hinübergeschlummert sind. So werden auch wir schlummern – so werden die Nachkommen Ihr Bild aufstellen und segnend hinaufblicken, wenn Sie den späten Dank nicht mehr hören werden. Daß Sie dieses Glanzes in der Nachwelt entbehren, schmerzt mich nicht. Sie haben des Ruhmes genug und stehen zu hoch, als daß Sie danach dürsten sollten. Aber daß dies große, gute, zarte Herz nicht immer fand, wo es aufgenommen und verstanden wurde, daß wenige vielleicht es wissen und genießen, welchen Schatz von Wärme, ja und von Liebe diese eiserne Kraft verbarg, das läßt mir eine Wunde in dem innersten Herzen zurück.«

Als verkannten Parzival sieht ihn die Seelenfreundin in der

selbsterbauten Gralsburg. Eher an einen Elfenbeinturm denkt Wilhelm von Humboldt: »Er ist wohler und heiterer, als ich ihn sonst gekannt habe, allein wunderbarerweise hat er doch in sich die Überzeugung, daß, wenn er nicht mehr in Geschäften ist, sein Leben auch keinen Wert mehr als höchstens für seinen eigenen Genuß hat.« In einer Barbarossa-Gruft schaut Ernst Moritz Arndt seinen Reichsfreiherrn, Vergangenem nachhängend und auf den Ruf wartend, den Deutschen ihr altes Reich zurückzubringen: »Da habe ich den Mann gesehen in seinem nassauischen Siegesturm, ... die alten deutschen Tröster seiner Bibliotheca selecta vor sich aufgeschlagen und Noten machend oder aus ihnen herausziehend.«

Stein selber meint: »Ich trat also in den neuen Abschnitt des Lebens mit der Lösung zweier Aufgaben, der der Geschäftslosigkeit und der des Alters. Die Leere, welche aus der ersteren entstand, suchte ich auszufüllen durch Wissenschaft; ich wählte deutsche Geschichte.« Halb gezwungen, halb gewollt, geht er auf Distanz zur Zeit, wendet sich der Vergangenheit zu, sammelt Folianten und Quartanten, Literatur und Quellen zur mittelalterlichen Geschichte, beginnt die Welt durch die farbigen Glasfenster seines Nassauer Turmzimmers zu betrachten. Beinahe wie ein Romantiker, doch mit eigenen Gesichtspunkten, in pädagogischer Absicht.

In mystischem Dämmer liegt nun auch für ihn das Mittelalter, in dem er früher mit der Lampe der Aufklärung wenig Mustergültiges zu finden vermochte. An Karl dem Großen etwa erblickte er Eroberungssucht, Ausschweifungen und Grausamkeit, »selten den Geist des großen Gesetzgebers«. Als er während des Befreiungskampfes an eine Erneuerung des Reiches zu denken begann, erschien ihm das mittelalterliche Kaisertum vom 10. bis 13. Jahrhundert als – indessen für unerreichbar gehaltenes – Optimum. Jetzt verlängert er sein Idealimperium nach rückwärts: »Die glänzendste Epoche war, wo die Nation unter ein Oberhaupt vereint von der Weichsel bis an die Rhone herrschte, von Karl dem Großen bis zu dem Untergang der Hohenstaufen.« Er hängt Vergangenem nach, fällt ihm aber nicht anheim. »Auch ich leide an der Krankheit des Trauerns über die liebe Vergangenheit. Ohne das Mittelalter zu vergöttern, so herrschte doch Kraft, Tapferkeit, Treue und Frömmigkeit, und seine Fehler, seine Roheit, Trunkliebe usw. ekeln mich weniger an als die Genußsucht, Gewinnsucht, Lügenhaftigkeit des Zeitalters.«

Er bleibt der Moralist, in der Beurteilung der Vergangenheit wie der Gegenwart. Auch die Beschäftigung mit dem Mittelalter ist für ihn ein pädagogisches Fach, Propädeutik für die Erziehung des einzelnen, des Standes, der Nation. Geschichte, »und besonders deutsche Geschichte«, sei geeignet, »den Charakter zu veredeln, das junge Gemüt mit würdigen Gesinnungen zu erfüllen und es zu achtungswerten Handlungen fähig zu machen«. Seine Tochter Therese will er in deutscher, in mittelalterlicher Geschichte unterrichten, und weil ihm keines der vorhandenen Lehrbücher genügt, beginnt er, eigene zu verfassen, Lernbeflissener und Schulmeister in einer Person.

Das Mittelalter bleibt für ihn die Quelle der reichsunmittelbaren Privilegien, die eben von den Fürsten beseitigt worden sind und die er wenigstens teilweise wiederhaben will. Historische Rechte sind nicht rational zu deduzieren, sondern Urkunden zu entnehmen. Ein Standesherr muß sein Archiv in Ordnung halten. Der mediatisierte Adel, der sich geschädigt fühlt, muß für den Wiedergutmachungsprozeß die Beweismittel zur Hand haben. Ein Volk, das aufgeklärte Bürokraten wie aufgeklärte Demokraten à la français gleichschalten wollen, muß sich auf die altdeutsche Freiheit berufen können, »auf das Hergebrachte, Geschriebene, Urkundliche«. Die Deutschen, die sich als solche fühlen und dadurch einig werden sollen, müssen wissen, woher sie gemeinsam gekommen sind, damit sie lernen, wohin sie gemeinsam gehen sollen.

Ad fontes will Stein. Dabei wird ihm klar, daß die bisherigen Sammlungen mittelalterlicher Geschichtsquellen unzureichend für seine pädagogisch-politischen Absichten und unvollkommen für die wissenschaftliche Forschung sind. »Mit dem Studium der Quellen in den Skriptoren, den Chroniken und den Urkunden müßte man verbinden das Auffinden, Sammeln und Bekanntmachen der durch die neueren Revolutionen, Säkularisationen usw. zerstreut oder aus ihrer bisherigen Ruhestätte gebrachten Urkunden und Handschriften, und hiezu müßte sich ein Verein von Geschichtsfreunden durch ganz Deutschland verbinden.«

Steins Altersmonument werden die *Monumenta Germaniae Historica*, das große Quellenwerk zur mittelalterlichen deutschen Geschichte. Mit gewohntem Schwung und bewährtem Organisationstalent sucht er die »Idee eines Vereins zur Bearbeitung der Quellenschriftsteller in das Leben zu bringen.« Der Gedanke ist nicht neu, Ansätze gibt es hier und dort, sie zu koordinieren und fortzuentwickeln wird Steins Aufgabe und Verdienst. In seiner Frankfurter Wohnung konstituiert sich am 20. Januar 1819 die »Gesellschaft für ältere deutsche Geschichtskunde«. Präsident der Zentraldirektion ist Stein, der Promotor des Ganzen, Protektor der Deutsche Bund, gegen dessen politische Existenz das wissenschaftliche Unternehmen tendiert. Wissenschaftlicher Herausgeber wird Georg Heinrich Pertz, der das erste bedeutende Werk über Stein verfassen wird – als eine Quellensammlung, wie es der Dargestellte schätzte. »Näheres Nachdenken überzeugt mich immer mehr von den wohltätigen Folgen der Belebung und Verbreitung der Liebe zur vaterländischen Geschichte, mit deren Innern man doch nur durch das Lesen der Zeitgenossen bekannt wird.«

Gedacht ist schneller als gedruckt: Erst 1826 erscheint der erste Band der Scriptores, in der Hahnschen Hofbuchhandlung in Hannover. Bei der Wissenschaftsorganisation gibt es ähnliche Schwierigkeiten wie bei der Staatsreorganisation: Diejenigen, mit denen er nichts zu tun haben will, verstellen ihm den Weg, diejenigen, die er umwirbt, machen nicht mit; Stein wendet sich gegen alle und kommt bei keinem an. Als »national« ist ein Unternehmen schwerlich zu deklarieren, dessen Präsident nicht an das allgemeine deutsche Publikum appellieren will, der bürgerliche Geldgeber abweist, den Verdacht einer feudalistischen Machenschaft schon durch den ersten Aufruf weckt: Überkommene Rechtszustände müßten organisch fortentwickelt, dürften nicht gewaltsam beseitigt werden. Stein wolle seine Urfehde gegen die Fürsten mit den Waffen der Geschichtswissenschaft fortsetzen, heißt es an den Höfen; Adelsprivilegien sollten durch Urkundensammlung historisch abgesichert werden, meinen Liberale und Demokraten.

Gneisenau, ein Freund, läßt ihn wissen, »daß es verdienstlicher sei, auf seine Zeitgenossen in beflügelter Rede wohltätig zu wirken als aus seltenen Urkunden die ältere Geschichte fragmentarisch herstellen zu wollen«. Aus Steins Antwort spricht Enttäuschung über das wissenschaftliche Unternehmen: »Meine Erwartungen wurden teils gar nicht, teils nur schwach erfüllt.« Und Selbsterkenntnis wie Entsagung, was das Reden betrifft: »Mein Hang zur Einsamkeit, meine Liebe zur Unabhängigkeit, die bis zum Starrsinn geht, lassen mir die Benutzung dieses Weges nicht zu. Ich würde meine Meinung ohne Schonung aussprechen, alle Parteien, Aristokraten, Bürokraten, Liberale, beleidigen, reizen, alle würden mir als einem alten Schwätzer den Rücken kehren, und so hätte weder ich noch die Sache einigen Gewinn.«

Und er redet doch. Es sind Nachworte zu seinen Reformen und Widerreden gegen Reaktion wie Revolution. Preußen solle in Deutschland mit leuchtendem Beispiel vorangehen, die Ansätze von 1807/08 fortentwickeln, Selbstverwaltung auch den Landgemeinden gewähren, eine Abgeordnetenkammer und eine Adelskammer konstituieren. Diesen Wunschzettel schickt er am 21. Juni 1816 Capodistrias, dem Vertrauten des Zaren, den er noch immer für einen Fürsprecher deutscher Freiheit hält. »Eine solche Verbindung von demokratischen und aristokratischen Elementen, vereint mit der Gutmütigkeit, dem Phlegma des deutschen Charakters, seinem von Natur aus verständigen Geist, der sich in der Literatur und in Gewohnheiten zeigt, bürgt uns gegen jede Furcht vor Revolution und Jakobinismus, und würde Preußen das unschätzbare Gut eines politischen Lebens sichern.«

Kein politisches Leben, sondern wieder Ruhe als erste Bürgerpflicht will der König von Preußen haben. »Calmieren« heißt sein Lieblingswort; zur Ruhe gebracht werden müssen die in der Befreiungszeit echauffierten Geister, wieder in die Ecke gestellt werden die Besen, mit denen der Feind aus dem Land gekehrt wurde. Schillers *Wilhelm Tell* und Goethes *Egmont* streicht man vom Theaterzettel. Die Heeresorganisation wird durch das Gesetz vom 3. September 1814 über die allgemeine Wehrpflicht beendigt; der Reformgeist der »Freiwilligkeit« durchweht es nicht, es fordert Willigkeit von Unfreien. Die Bauernbefreiung wird gehemmt, beinahe in die entgegengesetzte Richtung verbogen; die Deklaration vom 29. Mai 1816 schanzt dem Adel den Hauptgewinn zu: Volles und freies Eigentum an ihren Höfen wird nur den größeren Bauern zugestanden – gegen Abtretung eines Teiles ihres Grund und Bodens an den Gutsherrn. Die kleineren Bauern bleiben gegen Lohn dienstpflichtig. Der Bauernschutz ist gefallen, das Bauernlegen kann beginnen. Ergebnis: Der Großgrundbesitz geht gestärkt aus der Agrarreform hervor, der Adel bleibt die Hauptstütze der preußischen Monarchie, ein ländliches Proletariat entsteht.

Für die Landgemeinden gibt es keine Selbstverwaltung. Und Friedrich Wilhelm III. hält nicht sein am 22. Mai 1815 – in einer Schrecksekunde nach der Rückkehr Napoleons von Elba – gegebenes Versprechen: Preußen werde eine geschriebene Verfassung, eine Volksrepräsentation bekommen. Am Königswort deuteln Fortschrittler wie Reaktionäre jahrelang herum. Schließlich – am 11. Juni 1821 – entscheidet Friedrich Wilhelm, es sollten lediglich Provinzialstände eingerichtet werden. »Das Weitere wegen Zusammenberufung der allgemeinen Landstände bleibt der Zeit, der Erfahrung, der Entwicklung der Sache und Meiner landesväterlichen Fürsorge anheimgestellt.« Das ist der Bruch des königlichen Verfassungsversprechens. Und eine Absage an Artikel 13 der Deutschen Bundesakte: »In allen Bundesstaaten wird eine landständische Verfassung stattfinden.«

Staatskanzler Hardenberg stand auch in dieser Auseinandersetzung auf der Seite eines bürokratisch reglementierten Fortschritts. Er hielt es länger aus als Stein, doch schließlich ist auch er gescheitert. Am 26. November 1822 stirbt er in Genua. Stein haßt ihn über das Grab hinaus: »Ist er nun wirklich, ernstlich, und zum letzten Mal tot, so gratuliere ich zuerst der preußischen Monarchie zu diesem glücklichen Ereignis.« In der Sache bleibt er nicht allzuweit von ihm entfernt. »Die Provinzialstände können aber die Reichsstände nicht ersetzen, denn sie sind zu ohnmächtig, um dem Mißbrauch der obersten Gewalt Grenzen zu setzen«, schreibt Stein am 8. Februar 1822. Bereits Anfang Januar 1818 hat er auf die Folgen eines königlichen Wortbruchs verwiesen: »In welchem Grad würde hierdurch nicht der Unwille des Volkes gereizt und die moralische Kraft des Staats gelähmt!«

In reaktionärer Finsternis liegen Preußen und Österreich. Lichtblicke gibt es im »Dritten Deutschland«. Ehemalige Rheinbundfürsten gewähren geschriebene Verfassungen, berufen landständische Vertretungen. Der eine und andere hat sich Rat bei Stein geholt, dem Beispiel des Nassauers folgend, der damit den Ankläger der Duodezherrlichkeit besänftigt zu haben glaubte. Wie so oft, reagiert er anders, als man es von ihm erwartet. Er tadelt »die durchgreifende Neuerungssucht in dem Weimarschen« (1816 hat Sachsen-Weimar eine Konstitution erhalten); dem Großherzog Karl August stellt er das altständische Wesen in Württemberg als Vorbild hin. Im württembergischen Verfassungskonflikt zwischen dem König, der die französische Charte von 1814 kopieren möchte, und den Ständen, die ihr »altes gutes Recht« wollen, steht er eher auf der Seite des Fortschritts: Bei den Altrechtlern herrsche »ein blindes Streben nach einem unhaltbaren Alten oder nach fehlerhaften oligarchischen Einrichtungen«; sie hätten allen Grund, »mit dem, was ihnen der König anbietet, zufrieden zu sein«; ein modernes Zweikammersystem sei das beste. 1819 kommt die württembergische Konstitution als Kompromiß aus Elementen der französischen Charte und Reminiszenzen der altständischen Verfassung zustande.

Die Bayern bemühen ihn nicht und werden belobigt. Die bayerische Konstitution von 1818 hält er »für einen entscheidenden Fortschritt des Repräsentativsystems«, weil sie bei der Zusammensetzung der Kammer die alte Ständeordnung berücksichtige: »Es erscheint und handelt ein Bauernstand, ein Bürgerstand, ein Adel, eine Geistlichkeit.« Was ihm mißfällt, ist die »Kaskadierung von Wahlen«, das aufgefächerte indirekte Wahlverfahren, und »ihre lächerliche Preßfreiheit, die an Figaros Lob der altfranzösischen Preßfreiheit erinnert«; politische Schriften unterliegen weiterhin der Zensur. Was die badische Konstitution von 1818 betreffe, so enthalte sie zwar »die Hauptpunkte der repräsentativen Verfassung«, doch ihr mangelten Selbstverwaltungseinrichtungen auf Gemeinde- und Kreisebene.

Mit der Verfassungsentwicklung in Nassau ist er ganz und gar nicht zufrieden. Das Herzogtum bekam als erstes Fürstentum eine geschriebene Konstitution, mit seiner Formulierungshilfe. Doch sie wird nicht effektuiert. Bevor man Legislative spiele, müsse die Exekutive in dem jungen Staate hieb- und stichfest dastehen, eine einheitliche Verwaltung in dem aus verschiedenen Bestandteilen zusammengefügten Land organisiert sein, verlautbart die Regierung. »Die jetzigen Machthaber im Herzogtum haben ihre Regierungsmaximen aus dem Moniteur geschöpft, ihnen ist Verfassung, Herkommen, unabänderliche Rechte, Geschichte leerer Tand und Seifenblase.« Die Bürokraten wollen alte Standesrechte beseitigen – nicht zuletzt diejenigen des Freiherrn vom und zum Stein. Er kann seine Mediatisierung nicht verwinden, will in eigener Sache das Rad zurückdrehen. Ungeachtet der 1814 zwischen dem Herzog und ihm geschlossenen Verträge fordert er nun die Patrimonialgerichtsbarkeit auf seinen nassauischen Besitzungen zurück. Er habe sie doch als preußischer Reformminister selber aufheben wollen, kontert die herzogliche Regierung. Nassau sei nicht Preußen, erwidert Stein und läßt die Frage offen, ob er seinerzeit überhaupt die Liquidierung dieses feudalistischen Restbestandes angestrebt habe.

So setzt sich der Frakturredner dem Verdacht der Doppelzüngigkeit aus, der Gemeinsinnprediger dem Argwohn des Standesegoismus, als er am 26. Juni 1816 – völlig zu Recht – gegen den Bruch der in der Nassauer Verfassung gegebenen Zusagen durch den Erlass wichtiger Edikte ohne Zuziehung der Landstände protestiert. Als dann 1818 die nassauischen Landstände endlich einberufen werden, paßt ihm das auch wieder nicht; denn als Mitglied derselben müßte er den nassauischen Untertaneneid leisten. Der Reichsritter bäumt sich noch einmal auf, bietet dem Fürsten einen willkommenen Anlaß, den Eidverweigerer vom Landtag fernzuhalten. Wieder einmal hat er sich selber hinauskatapultiert und hält dies für eine beachtliche Leistung.

Das eher reaktionäre Motiv wird durch die Jakobinermütze verdeckt, die ihm einäugige Bürokraten aufstülpen. 1819 bestätigt der Bundestag die »Karlsbader Beschlüsse«: Vorzensur für Zeitungen und alle Schriften unter 20 Druckbogen; Überwachung der Universitäten, Verbot der Burschenschaften, Entlassung mißliebiger Professoren. Einer Zentraluntersuchungskommission in Mainz obliegt die »Demagogen«-Schnüffelei.

So wird der Turnvater Jahn verhaftet, Arndt von seinem Bonner Lehrstuhl suspendiert. 1827 wird der Hauptbericht vorgelegt, darin neben Hardenberg und Gneisenau der Freiherr vom Stein als einer der ersten Beschützer und Förderer der »revolutionären Bewegung« hingestellt. Verfolgungen ist der preußische Staatsminister a. D. nicht ausgesetzt.

Die Behörde kennt seine Zwitterstellung zwischen Revolution und Reaktion. Als der Frankfurter Bundestag – sechs Jahre nach der Völkerschlacht bei Leipzig – die »Karlsbader Beschlüsse« zu Bundesgesetzen erhoben hat, erklärt Stein am 19. Oktober 1819: Den patriotischen Gedenktag hätten »die Karlsbader Beschlüsse in einen Trauertag verwandelt, Inquisition, die unbedingteste Zensur und Hinwegsophistizieren des dreizehnten Artikels – der Unwille ist tief, allgemein«. Am 16. November 1819 weiß er zu differenzieren: »Dem fratzenhaften und zum Teil auch verbrecherischen, im allgemeinen aber verwirrenden Treiben mehrerer dünkelvoller Gelehrter und vieler mißleiteter junger Leute müßte ein Ende gemacht werden. Hiezu reichte polizeiliche Aufsicht, richterliche Untersuchung und Erkenntnis zu, und bedarf es keiner so auffallenden, in sich selbst so fehlerhaft verfaßten Einrichtung wie der in Mainz gebildeten Behörde.«

Das ist vorausgegangen: Am 18. Oktober 1817 – zur 300-Jahr-Feier der Reformation und zum vierten Jahrestag der Leipziger Völkerschlacht – trafen sich Studenten aus vielen Teilen Deutschlands auf der Wartburg. Die durch den Deutschen Bund »vereitelten Hoffnungen des deutschen Volkes« wurden beklagt und Bücher verbrannt, darunter der *Code Napoléon* und Hallers *Restauration der Staatswissenschaften*. Steins Kommentar: Einerseits habe es keinen Grund gegeben, »die Versammlung junger Leute zu verhindern; sie hatte einen guten und edlen Zweck: vaterländische Gesinnungen zu beleben und zu erhalten«. Andererseits: Man hätte die Studenten nicht der Versuchung von »Gleichheitsaposteln« aussetzen dürfen, die nicht zu Lehrern der Nation geeignet seien; »sie tischen uns die schlechten Gerichte der französischen Demokraten auf, sie wollen alles nivellieren und die ganze bürgerliche Gesellschaft in einen großen auseinandergeflossenen Brei auflösen«; ein Professor, der »Mord, Aufruhr und Zerstörung alles Alten und

Herkömmlichen« predige, gehöre entlassen. Hinwiederum: Die Hauptschuld träfe die Fürsten und ihre Regierungen. »Sie sind die wahren Jakobiner, sie lassen den rechtlosen Zustand, in dem wir seit 1806 leben, fortdauern und reizen und erhalten Unwillen und Erbitterung, sie stören die Entwicklung und Fortschritte des menschlichen Geistes und Charakters, und sie bereiten den Anarchisten den Weg zum allgemeinen Untergang.«

Auf der Wartburg wurde die *Deutsche Geschichte* des deutschen Schriftstellers und russischen Staatsrates August von Kotzebue verbrannt. Der Jenaer Theologiestudent Karl Ludwig Sand debutierte mit einem von christlich-deutschen Gedanken beflügelten Pamphlet. Am 23. März 1819 wurde Kotzebue von Sand ermordet. Steins Kommentar: »Sands Handlung ist eine Greueltat, wozu politischer Fanatismus einen sehr edlen, frommen jungen Mann, welcher er nach dem Zeugnis aller ist, die ihn kennen, verleitet hat. Dieser politische Fanatismus ist aber erregt und irregeleitet durch die demokratischen Schwätzer, die den Katheder und die Preßfreiheit in Jena usw. mißbrauchen.« Ergo: »Die Bildung junger Geistlicher muß man nicht Professoren anvertrauen, die das Christentum als Märchen verlachen, als Menschenfesslung von der Erde vertilgen möchten, die Bildung junger, zum Staatsleben berufener Männer nicht jakobinischen Schwätzern, die mit frecher Hand alles Alte zerstören und nur die Erzeugnisse ihres Dünkels empfehlen.« Fazit: »Die Kanzel und der Lehrstuhl müssen keine Giftbude sein.«

Er ist nicht unbedingt gegen die Bewegung, und er ist nicht unbedingt für das Beharren. Die »Heilige Allianz« schätzt er, weil sie die christliche Liebe als staatenverbindendes Element beansprucht; Fürsten und Bürokraten verachtet er, weil sie die einzelnen Bürger und die verschiedenen Stände nicht durch ein Verfassungsband zu vereinen verstehen. Er hat eine »verständige«, eine »gesetzliche« Freiheit im Sinn, und im Visier die »sanscullotischen Schriftsteller«, die »Hosenlosen«, die »Apostel des demokratischen Metapolitizismus«, die »Deutschland als eine Tabula rasa ansehen, auf der sie ihre Luftgebäude aufzurichten die Absicht haben. Diesen ... schlau kalkulierenden Machern bin ich ebenso feind als den Anhängern des despotischen Buralism.«

Ein Zwischenreich ist die geistige und politische Heimat des Frühpensionärs, zwischen den Fronten und den Zeiten. »Wir leben in einer Zeit des Übergangs, wir müssen das Alte nicht zerstören, sondern es zeitgemäß abändern und uns sowohl den demokratischen Phantasten als den gemieteten Verteidigern der Fürstenwillkür widersetzen. Beide vereinigen sich, um Zwietracht unter den verschiedenen Ständen der bürgerlichen Gesellschaft zu erregen, in entgegengesetzten Absichten, die einen, um alle Versuche, eine repräsentative Verfassung zu bilden, zu vereiteln, die andern, um das Unhaltbare ins Leben zu bringen.«

Ständig wiederholt er diese Wegweisung für eine Via media. Es ist das Ceterum censeo eines Cato, auf den niemand mehr hört.

Auf dem rechten Auge sieht er nicht mehr; er hat den Schwarzen Star. Das Übel befiel ihn im Sommer 1817, wenige Monate vor seinem 60. Geburtstag. »Meine Kräfte sind verzehrt durch Leben, Krankheiten, Gram. Ich erwarte mit Freuden ein nahes Ende, das zu einer edleren Bestimmung als die irdische führt.«

Die Dämmerung des Alters beginnt zu früh. Die Dunkelheit bricht über den 62jährigen herein, im Herbst 1819. In Cappenberg vernimmt er, daß seine Frau in Nassau an Ruhr erkrankt sei. Von den Töchtern und der Schwester Marianne, die bei ihr sind, erfährt er Besorgniserregendes, nichts Beunruhigendes. Seine Frau ist es gewohnt, ohne ihn fertigwerden zu müssen. Sie blieb allein, als er 1807 nach Königsberg, 1812 nach Rußland ging. Seit September 1815 ist die Familie wieder beisammen, freilich in Intervallen. Wenn er in Nassau weilt, ist sie in Frankfurt, fährt er nach Cappenberg, bleibt sie in Nassau. Der Vielschreiber korrespondiert in diesen Jahren wenig mit seiner Frau, mehr mit seinen Töchtern, denen er ab und zu etwas für die Gattin bestellt: »Sag Deiner Mutter ...«. Am 13. September 1819 schreibt er der Tochter Henriette: »Ich hoffe, der nächste Posttag wird mir entscheidend gute Nachrichten über die Gesundheit unserer geliebten Kranken bringen.«

Am Abend desselben Tages erreicht ihn die Eilpost: Der

Zustand der Kranken habe sich verschlechtert. Am 15. September, morgens 7 Uhr, ist er in Nassau. Henriette berichtet: »Als ich ihr sagte, Papa, der eben in den Hof hereinfuhr, würde gleich kommen, antwortete sie mir mit einem Ton in der Stimme, den ich nur überirdisch nennen kann, der aber unvergeßlich in meinem Herzen tönt: Das wäre ja sehr schön. Sieht man ihn schon? Wenn es nur nicht wieder ein Irrtum ist, und er bald kommt, damit ich noch so lange wach bleibe. Und als er nun an ihr Bett trat, nahm sie freudig seine Hand in die ihrige und sagte: Wie gut, daß Du gekommen bist. Du müßtest nur nicht immer wegreisen, ich werde immer krank, wenn Du nicht da bist . . .«

Der Gatte berichtet: »Sie erkannte mich und war sich vollkommen bewußt, gab mir und drückte mir die Hand, segnete mich und war durch meine Ankunft sehr beruhigt.« Sie erkundigte sich nach Pauline von Splitgerber, einem im Hause Stein erzogenen Mädchen. »Von nun an sprach sie nicht mehr, als um nur bisweilen einen Tropfen Madeira oder Reiben mit Eau de Cologne der Schläfe zu fordern. Die Agonie dauerte, bisweilen durch Beängstigungen und Beklemmungen unterbrochen. Den Abend nach 8 Uhr endigte sich der Todeskampf.«

Mit zwei Töchtern von 23 und 16 Jahren bleibt er zurück. Die ältere, Henriette, fällt am offenen Grab in Ohnmacht; sie hat es auf der Brust, kränkelt immer mehr. Der Vater entschließt sich, den Genfer Spezialisten Dr. Pierre Butini zu konsultieren. Eine Reise in die Schweiz hat er schon lange geplant. Zur Ausführung drängt ihn nun ein Zusammenkommen von Notwendigem, Nützlichem und Angenehmem: Er müsse etwas für die Gesundheit Henriettes tun, er könnte einiges für die Bildung Thereses bewirken, und er selber möchte den heimischen Schatten entfliehen.

Die Freiheit sucht er auf den Bergen, in der Schweiz, die er schon immer für ein Kanaan gehalten hat, einen Stammsitz »des Friedens, der bürgerlichen Freiheit, milder und reiner Sitten und des öffentlichen und häuslichen Glücks«. Nicht zuletzt: Die Schweizer haben sich mannhaft gegen die Franzosen gewehrt. »Bei Stans erschoß ein Unterwaldner 96 Franzosen. Er hatte drei Büchsen, wovon Frau und Tochter zwei zu laden beschäftigt waren. Das Pflaster in der Büchse wurde nicht mit

Unschlitt bestrichen, sondern in geschmolzene Butter getaucht.«

Am 5. Juli 1820 begibt er sich mit seinen Töchtern auf die Reise. Die Route führt über Basel, Aarau, Schinznach, Schaffhausen, St. Gallen, Zürich, Luzern, Thun, Bern und Lausanne nach Genf. Stein besucht alte Bekannte und macht neue Bekanntschaften. Er durchstöbert Bibliotheken und Archive nach Material für seine *Monumenta*. Er wandelt auf den Spuren Wilhelm Tells am Vierwaldstädter See, genießt die Aussicht vom Rigi, fährt ins Tal von Chamonix, näher an den Montblanc heran, »der durch seine ungeheure Größe ein unangenehmes, beklemmendes Gefühl erregt.« Er resümiert: »Die Schweizer Reise hat uns allen sehr wohlgetan.« Therese habe rote Backen, Henriette einen ruhigen Puls bekommen und er selber einen Naturschutzpark der Deutschheit gefunden: In den Schweizern seien »die Grundzüge des ursprünglich deutschen Charakters, Treue, Sittlichkeit, Freiheitsliebe, besonnener Menschenverstand, am besten erhalten, die anderwärts feindliche Überzüge, Regierungen, Verkehr, Mit- und Nachahmung von Fremdem zu verwischen bemüht waren.«

So etwas findet er natürlich nicht in Italien, wohin er anschließend, im Herbst 1820 reist, zunächst nach Mailand und Florenz, dann nach Rom und Neapel. »Das Land, wo die Orangen blühen,« entlockt auch ihm – unter Assistenz der schwärmenden Töchter – einige poetische Äußerungen, nicht allzu viele und nicht allzu tiefe. Beim Nachdenken kommt er zu dem Schluß: Nur die südlichen Alpenseen und der Golf von Neapel seien etwas besonderes; »sonst ist Deutschland mit seinen großen Strömen, seinen bewaldeten Bergen Italien weit vorzuziehen«. Die Menschen, Deutsche und Italiener, könne man überhaupt nicht vergleichen: »Der Mensch ist wirklich dorten eine Ruine, über die man aber bei den Erinnerungen, die sie umgeben, bei den Anlagen, die sie besitzen, weinen möchte.« Das neue Leben, das in dieser Ruine zu keimen beginnt, paßt ihm noch weniger: die politische Leidenschaft, der Geist des Aufruhrs.

Er ist kein Byron, der mit Carbonari fraternisiert, kein Goethe, der Farben und Formen sucht, kein Pilger, der »aus dem deutschen Vaterland über Rom zur ewigen Heimat« gelangen möchte, wie eine Grabinschrift auf dem Campo Santo

Teutonico lautet. Als er zum ersten Mal die Peterskuppel erblickt, ruft er nicht »Ecco Roma« wie Winckelmanns Vetturino, sondern räsoniert: »Als ich mich Rom näherte, ergriff mich ein Schaudern. Ich sah von den Anhöhen von Baccano aus vor mir liegen diese Zerstörerin des Glücks von hundert Völkern, die Verheererin Italiens, selbst feilgeboten von ihren Legionen an glückliche Soldaten, die sie mißhandelten, sie, an der Deutschlands Macht und Einheit scheiterte, als die großen Hohenstaufen durch sie untergingen.«

Nach Zeugnissen der deutschen Vergangenheit sucht der Präsident der Gesellschaft für ältere deutsche Geschichtskunde in Rom. Die Tür zur Vaticana öffnet ihm Kardinalstaatssekretär Consalvi, ein Bekannter vom Wiener Kongreß. Stein studiert Kataloge, läßt sich Handschriften vorlegen, verfaßt ein »Verzeichnis verschiedener Handschriften deutscher Geschichtsquellen in der Bibliothek des Vatikan«, das 1821 gedruckt wird, anonym, mit dem Vermerk: »Aus den Papieren eines deutschen Reisenden, welchem alle diese Handschriften im Anfange dieses Jahres vorgezeigt worden sind.« Eine Audienz bei Pius VII. kommt nicht zustande. In die Papstmesse am Ostersonntag schickt er die Töchter.

Er verkehrt mit der deutschen Kolonie, vorab mit Barthold Georg Niebuhr, dem preußischen Gesandten, und mit Franz von Reden, dem hannoverschen Gesandten. Auch Kronprinz Ludwig von Bayern weilt in Rom; zu seiner Begleitung gehört der Arzt Johann Nepomuk von Ringseis, der Stein behandelt und ihn als »kleinen breitschulterigen Mann mit dem Adlerausdruck in den keineswegs adlermäßig gebauten Augen und Zügen« schildert. Gezeichnet wird er von Julius Schnorr von Carolsfeld als deutscher Recke, während ihn Friedrich Olivier als alternden Griesgram konterfeit. Tochter Therese wird von Philipp Veit portraitiert. Stein fördert Maler und Bildhauer, deren Kunst er als Ancilla patriae betrachtet. Selber versteigt er sich nur zu dem Satz: Cum grano salis bleibe Rom ein Aufenthalt, »der eine unerschöpfliche Quelle der größten Genüsse enthält, die sein Reichtum an Kunstwerken und die Schönheit seiner Umgebungen, in einer herrlichen, milden, Wohlsein verbreitenden Luft genossen, anbieten.«

Von Mitte Dezember 1820 bis Anfang Mai 1821 weilt er in Rom. Nicht nur wegen der Stadt, die ihn doch fesselt, sondern auch wegen des Gewinns, »der Gärung, die alle Gemüter ergriffen, den Klagen und gegründeten Klagen seiner Landsleute auf eine Zeitlang entrückt« zu sein. Schließlich reicht es ihm. Er freue sich »auf die Rückkehr in unser gutes deutsches Vaterland und auf das Wiedersehen meiner braven Landsleute; Italien ist ein Land zum Besehen, aber nicht zum Bewohnen«. Er will weg »vom Fremden, das spannt und beklemmt, vom Einheimischen, Bekannten und Vertrauen Einflößenden und Beruhigenden umgeben sein«.

Auch dieser Ausbruch endet wie alle vor ihm: mit der Rückkehr in seine eigenen vier Wände. Hier kapselt er sich ab vor einer Zeit, die er und die ihn immer weniger versteht.

CAPPENBERG in Westfalen wird sein Alterssitz. Der Umtausch des Gutes Birnbaum in Posen gegen die säkularisierte Prämonstratenser-Propstei in der Nähe Dortmunds ist nach einigem Hin und Her zustandegekommen. Den Familiensitz in Nassau haben sie ihm verleidet; jedes Mal, wenn er vom »Stein« zur Stammburg der Nassauer hinaufschaut, wird er daran erinnert, daß der Fürst gesiegt, der Reichsritter verloren hat. Er will aus diesem Bannkreis heraus, dem Auftrumpfen des Herzogs und den Eingriffen der Bürokraten entrinnen, und der Aufdringlichkeit der Emser Kurgäste, die sich durch die Besichtigung des Barons vom Stein die Langeweile verkürzen. In Nassau hat er Platzangst: Das Schloß ist zwischen Städtchen und Chaussee eingezwängt, Aussicht wie Auslauf sind beschränkt. Und: »Ich liebe die Leute nicht, die sich dort für einen Gulden außer Atem laufen.«

»Bei diesem Zustand der Dinge wandte ich mich nach einem Teil von Deutschland, der eine ehrenvolle, politische, historische Stellung besitzt, an den mich 30jährige Dienstverhältnisse binden, wo eine Familie eine ehrenvolle Lage erhalten und erstreben kann, nach einer Provinz, die ich 20 Jahre verwaltete und wo ich unzweideutige und unbestochene Beweise von Liebe, Achtung und Vertrauen täglich erhalte und durch sie wirken und fortwirken kann.« Am 29. September 1818 erklärt er vor dem Oberlandesgericht Münster, daß er sich »für einen königlich preußischen Untertanen« und Cappenberg als seinen Wohnort ansehe.

Sein »altes westfälisches Vaterland« hat ihn wieder – das Land der Eichen und Kornfelder, knorriger Bauern, gewerbefleißiger Bürger und hochgestochener Edelleute, der »klassische Boden unserer frühesten Geschichte, das Land der roten Erde und der Femgerichte im Mittelalter, in dem sich noch so vieles Altertümliche erhält, das die freche Hand der Berliner Doktrinärs zu zerstören bemüht ist«. In Cappenberg findet der allzu bald aus der Laufbahn geworfene und viel zu früh gealterte Stein, was er schon als blutjunger Oberbergrat in Wetter ersehnt hatte: »die Seligkeit der Einsamkeit«. Eine ziemlich komfortable Einsiedelei, einen weitläufigen Schloßbau samt Tiergarten und Jagdrevier.

Mitunter gibt er sich der Stimmung hin. Er wandert durch die Wälder, soweit es sein Podagra zuläßt, umarmt Bäume, die ihm gehören, spiegelt sich, der ergraute Narziß, in seinen Fischteichen. Er genießt »den weiten, freien Blick in eine große, schöne, von den Gebirgen des Sauerlandes begrenzte Ebene«, auf der sein Korn reift. Der Schloßherr stapft durch die endlosen Korridore der ehemaligen Propstei, schreitet die Front des Vergangenen ab, nimmt sich vor, den großen Saal mit Bildern aus der mittelalterlichen Reichsgeschichte ausmalen zu lassen. Der Protestant erbaut sich am katholischen Gottesdienst in der nahegelegenen Kirche, an Weihrauchduft, Orgelton und Glockenklang. Und bekommt manchmal Gewissensbisse: »Man erscheint sich selbst doch sehr erbärmlich«, wenn man bedenke, daß die Grafen von Cappenberg ihre Besitzungen aufgaben, Klöster stifteten »und Gott in der Abgeschiedenheit eines Klosters dienten und sich allen Entbehrungen und Beschränkungen des Mönchslebens unterwarfen – und welchen Gebrauch mache ich von dem durch die segnende Hand der Vorsehung mir zugefallenen Teil dieses Vermögens?«

Dem »Ora et labora« der Mönche sucht er nachzueifern, ein gläubiger Lutheraner, der gute Werke vollbringen will, ein faustischer Frommer, der innerweltlich mit überweltlicher Zielsetzung tätig ist. Nicht im Genießen liege das Glück, sondern im Streben, heißt seine Losung. »Ich verwalte, pflanze, baue Wege, eröffne Steinbrüche.« Wie eine preußische Provinz administriert er sein Latifundium. Oberförster und Rentmeister erhalten Anweisungen wie Räte und Sekretäre: »Die während des preußischen Besitzes gebräuchliche Form der Rechnung wird wieder eingeführt: Jahresrechnungen, spezifische Quartalsextrakte, summarische monatliche Extrakte«, verfügt er am 1. September 1816. Er kümmert sich um alles und jedes: die Aussaat des Getreides, das Aufpfropfen von Bäumen, den Absatz des Holzes, das Einsetzen von Fischen, um Eichelmast und »den Wert unseres geräucherten Schweinefleisches, der Schinken, Speckseiten, Würste«. Wie ein alter Bauer sorgt er sich um das Wetter, lebt mit den Jahreszeiten: »Das Frühjahr erscheint nun wieder in seiner Schönheit, in seinem Gefolge die Beschäftigungen des Bauens, der Waldkultur mit Pflanzen, Säen, ein Leben in der Zukunft, für die man hiedurch lebt, und das durch seine Entfernung von Selbstsucht einen erhöhten Wert erlangt.«

Die Landluft bekommt ihm. »Wir führen ein wahres patriarchalisches, antediluvianisches Leben, und Sie werden uns alle verjüngt finden. Ich bin überzeugt, wenn die Steigerung und Befestigung meiner Kräfte in diesem Fortschreiten bleibt, ich einen bestimmten Anspruch auf einen Platz unter den Zentenariern habe, wenn nicht das westfälische Fest des Schweineschlachtens, welches ich sehr eifrig mitfeiere, mich um ein halb Dutzend Jahre bringt.« Nun, dagegen gibt es das »Steinhäger Oel«, den ganz vortrefflichen Wacholderbranntwein aus Steinhagen im Ravensbergschen.

Zu den Freuden des Landlebens gehört das Weidwerk. »Ich jage mit meinen Freunden, und der Schall des Flügelhorns, das Bellen der Hunde, das Knallen der Gewehre in der Einsamkeit und Stille der Wälder ist mir erfreulicher und durch Luft und Bewegung gedeihlicher als der Aufenthalt in den Städten.« Er gewahrt die List der Füchse und die Furchtsamkeit der Hasen; jene erinnert ihn an die Diplomaten, diese an die Franzosen; in mancher Treibjagd repetiert er die Völkerschlacht bei Leipzig. Auch die Freunde sprechen gerne von diesen Zeiten; ihre Zusammenkünfte gleichen Veteranentreffen. Dann biegt sich die Tafel unter Wildpret und Geflügel, und der Wein von den eigenen Weinbergen am Rhein versiegt nicht.

Ernst Moritz Arndt wähnt sich in die Runde eines deutschen König Artus versetzt: »Jeder fühlte in seiner Gegenwart, wo er war und mit wem er zu Tische saß, aber jeder, der nur das Herz auf dem rechten Flecke hatte, fühlte sich bei und vor ihm frei. Stein hatte nichts von jener falschen, nichtigen Art Freundlichkeit, von jener jämmerlichen Vornehmigkeit, welche unwillkürlich jeden Anwesenden zu falschen und lügenhaften Verneigungen und Zierlichkeiten nötigt und falsche knechtische Kräuselungen und Krünkelungen haben will. Hier war auch keine kleinste Spur von einem vornehmen Junker, sondern es war in der Tat und Wahrheit der alte, freiherzige, freigeborene deutsche Ritter.«

Seinen Untergebenen erscheint er mal als gnädiger, mal als gestrenger, stets als Herr. Einen Kutscher, der ihn vor die Alternative »Lohnerhöhung oder Arbeitsniederlegung« zu stellen wagt, will er »wegen seines nichtswürdigen Betragens durch die Obrigkeit bestraft wissen«. Die sauren Wochen, nicht die frohen Feste herrschen in Cappenberg, mithin die rechte Ordnung. Steins Tageslauf ist genau geregelt. Er steht früh auf, kleidet sich sorgfältig an, meist in Dunkelblau oder Schwarz, betet und meditiert 15 bis 30 Minuten, frühstückt, liest dabei Post und Zeitungen, teilt den Seinigen daraus hin und wieder etwas mit, wird ungehalten, wenn die Reihenfolge des Gebens und Nehmens unterbrochen, umgekehrt wird, man ihm Fragen stellt. Anschließend verbindet er das Angenehme des Promenierens mit dem Nützlichen des Inspizierens. Er hat seinen »braunen Hengst« bei sich, den Krückstock, mit dem er hier eine Distel köpft und dort einen Stein aus dem Weg schlägt.

Die Mittagstafel ist gut und reichlich; er ißt gerne und trinkt hinreichend. Den Kaffee nimmt er auf dem Altan. Der Nachmittag ist mit den verschiedensten Geschäften ausgefüllt; er organisiert, dekretiert, korrespondiert mit Gott und der Welt. Um 8 Uhr ist Teestunde, mit den Seinigen und etwaigen Gästen. Anschließend liest ihm Fräulein Schröder, der gute Hausgeist, vor – aus evangelischen wie katholischen Erbauungsbüchern, historischen und staatswissenchaftlichen Werken, landwirtschaftlicher Fachliteratur, hin und wieder etwas Dichterisches, nie einen Roman. Um 10 Uhr geht er zu Bett.

»Ich finde mich in dieser Abgeschiedenheit, in dieser Entfernung von allem dem Treiben, Drängen, Reizen, Necken des Weltlebens überglücklich.« Nur eines beeinträchtigt den häuslichen Frieden: Die Töchter sind immer noch nicht aus dem Haus, unter die Haube gebracht. Seine Frau lebte noch, als er die damals 22jährige Henriette ermahnte: Sie solle nicht zu hohe Ansprüche an die Männer stellen, nicht über den schätzenswerten jungen Mirbach beispielsweise äußern, es sei schade, daß er nicht vor 300 Jahren gelebt habe, weil er zu laut spreche und zu viel Tabak rauche. Die Töchter haben etwas von der scharfen Zunge und der Bockbeinigkeit des Papas mitbekommen, der seine Eigenschaften nicht an andern schätzt, am allerwenigsten an Frauen.

Da seine Ermahnungen nichts fruchten, versucht er es mit einem Exempel: Im Sommer 1822 reist er mit Henriette und Therese nach Buchwald in Schlesien, zur Gräfin Reden, damit sie »das Wirken und Leben einer frommen, edlen, tüchtigen Gutsbesitzerin kennenlernten«. Der Freundin schüttet er sein Herz aus: »Ein wahrer Regen von Freiern«, aber die einen paßten ihm nicht (»vier habe ich im Stillen entfernt«), die anderen hinwiederum nicht den Töchtern. Zwei Jahre später hat er immer noch über »weibliche Launen« zu klagen: »Henriette wies eine sehr anständige, Therese mehrere sehr gute Partien ab, ohne sich die Mühe zu geben, sie kennenzulernen.«

Henriette ist nun 28. Schon hielte er es für besser, daß sie ledig bliebe. Aus dem Haus sollte sie freilich, ins adelige Damenstift Wallenstein. Da bringt sie doch noch einen Bräutigam: Hermann Graf von Giech, Besitzer von Thurnau bei Bamberg. Er ist ein Bayer, was ihm gar nicht schmeckt; Henriette werde »nun denationalisiert und bojoarisiert«. Obendrein ist der Freier über beide Ohren verschuldet. Der Brautvater greift tief in die Tasche und versichert dem Schwiegersohn in spe: »Ich bin sehr entfernt, Ew. Hochgeboren im Verdacht des Eigennutzes zu haben.« Am 4. Oktober 1825 ist die Hochzeit in Nassau.

Bleibt Therese, die Schnippische und Pingelige. »Gott gebe, daß aus allem diesem Schwanken ein vernünftiges Resultat erfolge und diese junge Person zu ihrer Bestimmung, ich aber zur Ruhe gelange.« Sogar der Kürassieroberst von Nostitz, der Blücher bei Ligny das Leben rettete, ist ihr nicht gut genug. Steins Geduld wird strapaziert. Endlich heiratet Therese, am 28. August 1827, 24jährig, den Grafen Ludwig von Kielmannsegg, einen Neffen ihrer Mutter. Sie kannte ihn schon seit 1823, hatte jedoch anderes im Sinn, kam schließlich auf ihn zurück.

Stein vergißt seine Bedenken gegen eine Verbindung unter nahen Verwandten. Aus ihr gehen ein Sohn und zwei Töchter hervor, während Henriettes Ehe kinderlos bleibt.

Nun ist er allein, zu allein. Das »to be alone on earth« sei unvermeidlich, »hoffentlich aber von kurzer Dauer und mit Erhaltung einiger Kräfte«. Ökonomisch will er sie einsetzen, für seine Landgüter und für das Gut seiner Seele. Er privatisiert, dieser Cincinnatus, der nicht vom Pflug weggeholt werden will.

Halkyonische Tage, Jahre glücklicher Stille sind Stein geschenkt, nach dem napoleonischen Sturm und dem Wirbelwind von morgen. Er ist ein Biedermeier unter Biedermeiern, seinen Zeitgenossen, die sich mit dem bescheiden, was ihnen beschieden ist. Er rastet und rostet, wird unbeweglich wie ein gepanzerter Ritter, der in die Schlacht von Sempach reitet, einem Winkelried entgegen.

Das Alter läßt seine spitzen Züge hervortreten: das Autokratische im Gehaben, das Aristokratische im Anspruch. Adelsstolz hat er stets besessen, nun pflegt er ihn als kostbarstes Erbgut. Einen moralisch aufgeladenen Aristokratismus freilich hat er im Sinn: »Nicht durch Hunde, Pferde, Tabakspfeifen, durch starres Vornehmtun wird der Adel den angesprochenen ausgezeichneten Platz im Staat sich erhalten, sondern durch Bildung, Teilnahme an allem Großen und Edlen, unerschütterliche, treue Anhänglichkeit an Vaterland und an die Sache des Rechts.« Eine derartige Elite sei keine Kaste; sie müsse »sich an den Regenten und an die Nation schließen«, solle »jedem durch Verdienste erreichbar sein«.

Steins Adelsideal hat eine höchst realistische Basis: Der Edelmann braucht das Landeigentum wie eine kostbare Blume den Humus. »Ich finde das Glück des Besitzes eines unabhängigen, selbständigen, mäßigen Vermögens so groß, seinen Einfluß auf die öffentliche Stellung im Leben und auf die innere Würde des Charakters so unberechenbar, daß ich den Verschwender und durch eitlen sinnlichen Genuß dazu Verleiteten etwas strenge zu beurteilen geneigt bin.« Den Eigentümer im allgemeinen und den Landeigentümer im besonderen hat er stets für die tragende Säule des Staates gehalten, zur Mitverantwortung berechtigt und berufen. Nun betont er die Erhaltung des grundbesitzenden Adels, seine Konservierung als besonderen Stand mit korporativer Verfassung und korporativen Vorrechten.

Der Cappenberger und Nassauer Gutsbesitzer scheint es zu bereuen, daß der preußische Reformminister die alten Bindungen der Bauern an die Gutsherrschaft gelockert hat. Nun hält er sich an das, was die Stein-Hardenbergsche Reform in Preußen übriggelassen hat. Der Patriarch will »das Band der wechselseitigen Dienstleistung, des wohltätigen Einflusses, des Rats« wieder knüpfen. Und er möchte zurückbekommen, was durch das französische Recht im ehemaligen Rheinbundgebiet beseitigt wurde: »Warum sollten endlich nur die aus französischen Revolutionsideen entspringenden Gesetze bestehen, warum soll nicht das alte deutsche Recht nach dem Sieg der deutschen Waffen wieder aufleben? War denn der Zweck des Kriegs die Aufrechterhaltung des Code Napoléon?« Den adeligen Gutsherren gebühre eine privilegierte Stellung in der ländlichen Gerichts- und Polizeiverwaltung; die Patrimonialgerichtsbarkeit fordert er zurück. Der Besitzer von Cappenberg ignoriert die Reformgesetze aus der Franzosenzeit, beruft sich auf die altmünstersche Eigentumsordnung von 1770.

Die großen Münzen seiner historisch begründeten und moralisch überhöhten »Grund- und Boden«-Theorie sind für die Gutsherren, die kleinen für die Bauern. Stein plaidiert für die Erhaltung der größeren Bauernhöfe durch ein entsprechendes Erbrecht: »Das Zerstückeln der Höfe führt anfänglich zur Herabwürdigung des Bauernstandes in Kötter, dann zur Konsolidation in große Gütermassen; die Armut zwingt zu verkaufen, der Reiche, der Wucherer, der Jude kauft zusammen und läßt durch Taglöhner bauen – dann haben wir eine geringe Zahl großer Güterbesitzer und eine große Masse Proletarier wie in Italien, England, und was hieraus für öffentliche innere Ruhe entsteht, ist leicht vorherzusehen.« Stein verwirft die Ablösung bäuerlicher Naturalleistungen durch Geldzahlungen an den Gutsherren: »Die Verwandlung der Naturalzinsen in Geldzinsen ist in einem Land wie Deutschland gar nicht nützlich, da es leichter ist, mit Naturalien, die man erzeugt, als mit Geld, das man oft gar nicht anschaffen kann, zu bezahlen.«

Der ehemalige preußische Finanzminister, der Papiergeld drucken ließ, äußert nun ziemlich rückständige Ansichten über den Zahlungsverkehr. Mösers Schriften aus dem vorigen Jahrhundert könnte sein Bauernideal entnommen sein, oder Arndts 1817 erschienener Verklärung der germanischen Bauernfreiheit. Dieser hält ihn jedenfalls für einen Gleichgesinnten: »Aber dieser Ritter war kein Junker, der nur um sich greifen und auf Kosten der Bauern und Kleinen das Gebiet seiner Schlösser und Forsten fein und schön schließen und abrunden wollte. Nein! Das war sein Sinn und seine Liebe des festen Landbauers, das war sein Wunsch, daß die Familien der kleinen und großen Bauern ebenso im Besitz der Häuser und Felder ihrer Väter geschützt und befestigt würden als die Söhne und Enkel der Grafen und Freiherren.«

Der Ritter hat aber nur die Großbauern im Sinn, nicht die landwirtschaftlichen Kümmerlinge, die das Gemeinwesen gefährdeten »durch den Einfluß der Roheit, der alle Triebfedern des Eigennutzes so gebieterisch bewegenden Armut«. Nur die Besitzer stattlicher Bauernhöfe, nicht alle Bauern sollen in den Provinzialständen vertreten sein, und selbst diese hält er nicht für vollwertige Glieder der Gesellschaft: »Die Wahlen des platten Landes bleiben immer bedenklich; der Bauer wird den Landtag als einen Karneval ansehen, für dessen Genuß er durch Müßiggang und Diäten noch obendrein belohnt wird – er trägt ein Sümmchen Geld nach Hause, bringt Frau und Kindern Weihnachtsgeschenke und fährt extrapost nach Hause oder läßt sich Schusters Rappen extrapostmäßig bezahlen.« Jedenfalls sollen die Bauern nur ein Sechstel der Provinziallandtagssitze bekommen – dagegen die Bürger zwei Sechstel und der Adel gar drei Sechstel.

Der Adel soll weiterhin die Spitze der Gesellschaftspyramide bilden, über der breiten Basis der Bauern und der Mittelschicht der Bürger. Ein in ökonomischen Schranken und moralischer Zucht gehaltenes Bürgertum freilich. Er plädiert für Einschränkung der Gewerbefreiheit und Wiederbelebung des Zunftwesens, als ob es keine Reformzeit in Preußen und keinen Reformminister Stein gegeben hätte. »Den Wert der Zünfte beurteilte man einseitig aus dem staatswirtschaftlichen Gesichtspunkt, ob sie die Gewerbstätigkeit begünstigen. Es mag allerdings in ihren Einrichtungen manches das freie Spiel der produktiven Kräfte Störende gelegen haben, zum Teil konnte es aber gehoben, zum Teil hat aber diese freie Tätigkeit auch ihre Nachteile: Mißverhältnis der Produktion zur Konsumtion und übermäßige Entwicklung der eigensüchtigen Triebe. Der Staat ist aber kein landwirtschaftlicher und Fabrikenverein, sondern sein Zweck ist religiös-sittliche, geistige und körperliche Entwicklung. Es soll durch seine Einrichtungen ein kräftiges, mutiges, sittliches, geistvolles Volk gebildet werden. Das Bürgertum wird aber besser entblühen aus Zünften, die durch gemeinschaftliches Gewerbe, Lebensweise, Erziehung, Meisterehre und Gesellenzucht gebunden sind als aus den topographischen Stadtvierteln, wo Nachbar mit Nachbarn in keiner Verbindung steht, sondern alle durch den Egoismus aller auseinandergehalten werden.«

Das fortschrittliche Element der »Städteordnung« von 1808 will er eliminieren: Die Wahl der Stadtverordneten soll nicht durch Einzelmitglieder der Stadtgemeinde, in städtischen Wahlbezirken erfolgen, sondern wieder – wie in alten Reichsstädten – nach Zünften und Innungen. In seiner Brust haben stets die ständische Libertät und die individuelle Freiheit gestritten; die Oberhand behält die alte Auffassung, daß der Einzelne nur als Glied einer Korporation Rechte besäße. »Religiöse Sittlichkeit, Angesessenheit, Wohlhabenheit« seien die Kriterien des Bürgerrechts. »Nur mit diesen Eigenschaften versehene Individuen können stimmfähige Bürger sein. Um gewählt zu werden, wird ein höherer Grad von Vermögen erfordert.« Das Entréebillet müsse teuer sein, denn: »Das Eindringen des Pöbels in die Bürgerschaft und in die Stellen muß verhindert werden, und dieses ist umso wichtiger, da er in den Fabrikstädten Bielefeld, Iserlohn, Altena (Elberfeld, Köln, Aachen in den Rheinprovinzen) so zahlreich und zum Teil so roh ist.« Eine Kommune, die in der Mehrzahl »aus einem rohen verarmten Pöbel« bestehe, verdiene statt der Städteordnung eine Polizeiordnung; »man bestelle statt der Stadtverordneten Polizeidiener und Büttel, und man hole sich die Data zu einer neuen Städteordnung von Botany Bay« – der englischen Strafkolonie in Australien.

Den »Dritten Stand« will er beschränken, den »Vierten Stand« ausschließen. Er interpretiert Calvin politisch: Der

Eigentümer sei ein »Auserwählter«, prädestiniert zur Mitverantwortung in Staat und Gesellschaft. Der Besitzlose sei ein »Verworfener«, den »eine durch Mangel und Bedürfnis auf das äußerste gereizte Habsucht zur Gleichgültigkeit gegen das Edlere und Sittliche und zum Laster und Verbrechen verführt.« Die »Proletarier«, der »große Haufen«, der »Pöbel« sei eigennützig, könne schwerlich zur Gemeintätigkeit erzogen und nicht als Staatsstütze herangezogen werden. In der »allmählichen Bildung großer Massen eigentumslosen, vereinzelt stehenden Gesindels, in der Auflösung aller Art von politischen Korporationen und dem Zerstören alles Gemeingeistes, wo der Thron allein steht zwischen einem an ihm und dem Ganzen kein Interesse nehmenden Haufen, darin liegt das wahre demokratische Prinzip.« Ihm setzt er die Dreiheit »Besitz, Bildung, Sittlichkeit« entgegen, die der Vergangenheit entnommene Vision einer hierarchischen Ständeordnung, gegliedert in Adel, Besitzbürgertum und Großbauernschaft, nach unten abgeschirmt und von oben zusammengehalten.

Die Echternacher Springprozession war schon immer seine politische Fortbewegungsart. Der Reformminister machte drei Schritte nach vorne und einen zurück. Der alte Stein geht drei Schritte zurück und einen vorwärts.

Eine Verfassung zu bilden, heiße das Gegenwärtige aus dem Vergangenen zu entwickeln, meint Stein. In diesem Sinne hat er sich in die Diskussion um preußische »Reichsstände« eingeschaltet; er begutachtet Entwürfe Wilhelm von Humboldts. Nachdem der König sein Verfassungsversprechen gebrochen und lediglich die Errichtung von Provinzialständen zugestanden hat, gibt er zu bedenken: »Es können aber die Provinzialstände nur das örtliche Interesse ins Auge fassen, darauf einwirken. Ihnen fehlt aber die Kraft zu einem nachdrücklichen Schutz der bürgerlichen und politischen Freiheit, die Kenntnis des Nationalinteresses, um auf das Allgemeine einzugreifen und lebendige Liebe dafür einzuflößen. Reichsstände bleiben daher immer nötig und wünschenswert.«

Vorerst widmet er sich dem Spatzen in der Hand. Seine »Bemerkungen über die allgemeinen Grundsätze des Entwurfs zu einer provinzialständischen Verfassung« sind an Kronprinz Friedrich Wilhelm adressiert. Noch einmal greift er in die Tasten, spielt seine Lieblingsmelodie, in Dur das Anti-Bürokratische, in Moll das Pro-Ständische, das hohe Lied der Harmonie von Staat und Volk – mit dem Finale: Gemeinde-, Kreis- und Provinzialverfassungen könnten »die Verwaltungskosten vermindern, der Neuerungssucht widerstehen, in den toten Aktenkram Leben bringen, die Selbständigkeit und Beweglichkeit der Provinzialbehörden befördern, indem sie zugleich gegen ihre Willkür schützen und Gemeingeist erwecken und verbreiten«.

Der Tenor findet Anklang, weniger die einzelnen Vorschläge. Am 5. Juni 1823 ergeht das Gesetz wegen Anordnung der Provinzialstände, am 27. März 1824 das Gesetz für die Provinzialverfassung in Westfalen. An das »historische Recht« der alten Stände wird nicht angeknüpft, doch im Gegensatz zum modernen Repräsentativsystem eine ständische Interessenvertretung des hochadeligen, ritterschaftlichen, städtischen und bäuerlichen Grundbesitzes gebildet. Die einzelnen »Stände« werden aber nicht – wie Stein es wünscht – korporativ zusammengefaßt; sie stellen eine einheitliche Versammlung dar, die mit Zweidrittelmehrheit beschließt. Zugestanden wird ihr lediglich eine beratende Funktion; zu behandeln sind nur provinzielle und lokale Angelegenheiten, und nur diejenigen, die in den »Königlichen Propositionen« vorgelegt und zugelassen werden. Nur alle zwei Jahre tritt der Provinziallandtag zusammen, einberufen vom Monarchen, der auch die Tagungsdauer bestimmt – einige Wochen.

Ein Mischmasch aus altständischen Überbleibseln und monarchischen Bedürfnissen ist entstanden, das den Steinschen Vorstellungen nur in etwa entspricht und schon gar nicht den Erfordernissen einer modernen Konstitution. Aber es ist ein Anfang in Preußen und eine Genugtuung für die Provinz Westfalen. 1815 war das »Land der roten Erde« nach einem blau-weiß-roten Zwischenspiel schwarz-weiß geworden – staatsrechtlich, nicht in der Gesinnung, wie Stein bemerkt: »Hier ist die jetzige Generation der preußischen Monarchie, mit der sie Krieg und neuere Verträge erst kürzlich verbunden haben, abhold; diese Gesinnung wird . . . durch Stammesverschiedenheit,

Religion, Mißgriffe der Regierung, Zuströmen von Beamten aus den alten Provinzen und Verdrängen der Einheimischen von den Stellen, durch freiere Institutionen des benachbarten Frankreichs, durch den Verlust von mancherlei Vorteilen, so aus dem freien Verkehr mit dem Nachbarland entstanden, fortdauernd unterhalten.« Der Provinziallandtag könnte Westfalen an Preußen binden, glaubt Stein; mancher Westfale erhofft sich davon mehr Eigenständigkeit.

Am 29. Oktober 1826 wird im Schlosse zu Münster der Erste Westfälische Provinziallandtag eröffnet. Stein gehört ihm als »geborenes« Mitglied für seine Standesherrschaft Cappenberg und Scheda an, und als vom König ernannter Landtagsmarschall. Doch nicht der Präsident hat das erste Wort, sondern der Oberpräsident Ludwig von Vincke als königlicher Landtagskommissar. Stein, von seinem Vorredner als »ehrwürdiger Mann« apostrophiert, dankt Ihrer Majestät »für das bleibende Pfand Ihrer landesväterlichen Fürsorge und Vertrauens«, lobt des Landtagskommissars »für jedes Edle und Schöne empfängliche Gemüt«, verkneift sich weder einen Hinweis auf die alten westfälischen Stände noch einen Verweis für die Franzosen und erhofft sich von der Provinzialverfassung: »Sie wird binden, bilden, heben, sie wird die Gemüter vereinen, indem sie alle nach einem Ziel streben, der Verherrlichung des Vaterlandes.«

Die in den Festreden beschworene Eintracht verflüchtigt sich im Alltag der Beratungen; auch der Genius loci des Verhandlungsortes, der Friedenssaal des Rathauses zu Münster, vermag sie nicht zu domestizieren. In den Fragen der Landgemeinde- und Kreisordnungen wie der Ablösung der Grundlasten ist der Provinziallandtag gespalten: hie die Adeligen – hie die Bürger und Bauern. Die Meinungsverschiedenheiten werden nach westfälischer Art und Weise ausgetragen, mit der »Zähigkeit, in dem selbst zu tief ausgefahrenen Gleis zu beharren«. So stößt auch der Wahl-Westfale Stein mit dem geborenen Westfalen Vincke zusammen, ungeachtet des gleichen Ausgangspunkts und des gemeinsamen Ziels: Beide haben englisches Blut geleckt, bocken vor Bürokraten und Zentralisten, haben einen besitzenden und gebildeten, selbstverantwortlichen und gemeintätigen Staatsbürger vor Augen. In der Katasterangelegenheit will sich der königlich-preußische Oberpräsident nicht von den

Ständen, den Grundbesitzern, den betroffenen Steuerzahlern in die Karten schauen lassen. Steins Verdikt gegen Vincke könnte er sich selber hinter den Spiegel stecken: »Vincke ist mit sich selbst im grellsten Widerspruch; auf der einen Seite Freund freier Formen, solange sie ihm nicht im Weg stehen; ereignet sich dieses, ein despotischer Pascha – ein gutes Pferd, ein schlechter Kutscher.«

Respekt haben die Abgeordneten vor ihrem Marschall. »Wenn der alte Herr mit seinem Krückstock in den von den Ständemitgliedern in bunten Gruppen gefüllten Saal trat, so eilte jeder stillschweigend auf seinen Platz, und es herrschte eine lautlose Stille. Es bedurfte keiner Schelle des Präsidenten, um den Beginn der Sitzung anzuzeigen, sein bloßes Erscheinen war das lebendige Zeichen.« Das ist der Bericht eines Augenzeugen. Und es gibt die Geschichte von dem zum Landtagsabgeordneten aufgestiegenen Gastwirt aus Unna, bei dem Stein einzukehren pflegt und der sich nun an den Präsidenten wendet mit der Frage, was er zu tun habe. »Sich hinsetzen und hören, was klügere Männer sagen!« Am Ende seiner Landtagslaufbahn wird Stein feststellen: Unter 64 Abgeordneten seien nur 16, »die zur gründlichen Behandlung und planmäßiger Leitung wichtiger Geschäfte fähig sind«. Im Ersten und Zweiten Stand – unter Hochadel und Ritterschaft – fänden sich »10 geschäftsfähige Mitglieder, also beinahe 50 Prozent; im Stand der Städte 5 von 20, also nur ein Viertel oder 25 Prozent; im Stand der Landgemeinden 6 oder beinahe 17 Prozent.«

Der Erste Westfälische Provinziallandtag ist für ihn ein öffentliches wie privates Verlustgeschäft. Tagsüber verzettelt er seine Kräfte an kaum Erfolgversprechendes, nachts findet er in seiner Wohnung am Prinzipalmarkt wenig Schlaf. Dafür hat er 800 Taler hinzuzählen, weil er auf Diäten und Reisespesen verzichtet hat. Am 30. Dezember 1826, nach Beendigung des Landtags, kann er heim nach Cappenberg. Er bringt Katarrhalfieber mit und das Nolens-Volens: »So lästig, kostbar und verdrießlich mir die Landtagsmarschallstelle ist, nachdem der Landtag so magere Resultate geliefert, so werde ich doch nicht wie ein begossener Kater den Schwanz zwischen die Beine nehmen und hinwegrennen, sondern tüchtig um mich beißen.«

Zunächst fährt der kampfeslustige Kater nach Berlin. Mit

den anderen Landtagsmarschällen ist er in den Staatsrat berufen. Die Hauptstadt Preußens – sie ist auch nicht mehr die alte. Unerträglich ist der Straßenlärm, unerquicklich die Geschäftigkeit, unausstehlich das Gesellschaftsleben. »Stein, der heute wieder bei mir, klagte auch so darüber, wie man hier zu nichts komme und wie gleichgültig man hier Geschäftssachen anhörte, welche in der Provinz eine Hauptsache wären.« Prinzessin Wilhelm findet, daß der Baron ganz der alte geblieben sei. In einer Beziehung habe sich Berlin zu seinem Vorteil verändert, bemerkt Stein: »Ich fand seit 18 Jahren Entfernung ein Fortschreiten in ernster, gründlicher Bildung, wozu die Anwesenheit der tüchtigen akademischen Lehrer beitrug ... Die Sitten waren reiner und frommer, nichts mehr von dem frivolen, liederlichen Treiben der Gensdarmes-Offiziere etc., und Kunst und Sinn für Kunst erhöht und verbreitet – also im Ganzen Fortschreiten in intellektueller und sittlicher Beziehung.«

Mit gedämpftem Optimismus verfolgt er die Provinzialangelegenheiten. Bei der Eröffnung des Zweiten Westfälischen Landtags am 23. November 1828 erklärt der Landtagsmarschall: »Die Ausbildung des von Liebe für König und Vaterland beseelten ständischen Instituts verlangt eine schonende, weise Behandlung, wird aber gestört durch starres Kleben am Mechanism veralteter, zentralisierender Formen, durch amtlichen Dünkel und Anspruch auf Unfehlbarkeit, durch leere Furcht vor revolutionären Gespenstern.« Die Verhandlungen müssen geheim geführt werden; durch ihre Öffentlichkeit – meint Stein – könnte die »innere Tüchtigkeit« der Abgeordneten gesteigert werden. Sie dürfen einschlägige Verwaltungsakten nicht einsehen; »die Beamtenkaste hat den Vorzug der Aktenkenntnis und diese bewahren sie mit der Sorgfalt der ägyptischen Priesterkaste auf«. Vor allem die Beschränkung auf das Provinzielle paßt ihm nicht: Gesamtaufgaben der Monarchie müßten zur Sprache kommen; der Provinziallandtag sei »wichtig als Vorbereitungsanstalt zu allgemeinen Reichsständen«.

In die Zwickmühle zwischen Staatsrat und Landtagsmarschall gerät er, als der Dritte Westfälische Provinziallandtag an der Jahreswende 1830/31 den König an sein Verfassungsversprechen erinnern will. Zunächst ist er ganz dagegen: Der vorliegende Antrag sei zu verwerfen, »als unzeitig wegen der bestehenden Bewegungen in den Nachbarstaaten, als unzart, da er ein Mißtrauen in die königliche Zusage beweist«. Das Plenum votiert jedoch für eine Behandlung im Justiz- und Verfassungsausschuß; Stein gehört zur Minderheit der Neinsager. Ergebnis: Der Landtagsmarschall wird beauftragt, Prinz Wilhelm dem Älteren, Generalgouverneur der beiden Westprovinzen, das Ersuchen um Reichsstände zu übermitteln, mit der Bitte, es dem König schonend beizubringen. Das ist die Manier von Untertanen, die dem Kammerherrn ins Ohr flüstern, was sie der Majestät nicht zu sagen wagen.

Stein findet selbst dieses ungehörig. Zumal das entsprechende Schreiben der Landtagsmitglieder trotz seines ausdrücklichen Wunsches in die Landtagsdrucksache aufgenommen worden ist. Er beschwert sich: Eine konfidentielle Eröffnung »in Form einer 64 Personen mitgeteilten Denkschrift« sei ein »konfidentieller Kanonenschuß«. Und hält es für angebracht, sich selber reinzuwaschen und andere anzuschwärzen, in seinem Schreiben an Prinz Wilhelm, mit dem er die Petition überreicht. Einen standeskollegialen Paravent stellt er vor den einen Antragsteller, den Freiherrn Franz Egon von Fürstenberg; die volle Wucht seines Unmuts trifft den anderen Antragsteller, den Steuereinnehmer Franz Bracht aus Recklinghausen, »der bereits in den 90er Jahren wegen seiner jakobinischen Grundsätze von der damaligen kurfürstlich kölnischen Regierung unter polizeiliche Aufsicht gestellt worden war, ein Mann voll lächerlichem Dünkel, Halbwisserei, reich an metapolitischen Gemeinplätzen«. Stein schließt mit der Captatio benevolentiae: »Soll eine von unseren Zeitgenossen so sehnlich gewünschte Verfassung mit Ruhe in das Leben treten, dauernd und veredelnd wirken, so beruhe sie auf der väterlichen Liebe des Regenten, der sie erteilt, auf der kindlichen Treue des Volkes, das sie empfängt, auf der religiös-sittlichen Vervollkommnerung, dann wird sie fest gegründet, dauerhafte, wohltätige Früchte bringen, nicht dem beständigen Wechsel unterworfen sein durch den Kampf der Parteien um Herrschaft, Stellen, Reichtum, die ein selbstsüchtiges, gemütloses, irreligiöses Volk zerrütten.«

Der Adressat, Prinz Wilhelm, erhält aus Berlin die Weisung, die alleruntertänigste Bitte um Vermittlung abzulehnen. Der

Landtagsmarschall insistiert nicht, protestiert nicht; in seinem offiziellen Landagsbericht erwähnt er die Angelegenheit mit keinem Satz. Wohl ist ihm dabei nicht. Gneisenau, dem alten Reform-Gefährten, sucht er sein Verhalten im konkreten Fall zu erklären und klarzumachen, daß er prinzipiell nach wie vor für die Einlösung des Verfassungsversprechens und für eine Gesamtstaatsrepräsentation sei. Sie sollte aber nicht von den Provinzialständen, sondern von einer breiten Wählerschicht bestimmt werden; das »staatsauflösende« Recht der Budgetverweigerung dürfe sie freilich nicht bekommen. Es sei zu beachten, »daß in einer konstitutionellen Monarchie sich ein Kampf der Parteien bildet, der oft sehr nachteilig wirkt, und daß für die Selbständigkeit und Kraft der Regierung gesorgt werden müsse«.

»Es ging ihm wie allen Neutralen nach dem alten Sprichwort, sie wohnen in dem mittleren Stock und werden von unten beräuchert, von oben begossen.« So beurteilt er einen Zeitgenossen, ohne sich bewußt zu sein, daß er sich damit selber qualifiziert. Der Landtagsmarschall wird von oben begossen, der Staatsrat von unten angeräuchert – vom Feuer, das die Pariser Juli-Revolution gelegt hat.

»Dass der Funken des politischen Brandes überall glimmt, das zeigt sich in ganz Europa«, schreibt er am 18. Februar 1831 an Gneisenau. »Ratsam ist es, die Flamme zu leiten, ehe sie zerstörend wirkt.« Das hat er gepredigt, seit die Revolution von 1789 über den Rhein züngelte, und in der Tat sind seine Reformen der Versuch gewesen, das deutsche Haus mit Brandmauern zu schützen. Nun, am Ende seines Lebens, steht über Paris eine neue Stichflamme.

Im Juli 1830 steigen Pariser auf die Barrikaden, verjagen den Bourbonen Karl X., der die letzten Kammerwahlen für ungültig erklärt und die Pressefreiheit aufgehoben hat. Stein hört es von Ernst von Bodelschwingh, als er in Nassau unter seinen Kastanienbäumen Kaffee trinkt. Seine erste Reaktion: »Also noch einmal soll das böse Volk Verwirrung über Europa bringen; wenn sie einmal losbrechen wollten und mußten, so wollte ich doch, sie hätten gewartet, bis ich tot wäre.« Er denkt nach und beginnt zu differenzieren: »Die Unruhen in Frankreich haben einen ganz anderen Charakter als die Revolution ao. 1789: Mäßigung, Achtung des Eigentums und baldige Rückkehr zur Ordnung unterscheiden jene von dieser.«

Diese Revolution gebiert einen neuen König, Louis Philippe, aus der jüngeren Linie der Bourbonen. Den Sohn des Philippe Egalité, jenes nützlichen Idioten der Jakobiner, einen »Bürgerkönig«, der mit Filzhut und Regenschirm auf dem Boulevard spazieren geht und jedem, der darauf Wert legt, die Hand drückt. Der »König der Franzosen« herrscht nur; es regieren die Bankiers und Fabrikanten; Minister Casimir Périer besitzt Eisenwerke. »Es scheint, daß die großen Besitzer des industriellen und kommerziellen Reichtums die Leitung der Bewegung ergriffen, deren Resultat sein wird ein sehr geschwächtes Königtum, ein von allem politischem Einfluß entferntes Priestertum, eine freisinnige Provinzial- und Gemeindeverfassung, eine verminderte Armee«, bemerkt Stein am 12. August 1830.

Eine Regierung in Form einer Handelsgesellschaft oder eines Fabrikdirektoriums ist nicht sein Fall. Das »Laissez faire, laissez aller«, der Wirtschaftsliberalismus ging ihm schon zu weit, als er noch Adam Smith exzerpierte. Das »Enrichissez-vous«, das Geldzählen, Gewinnstreben, die Profitgier ist dem Landedelmann fremd, der an der Arrondierung seiner Güter und der Steigerung ihrer Erträge interessiert ist, und dem Moralisten zuwider, der als die »reinste Belohnung das Zeugnis unseres Gewissens und die Achtung unserer Mitbürger« bezeichnet. Einen praktischen Materialismus verabscheut der theoretische Idealist. Den »Dritten Stand« will der Aristokrat in seine vom Adel dominierte Ständeordnung eingebunden haben, »den neuernden Unternehmungsgeist, der nach Befriedigung seiner Eitelkeit strebt durch Herabwürdigung der oberen Stände,« unter Kontrolle halten, es verhindern, »daß alle bedeutenden Stellen im Staat mit Bürgerlichen besetzt werden, die eigentumslos (er meint: ohne Landbesitz) und an keines der großen Interessen im Staat gebunden, geneigt zum Demokratism und einer grenzenlosen Neuerungssucht sind«. In Frankreich ist nun die Bourgeoisie der erste Stand im Staate, und die Kapitalisten regieren, nicht zuletzt die Juden, diese »Horde, so zu unserem Unglück in diesem Zeitalter so viele Geldmacht und mannigfaltigen Einfluß an sich gerissen«.

Wie ein Unwetter sieht er das Industriezeitalter heraufziehen. In Frankreich wachsen Fabriken aus dem Boden, wird der Kohlenbergbau intensiviert, sucht die Schwerindustrie den Vorsprung Englands aufzuholen. In Deutschland, in Westfalen, wo der preußische Merkantilist Stein an der Schwelle zum 19. Jahrhundert Bergbau und Manufakturwesen förderte, entsteht das wichtigste Industriegebiet der Monarchie. Cappenberg sieht er schon von Fabrikschloten und Hochöfen umstellt, auf dem Rhein verkehren Dampfschiffe, und der Dritte Westfälische Landtag erörtert unter seinem Vorsitz die Bedeutung der Eisenbahn für die Zukunft. Der Fortschrittszug kommt in Fahrt, die Maschine wird der Motor der Zeit – eine Mechanisierung von Staat und Gesellschaft sieht Stein auf das Jahrhundert zukommen, ein erschreckliches Mixtum aus Technik und Bürokratie, ein »ökonomisch-technologisches ... System, durch eine zentralisierende regierungssüchtige Bürokratie angewandt«.

Frankreich ist auf dieser Gleitbahn Deutschland voraus, droht es mitzuziehen. In der Juli-Revolution haben sich die Stiefkinder der Industrialisierung, die Lohnarbeiter, gerührt; doch die Bourgeoisie hat sie in den Griff bekommen. In Deutschland ist es noch nicht so weit. Die Industrialisierung steckt noch in den Kinderschuhen, der Staat – namentlich in Preußen – im Stiefel der adeligen Herrenklasse. Der »Dritte Stand« hat soziale, aber noch keine politische Bedeutung gewonnen; der »Vierte Stand« beginnt sich erst langsam zu formieren. Schon wittert Stein Gefahr – »die Gefahr nämlich, die aus dem Wachstum und der Zahl und der Ansprüche der untersten Klasse der bürgerlichen Gesellschaft entsteht. Diese Klasse besteht in den Städten aus dem heimatlosen, eigentumslosen Pöbel, auf dem Land aus der Klasse der kleinen Kötter, Brinksitzer, Neubauern, Einlieger, Heuerlinge. Sie hegt und nährt in sich den Neid und die Habsucht, die überhaupt die verschiedenen Abstufungen in der bürgerlichen Gesellschaft erzeugen. Wie sehr die Sicherheit des Eigentums und der Person gefährdet wird, wenn jene Abstufungen alle der Erde gleichgemacht, das lehrt der gegenwärtige Zustand Frankreichs«. Das ist sein Alpdruck: »Wir leben in einer Zeit, wo man weniger vom Despotismus der Fürsten als der aufständischen Proletarier zu fürchten hat.«

Die Trikolore ist in Frankreich wieder anstelle des Lilienbanners aufgepflanzt, »Freiheit, Gleichheit, Brüderlichkeit« heißt neuerlich die Parole. Die Freiheit – solange sie in der nationalen Brüderlichkeit gebunden bleibt – schätzt auch Stein. Er hat für die Freiheit der Deutschen gegen Napoleon gestritten, die Befreiung der Südamerikaner begrüßt, den Freiheitskampf der Griechen gegen die Türken mit Geld und guten Worten unterstützt. Die polnische Revolution, die 1830 durch die französische Initialzündung ausbricht, findet ein zwiespältiges Echo: »Den Aufstand kann man nicht billigen, aber das tapfere, geistvolle Volk bedauern.« Die polnischen Teilungen blieben »ein politisches Verbrechen«, die Polen seien ein »ao. 1772, 1792 politisch gemordetes Volk«; er kritisiert die russischen Vergeltungsmaßnahmen: »Die Härte des Kaisers Nikolaus empört mich.« Ganz und gar verurteilt er die Sezession Belgiens vom Königreich der Niederlande, die vom Pariser Feuerwerk im August 1830 entflammte Revolution in Brüssel, den Aufruhr vor seiner Haustür, »dessen Leitung die unterste Klasse der Gesellschaft ergriffen«.

Der »Brüderlichkeit« steht er am nächsten. Die »Freiheit« schätzt er als Mittel zur Erreichung des Staatszwecks: »religiöse, geistige und auch materielle Entwicklung«. Die »Gleichheit« stelle alles in Frage, jene Sense, die Besonderheiten abmäht, die Standesunterschiede einebnet, die Gesellschaft nivelliert, den Staat egalisiert, danach strebt, »alles in einen großen Brei von eitlen, Schriftstellerei treibenden Volksrednern und Glückspilzen und städtischem und ländlichem Gesindel und Tagelöhner aufzulösen«. Das Ende seien »arithmetische Zerstückelungen einer in einen großen Teig, in eine chemische Flüssigkeit atomenweise aufgelösten Nation«.

In der *Allgemeinen Zeitung* feiert der Pariser Korrespondent Heinrich Heine die »heiligen Juli-Tage«, glorifiziert das Bild von Eugène Delacroix »Die Freiheit führt das Volk auf die Barrikaden«, jene Vorstädterin mit entblößtem Busen und roter Jakobinermütze, und hofft, das »Aux armes citoyens!« der Marseillaise möchte auch ein deutsches Revolutionslied werden. Aus Paris stachelt der Frankfurter Ludwig Börne seine Landsleute zur Gewaltanwendung an: »Keine Schonung mehr, nicht im Handeln, nicht im Reden. Liegt die Freiheit in einem Meer von Blut, – wir holen sie; liegt sie tief im Kot versenkt, wir holen sie auch ...« Der eifrige Zeitungsleser Stein kommentiert: »Diese Menschen, ein Heine, Börne u. dgl. nennen sich Publizisten, ein ehrwürdiger Name, den unsere Vorfahren einem Grotius, Pufendorf, Moser, Pütter usw. beilegten.« Jeder Handwerker und Justizkommissar müsse sich einer Prüfung unterziehen, aber »die Diskussion über die wichtigsten Angelegenheiten der bürgerlichen und kirchlichen Gesellschaft, der Individuen, die gibt man der Ungebundenheit, Seichtigkeit, Frechheit, Gewinnsucht preis«. Die Pressefreiheit verwirre nur die öffentliche Meinung; sie zerre die wichtigsten Angelegenheiten »entstellt vor den Richterstuhl des großen, eitlen, seichten Haufens« – der »swinish multitude«.

Das kommt dabei heraus: »Leider herrscht unter den Menschen, besonders unter den unteren Ständen, ein unbehaglicher, meuterischer, neuerungssüchtiger Geist, die alte Treue und Liebe ist untergraben. Frankreichs Beispiel hat verderblich gewirkt und die Leidenschaften aufgeregt, und Beschwerden, die ehmals nur als Tadel sich äußerten, brechen jetzt in Tätlichkeit aus.« Schon gibt es »Ausbrüche der Pöbelbewegungen in Deutschland«: in Sachsen, Kurhessen, in Braunschweig, wo Herzog Karl verjagt wird. Wenn es gegen einen Duodez-Sultan geht, sieht er selbst Aufrührern einiges nach: »Aus den Volksbewegungen in Deutschland ist das Gute entstanden: die Entweichung des lasterhaften Unholden, des Herzogs von Braunschweig, die Wiederbelebung ständischer Verfassung und in Kurhessen die Unterwerfung eines lasterhaften, in Wollust und Habsucht tief versunkenen, geisteskranken Fürsten unter Gesetz und Ordnung.« Fuchsteufelswild wird er, als Niebuhr die herrschenden Klassen für mitschuldig erklärt: »Die Priester und eine verkehrte, unsinnige Aristokratie haben nicht bloß in Frankreich alles abgestoßen.« Der Aristokrat Stein kontert: »Wäre ich ein französischer Deputierter gewesen, so hätte ich mit allen Kräften gestrebt, die durch den Zeitgeist und den ganzen Zustand der Dinge erschüttert gewordene königliche Gewalt aufrecht erhalten.« Die Liberalen bezeichneten die légitimité als eine niaiserie, eine Albernheit – und das könnte nur dazu führen, »daß man Eigentum, Erbrecht der Kinder, Befugnis zum Testieren eine niaiserie nennt«. Angesichts der Anarchie »ist es Pflicht aller Freunde der gesetzlichen Ordnung, sich an den Regenten und an den Thron zu schließen«.

Ein Legitimist, ein Ultra scheint der alte Stein geworden zu sein, in der Abwehr gegen die Bewegung erstarrt. Eine konstitutionelle Monarchie à la Montesquieu ist sein Verfassungsideal gewesen, ist es eigentlich immer noch. Doch das englische Vorbild hat Flecken bekommen, und das »juste milieu« des französischen Bürgerkönigtums, das ihm theoretisch liegen müßte, widersteht ihm in der Praxis. Er beginnt zu fragen: »Im konstitutionellen Staat soll der Minister die Majorität des Reichstags haben – wie erlangt er sie? Kauft er sie, wie in England? Oder werden die Minister durch eine Faktion dem König aufgedrungen, wie in Frankreich?« Sicherlich: »Die freie, konstitutionelle Monarchie belebt, entwickelt, reißt den Menschen aus dem trägen, selbstsüchtigen Leben. Aber nun wird die Selbstsucht laut, tätig; es erhebt sich der Kampf der Parteien nach Macht, Geld, die Verwaltung wird gelähmt, das Gute unterbleibt.«

Wo liegt der Ausweg aus diesem Dilemma? Eine Konstitution bleibe wünschenswert, »aber nur keine importierte, doktrinäre oder nachgemachte, sondern eine aus dem Geschichtlichen, Eigentümlichen des Volks genommene, die Zeit und Erfahrung zur Vollkommenheit bringen«. Zwei Kammern seien unerläßlich; »die Zusammensetzung der ersten Kammer erfordert aber, um der Verfassung Stabilität zu geben, erbliche Aristokratie«. Und: »Eine zweckmäßige Verteilung des Grundeigentums ist eine wesentliche Bedingung der Güte und Dauer einer Verfassung. Gleich verderblich ist die Anhäufung großer Massen in den Händen Weniger, wie in England, dem Kirchenstaat, Spanien, und die Zersplitterung in Atome, wie in Frankreich, den Rheinlanden, dem Altwürttembergischen. Aus beiden entsteht eine gefahrdrohende Masse von Proletariern.« Vor allem: »Unsere neueren Publizisten suchen die Vollkommenheit der Staatsverfassung in der gehörigen Organisation der Verfassung selbst, nicht in der Vervollkommnerung der Menschen, der Träger der Verfassung. Die mit dem Praktischen des konstitutionellen Lebens innig vertrauten Alten forderten unerläßlich zu seinem Bestehen Religiosität und Sittlichkeit. Der Charakter, das Wollen muß gebildet werden, nicht allein das Wissen.«

Man leite den Strom, dämme ihn aber nicht ab, kanalisiere ihn zwischen einer gemäßigten Konstitution und einer kräftigen Verwaltung. Letzteres besitzt Preußen, ersteres noch nicht, aber das scheint ihm nur eine Frage der Zeit zu sein. Eine reichsständische Verfassung wäre der Schlußstein des renovierten Staatsgebäudes, in dem sich der Wahlpreuße immer heimischer fühlt. Hierzulande gehöre die »bürokratische Monarchie« der Vergangenheit an, auch und nicht zuletzt durch das Wirken des Reformministers Stein. In diesem Preußen erfreue sich der Privatmann »einer großen Freiheit im Lesen, Sprechen, Handeln«. Es widerspricht der Korrespondenzpartner Hans Christoph von Gagern, ein Reichsfreiherr, der gegen Napoleon kämpfte und als Verfechter landständischer Verfassungen sein Amt als niederländischer Bundestagsgesandter verlor. Der Neupreuße läßt ihn abfahren: Auf alle Deutschen falle ein Abglanz von Roßbach und Leipzig, und »auch jetzt finde ich in der preußischen Verwaltung trotz großer Mißgriffe ein Fortschreiten in geistiger und militärischer Hinsicht«: Universitäten, Gymnasien, Festungen, eine schlagkräftige Armee. »Und dennoch bezahle ich in Preußen nur 15 Prozent, im Nassauischen 20 Prozent.«

Hinter den dicken Mauern Preußens, von seinem Cappenberger Observatorium aus verfolgt er die Kometenschwärme. Er hofft, daß sie als Zeichen der Einsicht und Umkehr verstanden werden, und er ahnt, daß sie ein unabwendbares Unheil ankündigen.

Ein mit Galle gefüllter Kelch ist ihm das Dasein. Die letzten Tropfen sind die bittersten. Die Lebenskraft versiegt. Beim Spazierengehen kommt er außer Atem, die Schwächeanfälle nehmen zu. »Ich bedarf einer Sorgfalt für meine Gesundheit, einer Schonung meiner Kräfte, an die ich durchaus nicht gewöhnt war. Jede Vernachlässigung wird mit Schwindel bestraft, der bisweilen bis zur Betäubung oder einem Mittelzustand zwischen Schlafen und Wachen geht.« Er trinkt Roisdorfer Wasser, läßt sich einen Kamin im Wohnzimmer einbauen, schafft sich »eine Bettdecke an, die mit Eiderdaunen ausgestopft ist und Wärme mit Leichtigkeit verbindet«. Engbrüstigkeit macht ihm zu schaffen, der Husten plagt, das Podagra zwickt, Fieber packt ihn immer öfter und schüttelt ihn immer länger. »Es geht stark zur Neige.«

Die »Bitterkeit des Alleinstehens« schmerzt. Die Frau ist tot, die Töchter sind aus dem Haus, die Freunde sterben weg, und die Feinde. Was nachgewachsen ist, bleibt fremd. »Das Vereinzeltstehen unter einem neuen Geschlecht, das man nicht versteht, das einen nicht begreift, ist eins der größten Leiden des Alters.« Die Jugend hört nicht mehr auf einen Alten, »da die Stellung, die er in der Vorzeit hatte, die eines Überlieferers der Vergangenheit, eines Ratgebers, verlorengegangen« sei. Nestor bleibt ungefragt; die Jungen stürzen sich der Zukunft entgegen.

»Ich sehe in eine sehr trübe Zukunft – der Elemente der Unruhe sind so viele.« Er steht an der Grenze eines neuen Zeitalters, das »aus der Emanzipation von Amerika, in dem Vorherrschen republikanischer Verfassungen und Grundsätze entsteht und sich entwickelt«. Damit wird er nichts mehr zu tun haben, ein schwacher Trost. Was hinter ihm liegt, findet er keiner eingehenden Betrachtung wert. Anfangs der zwanziger Jahre, als Mittsechziger, hat er eine knappe Autobiographie geschrieben, auf Ersuchen des Kronprinzen Ludwig von Bayern – ad usum delphini. Ein Memoirenwerk verfaßt er nicht. »Ich fragte ihn einst, ob er nicht Memoiren geschrieben habe, die doch ungemein viel Wichtiges enthalten könnten«, erzählt der Münsteraner Verleger und spätere Oberbürgermeister Johann Hermann Hüffer. »Ach wozu, erwiderte er, es würde daraus nur noch mehr hervorgehen, wie viel schlechte Kerls es gibt.« In seinem 1824 geschriebenen Nachtrag zur Autobiographie klagt Stein über »die betrogenen Hoffnungen von einem nahen bessern Zustand in Deutschland« und »mancherlei Mißverhältnisse in dem Innern meiner Familie« – Mißliches, Widerwärtiges, das ihn erschüttert und bedrückt, aber auch seinen Sinn vom Irdischen abgelenkt habe: »Von hier erwarte ich nichts mehr als fortschreitende Übung in Resignation, in Demut, in Hoffnung, im Glauben.«

Das Irdische entfärbt sich täglich mehr. Er ist lebenssatt, todmüde, reif fürs Grab. Er will »Befreiung von dem lästigen, unbequemen Körper«, wünscht »abberufen zu werden«, »daheim zu sein«, vereint »mit allen, so uns lieb und teuer waren, und mit allen Edlen und Frommen aller Zeiten«. Ciceros *De senectude* empfiehlt Arndt, die Sentenz: »O bildet euch doch nicht ein, meine teuersten Söhne, daß ich nach meinem Abscheiden von euch nirgends oder nichts mehr sein werde. Denn auch, als ich bei euch war, sahet ihr meinen Geist nicht, sondern vernahmet aus den Taten, die ich verrichtete, sein Dasein in diesem Leibe. Ihr müsset also an dieses Dasein glauben, wenn ihr ihn auch nimmer sehen werdet.« Stein erwidert, Arndt solle ihm mit seinen alten Heiden vom Leibe bleiben. »Ich habe an meinem Katechismus genug und, wenn ich mehr haben will, an meinem St. Johannes und St. Paulus!« Gagern, der in schwerer Krankheit zu Ciceros *De natura deorum* griff, wird abgekanzelt: »Konnte Ihnen denn der Schüler der griechischen Weltweisen, der römische Staatsmann denn mehr sagen von dem Land, das Ihnen entgegenwinkte, als der Gekreuzigte und Auferstandene, durch dessen Gnade allein wir gerecht werden?«

Auf ein christliches Sterben bereitet er sich vor. Jeden zweiten Sonntag fährt er zum evangelischen Gottesdienst nach Lünen. Luther, bedeutet er Arndt, habe den Weg zum Himmel etwas kürzer gemacht. Seine westfälischen Dienstleute schickt er jeden Sonntag in die mit seinem Geld in Cappenberg wiederhergestellte katholische Kirche. Mit dem katholischen Pfarrer Fey aus Bodendorf disputiert er über Gott und die Welt; der Kölner Erzbischof Graf Spiegel ist ihm so etwas wie ein politischer Beichtvater. Neben protestantischen liest er katholische Erbauungsschriftsteller, beispielsweise Johann Michael Sailer. Alte, aus wirklich religiösen Zeiten stammende Kirchenlieder schätzt er mehr als »langweilige, kalte Prediger, die ihr schales Machwerk oft mit einem widrigen Organ, lächerlichen Gebärden und großer Selbstverständlichkeit vortragen«. Schon gar nicht mag er die »rationalistischen Wasserpfaffen«: »Den Glauben vernünftelt man nicht herbei, sondern man erbittet ihn von Gott in tiefer Demut und mit gänzlicher Selbstverleugnung.« Dieses fällt ihm freilich schwer, aber nicht ganz so schwer mit Hilfe des Gottvertrauens: »Ein unbeugsamer Nakken, ein stürmisches unruhiges Gemüt, das findet nur einen Zaum und eine Befriedigung: in den Lehren der Offenbarung.«

Mit seinem Herrgott redet er wie ein Lehensmann mit dem Lehensherrn. Er fühlt sich als christlicher Ritter, der mit der weltlichen für die überweltliche Ordnung ficht – und gegen jene, die mit Attacken gegen die eine oder die andere beide gefährden. »Auszüge aus dem Schriftwechsel von Goethe und Schiller und ihre Äußerung über Religion haben meine Achtung für diese Heroen der deutschen Literatur nicht vermehrt.« Je mehr man »von der Unentbehrlichkeit der leitenden und stärkenden Kraft der Religion für das Menschengeschlecht überzeugt« sei, desto mehr wachse die Abscheu gegen jene, die sie zerstören wollten. »Das große, alles auflösende Übel ist Mangel an Liebe und Treue und wahrer Religiosität. Sie besteht nicht in äußeren Gebräuchen, sie besteht in der Heiligung des Herzens, in Befolgung christlicher Sitten, Lehre. Die befiehlt Gehorsam gegen die Obrigkeit.«

»Du bist ein Segen für alle, die das Gute wollen, ein Ableiter der Schlechten, die Dich scheuen, und ein Steuermann für die Deinigen, die Dich noch nicht entbehren können«, schreibt Schwester Marianne, die Äbtissin des adeligen Damenstiftes Wallenstein. Der überschwenglich Belobigte wehrt ab: Er habe genug Fehler, und »an ihrer Verbesserung zu arbeiten, habe ich nur zu häufig und zu lange vernachlässigt, und dieses hatte für mich und andere nachteilige und verderbliche Folgen«. Zu den Vorsätzen, welche die Reue nach sich zieht, gehört eine gewisse, doch beileibe nicht zu weit gehende Annäherung an Gottfried, der immer noch in Bremen unter dem Namen Salzer von den Almosen seines Bruders lebt. Ihn nicht sehen zu wollen, findet Gräfin Reden »etwas unnatürlich«. Der sanft Getadelte widerspricht: »Zweimalige verbrecherische und entehrende Handlungen zerrissen die Bande, so ihn an seine Familie knüpften, und forderten diese auf, das sittenrichterliche Amt gegen ihn auszuüben, das wirksamer ist zur Aufrechterhaltung von Sittlichkeit und Ordnung als das Strafamt des Richters.« Immerhin zieht er Erkundigungen über ihn ein. Der Pfarrer von St. Ansgar in Bremen berichtet, Salzer sei völlig erblindet, wofür er selber »Venus und Bacchus« als Ursache angebe; er verhalte sich jetzt ruhig, aber »für Religion und Christentum scheint er keinen Sinn zu haben«. Stein bittet den Pfarrer um entsprechende Seelsorge, hört von Fortschritten, quittiert die Besserung mit einem handschriftlichen Zuspruch und einer außerordentlichen Unterstützung von 20 Louisdor.

Der Patriarch, der an das Alte Testament erinnert, ist auch

im Sinne des Neuen Testamentes tätig, beispielsweise als Ehrenpräsident des Münsterschen Tochtervereins der Rheinisch-Westfälischen Gefängnisgesellschaft, die für »sittliche Besserung der Gefangenen durch Beseitigung nachteiliger und Vermehrung wohltätiger Einwirkung auf sie während der Haft und nach der Entlassung« eintritt. Er hat eine offene Hand für ehrsame und gottgefällige Arme in seinem Umkreis, hilft mit Getreide, Holz, Kleidung, Arznei, Speisung und Bargeld. Hat er ein gutes Geschäft gemacht, pflegt er zu sagen: »Nun wollen wir auch für die Armen sorgen; die Armen müssen auch was haben.«

»Meinen Sie, ich fürchte mich zu sterben? Keineswegs! Wenn man 72 Jahre alt ist, so ist es das Gescheiteste, man stirbt!« Das sagt er zu Bodelschwingh im Sommer 1830. Noch einmal weilt er in Nassau, geht am Mühlbach spazieren (»Das ist ein Bach, wie er sein muß« – ein Wasser, das nicht dahinplätschert, sondern sich nützlich macht), setzt sich auf die Bank vor seinem Gartenhaus, sinniert angesichts der Ruinen seiner Stammburg. Und visitiert die Familiengruft in Frücht.

Vor Winteranbruch bezieht er die renovierten Räume im Ostflügel des Cappenberger Schlosses. Viel Geld und Mühe hat er hineingesteckt, das Dach wasserdicht gemacht, für besseren Durchzug der Kamine gesorgt, neue Möbel angeschafft, einen Schreibtisch bestellt. Nun fühlt er sich vor dem Westwind sicher, genießt die geräumige, behagliche, gut geheizte Wohnung. Schnorr von Carolsfeld hat das in Auftrag gegebene Gemälde über den Tod Kaiser Friedrich Barbarossas im Kalykadnus begonnen; es soll 1832 oder 1833 fertig werden.

Das Frühjahr 1831 läßt sich gut an. »Blätter und Blüten brechen mit Macht hervor«, die Saat gedeiht, die Ernteaussichten sind gut. Im Rheingau erwarte man eine gesegnete Weinlese, schreibt er am 3. Juni an Therese. Noch in diesem Monat will er sie besuchen, die ersten Zähne ihres Sohnes Louis sehen, der im vorigen Oktober geboren wurde – den Enkel, der nicht seinen Namen trägt. Am 29. Juni will er bei ihnen in Pyrmont sein. »Also, auf ein nahes, frohes Wiedervereinigen!«

Am 17. Juni fährt er noch zum Kreistag nach Hamm hinüber. Am 20. Juni überrascht den Spaziergänger ein Gewitter; klatschnaß kommt er nach Hause. Am 21. Juni besuchen ihn Freiherr von Romberg und Landrat Hiltrop. Es wird ausgiebig zu Mittag gespeist und eingehend disputiert; bis 19 Uhr sitzen sie auf dem Balkon zusammen. Fräulein Schröder gefällt der Husten des Hausherrn nicht; sie bittet den Hausarzt, nach ihm zu sehen. Dr. Wiesmann stellt Fieber fest, verschreibt das Nötige. Am 23. Juni konstatiert er eine Besserung; der Patient will an diesem Abend nicht das Übliche vorgelesen haben, sondern eine Todesbetrachtung hören. Am 28. Juni erlaubt ihm der Arzt ein halbes Glas Portwein, weil er sich sehr schwach fühlt. Fräulein Schröder liest ihm die Zeitungen vor, eine gleich viermal.

Am 29. Juni, gegen 2 Uhr morgens, packt ihn wieder das Fieber; die Brust ist wie zugeschnürt. Er phantasiert, redet von den Polen. In der Frühe kommt der Arzt, sucht durch Aderlaß, Senf- und Blasenpflaster zu helfen. Stein verlangt nach dem Pastor Fluhme aus Lünen. Und befiehlt seine Beamten und Domestiken an das Bett. Der Reihe nach läßt er sie vortreten, Rentmeister, Oberförster, Inspektor, Revierförster, Haushofmeister, Rentei-Sekretär, Koch und die Gesellschafterin Fräulein Schröder. Sie berichtet: »Jedem einzelnen dankte er auf das rührendste für die treuen Dienste, die er mit der ihm so eigentümlichen Klarheit, mit den gewähltesten Ausdrücken, bis in die kleinsten Details geltend zu machen suchte, bat sie wegen seiner Heftigkeit um Verzeihung.« Dann empfing er das Abendmahl »und ermahnte auch den jungen Pfarrer, treu im wahren Glauben zu verharren, der Kirche ständen gefährliche Zeiten bevor«.

Er stirbt am 29. Juni 1831, um 17.45 Uhr, vier Monate vor seinem 74. Geburtstag, an einem Lungenschlag.

»Sollte die Vorsehung über mein Ende entschieden haben, so wünschte ich, es würde in Ansehung meiner Beerdigung folgendermaßen gehalten: 1) Mein Körper wird nach der Anweisung des Herrn Doktor Wiesmann einbalsamiert und gegen Fäulnis gesichert. 2) in einen eichernen Sarg gelegt, der mit einer metallenen Platte versehen. 3) durch meine Pferde nach Frücht gebracht und in mein Familienbegräbnis beigesetzt. 4) Auf die Platte wird Namen, Geburts- und Sterbetag eingegraben.« Dr. Wiesmann hat den ersten Punkt der hinterlassenen Anweisung zu erfüllen. »Nach der geschehenen Obduktion der Leiche – wobei Leiden der linken Lunge (wohl hauptsächlich seit langer Zeit durch die Verkrümmung des Rückgrates bedingt), zum Teil auch Verknöcherung in derselben, sowie ein fast in Fett verwandeltes Herz etc. gefunden, mit den übrigen Folgen des Schlagflusses – zu urteilen, hat der Verewigte bei seiner sonstigen Beschäftigung und guten Tafel, wobei überdies der Körper zu stark genährt, ein hohes Alter erreicht und stand bei der starken Beengtheit der Brust und unregelmäßigem und geschwindem Puls jeden Augenblick wohl in Gefahr, von einem Schlagflusse getroffen zu werden.«

Am 1. Juli ist die Leiche einbalsamiert, am 9. Juli beginnt die Überführung nach Nassau. Vor dem Eichensarg geht die Schuljugend, dahinter der königlich-preußische Oberpräsident Vincke, von Cappenberg bis Lünen. Von Kirchturm zu Kirchturm geben ihm die Glocken das Geleit, über Dortmund hinaus. Dann sind der Inspektor, der Haushofmeister, der Kammerdiener und der Kutscher mit ihrem toten Herrn allein. Der Leichenwagen rollt durch Köln, durch Bonn; hier geht Arndt ein halbes Stündchen auf der Straße nach Godesberg hinter ihm her. Am 13. Juli ist die sterbliche Hülle in Nassau. Sie wird im neugotischen Turm aufgebahrt.

Zur Beisetzung am 23. Juli sind die Töchter gekommen, die nicht am Sterbebette weilen konnten. Henriette Gräfin von Giech, die Nassau, Schweighausen und Frücht bekommt, und Therese Gräfin von Kielmannsegg, der Cappenberg und Scheda zufallen. Der Leichenkondukt braucht drei Stunden von Nassau nach Frücht. Der Herzog von Nassau hat das Geläute aller Glocken gestattet und seine Beamten angewiesen, dem Widersacher die letzte Ehre zu erweisen. In die Familiengruft folgen dem Sarg die Töchter und die Schwiegersöhne. Sie setzen dem Vater die Grabschrift:

»Heinrich Friedrich Karl Reichsfreiherr vom und zum Stein,
geboren den 27. Oktober 1757,
gestorben den 29. Juni 1831,
ruhet hier;
der Letzte seines über sieben Jahrhunderte
an der Lahn blühenden Rittergeschlechtes;

demütig vor Gott, hochherzig gegen Menschen,
der Lüge und des Unrechts Feind,
hochbegabt in Pflicht und Treue,
unerschütterlich in Acht und Bann,
des gebeugten Vaterlandes ungebeugter Sohn,
im Kampf und Sieg Deutschlands Mitbefreier.
Ich habe Lust abzuscheiden
und bei Christo zu sein.«

SEINE Marmorbüste stellten die Westfalen in den Friedenssaal zu Münster. Und setzten ihm das erste Denkmal, den Stein-Turm auf dem Kaisberg bei Herdecke. Ihre Gefühle hatte Oberpräsident von Vincke im Amtsblatt der Königlichen Regierung ausgedrückt: »Die Provinz Westfalen betrauert in Ihm den unersetzlichen Verlust ihres würdigsten Bewohners, aus dessen früherer zwanzigjährigen amtlichen Wirksamkeit noch viele Anlagen segensreich fortwirken, der später aus dem tatenreichsten öffentlichen Leben in diese Provinz durch Liebe und Achtung für ihre Einwohner zurückgezogen, nicht aufhörte, für alle guten Zwecke gemeinnützig fortzuleben.«

Eine Stein-Büste wurde in der Walhalla bei Regensburg aufgestellt, von dem »was Deutschland dem Freiherrn vom Stein verdankt, ewig eingedenk seienden« Ludwig I. von Bayern. Ein »Pantheon der großen Deutschen« zu errichten, hatte der Kronprinz während Deutschlands Erniedrigung, in der napoleonischen Zeit gelobt. Der König baute eine germanische Heldenhalle in Gestalt des griechischen Parthenons auf den Felsen bei Donaustauf: dorische Säulen, Hermann der Cherusker, eine kolossale Germania. Zur Grundsteinlegung des nationalen Mahnmals hatte er erklärt: »Mögen so wie diese Steine sich zusammenfügen, alle Deutschen kräftig zusammenhalten!«

Literarisch erhob ihn Arndt zur Ehre der patriotischen Altäre, durch das 1858 zum ersten Mal erschienene Buch *Meine Wanderungen und Wandlungen mit dem Reichsfreiherrn vom Stein.* Romantisch verklärt und historisch verzeichnet wird sein Bild durch den 88jährigen Barden: »Stein ist unser zweiter Arminius gewesen, von Gott geschaffen, der Beweger, Lenker und Begeisterer großer Taten und Siege zu werden. Sein Gedächtnis wird unsterblich leben. Er war Deutschlands politischer Martin Luther. Er war dies auch seiner ganzen Natürlichkeit nach, an Leib und Geist, auch mit denselben Tugenden und Fehlern. So wenig Luther in seinen Tagen sein großes deutsches Werk der Kirchenbesserung und durch diese die hohe Kräftigung und Einigung seines Volks nicht vollbringen gekonnt hat, so wenig ist auch Steins großer Gedanke der Einheit, Macht und Majestät des edelsten, größten Volks der neuen Geschichte nicht vollbracht worden. Aber Stein und sein erhabener Gedanke soll leben und wird leben in den Enkeln und Urenkeln, und sie werden seine Gedanken festhalten, sie werden vollbringen und einigen und zusammenbinden, was als ein stolzer, politischer Traum vor dem Geiste des treuesten, tapfersten, unüberwindlichsten deutschen Ritters gestanden hat. Amen! Amen!«

Für ein Stein-Denkmal war der Reinertrag einer 1860 erschienenen Stein-Biographie bestimmt. Es war eine populäre – stark gekürzte, vereinfachte, um Volksaufklärung bemühte – Nacherzählung des zwischen 1849 und 1855 veröffentlichten sechsbändigen Werkes *Das Leben des Ministers Freiherrn vom Stein* von Georg Heinrich Pertz, veranstaltet von Wilhelm Baur, evangelischem Pfarrer zu Ettingshausen bei Lich, mit der Nutzanwendung: »Durch das deutsche Volk geht ein mächtiges Gefühl der Einheit. Aber es fehlt noch viel, daß dieses Gefühl zur nationalen Tat ausschlagen könnte. Stein tritt vor uns hin als ein strenger und gewaltiger Bußprediger. Er verdient, daß er von allen Deutschen gehört werde.« 1849 war der Versuch der Nationalversammlung gescheitert, Deutschland eine moderne Verfassung zu geben. Als Konzeptionshilfe hatte Pertz 1848 *Denkschriften des Ministers Freiherrn vom Stein über deutsche Verfassungen* vorgelegt. Viele beriefen sich auf ihn: Nationale, Liberale, sogar Demokraten wie Dr. Adalbert Cohnfeldt in einem Flugblatt in Berliner Mundart: »Des war'n Deibelskerl . . . Der dachte: der poplije Adel kann uns nischt helfen, das Volk muß den Staat retten!«

In Berlin erhielt dieser Stein erst 1875 ein Bronzestandbild, auf dem etwas abgelegenen Dönhoffplatz. Nicht »Unter den Linden«, der Via triumphalis Preußens, wo seit 1822 Scharnhorst und Bülow, seit 1826 Blücher und seit 1855 Yorck und Gneisenau standen. In der altpreußischen Gesellschaft war für den Zivilisten kein Platz, den der Friderizianer Ludwig von der Marwitz als »Jakobiner« gebrandmarkt hatte. Durch seine Reformen sei Preußen »kommunistisch revolutioniert« worden, behauptete Leopold von Gerlach, Generaladjutant Friedrich Wilhelms IV. Indes fragte Otto von Bismarck 1884 im Deutschen Reichstag bei der Debatte um das Unfallversicherungsgesetz: »War nicht zum Beispiel auch die Stein-Hardenbergsche Gesetzgebung gloriosen Angedenkens, an deren staatsrechtlicher Berechtigung, an deren Zweckmäßigkeit heutzutage niemand mehr zweifeln wird, staatssozialistisch? Gibt es einen stärkeren Staatssozialismus, als wenn das Gesetz erklärt, ich nehme dem Grundbesitzer einen bestimmten Teil des Grundbesitzes weg und gebe denselben an den Pächter, den er bisher darauf gehabt hat?«

1872 – ein Jahr nach Gründung des Deutschen Reiches – wurde das Stein-Denkmal auf dem Nassauer Burgberg eingeweiht. Kaiserin Augusta, die Weimarerin, kam mit der Bahn von Babelsberg angereist. Kaiser Wilhelm I. unterbrach seine Kur im nahen Ems, erwies dem unter einen neugotischen Baldachin gestellten Reichsfreiherrn seine Reverenz: »Er war es, der den ersten Funken des deutschen Einheitsgefühls zündete, den die Zeit erst zu einer mächtigen Flamme werden ließ.« Der nationalliberale Historiker Heinrich von Sybel feierte ihn als Vorläufer Bismarcks, der ein durch Preußen festgeeintes Deutschland angestrebt habe. Als aufgeklärten Westeuropäer, Rezeptor der Ideen von 1789 schilderte ihn der liberale Historiker Max Lehmann in der dreibändigen Biographie *Freiherr vom Stein* (1902-05). Der Genossenschaftsrechtler Otto von Gierke widersprach: »Was er schuf, war deutsches Urbild«; aus der »Tiefe des deutschen Staats- und Rechtsbewußtseins« habe er seine legislatorischen Gedanken geschöpft, seinen schönsten Traum geholt: »die Wiedergeburt des alten Reiches« – ein Genosse der deutschen Romantik.

1931 – zum 100. Todestag – setzte ihm die Weimarer Republik ein wissenschaftliches Monument. »Im Auftrag der Reichsregierung, der Preußischen Staatsregierung und des deutschen und preußischen Städtetages« erschien am Verfassungstag –

»als dem Tage des Gedenkens, der Sammlung und Bejahung dessen, wofür Stein gelebt und gekämpft hat: Deutschland und die Deutschen zur Nation zu machen« – der erste Band *Freiherr vom Stein. Briefwechsel, Denkschriften und Aufzeichnungen* (bearbeitet von Erich Botzenhart). Gerhard Ritter veröffentlichte *Stein. Eine politische Biographie*, mit dem Finale: »Die Aufgabe nationaler Politik ist eine andere in Zeiten glückhaften Aufstiegs, als in Epochen der Ohnmacht und Demütigung. Nationale Gesinnung ist gewiß noch keine nationale Politik. Aber die Gesinnung, den nationalen Geltungswillen wachzuhalten allen Gewalten des Schicksals zum Trotz, ist dennoch eine politische Aufgabe ersten Ranges. Im Sinne dieser Aufgabe ist der Freiherr vom Stein auch heute noch eine Führergestalt deutscher Geschichte.« Als 1937 der letzte der sieben Bände des Botzenhartschen Quellenwerkes herauskam, näherte sich die nationalsozialistische Führergestalt dem Scheitelpunkt, wurde der Freiherr vom Stein als Johannes Hitlers, als völkischer Vorläufer des »Dritten Reiches« hingestellt.

1945 wurde das Nassauer Stein-Denkmal bei einem Fliegerangriff zerstört. 1953 wurde es zeitgemäß erneuert. 1957 – zum 200. Geburtstag – erschien der erste Band des bis 1972 auf neun Bände gediehenen, »im Auftrag der Freiherr-vom-Stein-Gesellschaft mit Förderung des Bundes und der Länder« von Walther Hubatsch neu herausgegebenen Quellenwerkes *Freiherr vom Stein. Briefe und amtliche Schriften.* Im Geleitwort schrieb für die Stein-Gesellschaft Oberbergrat a. D. Keyser: »In der Verwirrung, die im letzten Vierteljahrhundert über unser Land kam, ist aber in Schmerz und Leid durch das Erlebnis der Unfreiheit ein tieferes und kräftigeres Verhältnis zur Freiheit, durch den Anblick der Ungerechtigkeit ein erneuertes und starkes Gefühl für das Recht und die Notwendigkeit der Herrschaft sittlicher Gebote auch im öffentlichen Leben erwachsen. Alle Deutschen sind aufgerufen, sich der von Stein hinterlassenen geistigen Erbschaft würdig zu erweisen.«

Ein unerschöpflicher Steinbruch ist diese Figur. Jede Zeit und jede Partei hat das entnommen, was zum Bau des eigenen Gehäuses dienlich schien. Was als Stützpfeiler gedacht war, erwies sich oft als statische Fehlberechnung. Namentlich die Vorstellung, in der Politik sei Gesinnung wertvoller als Können, das Rechte zu wollen wichtiger als das Richtige zu tun, nach dem Höchsten zu streben verdienstvoller als das Erreichbare zu gewinnen, das Scheitern nach großem Anlauf besser als ein Sichdurchsetzen mit kurzem Atem.

So begannen Deutsche in der Nachfolge Steins einen Politiker zu schätzen: als Inkarnation des nationalen Gewissens, als Wortgewaltigen, der das Formulieren eines Problems bereits für dessen Lösung hält, als Lichtgestalt, die über den Wassern wandelt. Ein Staatsmann des deutschen Idealismus schwebt ihnen vor, ein innerer Widerpruch.

Dokumente und Literatur

DAS GRUNDLEGENDE QUELLENWERK

Stein, Freiherr vom: Briefe und amtliche Schriften. Neu herausgegeben von Walther Hubatsch. Stuttgart 1957 ff., bisher (1972) 9 Bände. – Alte Ausgabe: *Stein, Freiherr vom: Briefwechsel, Denkschriften und Aufzeichnungen.* Bearbeitet von Erich Botzenhart. Berlin 1931–1937, 7 Bände.

BIOGRAPHIEN

Pertz, Georg Heinrich: *Das Leben des Ministers Freiherrn vom Stein.* 6 Bde., Berlin 1849–1855.
Seeley, John Robert: *Life and times of Stein.* 3 Bde., Cambridge 1878. Dt. 3 Bde., Gotha 1883–1887.
Lehmann, Max: *Freiherr vom Stein.* 3 Bde., Leipzig 1902–1905.
Ritter, Gerhard: *Stein. Eine politische Biographie.* 2 Bde., Stuttgart 1931. Neugestaltete Auflage in einem Band, Stuttgart 1958.

Schnabel, Franz: *Freiherr vom Stein.* Leipzig 1931. – Huch, Ricarda: *Stein. Der Erwecker des Reichsgedankens.* Berlin 1932. – Grunwald, Constantin de: *Stein. L' ennemi de Napoléon.* Paris 1936. – Görlitz, Walter: *Stein. Staatsmann und Reformator.* Frankfurt 1949. – Botzenhart, Erich: *Freiherr vom Stein.* Münster 1952. – Rößler, Hellmuth: *Reichsfreiherr vom Stein. (Persönlichkeit und Geschichte, Bd. 2).* Göttingen 1957. – Raumer, Kurt von: *Freiherr vom Stein. Reden und Aufsätze.* Münster 1961.
Raumer, Kurt von: *Die Autobiographie des Freiherrn vom Stein.* Münster 1960.

MONOGRAPHIEN

Botzenhart, Erich: *Die Staats- und Reformideen des Freiherrn vom Stein. Ihre geistigen Grundlagen und ihre politischen Vorbilder.* Tübingen 1927. – Thiede, Klaus: *Die Staats- und Wirtschaftsauffassung des Freiherrn vom Stein.* Jena 1927. – Botzenhart, Erich: *Adelsideal und Adelsreform beim Freiherrn vom Stein. (Stand und Land in Westfalen,* Heft 5). Bocholt 1929. – Noack, Ulrich: *Christentum und Volksstaat in der politischen Ethik des Freiherrn vom Stein.* In: *Historische Zeitschrift* 147, 1932, S. 40 ff. – Hafter, Herbert: *Der Freiherr vom Stein in seinem Verhältnis zu Religion und Kirche. (Abhandlungen zur mittleren und neueren Geschichte,* Heft 71). Berlin 1932. – Große-Eggebrecht, Marta: *Der Ständegedanke beim Freiherrn vom Stein.* Diss. Münster, Bochum 1935. – Döring, Wolfgang: *Die Entwicklung der wehrpolitischen Ideen des Freiherrn vom Stein.* In: *Die Welt als Geschichte* 6, 1940, S. 15 ff. – Mommsen, Wilhelm: *Stein – Ranke – Bismarck. Ein Beitrag zur politischen und sozialen Bewegung des 19. Jahrhunderts.* München 1954. – Hartlieb von Wallthor, Alfred: *Der Freiherr vom Stein und die Selbstverwaltung. (Westfälische Forschungen,* Bd. 15). Münster 1962. – Mikat, Paul: *Politische Theorie, pragmatisches Denken und historischer Sinn in den Reformideen des Freiherrn vom Stein.* In: *Festschrift für Eric Voegelin, München* 1962, S. 395 ff. – Scholz, Hans-Jürgen: *Die kulturellen Anschauungen des Freiherrn vom Stein.* Diss. Marburg 1962. – Isenburg, Wilhelm: *Das Staatsdenken des Freiherrn vom Stein. (Schriften zur Rechtslehre und Politik,* Bd. 58). Bonn 1968. – Schwab, Dieter: *Die ›Selbstverwaltungsidee‹ des Freiherrn vom Stein und ihre geistigen Grundlagen. (Gießener Beiträge zur Rechtswissenschaft,* Bd. 3). Frankfurt 1971.

Simon, Walter M.: *The failure of the Prussian reform-movement 1807–1819.* Ithaka/New York 1955. – Ibbeken, Rudolf: *Preußen 1807–1813. Staat und Volk als Idee und in Wirklichkeit. Darstellung und Dokumentation.* (Veröffentlichungen aus den Archiven Preußischer Kulturbesitz, Bd. 5). Köln 1970. – Raumer, Kurt von: *Preußen und die Stein-Hardenbergschen Reformen.* In: *Handbuch der Deutschen Geschichte,* hrsg. von Leo Just, Bd. 3, Abschn. 1, Teil 4. Frankfurt 1971, S. 351 ff.

ALLGEMEINE LITERATUR

Häusser, Ludwig: *Deutsche Geschichte vom Tode Friedrichs des Großen bis zur Gründung des Deutschen Bundes.* 4 Bde., Berlin 3/1861–1863. – Treitschke, Heinrich von: *Deutsche Geschichte im 19. Jahrhundert.* 5 Bde., Auflage Leipzig 1928. – Wahl, Adalbert: *Geschichte des europäischen Staatensystems im Zeitalter der Französischen Revolution.* Leipzig 1912, Nachdruck 1967. – Schnabel, Franz: *Deutsche Geschichte im 19. Jahrhundert.* 4 Bde., Freiburg Auflage

1947–1951. – Andreas, Willy: *Das Zeitalter Napoleons und die Erhebung der Völker.* Heidelberg 1955.

Huber, Ernst Rudolf: *Deutsche Verfassungsgeschichte seit 1789.* Band 1: *Reform und Restauration 1789–1830.* Stuttgart 1957. – Huber, Ernst Rudolf (Hrsg.): *Dokumente zur deutschen Verfassungsgeschichte.* Bd. 1: *1803–1850.* Stuttgart 1961. – Heffter, Heinrich: *Die deutsche Selbstverwaltung im 19. Jahrhundert. Geschichte der Ideen und Institutionen.* Stuttgart 1950. – Koselleck, Reinhart: *Preußen zwischen Reform und Revolution. Allgemeines Landrecht, Verwaltung und soziale Bewegung von 1791 bis 1848. (Industrielle Welt,* Bd. 7). Stuttgart 1967. – Knemeyer, Franz-Ludwig: *Regierungs- und Verwaltungsreformen in Deutschland zu Beginn des 19. Jahrhunderts.* Köln 1970.

Meinecke, Friedrich: *Das Zeitalter der deutschen Erhebung (1795–1815).* Zuerst 1906, 6. Aufl. Göttingen 1957. – Meinecke, Friedrich: *Weltbürgertum und Nationalstaat.* Zuerst 1908; *Werke* Bd. 5, München 1962. – Valjavec, Fritz: *Die Entstehung der politischen Strömungen in Deutschland 1770–1815.* München 1951. – Herre, Franz: *Nation ohne Staat. Die Entstehung der deutschen Frage.* Köln 1967.

ZUM KAPITEL »ZWISCHEN KAISER UND KÖNIG«

Bach, Adolf: *Das Elternhaus des Freiherrn vom Stein.* 3. Aufl. Nassau 1966. – Schaefer, Albert: *Henriette Caroline Freifrau vom Stein. 1721–1783.* In: *Nassauische Lebensbilder,* Bd. 6, Wiesbaden 1961. – Hartlieb von Wallthor, Alfred: *Fragen um die Mutter des Freiherrn vom Stein.* In: *Nassauische Annnalen* 77, 1966. – Ritter, Gerhard: *Vom jungen Stein.* In: *Historische Zeitschrift* 148, 1933, S. 71 ff. – Raumer, Kurt von: *Der junge Stein.* In: *Historische Zeitschrift* 184, 1957, S. 497 ff. – Selle, Götz von: *Stein und Hardenberg als Göttinger Studenten.* In: *Göttinger Nebenstunden* 5, 1927, S. 45 ff. – Weniger, Erich: *Rehberg und Stein.* In: *Niedersächsisches Jahrbuch,* Bd. 2, Hildesheim 1925. – Srbik, Heinrich von: *Die bergmännischen Anfänge des Freiherrn vom Stein 1779 und ihr Nachklang 1811/1812.* In: *Historische Zeitschrift* 146, 1932, S. 476 ff. – Wutke, Konrad: *Aus der Vergangenheit des Schlesischen Berg- und Hüttenlebens.* (Festschrift zum XII. Allg. Deutschen Bergmannstage). Breslau 1913 (Reden und Stein).

Selle, Götz von: *Die Georg-August-Universität zu Göttingen. 1737–1937.* Göttingen 1937. – Vehse, Eduard: *Geschichte des Preußischen Hofes, des Adels und der Diplomatie.* Teil 1–6. Zuerst Hamburg 1851.

Auszug u. d. Titel »Berliner Hof-Geschichten«, Düsseldorf 1970. – Schoeps, Hans-Joachim: *Preußen. Geschichte eines Staates.* Berlin 1966. – Dietrich, Richard: *Kleine Geschichte Preußens.* Berlin 1966. – Engel, Gustav: *Politische Geschichte Westfalens.* Köln 2/1968.

ZUM KAPITEL »SIGNALE AUS DEM WESTEN«

Ritter, Gerhard: *Ein überraschender Quellenfund zur Englandreise des Freiherrn vom Stein 1787.* In: *Gött. Gel. Anzeigen* 200, 1938, S. 329 ff. – Saggau, W.: *Der Freiherr vom Stein und die englische Selbstverwaltung.* Diss. Kiel 1949. – Ritter, Gerhard: *Der Freiherr vom Stein und die politischen Reformprogramme des Ancien régime in Frankreich.* In: *Historische Zeitschrift* 137, 1928, S. 442 ff.; 138, 1928, S. 24 ff. – Botzenhart, Erich: *Stein und Westfalen.* In: *Westfalen 15*, Dortmund 1930. – Zuhorn, Karl: *Der Freiherr vom Stein als Freund der westfälischen Geschichte.* In: *Westfälische Zeitschrift* 107, Münster 1957, S. XIII ff.

Naujoks, Eberhard: *Die Französische Revolution und Europa. 1789–1799.* Stuttgart 1969. – Gooch, George Peabody: *Germany and the French Revolution.* 1920, Neudruck 1966. – Droz, Jacques: *Deutschland und die FranzösischeR evolution.* Wiesbaden 1955. – Wahl, Adalbert: *Über die Nachwirkungen der Französischen Revolution vornehmlich in Deutschland.* Stuttgart 1939. – Hartlieb von Wallthor, Alfred: *Die landschaftliche Selbstverwaltung Westfalens in ihrer Entwicklung seit dem 18. Jh.*, Münster 1965. – Bodelschwingh, E. von: *Leben des Ober-Präsidenten Freiherrn von Vincke.* 1. (einziger) Teil: *1774–1816.* Berlin 1853.

ZUM KAPITEL »EIN REGIME BRICHT ZUSAMMEN«

Krauel, R.: *Stein während des preußisch-englischen Konflikts im Jahre 1806.* In: *Preuß. Jbb.* 137, 1909, S. 429 ff. – Siegrist, Georg: *Stein als Staatsmann und sein Gegensatz zu Hardenberg und Metternich.* Diss. Basel 1940. – Hausherr, Hans: *Stein und Hardenberg.* In: *Historische Zeitschrift* 190, 1960, S. 267 ff.

Hausherr, Hans: *Hardenberg. Eine politische Biographie.* 1. Teil: *1750–1800.* Köln 1963. – Hausherr, Hans: *Die Stunde Hardenbergs.* Hamburg 1943. 2. Auflage unter dem Titel: *Hardenberg. Eine politische Biographie.* 3. Teil: *Die Stunde Hardenbergs.* Köln 1965. – Thielen, Peter Gerrit: *Karl August von Hardenberg. 1750–1822.* Köln 1967.

Die Reorganisation des Preußischen Staates unter Stein und Hardenberg. I. Teil: Allgemeine Verwaltungs- und Behördenreform. Hrsg. von Georg Winter. Bd. 1: *Vom Beginn des Kampfes gegen die Kabinettsregierung bis zum Wiedereintritt des Ministers vom Stein.* (Publ. aus den Preuß. Staatsarchiven, Bd. 93). Leipzig 1931.

Fournier, August: *Napoleon I.*, 3 Bde., Wien 2/1904–1906. – Sieburg, Heinz-Otto (Hrsg.): *Napoleon und Europa.* (Neue Wissenschaftliche Bibliothek). Köln 1971. – Freund, Michael: *Napoleon und die Deutschen.* München 1969. – Stählin, Friedrich: *Napoleons Glanz und Fall im deutschen Urteil.* Braunschweig 1952. – Lettow-Vorbeck, Oscar von: *Der Krieg von 1806 und 1807.* 4 Bde., Berlin 1891–1896. – Schreckenbach, Paul: *Der Zusammenbruch Preußens im Jahre 1806.* Jena 1906. – Kleßmann, Eckart (Hrsg.): *Deutschland unter Napoleon in Augenzeugenberichten.* Düsseldorf 1965.

ZUM KAPITEL »DAS JAHR DER REFORMEN«

Botzenhart, Erich: *Die Bibliothek des Freiherrn vom Stein.* In: *Vierteljahrshefte für Sozial- und Wirtschaftsgeschichte* 22, Breslau 1929, S. 331 ff. – Flad, Ruth: *Der Begriff der öffentlichen Meinung bei Stein, Arndt und Humboldt.* Berlin 1929. – Anrich, E.: *War Stein Romantiker?* In: *Historische Zeitschrift* 153, 1936, S. 290 ff. – Wagner, Wilhelm: *Die preußischen Reformer und die zeitgenössische Philosophie.* Köln 1956. – Hubatsch, Walther: *Der Freiherr vom Stein und Kant.* In: *Jahrbuch der Albertus-Universität zu Königsberg XI.*, Würzburg 1961. – Hubatsch, Walther: *Stein und die ostpreußischen Liberalen.* In: *Osteuropa und der deutsche Osten* Reihe I 4, Köln 1958. – Singer, Heinz: *Die Mitarbeiter des Freiherrn vom Stein bei seinen Reformideen.* Diss. Heidelberg 1954. – *Aus den Papieren des Ministers und Burggrafen von Marienburg Theodor von Schön.* 7 Bde., Halle 1875–1883. – Raumer, Kurt von: *Schroetter und Stein.* In: *Altpreußische Forschungen* XVIII, 1941, S. 117 ff. – Winkler, Theodor: *Johann Gottfried Frey und die Entstehung der preußischen Selbstverwaltung.* Stuttgart 1936, Neuauflage Stuttgart 1957.

Scheel, Heinrich und Schmidt, Doris: *Das Reformministerium Stein. Akten zur Verfassungs- und Verwaltungsgeschichte aus den Jahren 1807/08.* (Deutsche Akademie der Wissenschaften zu Berlin, Schriften des Instituts für Geschichte, Reihe I Band 31 A–C). 3 Bde., Berlin 1966–1968. – *Die Reorganisation des preußischen Staates unter Stein und Hardenberg.* II. Teil: *Das preußische Heer vom Tilsiter Frie-*

den bis zur Befreiung 1807–1814. Bd. 1 (1807–1808). Hrsg. von Rudolf Vaupel. (Publikationen aus den Preußischen Staatsarchiven, Bd. 94). Leipzig 1938. – Meier, Ernst von: *Die Reform der Verwaltungsorganisation unter Stein und Hardenberg.* 2. Auflage, hrsg. von F. Thimme. München 1912. – Stern, Alfred: *Abhandlungen und Aktenstücke zur Geschichte der preußischen Reformzeit 1807–1815.* Leipzig 1885. – Hassel, Paul: *Geschichte der preußischen Politik 1807–1815.* 1. (einziger) Teil: *1807–1808.* (Publikationen aus den Preußischen Staatsarchiven Bd. 6). Leipzig 1881.

Knapp, Georg Friedrich: *Die Bauernbefreiung und der Ursprung der Landarbeiter in den älteren Teilen Preußens.* 2 Bde., Leipzig 1887. – Ipsen, Gunther: *Die preußische Bauernbefreiung als Landesausbau.* In: *Zeitschrift für Agrargeschichte und Agrarsoziologie* 2, 1954, S. 29 ff. – *Quellen zur Geschichte der deutschen Bauernbefreiung,* hrsg. von Werner Conze. *(Quellensammlung zur Kulturgeschichte,* Bd. 12). Göttingen 1957. – Gierke, Otto von: *Die Steinsche Städteordnung.* Berlin 1909. Neuausgabe Darmstadt 1957. – Preuss, Hugo: *Entwicklungsgeschichte der deutschen Städteverfassungen.* Leipzig 1906.

Lehmann, Max: *Scharnhorst.* 2 Bde., Leipzig 1886–1887. – Höhn, Reinhard: *Scharnhorsts Vermächtnis.* 2. Auflage Frankfurt 1972. – Delbrück, Hans: *Das Leben des Feldmarschalls Grafen Neithardt von Gneisenau.* 2 Bde., Berlin 1882, 4. Auflage Berlin 1920. – Droysen, Johann Gustav: *Das Leben des Feldmarschalls Grafen York von Wartenburg.* 3 Bde., Berlin 1851, 10. Auflage in 2 Bden., Leipzig 1897. – *Friedrich August Ludwig von der Marwitz. Ein märkischer Edelmann im Zeitalter der Befreiungskriege.* Hrsg. von Friedrich Meusel. 2 Bde., Berlin 1913. – Eckert, Georg: *Von Valmy bis Leipzig. Quellen und Dokumente zur Geschichte der preußischen Heeresreform.* Hannover 1955.

ZUM KAPITEL »DER STURZ«

Haussherr, Hans: *Erfüllung und Befreiung. Der Kampf um die Durchführung des Tilsiter Friedens 1807/1808.* Hamburg 1935. – Lesage, Charles: *Napoléon I, créancier de la Prusse 1807–1814.* Paris 1924. – Butterfield, Herbert: *The peace tactics of Napoleon 1806–1808.* Cambridge 1929. – Wohlfeil, Rainer: *Spanien und die deutsche Erhebung 1808–1814.* Wiesbaden 1965.

Raack, Richard C.: *The fall of Stein.* Cambridge/Mass. 1965. – Backus, O. P.: *Stein and Russias Prussian policy from Tilsit to Vienna.* Diss. Yale 1949. – Thimme, Friedrich: *Zu den Erhebungsplänen der preußischen Patrioten im Sommer 1808.* In: *Historische Zeitschrift* 86, 1901. – Hubatsch, Walther: *Der Freiherr vom Stein in Böhmen und Mähren 1809–1812.* In: *Spiegel der Geschichte, Festgabe für Max Braubach.* Münster 1964. – Fournier, August: *Stein und Gruner in Österreich* (*Historische Studien und Skizzen* III). 1912.

Rößler, Hellmuth: *Österreichs Kampf um Deutschlands Befreiung. Die deutsche Politik der nationalen Führer Österreichs 1805–1815.* 2 Bde., Hamburg 1940, 2. Auflage Hamburg 1947. – Bornhak, Conrad: *Preußen unter der Fremdherrschaft 1807–1813.* Leipzig 1925. – Kaehler, Siegfried August: *Wilhelm von Humboldt und der Staat.* Berlin 1927, 2. Auflage Göttingen 1963. – Kessel, Eberhard: *Wilhelm von Humboldt. Idee und Wirklichkeit.* Stuttgart 1967.

ZUM KAPITEL »ZWEIKAMPF MIT NAPOLEON«

Steffens, Wilhelm (Hrsg.): *Meine Wanderungen und Wandlungen mit dem Reichsfreiherrn Heinrich Karl Friedrich vom Stein. Von Ernst Moritz Arndt.* Münster 1957. – Haas, L.: *Arndt und Stein. Erlebnis und Darstellung.* Diss. Bonn 1948. – Raumer, Kurt von: *Arndt und das heutige Bild des Freiherrn vom Stein.* In: *Westfälische Forschungen,* Bd. 11. Münster 1958.

Waliszewski, Kasimir: *La Russie il y a cent ans. Le règne d'Alexandre Ier.* 3 Bde., Paris 1923–1925. – Vallotton, Henry: *Alexander I.,* Hamburg 1967. – Palmer, Alan: *Napoleon in Rußland.* Frankfurt 1969. – Kleßmann, Eckart (Hrsg.): *Napoleons Rußlandfeldzug in Augenzeugenberichten.* Düsseldorf 1964. – Kamnitzer, H.: *Stein und das »deutsche Comité« in Rußland 1812/1813.* In: *Zeitschrift für Geschichtswissenschaft* 1, 1953. – Quistorp, B. von: *Geschichte der Nordarmee 1813.* 3 Bde., 1894 (Darin die Geschichte der Russisch-Deutschen Legion).

Friederich, Rudolf: *Die Befreiungskriege 1813–1815.* 4 Bde., Berlin 1913. – Beitzke, Heinrich: *Geschichte der deutschen Freiheitskriege in den Jahren 1813 und 1814.* 3 Bde., Berlin 2/1859–1860. – Ritter, Gerhard: *Staatskunst und Kriegshandwerk. Das Problem des »Militarismus« in Deutschland.* Bd. 1: *Die altpreußische Tradition 1740–1890.* München 2/1959. – Scherr, Johannes: *Blücher. Seine Zeit und sein Leben.* 3 Bde., Leipzig 4/1887. – Klein, Tim (Hrsg.): *Die Befreiung. Urkunden, Berichte, Briefe.* Ebenhausen 1913. – Kleßmann, Eckart (Hrsg.): *Die Befreiungskriege in Augenzeugenberichten.* Düsseldorf 1966.

Oncken, Wilhelm: *Österreich und Preußen im Befreiungskriege. Urkundliche Aufschlüsse über die politische Geschichte des Jahres 1813.* 2 Bde., Berlin 1876–1879. – *Aus Metternichs nachgelassenen Papieren.* Hrsg. von Richard Fürst Metternich-Winneburg. 8 Bde., Wien 1880–1884. – Srbik, Heinrich von: *Metternich. Der Staatsmann und der Mensch.* 2 Bde., München 1925. Neudruck München 1957. Bd. 3: *Quellenveröffentlichungen und Literatur.* Hrsg. von T. von Borodajkewycz. München 1954.

Hubatsch, Walther: *Der Freiherr vom Stein und die deutsche Erhebung von 1813.* In: *Das Jahr 1813 und der Freiherr vom Stein.* Münster 1964. – Eichhorn J. A. F.: *Die Zentralverwaltung der Verbündeten unter dem Freiherrn vom Stein.* Frankfurt 1814. – Kielmannsegg, Peter Graf von: *Stein und die Zentralverwaltung 1813/1814.* Stuttgart 1964.

ZUM KAPITEL »DIE RESTAURATION«

Webster, Charles Kingsley: *The Congress of Vienna 1814–1815.* Zuerst London 1919; Nachdruck der 2. Auflage von 1934 London 1950. – Griewank, Karl: *Der Wiener Kongreß und die Neuordnung Europas 1814/1815.* Leipzig 1942; 2. völlig neu bearbeitete Auflage unter dem Titel: *Der Wiener Kongreß und die europäische Restauration 1814/1815.* Leipzig 1954. – Bourgoing, Jean de: *Vom Wiener Kongreß. Zeit- und Sittenbilder.* München 1943; 2/1965. – Spiel, Hilde (Hrsg.): *Der Wiener Kongreß in Augenzeugenberichten.* Düsseldorf 1965.

Schmidt, Wilhelm Adolf: *Geschichte der deutschen Verfassungsfrage während der Befreiungskriege und des Wiener Kongresses. Stuttgart* 1890. – Real, Willy: *Die deutsche Verfassungsfrage am Ausgang der napoleonischen Herrschaft bis zum Beginn des Wiener Kongresses.* Diss. Münster 1935. – Duncker, Albert: *Der Freiherr vom Stein und die deutsche Frage auf dem Wiener Kongreß.* Hanau 1873. – Drüner, Hans: *Der nationale und der universale Gedanke bei dem Freiherrn vom Stein.* In: *Historische Vierteljahrsschrift* 30, 1924/1925, 28 ff. – Meinecke, Friedrich: *Entgegnung auf Drüner.* In: *Historische Zeit-*

schrift 131, 1925, S. 177 ff. – Uhlig, H.: *Steins Reichspolitik 1812–1815*. Diss. Leipzig 1936. – Grundmann, S.: *Die Reichsverfassungspläne des Reichsfreiherrn vom Stein*. Diss. München 1941.

Sauer, W.: *Das Herzogtum Nassau in den Jahren 1813–1820*. Wiesbaden 1893. – Sarholz, H.: *Das Herzogtum Nassau 1813–1815*. In: *Nassauer Annalen* 57, 1937. – Klein, August: *Friedrich Graf zu Solms-Laubach. 1815–1822*. Köln 1936. – Gollwitzer, Heinz: *Die Standesherren. Die politische und gesellschaftliche Stellung der Mediatisierten 1815–1918*. Stuttgart 1957, 2/1964.

Raumer, Kurt von: *Der Freiherr vom Stein und Goethe*. In: *Historische Zeitschrift* 201, 1965, S. 13 ff. (auch als Heft 6 der Schriften der Freiherr-vom-Stein-Gesellschaft). – Hartlieb von Wallthor, Alfred: *Stein und Goethe. Funde und Notizen zu ihren Beziehungen und Begegnungen*. In: *Dauer und Wandel der Geschichte. (Neue Münstersche Beiträge zur Geschichtsforschung* Bd. 9). Münster 1966, S. 384 ff.

ZUM KAPITEL »IM NEUGOTISCHEN TURM«

Gembruch, Werner: *Freiherr vom Stein im Zeitalter der Restauration*. Wiesbaden 1960. – Domarus, Max: *Steins Verweigerung des nassauischen Untertaneneides und ihre Vorgeschichte*. In: *Nassauische Annalen* 52, 1931, S. 18 ff. – Hartlieb von Wallthor, Alfred: *Die Schweizer Reise des Freiherrn vom Stein*. Köln 1969. – Hartlieb von Wallthor, Alfred: *Der Freiherr vom Stein in Italien*. Köln 1971.
Bresslau, Harry: *Geschichte der Monumenta Germaniae Historica*. Hannover 1921. – Schulte, Wilhelm: *Volk und Staat. Westfalen im Vormärz und in der Revolution 1848/1849*. Münster 1954. – Roebers, Jakob: *Die Einrichtung der Provinzialstände in Westfalen und die Wahlen zum ersten Westfälischen Provinziallandtag. Münster* 1914. – Rößler, Hellmuth: *Zwischen Revolution und Reaktion. Ein Lebensbild des Reichsfreiherrn Hans Christoph von Gagern. 1766*–1852. Göttingen 1958. – Lipgens, Walter: *Ferdinand August Graf Spiegel und das Verhältnis von Kirche und Staat 1789–1835. (Veröffentlichungen d. Hist. Kommission Westfalens* XVIII, *Westf. Biogr. IV*). Münster 1965.
Schröder, August (Hrsg.): *Freiherr vom Stein und der westfälische Adel*. In: *Westfälisches Adelsblatt* 10, 1938/1939, S. 91 ff. – Lappe, Josef: *Der Freiherr vom Stein als Gutsherr auf Kappenberg*. Münster 1920. – Glasmeier, Heinrich: *Aufzeichnungen des Oberförsters Poock über das Privatleben des Staatsministers Frhr. vom Stein auf*

Kappenberg. In: *Westfälisches Adelsblatt* 8, 1931, S. 165 ff. – Lippe, Margarete: *Der Tod Barbarossas von Julius Schnorr von Carolsfeld auf Kappenberg.* In: *Zeitschrift Westfalen* 16, 1931, S. 130 ff.

Wiesmann, Johann Heinrich Franz: *Seiner Exzellenz des ehemaligen Kgl. Preußischen Staatsministers vom und zum Stein Lebensabend.* Münster 1831. – Hartlieb von Wallthor, Alfred: *Das Lebensende des Freiherrn vom Stein.* In: *Zeitschrift Westfalen* 35, 1957, S. 81 ff. – Müller, Ernst: *Steins Testament.* In: *Westfälisches Adelsblatt* 8, 1931, S. 140 ff. – Glasmeier, Heinrich: *Die Nachkommenschaft des Reichsfreiherrn vom und zum Stein.* In: *Westfälisches Adelsblatt* 8, 1931, S. 187 f. – Hildebrand, Arnold: *Die zeitgenössischen Bildnisse des Reichsfreiherrn vom und zum Stein.* In: *Westfälisches Adelsblatt* 8, 1931, S. 148 ff.

Personenregister

Chalmers Johnson

Revolutionstheorie

Aus dem Amerikanischen von Karl Römer

208 Seiten, Broschur, Leinen

David S. Landes

Der entfesselte Prometheus

Technologischer Wandel und industrielle Entwicklung Westeuropas von 1750 bis zur Gegenwart

Aus dem Englischen von Franz Becker

584 Seiten, Broschur, Leinen

George Lichtheim

Kurze Geschichte des Sozialismus

Aus dem Englischen von Lilli F. Flechtheim und Victoria Wocker in Zusammenarbeit mit dem Autor

244 Seiten, Broschur, Leinen

Gustav Mayer

Friedrich Engels Eine Biographie

Erster Band: Friedrich Engels in seiner Frühzeit

408 Seiten, Broschur

Zweiter Band: Engels und der Aufstieg der Arbeiterbewegung in Europa

596 Seiten, Broschur

Viele, zu allen Zeiten, haben ihn für sich beansprucht. Der Romantiker Ernst Moritz Arndt gar sah den Reichsfreiherrn Karl vom und zum Stein von hohenstaufischen Kaisererinnerungen umwittert. Sein Wort ›Ich kenne nur ein Vaterland, das heißt Deutschland‹ wurde immer wieder zitiert – im Bismarckreich, in der Weimarer Republik, im »Dritten Reich«. In Berlin hatte der preußische Reformminister erst nahezu ein halbes Jahrhundert nach seinem Tode ein bescheidenes Denkmal erhalten, doch bauten Liberale und Demokraten der Frankfurter Nationalversammlung von 1848/49 bereits auf ihn, und heute wird er in der Bundesrepublik als »Vater der Selbstverwaltung« geschätzt.

Einem Steinbruch gleicht dieser Mann, aus dem jede Zeit und jedes Lager das entnommen haben, was ihnen zur